C000147878

Zuelzer, Georg

Innere Medizin

Zuelzer, Georg

Innere Medizin

Inktank publishing, 2018

www.inktank-publishing.com

ISBN/EAN: 9783747791813

All rights reserved

This is a reprint of a historical out of copyright text that has been re-manufactured for better reading and printing by our unique software. Inktank publishing retains all rights of this specific copy which is marked with an invisible watermark.

THE PROPERTY OF
THE WELLCOME BUREAU
OF SCIENTIFIC RESEARCH.

LEITFÄDEN DER PRAKTISCHEN MEDIZIN

Herausgegeben von Professor Dr. PH. BOCKENHEIMER, Berlin

Band 7

Innere Medizin

II. Teil

Von Dr. Georg Zuelzer

Leipzig 1913
Verlag von Dr. Werner Klinkhardt

Inhaltsverzeichnis.

Krankheiten der Harnblase.

Krankheiten der Milz.

Erkrankungen der Schilddrüse.

Erkrankungen des Verdauungsapparates.

Erkrankungen der Mundhöhle.

Stomatitis catarrhalis.

Die einfache katarrhalische Mundentzündung kann durch eine Reihe von Schädlichkeiten hervorgerufen werden; einmal durch reizende Stoffe, welche durch die Nahrung zugeführt werden (prinzipiell gehören hierher auch die versehentlich zu Vergiftungszwecken in die Mundhöhle eingeführten ätzenden Substanzen), ferner durch mechanische Ursachen, (scharfer Zahn, Zahndurchbruch der Kinder, ein schlechtsitzendes Gebiß, Saugpfropfen u. dgl.), weiterhin durch den Einfluß von Chemikalien (giftige Gase oder Dämpfe von Quecksilber, Jod, Chlor usw., Zigarrenrauch, Fäulnisprodukte, die sich in hohlen Zähnen entwickeln. Endlich findet man eine Stomatitis bei Allgemeinerkrankungen (akute Infektionskrankheiten, Masern, Scharlach) und vor allem bei Magendarmaffektionen; im ersteren Falle sind auch meist die benachbarten Schleimhäute der Nase und des Rachens befallen. Bei marantischen Krankheiten ist die Mundentzündung weniger eine Begleiterscheinung als eine Folge derselben, weil bei den mehr minder apathischen Kranken die Mundpflege darniederliegt, oder weil das Offenbleiben des Mundes, eine Folge der allgemeinen Schwäche, leicht zur Entzündung der Mundschleimhaut durch äußere Schädlichkeiten führt.

Die anatomischen Veränderungen und die Symptome sind hier zum Teil gleichbedeutend, da die Mundhöhle in vivo der Betrachtung zugänglich ist. Die Mundschleimhaut erscheint gerötet und geschwollen, entweder in toto oder nur an einzelnen Teilen. Besonders die Zungen- und Wangenschleimhaut kann so stark geschwollen sein, daß die Abdrücke der Zähne deutlich zu sehen sind. Dabei treten die Schleimfollikel als kleine Hervorragungen heraus; die Schleimhaut sieht aus wie gekörnt. Es besteht ein opakweißlicher Belag, der durch die verstärkte Abschilferung der Epithelien zustande kommt; er läßt sich leicht abstreifen, wonach eine leicht blutende dunkelrote Oberfläche zutage tritt. Der Belag besteht neben den abgestoßenen Epithelien aus Mikroorganismen verschiedenster Art.

Die subjektiven Beschwerden äußern sich in einem Gefühl von Trockenheit, in pappigem Geschmack und sehr ausgesprochenem Brennen; dazu treten die Belästigungen durch den sich bald entwickelnden Speichelfluß. Schmerzen sind vor allem beim Kauen vorhanden, so daß die Nahrungsaufnahme, besonders bei Kindern leidet. — Die akute Form der Stomatitis heilt meist schnell ab, wenn die Ursachen beseitigt werden; es gibt auch eine chronische Form, welche Monate und Jahre lang bestehen bleibt; die Schleimhautschwellung macht hier allmählich einer Schleimhautatrophie Platz, deren unangenehmes Hauptsymptom die andauernde Mundtrockenheit ist. Letztere Form kann wohl gebessert, kaum je geheilt werden.

Die Therapie hat vor allem die Ursachen zu beseitigen, daher denn auch der Prophylaxe die Hauptrolle zukommt.

Die Mundpflege ist unter normalen Verhältnissen in den verschiedenen Lebensaltern eine verschiedene. Bei den Säuglingen, die eine überaus empfindliche und leicht verletzliche Mundschleimhaut haben, besteht dieselbe in vorsichtigem Auswaschen des Mundes mit einem in abgekochtes Wasser getauchten, sterilen Mulläppchen, etwa zweimal des Tages; neuestens wird von einzelnen Kinderärzten bei gesunden Kindern jedes mechanische Eingreifen verpönt. Sobald Zähne vorhanden sind, soll das Festsetzen von Speiseresten zwischen den Zähnen verhütet und dadurch der sekundären Stomatitis vorgebeugt werden. Regelmäßiges Mundspülen nach den Mahlzeiten, vor allem des Morgens und Abends, unter eventuellem Zusatz von leicht desodorierenden oder desinfizierenden Zahnwässern (cf. Rp 84) ist die Hauptsache. Daneben morgendliches und abendliches Bürsten der Zähne mit nicht zu harter Zahnbürste und einer der gebräuchlichen Zahnpasten oder feingepulverter Schlemmkreide. Verhütung von Zahnhöhlenbildung durch regelmäßige Kontrolle von seiten des Zahnarztes gehört ebenfalls zur Prophylaxe.

Hat sich eine Stomatitis entwickelt, so sind die ätiologischen Momente zu eruieren und nach Möglichkeit zu beseitigen. Häufigeres Mundspülen unter Zusatz leicht astringierender Mittel wie Tinctura Myrrhae, Tinctura Ratanhiae, essigsaurer Tonerde u. dgl. oder desinfizierender Mittel wie schwache (hellrosa) Kaliumpermanganatlösung oder Wasserstoffsuperoxyd. Bez. des häufig verordneten Kalium chloricum (1—3%) ist Vorsicht geboten (Blutgift). Bei sehr starkem Brennen kann durch einen Kühlspatel Linderung geschaffen werden, einem nach Art der Leiterschen Kühler konstruierten Glas- oder Metallrohr, das mit Leitungs- oder Eiswasser gespült wird.

84) Rp.   Thymol 2,0
         Ta Ratanh.
         Ta Myhrr.
         Ta Aurant. cort. āā 20,0
         Ol. menth. pip.
         Ol. anis vulg. gtt. XX
         Alkohol 150.

Stomatitis ulcerosa (Mundfäule, Stomakake).

Diese Erkrankung, welche eine intensivere, zur Geschwürsbildung
führende Schleimhautentzündung darstellt, entwickelt sich höchst selten
aus der einfachen (vernachlässigten) Stomatitis, sie tritt meist von vornherein in dieser schwereren Form auf. Sie ist entweder primär (idiopathisch), vorwiegend bei Kindern, oder ist die Folge einer Quecksilber-
vergiftung (Stomatitis mercurialis) oder die Begleiterscheinung des Skorbut
(Stomatitis skorbutica).

Die anatomischen Veränderungen ähneln sich durchaus: sehr
starke entzündliche Schwellung der Schleimhäute, die zur Nekrose und
Abstoßung der obersten Schleimhautschichten führt; dadurch bilden sich
mehr minder tiefgreifende, mit sich schnell zersetzendem und daher stinken-
dem Belag bedeckte Geschwüre an den Schleimhäuten der Mundhöhle,
besonders am Zahnfleisch, der Wangenschleimhaut oder an den Be-
rührungsflächen der Zähne, so daß man in schweren Fällen breite Ab-
klatschgeschwüre an der Wange und Zunge findet. Die Ränder der
Geschwüre sind stark gerötet, die Geschwüre selbst bluten leicht und
sind meist mit einer dünnen Eiterschicht bedeckt.

Die zersetzten Massen verursachen einen intensiven Foetor ex ore,
der sich für den Kranken durch einen ekelhaften fauligen Geschmack bemerkbar macht; daneben bestehen Schmerzen beim Kauen und Sprechen.
Das aufgelockerte Zahnfleisch begünstigt das Ausfallen der Zähne. Die
schweren, bis zur Nekrose der Kieferknochen führenden Geschwürs-
bildungen, die früher bei den heroischen Quecksilberkuren nicht selten
beobachtet wurden, kommen jetzt nicht mehr vor. Die idiopathische
Stomatitis ulcerosa der Kinder kann in epidemieartiger Verbreitung auftreten. Dennoch ist, obgleich die bakterielle Ätiologie dieser Erkrankung
ziemlich zweifellos ist, noch nicht sicher gestellt, ob es sich um eine
Infektion von Mensch zu Mensch handelt, oder ob gleiche ungünstige
hygienische Verhältnisse die Ursache des gehäuften Auftretens bilden.

Die Erkrankung beeinträchtigt das Allgemeinbefinden vor allem durch die erschwerte Nahrungsaufnahme, doch kommen auch fieberhafte Temperaturen vor. Der Verlauf ist meist ein günstiger, die Stomatitis fängt bereits nach Tagen, seltener Wochen an, unter Reinigung der Geschwüre abzuheilen. Sehr selten kommt es zur Narbenbildung.

Die merkurielle Stomatitis tritt unabhängig von der Form der Quecksilberapplikation auf. Die Empfindlichkeit der Mundschleimhäute der einzelnen Menschen gegen das Quecksilber scheint individuell sehr verschieden zu sein, da manchmal die geringsten Hg-Mengen zu einer Stomatitis führen, während meist die vielfachen Mengen ohne jede Störung vertragen werden. Die Stomatitis kündigt sich im allgemeinen durch einen intensiveren Metallgeschmack und starke Trockenheit im Munde an; mit der Anschwellung und Schmerzhaftigkeit des Zahnfleisches tritt dann eine stärkere Salivation auf.

Die Stomatitis skorbutica endlich ist eine Teilerscheinung des Skorbuts, der ebenso durch lokale Blutungen ausgezeichnet ist wie die hämorrhagische Diathese und daher an allen Organen auftreten kann.

Die Behandlung hat bei den verschiedenen Formen die sie verursachenden Schädlichkeiten nach Möglichkeit auszuschalten (Aussetzen des Quecksilbers, Behandlung des Skorbuts durch Pflanzenkost); lokal ist die Mundhöhle möglichst häufig mit den oben erwähnten desinfizierenden und adstringierenden Lösungen zu spülen; tiefer gehende Geschwüre sind mit Höllenstein, 5—10 %iger Chromsäure, Jodtinktur oder dgl. zu ätzen; bei stärkeren Blutungen Betupfen der blutenden Stellen mit sterilem Pferdeserum. Gegen die sehr stinkenden Beläge ist manchmal eine Jodoformtamponade der Mundhöhle von vorzüglicher Wirkung. — Die Diät muß vollkommen reizlos sein (eisgekühlte Milch); bei vollkommener Nahrungsverweigerung können Nährklystiere notwendig werden.

Stomatitis phlegmonosa. Angina Ludovici.

Sehr selten kommt es im Anschluß an die obige Erkrankung zu tiefergreifenden Eiterungen auf das submuköse oder noch tiefer gelegene Gewebe des Mundbodens resp. der Zunge. Man findet derartige Phlegmonen auch primär auftretend infolge von Insektenstichen u. dgl. oder im Anschluß an ein Gesichtserysipel, resp. metastatisch bei schweren Allgemeininfektionen. Ist nur die Zunge befallen, so spricht man von einer Glossitis, ist der Mundboden befallen und die benachbarten zwischen Larynx und Speiseröhre belegenen Lymphdrüsen, so bezeichnet man die Phlegmone als Angina Ludovici; in ersterem Falle kommt es unter mehr minder heftiger Fieberbewegung zu einer brettharten Infiltration und rascher Anschwellung der Zunge, die in der Mundhöhle nicht mehr Platz hat, nach hinten den Larynx komprimiert und nach vorne über die Zahnreihe herausragt. Es entstehen dadurch schwere Atem- und Schluckstörungen. Bei der Angina Ludovici steigt die Entzündung die Trachea entlang abwärts und kann durch Larynxödem oder Kompression der Trachea zur Erstickung führen. Die Therapie kann anfangs versuchen, durch Eisumschläge und Eisschlucken die Entzündung zurückzubringen, bei ausgesprochener Phlegmone ist der chirurgische Eingriff indiziert.

Stomatitis gangraenosa, Noma.

Die beiden vorgenannten Formen der Stomatitis führen bei besonders herabgekommenen Individuen zur Gangrän, in sehr seltenen Fällen kann diese Erkrankung auch scheinbar idiopathisch auftreten (Noma, Wasserkrebs, cf. Leitfaden der allgemeinen Chirurgie von Ph. Bockenheimer) und wird auch hier fast ausschließlich bei Kindern, die durch vorhergehende Erkrankungen (Masern, Scharlach) herabgekommen sind, beobachtet. Der Erreger dieser wohl zweifellosen Infektion ist nicht bekannt. Die primäre Erkrankung beginnt als Bläschen oder sofort als kleines Geschwür mit mißfarbigem Belag an der Innenfläche der Wangen, die Zerstörung breitet sich unaufhaltsam aus, das Geschwür nimmt einen stinkend-jauchigen Charakter an. Es perforiert nach außen und zerstört alle benachbarten Teile des Gesichts; auch der Knochen wird nicht geschont und nekrotisiert. Die Allgemeinerscheinungen äußern sich vor allem in schnellem Kräfteverfall, der rasch zur Benommenheit führt. Das Fieber hat septischen Charakter; komplizierend treten häufig Diarrhoen, Lungenaffektionen (Bronchopneumonie oder Gangrän) hinzu. Der Ausgang der Erkrankung ist meistens der Tod, sehr selten kommt es unter entstellender Narbenbildung zur Heilung.

Die Behandlung muß versuchen, durch intensives Ätzen (Höllenstein, Ferrum candens) den Krankheitsherd zu beschränken.

Stomatitis aphthosa.

Man versteht unter Aphthen kleine, etwa 2—4 mm im Durchmesser betragende, leicht erhabene, gelblich weiße oder gelblich graue, mit einem roten Hof umgebene Flecken der Mundschleimhaut. Unterhalb der Epithelien kommt es zu einer fibrinösen Exsudation, welche ein Aufquellen und Absterben der Epithelien bewirkt. Hebt sich die Decke ab, so entstehen kleine Geschwürchen mit grauweißlichem Grunde, welche leicht bluten. Doch können auch die Exsudate, ohne daß es zu einer Zerstörung der Epitheldecke kommt, resorbiert werden.

Die Aphthen treten überall auf der Mundschleimhaut auf, man findet sie am häufigsten bei Kindern unter 3 Jahren, doch leiden auch Erwachsene, und manchmal ziemlich häufig, daran. Sie treten im Anschluß an Magendarmstörungen, durch den Reiz scharfer Zähne bei der Dentition, bei manchen Frauen regelmäßig bei Beginn der Menstruation auf.

Die S y m p t o m e der Aphthen bestehen vor allem in dem lokalen Schmerz, der bei Zerrung der betreffenden Schleimhautpartie, sowie bei Berührung der Aphthen mit scharfen oder selbst nur festen Speisen besonders bemerkbar wird. Daneben bestehen die Zeichen eines diffusen Mundkatarrhs, Hitze, Trockenheit im Mund, später gesteigerte Speichelsekretion; manchmal entwickelt sich ein geringer Foetor ex ore. Bei Kindern besteht nicht selten Fieber, das wohl auch mit Konvulsionen einhergehen kann. Erwachsene haben kaum mehr als lokale Beschwerden. Bei kleinen Kindern können die letzteren infolge der erschwerten Nahrungsaufnahme gelegentlich zu ernsteren Störungen führen. Der Verlauf ist in der Regel ein derartiger, daß nach Abheilen der erst entstandenen Aphthen, was meist nach Verlauf weniger Tage oder einer Woche durch Überhäuten geschieht, Nachschübe auftreten, so daß das ganze Leiden sich trotz seiner durchaus gutartigen Natur doch über Wochen hinziehen kann.

Die D i a g n o s e ist durch die Inspektion zu stellen. Verwechslungen mit syphilitischen Papeln können vorübergehend wohl vorkommen, der Nachweis resp. das Fehlen anderweitiger syphilitischer Veränderungen schützen vor Verwechslung.

Die T h e r a p i e besteht vor allem im Vermeiden reizender Nahrung (reizlose Kost und häufiges Mundspülen mit indifferenter Flüssigkeit, lauwarmes Wasser, Kamillentee). Sehr schmerzhafte oder schwer heilende Aphthen werden geätzt (Cuprum sulfuricum-Stift, 1—2%ige Höllensteinlösung), ev. nach vorhergehender Anästhesierung durch ein Kokainpräparat.

Soor (Schwämmchen).

Der Soor wird durch einen zu den Hefepilzen gehörigen Pilz, das Oidium albicans, hervorgerufen. Er siedelt sich auf der Mundschleimhaut, zunächst meist auf den vorderen Teilen der Zunge an und zwar anscheinend nur auf nicht ganz normaler Schleimhaut. Es bilden sich kleine, milchweiße, leicht erhabene Punkte und Fleckchen, welche allmählich zusammenfließen. Die so entstehende Membran, welche mikroskopisch aus einem dichten Gewirr von Pilzfäden besteht, läßt sich anfangs leicht abwischen, später zeigt sich nach dem Ablösen eine blutende Schleimhautoberfläche, die weiße Färbung der Membrane macht einer mehr bräunlich-schmutzigen Platz. Der Pilz kann sich auf die gesamte Mundschleimhaut ausbreiten und bis auf die Speiseröhre und den Kehlkopf hinabziehen, in selteneren Fällen selbst bis in den Darmkanal und die Lunge eindringen. Es erkranken vorwiegend Säuglinge und zwar meist schlecht genährte und abgemagerte Kinder mit Magen-Darmstörungen, sehr selten Erwachsene in kachektischem Zustande (schwere Phthise, Karzinom, Diabetes).

Die Symptome des Soors äußern sich zunächst nur in dem mikroskopisch unschwer erkennbaren Pilzbelag, bei fortgeschrittenem Soor kann das Saugen sehr erschwert sein, bei tiefer greifender Wucherung treten Schluck- und Atembeschwerden hinzu. Bei Erwachsenen deutet der Soor auf ein schweres Grundleiden, das eventuell durch mangelhafte Pflege verschlimmert ist. Da sich der Soor nur in sauren Medien entwickelt und sich beim längeren Fortbestehen selbst durch Zersetzung der Kohlehydrate die für seine Entwicklung notwendige Säure schafft, kann er weiterhin zu schweren Magen- und Darmstörungen (durch Verschlucken der abnormen Mundsäure) führen und so die vorhandene Grundkrankheit, besonders bei Säuglingen, in verhängnisvoller Weise komplizieren. Es ist deshalb die Prognose bei einigermaßen ausgebreitetem Soor stets eine ernste, während eine frühzeitig erkannte Krankheit leicht zu beseitigen ist.

Die Therapie ist in erster Linie prophylaktisch (peinlich saubere Saugpfropfen und Mundpflege). Bei bestehendem Soor sind die Flecke mechanisch mit Leinewandläppchen, die in 2prozentige Borax- oder verdünnte Kaliumpermanganatlösung getaucht werden, zu entfernen. Nach jeder Mahlzeit Auswaschen des Mundes und Bepinseln mit 3—4% Natronbicarbonic.-Lösung.

Leukoplakie.

Diese auch als Psoriasis buccalis beschriebene Erkrankung besteht in kleinen weißen, mehr minder erhabenen Flecken auf der Zunge oder einer diffusen Verdickung des Zungenepithels von perlmutterartigem Glanz. Es handelt sich dabei um eine Wucherung und Verhornung des Epithels, welche durch chronische Reize (Tabak, Gewürze, Alkohol) hervorgerufen wird. Die Leukoplakie befällt mit Vorliebe die Zunge, doch kann auch die Wangen-, Lippen- und Gaumenschleimhaut ergriffen werden; häufiger bei Männern wie bei Frauen.

Die Symptome dieses, an sich gutartigen Leidens sind manchmal so gering, daß die Leukoplakie nur zufällig konstatiert wird, in anderen Fällen macht sie lokale Beschwerden beim Essen oder Sprechen. Der Verlauf ist ein sehr langwieriger, die Veränderungen der Schleimhaut können jahrelang bestehen bleiben; häufig führen die Epithel- und Coriumwucherungen zu Schrumpfungsprozessen. In manchen Fällen entwickeln sich daraus maligne Neubildungen.

Die Diagnose kann mit Hinblick auf die ähnlichen syphilitischen Plaques vorübergehende Schwierigkeiten machen, das unveränderte Fortbestehen läßt (abgesehen von der negativen Wassermannschen Reaktion) letztere Erkrankung ausschließen. Im übrigen werden auch vielfach ätiologische Beziehungen zur Syphilis angenommen. Die Therapie ist kausal machtlos, symptomatisch sind alle reizenden Momente zu vermeiden. Bei stärkeren Wucherungen kommen lokale Ätzmittel: 5—10% Chromsäure, ½ prozentiges Sublimat u. dgl. in Frage (cf. Leitfaden der Haut- und Geschlechtskrankheiten).

Lingua geographica.

Man versteht darunter ein herdweises Auftreten einer Epithelwucherung, welche zu unregelmäßigen, fleckenförmigen, weißlichgrauen, leicht erhabenen Figuren führt (Landkartenzunge). Die an sich vollkommen harmlose Affektion macht in der Regel gar keine Beschwerden, vereinzelt wird über Brennen und vermehrte' Speichelsekretion geklagt. Bei Neurasthenikern oder Hypochondern bildet die Zungenveränderung den Gegenstand von Beunruhigungen. Der Verlauf ist meist ein sehr langwieriger, indem die einzelnen Figuren langsam weiterwandern, derart, daß die grauweißlichen Auflagerungen an den einzelnen Stellen sich abstoßen und rote Stellen hinterlassen, um an anderen Stellen neu zu entstehen. Eine Behandlung ist nicht nötig, ev. indifferente Mundwässer.

Nigrities. Schwarze Zunge.

Diese Abnormität, eine schwarze Verfärbung der Zunge, namentlich in ihrem hinteren Abschnitte, wird vorübergehend und meist zufällig beobachtet. Es handelt sich um eine ebenso harmlose Affektion wie die vorhergehende, die in Wucherung und Verhornung der fadenförmigen Papillen mit gleichzeitig vermehrter Pigmentbildung besteht. Die haarartige Beschaffenheit der Oberfläche wird von einzelnen auf eine Sproßpilzansiedelung bezogen (schwarze Haarzunge). Beschwerden sind entweder gar nicht oder nur in Form von Trockenheit, Brennen und üblem Mundgeschmack vorhanden.

Die Behandlung besteht in mechanischer Entfernung der Epithelfäden, ev. gefolgt von nachträglichem Ätzen mit ½ prozentiger Sublimatlösung oder 10 prozentigem Argentum nitricum oder Einwirkung von Wasserstoffsuperoxyd.

Carcinoma linguae, cf. Leitfaden für Chirurgie.

Erkrankungen der Speicheldrüsen.

Speichelfluß. Ptyalismus, salivatio.

Die normalerweise innerhalb 24 Stunden sezernierte Speichelmenge beträgt 250—280 g. Die Absonderung des Speichels erfolgt durch Reizung von halssympatischen Nerven, deren Zentrum in der Medulla oblongata gelegen ist. Die Speicheldrüsen haben zwei sympathische Sekretionsnerven, der eine stammt vom bulbären System, vom Glossopharyngeus, der zweite vom Halssympathikus.

Auch letzterer hat sein Zentrum in der Medulla oblongata; weiterhin sind Beziehungen zwischen Großhirn und Speichelbildung sichergestellt. Es kann infolgedessen der Speichelfluß durch reflektorische Reizung der spezifischen Sekretionsnerven (Mundentzündungen, medikamentöse Reizung durch Quecksilber, Tabak usw.), wie auch infolge von Erkrankungen des Zentralnervensystems verursacht werden (Hirntumoren, Bulbärparalyse usw.) Der Speichelfluß bei Magendarmkrankheiten, bei Sexualerkrankungen, bei Neurasthenie ist höchst wahrscheinlich als reflektorischer Reiz aufzufassen.

Die verstärkte Salivation äußert sich in auffälliger Speichelansammlung in der Mundhöhle, in Schluckzwang, wodurch das Sprechen behindert ist, oder aber in unwillkürlichem Abfließen des Speichels nach außen (Ekzeme der benachbarten Hautpartien). Auch Verdauungsstörungen, besonders bei Säuglingen, bis zum Erbrechen des massenhaft verschluckten Speichels (Vomitus matutinus der Säufer) kommen vor. Die Dauer des Leidens richtet sich nach der Grundkrankheit. Die Therapie muß versuchen die Ursachen zu beseitigen. Symptomatisch Atropin (cf. Rp.) oder allgemeine Sedativa wie Chloral, Opium, Bromkali.

85) Rp.   Atropini sulf. 0,01
Mass. Pil. q. s. ut. f. Pil. No. 20
3 mal täglich eine Pille nach dem Essen.

Aptyalismus (Xerostomia).

Diese seltene Affektion, das Gegenteil der eben beschriebenen, eine Verminderung der Speichelsekretion, die bis zum Versiegen gehen kann, wird, abgesehen von den fieberhaften Krankheiten, bei denen Trockenheit des Mundes ein häufiges, aber neben der Grundkrankheit verschwindendes Symptom bildet, auch ganz selten bei Nervösen beobachtet (spezifische Beeinflussung der Sekretionsnerven?).

Infolge der verminderten Speichelbildung ist die Zunge rot, trocken, rissig; es besteht ein Gefühl des Wundseins und Brennen im Munde. Durch die fehlende Einspeichelung der Speisen ist Kauen und Schlucken erschwert, es kommt leicht zur Mundentzündung durch die fest anhaftenden Speisereste. Therapeutisch wird Pilokarpin (s. Rp.) angewandt oder der galvanische Strom (eine Elektrode in den Nacken, die andere auf den Ductus Stenonianus); lokal: Glyzerinpinselungen.

---

86) Rp.   Sol. Pilocarpini hydrochl. 2% 20,0
2 mal täglich 5 Tropfen bis zu 10 Tropfen steigend, oder auch zur subkutanen Injektion.

Parotitis.

Die epidemische Form der Erkrankung s. Bd. 1 : Infektionskrankheiten. Eine Parotitis kann im Gefolge von Infektionskrankheiten auftreten (Typhus, Scharlach, Sepsis), ferner im Anschluß an benachbarte Entzündungen. Geht die Erkrankung, die sich in Schwellung, Schmerzhaftigkeit, gegebenenfalls unter Fieberbewegung äußert, nicht auf Eisapplikationen zurück, so verlangt sie das Eingreifen des Chirurgen.

Eine ätiologisch gesonderte Stellung nimmt die Parotitis simplex ein, welche durch Verlegung der Ausführungsgänge der Speicheldrüse, sei es infolge einer fibrinösen Entzündung des Ganges, sei es infolge von Speichelsteinen oder Fremdkörpern (Strohhalm) entstehen. Die plötzliche Behinderung des Speichelabflusses kann zu einer beträchtlichen Schwellung der Drüse unter heftigen Schmerzen führen, selten kommt es zu ernsteren Entzündungen (Abszedierung). In der Regel bildet sich die Schwellung spontan zurück, symptomatisch kommen Prießnitzsche oder Eisumschläge zur Anwendung.

Die Steinbildung im Ausführungsgang kann auch sekundär bei Entzündung desselben durch die Speichelstauung erfolgen; die Beschwerden solcher Konkretionen sind meist sehr gering, es können Schmerzen entstehen, die zu Verwechslung mit Neuralgie Veranlassung geben.

Die Diagnose ist durch Palpation, manchmal nur durch Sondierung des Ductus Stenonianus möglich. — Die Entfernung des Konkrements gelingt meist leicht.

Krankheiten des Rachens.

Angina, akute Pharyngitis.

Der Name Angina (Verengerung) kommt daher, daß die Krankheit mit einem eigentümlichen Gefühl der Verengerung des Rachens einsetzt. Ätiologisch stehen in erster Reihe infektiöse Momente. Die Angina kann sekundär infektös sein, als Begleiterscheinung zahlreicher Infektionskrankheiten, von denen vor allen Scharlach zu nennen ist, daneben Masern, Influenza, Gelenkrheumatismus u. a. Es ist fraglich, ob es überhaupt eine primär infektiöse Angina gibt.

Jüngst ist darauf hingewiesen, daß die Angina, die sich hauptsächlich als akute Entzündung der Tonsillen dokumentiert, höchst wahrscheinlich nie selbst primär ist. Die Tonsillen stellen nämlich nach Schönemann nichts anderes als subkumöse, gleichsam auf den äußersten Posten vorgeschobene Halslymphdrüsen vor; ihre Hauptfunktion ist analog derjenigen der Lymphknoten in der angestammten internen, genuinen Zelltätigkeit des adenoiden Gewebes selbst zu suchen. Die Angina ist deswegen als eine vom Quellgebiet dieser Lymphknoten aus induzierte Entzündung aufzufassen. Dieses Lymphquellgebiet der Tonsillen ist die Nasenschleimhaut. Die Angina ist daher bereits eine Sekundärlokalisation einer Infektionskrankheit, die an einem anderen Orte eingesetzt hat.

Neben dem infektiösen kommen alle thermischen, chemischen, ätiologischen Momente wie für die Stomatitis in Frage.

Die (primär infektiöse?) gewöhnliche Angina wird häufig als typische Erkältungskrankheit angesehen, da sie zweifellos im Anschluß an ungünstige Witterungsverhältnisse in gehäufter Menge auftritt, und da andererseits abgehärtete Menschen seltener von ihr befallen werden als verweichlichte; wie denn überhaupt Konstitution und Alter hier von großem Einfluß sind; besonders das kindliche Alter ist für Angina empfänglich.

Die klinischen Formen, unter denen die Angina auftritt, sind sehr verschiedenartige. Abzusehen ist hier von der Angina diphtherica (s. Bd. I. S. 71). Die Angina katarrhalis oder einfache Angina ist gekennzeichnet durch Rötung und Schwellung von weichem Gaumen, Zäpfchen, der Rachenschleimhaut und vor allem der Tonsillen. Oft besteht nur eine beträchtlichere Entzündung der letzteren.

Angina lacunaris.

In anderen Fällen sind die Entzündungsprodukte in den Lakunen der Tonsille retiniert und bilden distinkt erkennbare, gelblich-weiße, käseartige Pfröpfe in den intensiv geröteten Lakunen. Sie lassen sich herausdrücken und bestehen mikroskopisch aus Fettsäurenadeln, Cholesterin-kristallen, Fettpfröpfchen, Kokken und Rundzellen. In anderen Fällen bildet sich eine abziehbare Membran, so daß eine Diphtherie vorgetäuscht wird (Angina fibrinosa). Die Tonsillen selbst sind stets mehr oder weniger stark geschwollen, ebenso die auch meist nicht druckempfindlichen Drüsen am Unterkieferwinkel.

Die Angina setzt, wie eine Infektionskrankheit, häufig mit Schüttel-frost unter schnell ansteigender Temperatur, Kopfweh, Appetitlosigkeit, Mattigkeit, Gliederschmerzen ein, die Temperatur erreicht 39 und 40⁰ C, um meist nach kurzer Zeit, spätestens wohl am dritten oder vierten Tage bei komplikationslosem Verlaufe zur Norm abzufallen. Während des Fiebers können die Allgemeinerscheinungen ziemlich schwere sein, es kann Milzschwellung, leichte Albuminurie auftreten. Nicht selten Herpes labialis; lokal bestehen heftige Schmerzen, die jedes Schlucken höchst beschwerlich machen. Die Sprache kann bei sehr starker Anschwellung ebenfalls erschwert sein und einen nasalen Beiklang bekommen. Es besteht starke Salivation und ein ausgesprochener Foetor ex ore.

Die Diagnose wird durch die Inspektion gestellt; meist sind mit dem Anstieg des Fiebers die lokalen Erscheinungen schon genügend ausgeprägt, in anderen Fällen können sie anfangs auffällig gering sein. Bei Membran-bildung ist eine sichere Unterscheidung von der Diphtherie manchmal nur durch die bakteriologische Untersuchung möglich. Ganz allgemein läßt sich sagen, daß die einfache Angina meist mit höherer Temperatur einsetzt als die diphtherische.

Die Prognose der Angina ist in der Regel eine gute. Bei der sekun-dären Form (Scharlach, Gelenkrheumatismus usw.) richtet sie sich nach der Grundkrankheit.

Therapie: Eine spezifische Behandlung wie bei der Diphtherie existiert nicht. Die dort beschriebene Pyocyanasebehandlung (cf. B. 1. S. 79) ist als antibakterielle überhaupt zu betrachten und kann bei stärkeren Belägen angewandt werden. Im übrigen ist die Therapie symptomatisch; lokal: Eispillen, Eiskrawatte oder Prießnitzscher Halsumschlag, sowie Gur-geln mit antiseptischen Mundwässern (verdünnte hellrosa Kaliumperman-ganatlösung, 3% Wasserstoffsuperoxyd, heißes Kochsalzwasser), Forma-minttabletten usw.

Steht man auf dem oben skizzierten Standpunkt, daß jede Angina bereits eine Sekundärinfektion darstellt, so ist Darreichung von Salizyl-präparaten in großen Dosen z. B. Aspirin oder Salypirin 4—6 g pro die geboten.

Die Diät muß flüssig sein, kühle Getränke werden am leichtesten geschluckt.

Da die hoch fieberhafte Angina zweifellos das Herz in Mitleidenschaft zieht, ist mehrtägige Bettruhe nach Ablauf des Fiebers geboten, von Nutzen sind kleine Dosen Digitalis (z. B. Digitalisdialysat Bürger oder Golaz, 3 mal täglich 5—8 Tropfen). Bei Albuminurie Bettruhe bis zum Verschwinden derselben.

Die große Ansteckungsfähigkeit der Angina verlangt eine Isolierung und ev. Desinfektion der Krankenzimmer wie bei Diphtherie (s. dort).

Die Angina acuta ulcerosa s. necrotica, auch als Angina Vincenti beschrieben, ähnelt sehr der diphtherischen Form; man findet einen gelblichen oder bräunlich schwärzlichen Belag auf den Tonsillen, der sich unter leichter Blutung des Grundes abstreichen läßt. Die mikroskopische Untersuchung ergibt eigenartige spindelförmige Bazillen (Bacillus fusiformis in Verbindung mit Spirochäten). Die lokalen Beschwerden und auch die Allgemeinerscheinungen sind häufig auffällig gering. Im Verlaufe der Erkrankung kann der Belag den ganzen Gaumen und die Uvula überziehen und zu oberflächlicher Nekrose der Schleimhaut führen. Bei etwas tiefer gehenden Ulzerationen können Verwechslungen mit syphilitischen Geschwüren, in anderen Fällen mit diphtherischen vorkommen.

Die Behandlung ist die gleiche wie bei der gewöhnlichen Angina.

Angina phlegmonosa, Tonsillarabszeß.

Die Ätiologie dieser, wie der Name sagt, durch Abszeßbildung ausgezeichneten Angina ist dieselbe, wie die der einfachen Form, ohne daß es bisher zu eruieren wäre, warum es im einzelnen Fall zur Abszeßbildung kommt. Die Angina unterscheidet sich häufig von vornherein von jener anderen durch stärkere Rötung einer Seite, die mit einer gewissen ödematösen Durchtränkung der umgebenden Schleimhaut verbunden ist. Die Schmerzen sind viel ausgeprägter, das Schlucken kann völlig unmöglich sein, das Sprechen ist infolge der Mundsperre sehr erschwert, die Halsdrüsen sind stark geschwollen. Der Allgemeinzustand ist ein viel schwererer. Die Temperatur ist hoch, der Puls ebenfalls, der Kranke ist auffällig mitgenommen. Breitet sich das Ödem aus, so kann es zu starken Atembeschwerden kommen. Die schweren Erscheinungen halten so lange an, bis der Abszeß, dessen Bildung sich durch eine prominente und bei Berührung fluktuierende Stelle dokumentiert, durchbricht oder künstlich eröffnet wird. Bei spontaner Ruptur kann es durch Eindringen des Eiters in die Lunge zu Erstickungsanfällen kommen. Nach Entleerung des Eiters tritt sehr schnell Rückgang aller Beschwerden ein.

Die Therapie ist zunächst eine antiphlogistische: Eispillen, Eiskrawatte, Gurgeln. Sobald die Abszeßbildung deutlich erkennbar ist, kann man sie durch heiße Umschläge und heiße Gurgelungen zu befördern suchen. Besteht Fluktuation, ist Entleerung mittels Skalpells, bei der man durch Umwicklung mit Heftpflasterstreifen nur die Spitze in wünschenswerter Länge frei läßt, vorzunehmen. Danach, ebenso wie nach spontanem Durchbruch, sind häufige Gurgelungen mit Kaliumpermanganat-Lösungen, warmem Kamillentee u. dgl. zu verordnen. In den seltenen Fällen, in denen das Ödem sich bis zur Glottis ausdehnte, kommt Tracheotomie in Frage.

Chronische Hypertrophie der Tonsillen.

Die Hypertrophie des Tonsillargewebes betrifft sowohl die beiden Gaumen wie die Rachenmandel; ätiologisch kommt eine hereditäre Veranlagung in Betracht; man sieht, daß in einzelnen Familien bei den Kindern regelmäßig in den ersten Lebensjahren die adenoiden Wucherungen im Nasenrachenraum entstehen. Diese Hypertrophie stellt dann eine Teilerscheinung der Skrofulose, der allgemeinen Hyperplasie des lymphatischen Systems dar.

Häufige Anginen können (vielleicht aber nur auf skrofuloser Basis) ebenfalls zur Hypertrophie führen. Nach dem 20. Jahr findet man diese Erkrankung selten.

Symptome. Die Hypertrophie braucht keine nennenswerten klinischen Erscheinungen zu machen. Eine verminderte Nasenatmung (Schlafen mit offenem Munde), eine durch die relative Undurchgängigkeit der Nase veränderte „klobige" Sprache und eine eigenartige Verbreiterung des Nasenrückens können die einzigen Symptome sein. Bei stärkerer Hypertrophie machen sich die Folgen der stärker behinderten Nasenatmung deutlicher geltend, gewisse Buchstaben, vor allem die Nasallaute „m" und „n" können nicht mehr gebildet werden, es entwickeln sich starke Kopfschmerzen, nächtliche Unruhe, Enuresis nocturna; indirekt kommt es durch Ausbreitung der Entzündung durch die Tuben zu Hörstörungen, die geistige Entwicklung der Kinder leidet in auffälliger Weise (vielleicht, weil die benachbarte Zirbeldrüse durch lokale Zirkulationsstörungen alteriert ist), der Gesichtsausdruck wird ein ausgesprochen eigenartiger (Offenstehen des Mundes, Verengerung der oberen Zahnreihe, hoher Gaumen, völliges Verstreichen der Nasolabialfalte) dazu das mürrische, unlustige Wesen geben den Kindern ein eigentümlich blödes Aussehen.

Die Diagnose der adenoiden Wucherungen, durch die oben genannten Symptome wahrscheinlich gemacht, wird bei kleinen Kindern nur durch

Abtasten der vergrößerten Rachenmandel, also durch Eingehen mit dem Finger in den Nasenrachenraum gestellt; bei älteren Kindern kann die Rhinoscopia posterior zum Ziel führen.

Die Behandlung ist bei einigermaßen stärkerer Hypertrophie eine chirurgische, bei geringeren Graden kann die Allgemeinbehandlung (Jodeisensirup, zweckmäßige Ernährung, Abhärtung usw.) eine Besserung erzielen.

Chronische Pharyngitis.

Die chronische Entzündung der Rachenschleimhaut, die vor allem die hintere Wand des Rachens betrifft, ist vorwiegend eine Erkrankung der Männer, da ätiologisch der Tabak und der Alkohol, besonders in konzentrierter Form, die Hauptrolle spielen. Aber auch alle übrigen Schädlichkeiten, welche für die oberen Atmungsorgane genannt wurden, Singen, häufiges lautes Sprechen, Staub, Gase usw., andererseits Zirkulationsstörungen (Herzleiden, Emphysem usw., sowie Mundatmung, Nasenleiden) führen zur chronischen Pharyngitis. In diesen Fällen entwickelt sich der Rachenkatarrh von vornherein in der chronischen Form, in anderen Fällen kann er auch als Folge häufiger Rezidive von akuten Katarrhen (Anginen) chronisch werden.

Die Pharyngitis chronica erscheint pathologisch-anatomisch in zwei Formen: der hypertrophischen und der atrophischen. Bei der ersteren erscheint die Schleimhaut diffus geschwollen, von einer eigentümlich blauroten Farbe, von der sich die häufig stärker geschwollenen, heller rot erscheinenden Lymphfollikel als prominente, stecknadelkopf- bis linsengroße Wülste abheben. Daneben sieht man mehr oder minder starke Venenektasien, häufig in der Umgebung der Granula am deutlichsten hervortreten. Die atrophische Pharyngitis läßt eine blasse, dünne Rachenschleimhaut entstehen, welche trocken und eigentümlich glänzend erscheint und häufig mit eingetrocknetem Schleim bedeckt ist. Die hypertrophische Form pflegt nach langem Bestehen in die atrophische überzugehen, man sieht dann zunächst noch eine Zeitlang stehen gebliebene, hypertrophische Partien zwischen den atrophischen Stellen.

Symptome. Während die Pharyngitis oft beschwerdelos verläuft, wird in anderen Fällen über quälende Trockenheit und Brennen im Halse geklagt, über ein Kitzelgefühl im Halse, das zu häufigem Räuspern zwingt und besonders des Morgens, wenn sich im Laufe der Nacht Sekret an der Rachenwand festgesetzt hat, äußerst quälend sein kann; die heftigen Hustenanstrengungen führen dann häufig zur Herausbeförderung von kleinen Blutstreifen, während eigentliches Sekret nur sehr spärlich losgelöst wird. Der Rachenkatarrh kann jahrelang unverändert bestehen bleiben, im allgemeinen beeinflußt er den Gesamtzustand des Patienten wenig, doch kann wohl häufiges Verschlucken des Rachensekrets zu Verdauungsstörungen führen oder andererseits ein beachtenswertes neurasthenisches Moment abgeben. Besteht gleichzeitig ein Lungenleiden, so bewirken die Blutspuren nicht selten unheilvolle Vorstellungen bezüglich der deletären Natur des letzteren. Zweifellos kann die Feststellung des Ortes der Blutung Schwierigkeiten bereiten, da man bei so geringfügigen Blutmengen, wie sie bei der Pharyngitis vorzukommen pflegen, auch wenn sie aus der Lunge stammen würden, nicht mit Sicherheit erwarten kann, deren Ursprungsherd, etwa durch Laryngoskopie festzustellen. Andererseits können selbst größere Blutmengen, ein Teelöffel und mehr, bei einer Pharyngitis entleert werden.

Therapie. Eine sichere Heilung ist selbst bei ausdauernder lokaler Behandlung niemals vorauszusagen; am meisten erreicht man, wenn es gelingt die ursächlichen Schädlichkeiten zu beseitigen. Die Nahrung muß möglichst reizlos sein (Vermeidung extremer Temperaturen, scharf gewürzter Speisen usw.). Die lokale Behandlung besteht in Pinseln mit adstringierenden Lösungen, z. B. Lugol (s. Rp. 87) oder Borlösungen, mit dünnen Alaun-, Tannin-, Myrrhentinkturlösungen usw. Trinkkuren von Emser Kränchen, Wiesbadener Kochbrunnen, mehrmals täglich lauwarm, werden häufig angewendet. — Eventuell ist die Nase besonders zu behandeln.

87) Rp. Jod. pur.   0,2
Kal. jodat   2,0
Glycerin   30,0
Ol. menth. pip. gtt. II
D. S. äußerlich zu Händen des Arztes.

Retropharyngealabszeß.

Die Entzündung und Eiterbildung zwischen der Rachenwand und vorderer Wirbelsäule tritt entweder im Gefolge von Caries der oberen Halswirbel auf (tuberkulöse, syphilitische oder traumatische Basis), oder sie findet sich im Gefolge einer Entzündung der nur bei Kindern bis zum fünften Jahre vorhandenen, vor dem 2. und 3. Halswirbel belegenen kleinen Lymphdrüsen. Letztere erhalten ihren Zufluß vom Gaumen und Pharynx her, weshalb sie bei allen infektiösen Entzündungen in dieser Gegend in Mitleidenschaft gezogen werden können. Auch bei akuten Infektionskrankheiten kann es zur metastatischen Entzündung der Retropharyngealdrüsen kommen. Bei den primären Formen besteht hohes Fieber, beschleunigter Puls, je nach dem Alter des Kindes lokalisierbare Schmerzhaftigkeit und Schluckbeschwerden. Bei zunehmender Schwellung kann es zur Kompression des Larynx kommen (anfänglicher Stridor, der bis zu starker Atembehinderung und Erstickung führen kann). Die erschwerte Nahrungsaufnahme und das Fieber bedingen schnellen Kräfteverfall.

Bei den sekundären Formen beherrschen die Erscheinungen der Wirbelkaries das Krankheitsbild des Retropharyngealabszesses, das hier mehr schleichend einsetzt.

Die Diagnose ist nur dann schwierig, wenn, wie bei ganz kleinen Kindern, die Inspektion und Palpation der hinteren Rachenwand erschwert ist. Die sichtbare Vorwölbung und Fluktuation der letzteren lassen die Krankheit sofort erkennen.

Die Therapie ist eine chirurgische (Eröffnung des Abszesses bei nach vorn übergebeugter Haltung). Ist der Eingriff erfolgt, so ist die Prognose bei der primären Form eine günstige.

Syphilis der Mund- und Rachenhöhle.

In nicht ganz seltenen Fällen bilden die Lippen oder Tonsillen den Sitz des syphilitischen Primäraffektes. Derselbe entwickelt sich hier in der typischen Weise als Initialsklerose in Form eines umschriebenen Infiltrates, welches sich bald durch Zerfall zu einem flachen Geschwür mit harten Rändern umwandelt. In kurzer Zeit schwellen die regionären Lymphdrüsen in schmerzloser Weise an. Erst die Sekundärerscheinungen lassen häufig den Gedanken an Syphilis aufkommen, anderenfalls kann der Spirochätennachweis die Diagnose sofort sichern.

Bei allgemeiner Lues sind die Rachenorgane fast regelmäßig der Sitz sekundärer Erscheinungen. Gleichzeitig mit dem Hautexanthem tritt meist ein mehr minder diffuses Erythem des Gaumens auf, welches keine besonderen Beschwerden verursacht, sowie eine syphilitische Angina, welche oft durch ein eigentümlich weißlich-schleierartiges Aussehen von den nicht spezifischen Anginen unterscheidbar ist. Auch die Schleimhautpapeln oder Plaques, die häufigsten Sekundärerscheinungen, sind durch ein eigenartig weißlich oder perlmutterartig glänzendes Aussehen ausgezeichnet. Anfangs erscheinen sie als leicht erhabene Papeln von hellroter Farbe, doch verlieren sie durch Auflockerung des Epithels bald ihre Färbung. Stößt sich das weißlichschimmernde Epithel ab, so kommt es zu seichten Geschwüren, welche durch Konfluieren unregelmäßige Gestalt und ziemliche Ausdehnung annehmen können. Man findet diese Papeln an den Mundwinkeln, Lippen, Zungenrändern, den Gaumenböden, Tonsillen; an den Mundwinkeln können sie zu schmerzhaften Rhagaden werden.

Auch im tertiären Stadium der Lues treten die syphilitischen Erscheinungen, die Gummata, häufig in der Mundhöhle auf. Man findet sie vorwiegend an der Zunge (Zungenrücken und Zungenränder), am harten Gaumen, ferner auf der Rückfläche des weichen Gaumens, sowie in der Plica salpingo-pharyngealis. Die zunächst derben zirkumskripten oder auch nur diffus auftretenden Infiltrate zerfallen und verursachen die Bildung von tiefen, unregelmäßigen Geschwüren, welche an den Knochen tiefgreifende Perforationen und Nekrosen führen. Es kann in unbehandelten Fällen zu weitgehenden Verunstaltungen kommen. Die Heilung erfolgt durch Bildung starker, strahliger, die Gestalt des Gaumens verändernder Narben.

Die Diagnose ist in allen Stadien durch die Inspektion und Palpation zu stellen, in zweifelhaften Fällen (Karzinom, Tuberkulose) entscheidet die Wassermannsche Reaktion, die spezifische Kur, ev. die mikroskopische Untersuchung eines exzidierten Stückchens.

Die Therapie ist eine spezifisch-antiluetische, daneben allgemeine Mundpflege (siehe unter Stomatitis).

Tuberkulose der Rachenorgane.

Eine primäre Tuberkulose kommt hier kaum vor, auch bei primärer Lungen- oder Kehlkopftuberkulose findet man nur äußerst selten sekundäre tuberkulöse Geschwüre am weichen Gaumen, der Zunge oder dem Zahnfleisch. Sie entstehen aus zunächst subepithelial gelegenen Tuberkeln, welche durch Verkäsung, durch periphere Bildung neuer Knötchen und Zerfall derselben zu ausgebreiteten, meist ziemlich flachen Geschwüren von unregelmäßiger Begrenzung werden; ihr Rand ist leicht aufgeworfen, teils mit Granulationen und echten Tuberkeln besetzt, und mit auffällig geringer Vernarbungstendenz. Sie verursachen starke Schmerzen beim Essen und stellen deshalb eine unerwünschte Komplikation dar.

Die Diagnose ist vor allem durch die peripher ausgestreuten Tuberkel, eventuell durch den Nachweis von Tuberkelbazillen, unter Berücksichtigung des Grundleidens meist leicht zu stellen.

Die Therapie besteht in Ätzung des Geschwürs mit starker 25- bis 50 prozentiger Milchsäure, eventuell nach vorhergehender Kokainisierung.

Krankheiten der Speiseröhre.

Akute Ösophagitis.

Abgesehen von den katarrhalischen Affektionen der Ösophagus-Schleimhaut bei akuten Infektionskrankheiten kommt die Erkrankung hauptsächlich infolge von Verschlucken mechanisch, thermisch oder chemisch reizender Gegenstände (Genußmittel, chemische Substanzen oder Fremdkörper) zustande. Die Kranken klagen über Schmerzen beim Schlucken und über ein unbestimmtes Brennen hinter dem Sternum. Die Diagnose ist aus der Anamnese zu stellen, die Therapie hat meist nur die Aufgabe, neue Reize fernzuhalten (eisgekühlte oder lauwarme Milch, mit oder ohne Kalkwasser, bei heftigeren Beschwerden Eukain oder dergl. oder Anästhesin in Lösung). Bei den seltenen schweren Entzündungen muß eventuell die Nahrung durch Klysma zugeführt werden.

Wurden stärker ätzende Substanzen verschluckt, so kommt es zur Geschwürsbildung in der Speiseröhre, welche in ziemlicher Ausdehnung und je nach dem Fall auch in ziemlicher Tiefe bis zur Perforation erfolgen kann. Die Menge und die Art des Giftes (Laugen, Säuren, Schwermetalle) sind für den Grad der Verätzung entscheidend. Meist sind die Längsfalten der Schleimhaut besonders verletzt, so daß parallele Geschwürstreifen entstehen. Die nekrotische Schleimhaut wird in Fetzen, selten im Zusammenhang größerer Massen ausgestoßen.

Symptome. Die Beschwerden der Kranken bestehen zunächst in heftigen Schmerzen bei jedem Schlucken, die aber naturgemäß nicht auf die Speiseröhre beschränkt sind, sondern im Rachen und Magen ebenfalls empfunden werden. Je nach dem Gift kommt es zu mehr oder minder schweren Allgemeinerscheinungen (Brechreiz, Kollaps usw.).

Die Diagnose ist aus der Anamnese zu stellen. — Die Therapie hat nach Möglichkeit zu versuchen, eventuell durch Magenschlauch das noch vorhandene Gift zu entfernen. Während in schweren Fällen meist jede Therapie nutzlos ist, kann man in weniger schweren Fällen die Beschwerden durch Darreichung schleimiger Lösungen (Mucilago gummi arabici) oder von Öl lindern. Symptomatisch Morphium. Die Ernährung zunächst per klysma. Waren die Ätzungen einigermaßen tiefgehend, so ist auch für die Fälle, in denen eine Perforation oder eine schwere Blutung ausbleibt, durch die sich allmählich bildende Narbenstenose der weitere Verlauf ungünstig und zunächst wenig zu beeinflussen. Bei ausgebildeter Stenose läßt sich eine chirurgische Therapie anwenden — Beim Verschlucken größerer Fremdkörper kann durch Stenosierung der Luftröhre eine Erstickungsgefahr eintreten, so daß man genötigt sein kann, vor der Entfernung des Fremdkörpers zur Tracheotomie zu schreiten. Die Gegenwart des Fremdkörpers selbst kann zu krampfartigen Zuständen führen. Zur Entfernung derselben bedient man sich geeigneter Instrumente (Münzen-, Grätenfänger, cf.: Leitfaden der Allgem. Chirurgie). Mitunter gelingt es erst, nachdem man sich durch die Ösophagoskopie oder die Röntgenuntersuchung über den genaueren Sitz und die Art des Fremdkörpers orientiert hat, eine erfolgreiche Extraktion desselben vorzunehmen. In manchen Fällen wird es auch, wenn man sich durch diese Hilfsmittel überzeugt hat, daß es sich um einen harmlosen Fremdkörper handelt, möglich sein, ihn durch eine geeignete biegsame Schlundsonde abwärts in den Magen zu stoßen. In anderen Fällen ist eine Ösophagotomie notwendig. Daß nach Entfernung des Fremdkörpers die gereizte Schleimhaut erst der Abheilung und daher einer Schonung bedarf, ist selbstverständlich.

Das peptische Geschwür am unteren Ende der Speiseröhre entwickelt sich analog dem peptischen Magengeschwür und gleicht ihm in jeder Beziehung (s. S. 57 ff.). Es äußert sich durch Schmerzen beim Schlucken wie beim Berühren mit der Schlundsonde. In seltenen Fällen kann es zu Blutungen Veranlassung geben. Bei der Heilung des peptischen Geschwürs kann es zur Narbenstenose kommen.

Die Behandlung ist die gleiche wie die des Magengeschwürs.

Ruptur, Perforation und Blutung des Ösophagos.

In äußerst seltenen Fällen tritt eine spontane Ruptur der Speiseröhre ein, meist wohl auf der Grundlage eines peptischen Geschwüres, oder nach vorangegangenen Verätzungen; auch bei anscheinend ganz gesunden Individuen ist im Anschluß an heftiges Erbrechen eine solche spontane Ruptur beobachtet worden.

Die Symptome bestehen in plötzlich auftretenden furchtbaren Schmerzen und Kollaps; durch Eindringen von Luft in das Mediastinum bildet sich mediastinales und Hautemphysem. Meist tritt bald der Tod ein.

Blutungen aus der Speiseröhre können ebenfalls infolge von peptischen Geschwüren oder von Neubildungen durch Arosion eines Gefäßes, infolge von Verletzungen durch Fremdkörper, am häufigsten wohl durch Platzen eines Ösophagusvarix, vor allem bei Leberzirrhose und sonstigen Stauungen, endlich infolge von Durchbruch eines Aneurysma, im letzteren Falle mit sofort tödlichem Ausgang vorkommen.

Dekubitalgeschwür der Speiseröhre.

Klinisch bedeutungsloser ist das bei langen und schwächenden Krankheiten (Typhus, Phthise, chronische Rückenmarkskrankheiten) hie und da zu beobachtende Druckgeschwür in der Speiseröhre, welches dadurch zustande kommt, daß der Ösophagus bei andauernder horizontaler Lage dem dauernden Druck des Ringknorpels und der Wirbelsäule ausgesetzt ist. Daher findet man die Dekubitalgeschwüre meist an der gegenüberliegenden vorderen und hinteren Wand der Speiseröhre hinter dem Larynx. Die Geschwüre sind mittels des Kehlkopfspiegels erkennbar.

Erweiterungen der Speiseröhre.

Man unterscheidet die diffusen Erweiterungen von den umschriebenen Divertikeln. Eine diffuse Ektasie betrifft entweder die ganze Speiseröhre als gleichmäßige Erweiterung des ganzen Rohres oder den unteren Teil desselben über einer Stenose (Narbenstenose). Diese sekundäre Erweiterung ist eine mechanische Folge der zunehmenden Verengerung, wenn die anfänglich auftretende Hypertrophie der Muskulatur nicht mehr ausreicht, das Hindernis zu überwinden. Es stauen sich dann die Speisen oberhalb der Stenose an, um nach mehr oder minder langer Zeit, resp. bei mehr oder minder starker Füllung des sich allmählich sackartig ausbuchtenden Speiserohres wieder erbrochen zu werden. Die Stenose beherrscht hier das klinische Bild.

Die primäre diffuse Erweiterung kann verschiedene Ursachen haben. Die Atonie der Muskulatur findet sich fast stets mit einem vorübergehenden oder lang dauernden krampfhaften Verschluß der Kardia vergesellschaftet, so daß es schwer ist, zu entscheiden, ob die Atonie oder der Spasmus den primären Vorgang darstellt. (Die Erweiterung der Speiseröhre kann in sehr seltenen Fällen auch durch funktionelle oder organische Erkrankung des Nervus Vagus verursacht sein.) — Die Symptome bestehen in Schmerzen und Druckgefühl hinter dem Sternum, sowie in Schluckbeschwerden beim Herunterschlucken fester Bissen, während die Flüssigkeit manchmal glatt heruntergeht. Nimmt die Schwierigkeit des Schluckens zu, so können sich daraus kachektische Zustände ergeben; in anderen Fällen wechseln Zeiten relativ leichter Störungen mit solchen, in denen jedes Schlucken unmöglich wird, ab, so daß das Leiden jahre- und jahrzehntelang bestehen kann. Hat sich eine große Erweiterung gebildet, so können erhebliche Massen in der Speiseröhre sich ansammeln, ehe sie, oft stundenlang nach ihrer Aufnahme, herausbefördert werden. Es entwickelt sich sekundär durch die Stagnation ein

Reizzustand der Speiseröhrenschleimhaut, der seinerseits im verhängnisvollen Circulus vitiosus die Krampfzustände der Kardia steigert.

Die Diagnose der diffusen Speiseröhrenerweiterung ist durch Sondierung und die Röntgenuntersuchung zu stellen. Die Einführung der Sonde gelingt leicht bis zur Kardia; man hat das Gefühl, eine außerordentliche Bewegungsfreiheit zu haben, die im Gegensatz zu den geklagten Schluckbeschwerden steht. An der Kardia stößt man zunächst auf ein Hindernis, das erst nach mehrfachen Versuchen zu überwinden ist (Lösung des Krampfes), und das bei der Sondierung mit einer harten Sonde (biegsame Metallsonde) sofort kenntlich wird, während sich die weichen Magensonden (Nélaton) in der weiten Speiseröhre leicht umbiegen, wodurch ein weiteres Vordringen vorgetäuscht wird. Es beträgt der Abstand von der Zahnreihe bis zur Kardia beim Erwachsenen 40—43 cm. Der mittels der Hohlsonde ausgeheberte Inhalt (Fehlen von Pepsin und Salzsäure) orientiert meist darüber, ob man in der Speiseröhre blieb oder bis in den Magen gelangte. Auf die mannigfaltigen früheren Differenzierungsversuche durch Einführen zweier Sonden, Spülung usw. kann man heute verzichten, da die Röntgenuntersuchung schnell und in exakter Weise orientiert. Man kann zunächst die eingeführte Metallsonde am Röntgenschirm verfolgen oder aber durch Einführung von Wismut (am besten 10—15 g Bismutum carbonicum in Kartoffelbrei eingerührt) sich die Weite der Speiseröhre am Röntgenschirm oder an der Photographie veranschaulichen. Endlich kann die Ösophagoskopie direkt das weite und meist faltenreiche Speiseröhrenlumen erkennen lassen.

Die Therapie ist eine symptomatische: durch regelmäßige Spülungen der Speiseröhre sind Zersetzungen zu verhindern; bei der Diät ist die Konsistenz der Nahrung (breiig-flüssig) zu berücksichtigen, bei vollkommenem Schluckunvermögen ist zeitweise Schlundsondenfütterung oder Nährklysma indiziert.

Die Unterscheidung der Divertikel der Speiseröhre, i. e. der zirkumskripten sackartigen Ausbuchtungen der Wand, von der diffusen, spindelförmigen Erweiterung ist nicht immer einfach, da die ersteren durch allmähliche Volumenzunahme eine enorme Ausdehnung annehmen. Man unterscheidet Traktions- und Pulsionsdivertikel. Die ersteren sind klinisch meist bedeutungslos, sie entstehen durch schrumpfende Prozesse in der Umgebung der Speiseröhre und stellen kleinste, oft kaum sichtbare Vertiefungen dar, welche symptomlos verlaufen können, in anderen Fällen aber sich dadurch bemerkbar machen, daß an bestimmten Stellen feste Bissen stecken zu bleiben pflegen, ohne daß eine sichere Ursache aufzufinden wäre. Der Sondierung sind sie wegen ihrer Kleinheit nicht zugänglich, vereinzelt verursachen sie durch Vereiterung einer peribronchialen Lymphdrüse, welche den Schrumpfungsprozeß hervorgerufen hatte, einen Durchbruch des Osophagus in das Mediastinum, die Bronchien oder Pleura.

Die Pulsionsdivertikel sitzen mit Vorliebe an der hinteren Wand im oberen Teil des Osophagus, meist an der Übergangsstelle vom Rachen in die Speiseröhre. Da an dieser Stelle die Muskelschicht besonders schwach ist, können Traumen leicht eine hernienartige Ausbuchtung der Schleimhaut bewirken; der Druck von Fremdkörpern, stecken gebliebene harte Bissen, selbst die Kompression einer Struma oder des verknöcherten Larynx können zu solchen Schleimhautausbuchtungen Veranlassung geben. Anfänglich verursachen die kleinen Divertikel kaum nennenswerte Beschwerden (Kitzel, Hustenreiz), erst wenn derselbe durch die Dehnung des Sackes infolge häufiger Anfüllung desselben mit Speisen an Ausdehnung zunimmt, machen sich stärkere Beschwerden durch Kompression der Speiseröhre geltend. Letztere kann zeitweilig völlig verschlossen sein, so daß das Schlucken bei bestimmter Körperhaltung unmöglich ist. Entleert sich der Divertikel, was durch Herauswürgen seines Inhalts mit oder ohne bewußtes Zutun des Kranken zeitweilig eintritt, so wird die Speiseröhre wieder durchgängig. Häufig erscheint der angefüllte Sack als seitlich sichtbarer Tumor am Halse, den man dann durch vorsichtige Kompression zur Verkleinerung und zum Verschwinden bringen kann. Da der Inhalt des Sackes leicht der Zersetzung anheimfällt, haben die Patienten einen charakteristischen Foetor ex ore.

Der Verlauf des Leidens ist naturgemäß ein sehr chronischer, erst bei einer gewissen Größe des Divertikels treten ernsthafte Schädigungen der Ernährung auf, welche ein chirurgisches Eingreifen gebieterisch fordern. Bis dahin sind die lokalen Beschwerden, die Dysphagie und der Foetor, ex ore, das häufige Brechen die Hauptstörungen.

Die Diagnose ist mit Hinblick auf die Unterscheidung von der spindelförmigen Erweiterung ohne Röntgenuntersuchung schwierig, letztere gestattet eine schnelle Differenzierung. Bei der Sondierung gelangt die Sonde fast stets in den Divertikelsack; es haben deshalb Leube und Zänker eine besondere Divertikelsonde angegeben, welche durch Gleiten an der vorderen Wand das Hineingehen in den Osophagus gestattet. Auch die Osophagoskopie kann die Divertikel zur Anschauung bringen. Die

Behandlung besteht in regelmäßigen Ausspülungen des Divertikel-sackes, wodurch die mechanische Störung und die Zersetzung beseitigt werden, sowie in schwereren Fällen in chirurgischem Eingreifen (Osophagotomie).

Ösophagusstenose.

Verschiedenartige Ursachen können zu einer Verengerung der Speise-röhre führen. Die Verengerung kann durch Kompression von außen erfolgen (Geschwülste, Divertikel, Aneurysmen, perikardiales Exsudat, Pulsionsdivertikel), oder durch narbige Strikturen infolge ausgeheilter Geschwüre (peptische Geschwüre, Syphilis, Verätzung), durch Verschluß von innen oder endlich als häufigste Ursache durch das Karzinom. Als vorübergehende Stenose ist der spastische, auf einem Krampf der Oso-phagusmuskulatur beruhende, vorübergehende Verschluß zu betrachten; die durch Steckenbleiben eines Fremdkörpers verursachte, akut einsetzende Stenose ist schon oben erwähnt. Abgesehen von dieser Form entwickeln sich die Symptome ganz allmählich, die Kranken haben zunächst Schwie-rigkeit beim Schlucken fester Bissen, die allmählich überhaupt nicht mehr in den Magen gelangen, was die Kranken als ein deutlich lokalisiertes Steckenbleiben empfinden. Beim Schlucken macht sich ein Druckgefühl bemerkbar, in kurzer Zeit gesellen sich Appetitlosigkeit, Abmagerung hinzu. Da mindestens 80 % der Ösophagosstenosen karzinomatöser Natur sind, findet sich dies Leiden besonders im vorgeschrittenen Alter. Infolge der sich oberhalb der Stenose ausbildenden Erweiterung (siehe oben) vermögen die festen Speisen sich oberhalb der Stenose mehr oder minder lange aufzuhalten, um dann in ziemlich unverändertem oder bereits zersetztem, übelriechendem Zustande erbrochen zu werden. Die Flüssig-keit gleitet anfangs noch in den Magen, später läßt sich auskultatorisch feststellen, daß sie auf ein Hindernis stößt.

Die Auskultation der Speiseröhre geschieht links neben der Trachea und hinten links von der Wirbelsäule bis etwa zum 10. Brustwirbel. Während des Schluckens hört man sofort ein zur Cardia fortgeleitetes Geräusch und über der Cardia, nach etwa 6—7 Sekunden ein zweites, den Eintritt der Flüssigkeit in den Magen anzeigendes Geräusch (Druckpreßgeräusch), besonders deutlich am leeren Magen.

Technik der Speiseröhrensondierung.

Vor Einführung einer Sonde muß ein Aneurysma und eine ernstere Herz-und Gefäßerkrankung mit Sicherheit auszuschließen sein, da die mit der Son-dierung verbundene Druckerhöhung und eventuell die mechanische Verletzung des in den Ösophagus hineinreichenden Aneurysmas zu tödlichen Zufällen führen kann. Zur Sondierung benutzt man feste Sonden (Spiralmetallsonden, Fischbeinsonden mit einem Elfenbeinknopf), Hohlsonden, die an ihrer gehärteten Spitze ein bis zwei Fenster aufweisen, oder endlich, womit man in den meisten Fällen auskommt, den gewöhnlichen weichen Magenschlauch. Die Einführung der zum besseren Gleiten mit Wasser angefeuchteten Sonde geschieht am besten beim sitzenden Patienten, den Kopf ein wenig nach vorn geneigt. Mit dem Zeigefinger der linken Hand faßt der Arzt bis zum Zungengrund in den Mund, während die mit der rechten Hand schreibfederartig gefaßte Sonde eingeführt wird. Um, besonders bei Kindern, das Zubeißen zu verhindern, empfiehlt es sich, die Unterlippe über die Zahnreihe des Patienten zu stülpen. Der Kranke wird aufgefordert mitzuschlucken, sobald die Sondenspitze an die hintere Rachenwand gelangt ist. Andernfalls kann man durch den Hüterschen Handgriff (energisches Herabdrücken der Zunge, wodurch die Epiglottis nach vorne geschoben wird) über den schwierigsten Punkt, den Eingang in den Ösophagus hinwegkommen. Ist die Sonde versehentlich in den Kehlkopf gelangt, so orientiert darüber die außerordentliche, sofort einsetzende Atemnot. Im Zweifelsfalle fordere man den Kranken auf, einen Ton anzulauten. Ist die Sonde in den Ösophagus gelangt, so stößt ein langsames Vorwärtsschieben auf keine Schwierigkeiten.

Bei bestehendem Karzinom-Stenosenverdacht sondiert man mit der stärksten Sonde oder mit dem weichen Magenschlauch vorsichtig, bis man auf einen Widerstand stößt. Durch mehrmaliges Zurückziehen vergewissert man sich, daß an einer bestimmten Stelle — die übrigens von dem Patienten als der Hindernispunkt, oft auch als schmerzhafte Stelle empfunden wird — ein tatsächliches Hindernis vorhanden ist. Man ermittelt nunmehr die Entfernung der Stelle von der Zahnreihe. Mit Hilfe dünnster Sonden versucht man das Hindernis zu überwinden, wobei selbstverständlich jedes gewaltsame Vordringen zu vermeiden ist. Bei den häufig spiralisch gewundenen stenotischen Kanälen gelingt es manchmal erst nach wiederholter Sondierung, die Stenose zu passieren. Man muß darauf gefaßt sein, durch die Sondierung leichte Blutungen zu provozieren, eine Perforation der Speiseröhre sollte bei vorsichtiger Vermeidung jeder Gewalt nicht vorkommen.

Über die Art der Stenose orientiert die Sondierung nur selten in direkter Weise, wenn Karzinompartikelchen mit der Sonde herausgebracht werden, doch lassen sich aus der Anamnese, dem Sitz der Stenose — Karzinome pflegen im untersten Drittel der Speiseröhre zu sitzen — dem Alter, dem Gesamtzustand des Kranken meist ziemlich bindende Schlüsse ziehen.

Findet man bei verschiedentlich vorgenommenen Sondierungen auffälligen Wechsel der Durchgängigkeit, so kann dies nur auf raschen geschwürigen Zerfall des Karzinoms hinweisen, man muß jedoch an nervöse Spasmen (siehe unten) und an Divertikel denken (s. S. 21).

Die Therapie der nicht karzinomatösen Strikturen ist eine rein chirurgische. Die Röntgenuntersuchung der mit Wismutaufschwemmung sichtbar gemachten Speiseröhre orientiert über den Ort und die Ausdehnung der Striktur.

Die Behandlung des Ösophaguskarzinoms ist eine symptomatische. Sie hat für die genügende Ernährung des Kranken zu sorgen und zu verhindern, daß er nicht die Qualen des Verhungerns zu erleiden hat. Die vielfach angewandte systematische Sondierung der Striktur ist infolge der leicht entstehenden Reizungen der karzinomatösen Stellen nicht ohne Qual und Gefahr für den Kranken, und was noch wichtiger, sie führt nicht mit Sicherheit zum Ziel, da Schwellung oder Wachstumsveränderung leicht zu plötzlicher Unpassierbarkeit führen können. Zweckmäßiger erscheint es, einen dünnen, besonders lang angefertigten Nélatonkatheter durch die Nase als Dauersonde einzuführen (mit Hilfe eines Seidenfadens am Ohr zu befestigen), zu einer Zeit, wo die Flüssigkeit noch glatt passiert, wenn also die ersten Zeichen der Kachexie auf den bald eintretenden völligen Verschluß hinweisen. Mit Hilfe dieses Dauerschlauches, der nur alle 4—6 Wochen gewechselt zu werden braucht, gelingt es meist in überraschend kurzer Zeit unter Zuführung kalorienreicher flüssiger Nahrung (Sahne, Zuckerlösung), den Allgemeinzustand wieder auf eine gewisse Höhe zu heben. Wenn der Kranke schließlich auch an karzinomatöser Kachexie zugrunde geht, so ist ihm doch das qualvolle Verhungern erspart geblieben. Die Einführung der weichen Dauerkanüle geschieht mit Hilfe eines geeigneten festen Stahlmandrins.

Bei vollständigem Verschluß der Speiseröhre kann man zur Gastrostomie (Witzelscher Schräg-Kanalverschluß) seine Zuflucht nehmen.

Ösophagus-Neurosen (Ösophagismus).

Es wurde schon des nervösen krampfartigen, mehr oder minder lang andauernden Verschlusses der Speiseröhre, welcher eine organische Stenose vorzutäuschen vermag, gedacht. Man findet diese Form bei Neuropathen beiderlei Geschlechts, ferner bei Chorea, bei Tetanus und Lyssa, doch können auch Ulzerationen oder Entzündung der Schleimhaut reflektorisch beim Schlucken den schmerzhaften Krampf hervorrufen. Die damit behafteten Kranken klagen über genau die gleichen Beschwerden, wie bei vorhandener organischer Stenose. Das Schluckhindernis pflegt im Gegensatz zu letzteren Fällen plötzlich aufzutreten, auffällig erscheint häufig das Misverhältnis zwischen der angeblichen Dysphagie und wohl auch der objektiven Unterernährung einerseits und der bei der Sondierung feststellbaren Stenose. Es gelingt meist das anfängliche Hindernis bei der

Sondierung durch ruhiges Zuwarten, Ablenkung des Kranken, tiefes Atem-
holenlassen, Trinken von heißem Wasser zu beseitigen und mit der Sonde
in den Magen zu gelangen. Der Zustand kann jahrelang bestehen und
durch die häufig auftretenden Spasmen und die dadurch bedingte Schluck-
unfähigkeit fester Nahrungsmittel ernste Ernährungsstörungen zur Folge
haben, abgesehen von den durch diesen Zustand sich gradatim steigernden
allgemeinen nervösen Beschwerden.

Die D i a g n o s e stützt sich auf den Wechsel der Erscheinungen, die
allgemeine Neuropathie, das Sondierungsresultat und gegebenenfalls auf
die Röntgenuntersuchung. In den Fällen, in denen der abnorme Reiz der
Schleimhaut oder ein Fremdkörper den Krampf hervorrief, wird die
Diagnose wohl nur durch das Ösophagoskop mit Sicherheit zu stellen sein.

Die B e h a n d l u n g ist, abgesehen von den letztgenannten Fällen,
eine allgemein roborierende, antinervöse; die Krampfzustände sind durch
Brompräparate, Belladonna zu beeinflussen. Lokal ist regelmäßige Sondierung, Ernährung durch den Magenschlauch (also Vermeidung der
Nahrungsreize) während einer gewissen Zeit, Elektrisieren, Hydrotherapie
eventuell von Nutzen.

P a r a l y s e n des Ö s o p h a g u s sind sehr seltene Erkrankungen
und nur als Teilerscheinungen bei zentralen Ursachen (Bulbärparalyse)
oder bei der diphtherischen Lähmung zu beobachten.

Krankheiten des Magens.

Die Diagnostik der Krankheiten des Magens basiert auf der Feststellung der anatomischen Lage desselben (Inspektion, Palpation, Aufblähung des Magens, Röntgenverfahren), sowie auf der Prüfung seiner
funktionellen Leistungsfähigkeit, sowohl in bezug auf die sekretorische
Funktion, den Chemismus des Magens als auch bezüglich der Motilität;
des weiteren dient die Untersuchung der mit dem Magen in innigen funktionellen Beziehungen stehenden übrigen Teile des Verdauungstraktus,
so z. B. der Zunge, des Darmes, der Fäzes usw. dazu, die Diagnose der
Magenkrankheiten aufzubauen. Es ist beinahe selbstverständlich, daß
die allgemeine Untersuchung des Kranken eine unbedingte Voraussetzung
ist, um eine richtige Magendiagnose zu stellen, da die Beziehungen des
Magens zu fast allen lebenswichtigen Organen so innige sind, daß eine
Erkrankung der letzteren schwere Störungen des ersteren hervorzurufen

vermag. Es sei erinnert an das Erbrechen bei Meningitis, an den Stauungs-katarrh bei dekompensiertem Herzfehler, an das Ödem der Magenschleim-haut bei bestimmten Formen der Nephritis, an die varikösen Stauungen der Magenvenen bei Leberzirrhose usw.

Nach dem Gesagten sind einige kurze anatomisch-physiologische Vormerkungen unerläßlich.

Die Lage des Magens, früher von den Anatomen bestimmt, wird heute richtiger aus den Röntgenbefunden des wismutgefüllten lebenden und in Funktion befindlichen Magens beurteilt. Der normale Magen zeigt eine vertikale Stellung und liegt fast völlig links von der Mittellinie. Die große Kurvatur ist der tiefste Teil des Magens, sie liegt normalerweise oberhalb der Nabelhöhe. Die Normalform des Magens ist die sogenannte Hakenform; sehr häufig ist auch die Stierhornform, bei welcher der Pylorus den tiefsten Teil des Magens bildet. (Einzelheiten s. Ltfd. der Röntgendiagnostik innerer Krankheiten.) Die sicherste Methode der Be-stimmung der Magengrenzen ist das Röntgenverfahren nach Verab-reichung einer sog. Riederschen Mahlzeit (350 g Mehlbrei werden auf das Innigste mit 35—50 g Bismut. carbonicum verrührt). Die ersten Bissen des Wismutbreies werden am Röntgenschirm verfolgt, dann wird die ganze Mahlzeit gegessen, und es wird von neuem durchleuchtet resp. photographiert, am besten im Sitzen oder Stehen. Gestattet die Röntgen-untersuchung den exaktesten Nachweis über die Lage und Formverhält-nisse des Magens, so wird diese Untersuchungsmethode jedoch erst an-gewandt, wenn der Verdacht auf ernstere Lage- oder Formanomalien durch den Gang der Untersuchung rege geworden ist. In relativ seltenen Fällen kann die Inspektion der Magengegend bereits diagnostische An-haltspunkte gewähren. Bei schlaffen Bauchdecken werden peristaltische und antiperistaltische Bewegungen (peristaltische Unruhe) sichtbar, welch letztere mit Sicherheit auf ein Hindernis am Pylorus weisen, und welche durch Beklopfen oder leichte Massage meist noch deutlicher gemacht werden können. Sehr selten zeichnen sich sogar Magentumoren auf der Bauchwand ab. Aufblähen des Magens mittels Magenschlauches und Doppelgebläse (die nicht ungefährliche Aufblähung mittels Kohlensäure ist prinzipiell zu verwerfen) läßt bei mäßig schlaffen Bauchdecken häufig die Konturen des Magens in ziemlicher Deutlichkeit hervortreten und erleichtert eventuell die nicht immer einwandfreie Perkussion der Magengrenzen. Ein Tiefstand der großen Kurvatur ist anzunehmen, wenn dieselbe unter den Nabel reicht; ist die kleine Kurvatur ebenfalls herabgesunken, so liegt eine Magensenkung (Gastroptose) vor, während im anderen Falle in der Regel eine Dilatatio ventriculi anzunehmen ist. (Näheres s. unter Pylorus-Stenose.) Auch die Palpation ermöglicht unter Umständen eine Größenbestimmung des Magens: eine stoßweise Palpation löst bei gefülltem Magen häufig ein Plätschergeräusch aus, welches durch die Magengrenzen begrenzt wird. Erscheint es auch bei nüchternem Magen, so deutet das Plätschern entweder auf eine Hypersekretion (Gastrosukkorrhoe) oder auf eine motorische Insuffizienz mit Ektasie. Die Perkussion des Magens ist normalerweise nur so weit mit Sicherheit ausführbar, als der Magen wandständig ist. Der Magenschall ist tympanitisch und läßt sich häufig von dem hellertympanitischen Schall des Darmes (wenn letzterer nicht stark gebläht ist) und noch leichter von dem Lungenschall abgrenzen.

Eine neue Methode, welche die direkte Besichtigung des Mageninnern bezweckt, ist zurzeit noch so schwierig, daß sie für die allgemeine Praxis nicht in Frage kommt.

Können die grobanatomischen Verhältnisse unter Umständen gewisse Magenstörungen erklären, so ist eine exakte Diagnose eines Magenleidens nur durch die funktionelle Prüfung, welche bis zu einer hohen Feinheit ausgebildet worden ist, zu stellen. Die Hauptfunktionen des Magens sind die sekretorische und die motorische Funktion; ersterer kommt die Verarbeitung der Speisen, letzterer die rechtzeitige Weiterbeförderung in den Darmkanal zu.

Eine kurze Übersicht über die pathologische Physiologie des Magendarmtraktus (um hier gleich die Darmverdauung anzuschließen) erscheint geboten.

Die Verdauung beginnt bereits in der Mundhöhle, in der die Speisen zerkleinert und eingespeichelt werden. Der ev. Zahnersatz, resp. die Instandsetzung kranker Zähne ist daher die erste Aufgabe jeder Magendarmbehandlung. Der Speichel hat die Aufgabe, durch das in ihm vorhandene Enzym, Ptyalin genannt, die Stärke in Dextrin und Zucker überzuführen. Gequollene Stärke, Stärkekleister, wird fast momentan in Dextrin und Zucker übergeführt. Der Mundspeichel hat ferner noch die Aufgabe, der Vermittler der Geschmacksempfindungen zu sein, indem er einen Teil der im schwach alkalischen Mundspeichel löslichen Stoffe der Nahrung in Lösung überführt. Die Geschmacksnerven der Zunge werden nämlich nur durch Lösungen, nicht durch trockene Stoffe in Erregung versetzt. Der eingespeichelte Bissen oder die der Mundhöhle zugeführte Flüssigkeit gelangt mittels des Schluckaktes in die Speiseröhre, bezw. in den Magen, wobei zu bemerken ist, daß das Schlucken sowohl willkürlich wie unwillkürlich (reflektorisch) eingeleitet werden kann. Der Ablauf des Schluckaktes jedoch ist stets unwillkürlich und kann durch unseren Willen nicht gehemmt werden.

Sind die Speisen in den Magen gelangt, so hört die Wirkung des Ptyalins auf die Stärke auf, sobald die im Magen abgesonderte Salzsäure die Diastase zerstört. Die Produkte der Magensekretion sind Pepsin und Salzsäure, das Labferment und vielleicht noch ein fettspaltendes Ferment. Pepsin und Salzsäure haben zusammen die Aufgabe, die Eiweißverdauung einzuleiten. Sie bilden aus dem nativen Eiweiß Albumosen (Protalbumosen und Deuteroalbumosen) und können die Verdauung bis zur vollkommenen Peptonisierung führen. Im allgemeinen kommt es jedoch im Magen noch nicht zur Peptonbildung, weil es dazu einer relativ langen Einwirkung bedarf, sondern nur zur Überführung der Eiweißkörper in Albumosen. Das Labferment, welches im menschlichen Magen in der Form seiner Vorstufe als Labzymogen vorkommt, wird durch die Salzsäure in das aktive Labenzym umgewandelt. Es hat die Fähigkeit, die Milch zu koagulieren. Das fettspaltende Ferment spaltet aus dem Neutralfett Fettsäure ab, welche im Darmkanal die Emulgierung des neutralen Fettes begünstigt.

Von der größten Bedeutung sind die Untersuchungen P a w l o w s , der durch eine ganz eigenartige Versuchstechnik die Bedingungen der Magensekretion aufdeckte. Zu diesem Zwecke teilte er den Fundusteil des großen Hundemagens derart, daß er einen kleinen blindsackförmigen nach außen abspaltete, indem er jedoch bei der Operation Acht hatte, nur die Magenschleimhaut, nicht aber die zuführenden Nerven und Gefäße zu durchtrennen, so daß die Schleimhäute der beiden, des großen und des kleinen Magens in gleicher Weise innerviert und vom Blute versorgt bleiben. In analoger Weise sind auch am Magendarmkanal blindsackförmige Stücke nach außen geleitet und zur Untersuchung verwendet worden. Es zeigte sich, daß die Sekretion des kleinen Magens der des großen vollkommen parallel verläuft, so daß auf diese Weise der Verlauf der Sekretion im großen Magen bei den verschiedenartigen Fütterungen in einwandsfreier Weise studiert werden kann. Im Gegensatz zu den bisherigen Untersuchungen mittels der Magensonde, die stets einen mit dem Chymus vermischten Magensaft liefert, erhielt man mit Hilfe der neuen Methode ein vollkommen wasserklares Verdauungssekret. Eine weitere Versuchsanordnung bestand darin, daß den Hunden mit der Magenfistel zugleich der Ösophagus in der Mitte durchtrennt war, so daß die Speisen der gierig fressenden Hunde stets aus der Mitte des Ösophagus herausfielen, ohne in den Magen zu gelangen (Scheinfütterung). Mit Hilfe dieser nur in kurzen Umrissen geschilderten Hauptversuchsanordnungen gelang der Nachweis, daß es einen sog. p s y c h i s c h e n M a g e n s a f t oder Appetitsaft gibt, der schon dadurch allein sezerniert wird, daß man den hungrigen Tieren Fleisch vorhält oder das Fleisch kauen läßt, ohne daß es in den Magen gelangt. Starke psychische Erregung hingegen kann die Magensaftbildung aufheben. Mechanische Reizung des Magens erzeugt keine Saftsekretion (eine Tatsache, die wichtig ist, weil oft angenommen wurde, daß die Einführung der Magensonde allein bereits eine Salzsäureabsonderung hervorruft). Neben psychischer Saftsekretion besteht eine r e f l e k t o r i s c h e S e - k r e t i o n , welche durch die verschiedenen Nahrungsmittel bewirkt wird. Um sie von der psychischen zu trennen, durchschnitt P a w l o w dem Tiere beide Vagi, welche die psychische Saftsekretion vermitteln, oder aber, er führte, ohne daß die Hunde es merkten, die verschiedenartigsten Nahrungsmittel direkt durch eine Magenfistel, mit Umgehung des Ösophagus, in den großen Magen ein, während er an dem kleinen Magen die Saftsekretion studierte. Aus den Untersuchungsresultaten ist zunächst hervorzuheben, daß den verschiedenen Nahrungsmitteln je ein ganz bestimmter, durch seine Eigenschaften (Azidität, Fermentgehalt), durch seine Menge, durch die Dauer und den Verlauf seiner Sekretion charakterisierter Magensaft entspricht. Die größte Saftmenge wird auf Fleischnahrung, weniger auf Brot- und Milchkost abgesondert. Das Maximum der Sekretion entfällt bei der Fleischnahrung auf die beiden ersten Stunden, bei der Brotnahrung ist es scharf auf die erste Stunde beschränkt, während es sich bei der Milchnahrung auf die zweite oder dritte Stunde verschiebt. Die Dauer der Sekretion ist bei der Milchnahrung am längsten. Die größte V e r d a u u n g s k r a f t hingegen besitzt der Brotsaft und zwar wird der stärkste Saft in der zweiten und dritten, beim Fleisch in der ersten, bei Milch in der letzten Stunde der Sekretion angetroffen. Auch die Gesamtazidität variiert je nach der Art der Speisen. Sie ist am höchsten beim Fleisch, am niedrigsten beim Brot. P a w l o w weist auch schon auf die Zweckmäßigkeit des Sekretionsverlaufs hin; beispielsweise ist bei Brotnahrung während der Verdauung nur relativ wenig Salzsäure im Magen, so daß die Stärkeverdauung durch die Diastase des Speichels nicht sehr beeinträchtigt wird und noch längere Zeit fortdauern kann.

Aus den Versuchen, in denen in der erwähnten Weise die psychische und die reflektorische Saftsekretion getrennt wurde, ergab sich für letztere, daß Wasser in größerer Menge, ferner Fleischbrühe, Fleischsaft, Fleischextrakt und Milch die reflektorische Saftsekretion anregen; hingegen ist Eiereiweiß, ferner die Fette und Kohlenhydrate bei Ausschluß des psychischen Momentes nicht imstande, auch nur die geringste Saftsekretion zu erzeugen. Sie bleiben stundenlang unverdaut im Magen. Sehr eigentümlich ist aber, daß wenn eine psychische Saftanregung durch Scheinfütterung (bei durchschnittenem Ösophagus) erfolgte, daß dann dieselben Nahrungsmittel saftanregend wirken können oder auch, daß diese Nahrungsmittel, wenn sie bereits im Magen eines andern Tieres angedaut waren, alsdann imstande sind, eine weitere Saftsekretion hervorzurufen Pawlow hat den psychischen Saft, der diese Anregung besitzt, deshalb als Zündsaft bezeichnet.

So viel geht jedenfalls aus den Untersuchungen hervor, daß eine vollkommene Magenverdauung nur dann zustande kommt, wenn die reflektorische Saftproduktion in energischer Weise von der psychischen eingeleitet worden ist. Von besonderer Bedeutung für die menschliche Pathologie ist ferner die Tatsache, daß vor allem das Fett nicht nur nicht imstande ist, reflektorisch den Magensaft anzuregen, sondern sogar auf die Absonderung des Appetitsaftes hemmend wirkt.

Von den interessanten P a w l o w schen Versuchen, auf die hier nicht näher eingegangen werden kann, seien nur noch die wichtigsten Beobachtungen, soweit sie die Sekretion der Darmdrüsen betreffen, erwähnt. Die Pankreassekretion setzt nach seinen Untersuchungen ein, sobald die Duodenalschleimhaut von der Salzsäure des Magens benetzt wird: „Das Ende der Magenverdauung gibt also das Signal für die Absonderung des Pankreassaftes." Auch die verschiedenen Nahrungsmittel haben einen verschiedenen Einfluß auf die einzelnen Sekretionen (Galle, Pankreassaft, Darmsaft usw.). Er stellte ferner fest, daß die Fermente des Pankreas, welche bekanntlich für die Aufspaltung, resp. Resorption der drei Nahrungsstoffe des Eiweißes, der Kohlenhydrate und Fette dienen, erst aus ihrer Vorstufe freigemacht werden, wenn der Pankreassaft in den Darm eingelaufen oder mit Galle in Berührung gekommen ist. Der Darmsaft, der seinerseits erst wieder durch das Einfließen des Pankreassaftes hervorgerufen wird, enthält ebenso wie die Galle einen Körper, Enterokinase benannt, welche das Trypsin aus dem Trypsinogen, und das fettspaltende Ferment aus seiner Vorstufe im Pankreassaft frei macht. Auch für den Übertritt der Galle in den Verdauungskanal zeigte sich, daß allein das Fett, die Extraktivstoffe des Fleisches und die Produkte der Eiweißverdauung einen reichlichen Austritt von Galle in das Duodenum bewirken; alle übrigen Stoffe erwiesen sich als wirkungslos. Es zeigte sich ferner, daß es für die Gallensekretion keine psychische Verdauung gibt wie etwa für die Magensekretion. Die Hauptaufgabe der Galle besteht nach den Pawlowschen Versuchen darin, die Wirkung des Pepsins zu zerstören, das den Fermenten des Pankreassaftes schädlich ist, sowie dieselben, vor allem dessen fettspaltendes Enzym, zu wirksamer Tätigkeit anzuregen.

Pawlow dehnte seine Untersuchungen auch auf spontan oder künstlich erzeugte Krankheitszustände bei Tieren aus und konnte z. B. zeigen, daß, wenn er durch Einführung absoluten Alkohols oder starker Silbernitratlösung einen schweren schleimigen Magenkatarrh erzeugt hatte, daß es nach anfänglicher Steigerung der Saftsekretion bald zu einem vollkommenen Erlöschen derselben kam. Es ergab sich ferner aus seinen und den Versuchen anderer Autoren, daß die Stromachika, in erster Reihe die Bittermittel, $\frac{1}{4}$ bis $\frac{1}{2}$ Stunde vor der Mahlzeit gereicht, die Sekretion des Appetitsaftes wesentlich anzuregen imstande sind. Ebenso verhält es sich mit dünnen Salzsäurelösungen, welche bei subakutem Katarrh die Saftsekretion anregen, während Natron bicarbonicum nicht nur die Azidität des Mageninhaltes herabsetzt, sondern auch die Drüsentätigkeit lähmt. Des weiteren wirkt Kohlensäure sekretionsfördernd, Alkohol in dünner Lösung bis ca. 20% safttreibend, während mehr als 20%iger Alkohol sowohl die Sekretionszeit abkürzt, als auch eine sichtliche Schleimabsonderung bewirkt und direkt zu einem vorübergehenden Magenkatarrh führen kann.

Die hier hauptsächlich interessierende Frage, inwieweit diese Tierexperimente Pawlows auf die menschliche Physiologie und Pathologie Anwendung finden, hat bereits eine weitgehende Bearbeitung erfahren. Es hat sich eine große Übereinstimmung in der Arbeit der Verdauungsdrüsen zwischen Mensch und Tier feststellen lassen, und durch die auch beim Menschen vorgenommene Scheinfütterung — indem man die betreffenden Individuen die verschiedenen Nahrungsmittel nur kauen, aber nicht herunterschlucken ließ —, konnte man feststellen, daß das psychische Moment, die äußeren Reize und Hemmungen auf die Quantität und Qualität des Magensaftes einen großen Einfluß ausüben. Beim normalen Menschen kann das Vorkommen eines psychischen und eines reflektorischen Magensaftes als gesichert angesehen werden. Ebenso steht fest, daß Fleisch oder Fleischsaftlösung die Sekretion der Magendrüsen stark anregen, während Fett hemmend wirkt und Stärke ohne reflektorischen Einfluß ist. Auch üben mechanische Reize wie beim Tiere keine absondernde Wirkung aus.

Aus diesen bisher geschilderten Kenntnissen, die durch spezielle Untersuchungen dauernd erweitert werden, lassen sich eine Reihe von diätetischen Maßnahmen für die Magendarmkrankheiten erklären, die in den betreffenden Kapiteln genauer besprochen werden.

Die Menge des sezernierten Magensaftes ist, soweit wir bisher wissen, individuell eine sehr verschiedene und richtet sich außerdem nach Art und Menge der aufgenommenen Nahrung. Es werden normalerweise durchschnittlich 15—1600 g, nach anderen Autoren noch bedeutend mehr produziert. Neben der eigentlichen Magensaftsekretion kommt für die Beurteilung des Mageninhaltes noch das sog. Verdünnungssekret in Frage, welches durch eine magenwärts gerichtete Wasserabscheidung eine solche Verdünnung des Magensaftes bewirkt, die gerade dem Optimum der Verdauung entspricht. Es ist diese Verdünnungssekretion also eine Art Schutzvorrichtung des Magens, um die Azidität und die molekulare Konzentration des Magensaftes zu regeln. Es liegt auf der Höhe der Verdauung der osmotische Druck des Mageninhaltes unter demjenigen des Blutes. Auch bei fehlender Salzsäuresekretion findet übrigens diese Verdauungssekretion statt, und es unterliegt wohl keinem Zweifel, daß diese Verdünnung durch eine richtige Sekretion der Magenwand, durch eine Transsudation aus den Magengefäßen (nicht etwa durch heruntergeschluckten Speichel) verursacht ist.

Es geht übrigens parallel mit dieser Sekretion eine Resorption von seiten der Magenwand, und zwar werden Kohlensäure, Alkohol, Zucker, Dextrin, Pepton und Kochsalz resorbiert, während Wasser nicht resorbiert wird.

Der Magen hat neben der sekretorischen und resorptiven Leistung auch eine motorische Tätigkeit zu erfüllen, die für den normalen Ablauf der Verdauung entschieden von größerer Bedeutung ist als die sekretorische. Die Magensekretion hat nämlich mit Bezug auf die eigentliche Verdauung vorwiegend die Aufgabe, die proteolytische Spaltung einzuleiten und vor allem das Bindegewebe aufzulösen, wozu bekanntlich der Darmsaft nicht imstande ist. Im übrigen wirkt sie, wie wir sahen, anregend auf die Saftsekretion der tiefer gelegenen Verdauungsdrüsen, und endlich hat sie noch eine quasi antiseptische Aufgabe zu erfüllen, deren Bedeutung noch nicht vollkommen erkannt ist. Man weiß, daß ein normal salzsäurehaltiger Magensaft steril ist; er hindert die Kohlehydratgärung, die saccharafizierende Wirkung des Speichels, die Invertierung des Rohrzuckers, sowie die Entwicklung von Fettsäuren und eiweißspaltenden Bakterien im Magen. Auf die Bedeutung der Fettspaltung wurde bereits hingewiesen.

Viel wesentlicher ist es jedoch, daß die Ingesta nach der normalen Verweildauer aus dem Magen in den Dünndarm geschafft werden, da sich sonst, wie die Erfahrung lehrt, selbst bei anfänglich vorhandener Salzsäure, bald katarrhalische Zustände herausbilden, die ihrerseits die Salzsäuresekretion unterdrücken, so daß es in relativ kurzer Zeit zu Zersetzungen innerhalb des Magens mit den bekannten schädlichen Folgen für das Allgemeinbefinden kommt. Die frühzeitige Erkennung der motorischen Störungen ist deshalb von dem allergrößten praktischen Interesse, weil sie im einzelnen Falle oft noch eine Heilung auf diätetisch- physikalischem Wege gestattet, die später nur noch durch die operative Therapie erreicht werden kann.

Auch den feineren Mechanismus der motorischen Tätigkeit des Magens haben die Untersuchungen Pawlows kennen gelernt. Er zeigte, daß der Übertritt des Mageninhaltes in das Duodenum sich nach der Reaktion des ersteren und nach seinem Azidätsgehalt richtet, sowie ferner, daß jedesmal, wenn das Duodenum einen Teil des sauren Mageninhaltes aufgenommen hat, dadurch

Zuelzer, Innere Medizin. 3

reflektorisch ein Verschluß des Pylorus und ein Aufheben der peristaltischen, den Inhalt austreibenden Bewegungen des Magens bewirkt wird. ((Es wurde bereits oben ausgeführt, daß der Übertritt des sauren Magensaftes die Pankreas- und weitere Darmsekretion anregt.)

Für die menschliche Pathologie ergibt sich hieraus vor allem die Erkenntnis, warum bei der einfachen Achylia gastrica der Magen so schnell nach den Probemahlzeiten leer angetroffen wird. Es fehlt der reflektorische Schlußreiz, der von der Salzsäure ausgelöst werden soll. Die Motilität hat ferner die Aufgabe, wie durch die neuesten Untersuchungen mittels des Röntgenschirmes am Wismut-Speisebrei sehr deutlich gezeigt werden konnte, die Speisen durch dauernde Schüttelbewegungen zu verkleinern und zu einer möglichst feinen und gleichmäßigen Masse zu vermischen. Diese motorische Tätigkeit findet vorwiegend in der rechten Magenhälfte, im Magenfundus statt, in dem die fortlaufenden Rotationsbewegungen ausgeführt werden. Man unterscheidet vom motorischen Standpunkte aus zwei Phasen der Magenverdauung. Während der ersten ist der Pylorus geschlossen, das Antrum führt kräftige Kontraktionen aus, durch welche die Mischung des Speisebreis zustande kommt. Während der zweiten Phase verhalten sich Antrum und die Pylorusmuskulatur antagonistisch, so daß eine Austreibung während der Erschlaffung des Pylorus von der Antrummuskulatur bewirkt werden kann.

Der Magen hat endlich die Aufgabe durch Produktion eines chemischen Körpers, eines Hormons, für die Peristaltik der abwärts von ihm gelegenen Darmabschnitte zu sorgen; es bildet sich das Peristaltik-Hormon in der Magenschleimhaut auf der Höhe der Verdauung, um auf dem Wege der Blutbahn die normale Darmbewegung anzuregen. Das überschüssige Peristaltik-Hormon wird höchstwahrscheinlich in der Milz abgelagert, um dort jederzeit disponibel, also unabhängig von der Verdauungsphase des Magens, dem Blutkreislauf zugeführt werden zu können. (Zuelzer.)

Dem Darme und die darin einmündenden Verdauungsdrüsen, Leber und Pankreas, obliegt die Aufgabe, die in der Mundhöhle und dem Magen begonnene Verdauung zu Ende zu führen und die verdauten Nahrungsmittel zu resorbieren. Der Pankreassaft enthält, wie schon erwähnt, die drei verschiedenartigen Fermente, das Trypsin zur Eiweißspaltung in alkalischer oder neutraler Reaktion, die Pankreasdiastase, welche die analoge Wirkung wie das Ptyalin des Speichels hat und endlich das fettspaltende Ferment, Steapsin, welches das neutrale Fett in Glyzerin und Fettsäure spaltet. Die Fettsäuren vermögen alsdann mit den Alkalien im Darm Seifen zu bilden, welche die feine Emulsion des Fettes und dadurch seine Resorption ermöglichen. Die Galle wirkt hauptsächlich in derselben Weise wie das Steapsin, indem sie die fettspaltende Wirkung des Pankreas unterstützt. Außerdem bewirkt sie durch die Imbibierung der Darmwand eine leichtere Durchgängigkeit der Fettemulsion durch dieselbe. Ihre Bedeutung ebenso wie die des Darmsaftes, durch das in ihnen enthaltene Ferment das Trypsinogen zu wirksamem Trypsin zu aktivieren, wurde schon gewürdigt. Der Darmsaft produziert selbst ein invertierendes und ein fettspaltendes Ferment, sowie ein von Cohnheim Erepsin benanntes Ferment, welches die Albumosen und Peptone zu noch tieferen kristallinischen Produkten abzubauen imstande ist. Bekanntlich ist der Organismus befähigt, aus diesen kristallinischen Eiweißabbau-Produkten synthetisch Eiweiß aufzubauen.

Neben diesen, mit ihren Hauptwirkungen geschilderten Fermenten existiert im Dünndarm eine enorm entwickelte Flora, welche die verschiedenartigsten Bakterien umfaßt. Es scheint, daß für jede der zahlreichen einzelnen Spaltungen aus den drei Nährstoffgruppen spezifische Bakterien existieren. Auf die Einzelheiten der Darmverdauung kann hier nicht eingegangen werden; sie sind in den speziellen Lehrbüchern über die Stoffwechselphysiologie nachzulesen. Die Resorptionstätigkeit, die beim Magen eine relativ geringe Rolle spielt, steht an Bedeutung im Darm oben an, da sie die eigentliche Ernährung des Organismus bewirkt. Bezüglich der Wege, welche die Nahrungsstoffe bei der Resorption einschlagen, ist sichergestellt, daß nur die Fette auf dem Wege der Lymphbahnen resorbiert werden. Die gelösten Stoffe, Wasser, Salz, Zucker und Eiweiß (Albumosen) treten direkt in die Blutbahn über, da nach Heidenhain die in dichtem Netz unmittelbar unter den Epithelien ausgebreiteten Blutkapillaren die leicht aufnahmefähigen Lösungen abfangen, bevor sie die tiefer gelegenen axialen Chylusgefäße erreichen. Nur bei sehr reichlicher Wasser-, Zucker- oder Salzaufnahme gelangt ein geringer Bruchteil, höchstens 1 % bis zu den Zotten und wird dort resorbiert. Umgekehrt tritt aber auch eine geringe Menge des emulgierten Fettes direkt in das Blut über, wie die Fettpfröpfchenanhäufung in der Leber nach Fettgenuß beweist. Die Resorptionsfähigkeit des Darmes ist naturgemäß begrenzt. Wasser kann in sehr reichlicher Menge aufgenommen und resorbiert werden, so daß es durch alleinigen Wassergenuß nicht leicht zu diarrhoischer Stuhlentleerung kommt. Die Fettaufnahme ist für den gesunden erwachsenen Menschen auf ca. 200 bis höchstens 300 g in maximo berechnet, doch verträgt die Mehrzahl der Menschen nur eine geringere Menge Fett (eine Tatsache, die für die Mastkur Berücksichtigung verdient). Zucker wird zwar leicht und daher in großen Mengen resorbiert, doch kann es bei übermäßiger Zuckerzufuhr auch zur Gärung unter Bildung von Milchsäure, Buttersäure usw. im Dünn- und Dickdarm kommen, wodurch Diarrhöen hervorgerufen werden. Eiweißstoffe werden bis zu 200, 300 und selbst 400 g verdaut und auch ziemlich vollkommen resorbiert, so daß übermäßige Eiweißmengen im allgemeinen leichter und besser vertragen werden als übermäßige Fett- und Kohlehydratezufuhr. Eine sehr reichliche Salzzufuhr (Kochsalz, Magnesiumsulfat, sog. Mittelsalze) bewirkt im Darm leicht Diarrhöen, indem die Salze den Reiz einer Flüssigkeitsabsonderung in den Dünndarm hinein abgeben.

Die Resorption im Dickdarm steht zwar im allgemeinen hinter der des Dünndarms bedeutend zurück, aber nur aus dem Grunde, weil die resorbierbaren Substanzen normalerweise hier bereits zum größten Teil resorbiert sind. Wie jedoch die rektale Einführung sowohl von verschiedenen Nahrungsstoffen wie auch von Medikamenten beweist, kann sie unter Umständen recht beträchtlich sein. Besonders gut werden resorbiert: Wasser, Albumosen und Zucker, so daß vorübergehend sowohl der gesamte Wasserbedarf wie auch die gesamte Nahrung vom Dickdarm aus dem Körper zugeführt werden kann.

Zur Prüfung der Magenfunktion dient in erster Reihe die Aus-heberung des Mageninhalts mittels des Magenschlauches. Die Technik der Sondierung des Magens ist die gleiche wie die Sondierung der Speiseröhre (s. S. 24). Man bedient sich am besten eines weichen (Nélaton)-Gummischlauches mit geschlossener Kuppe, und zwei seitlichen Fenstern. Die Kontraindikationen der Sondenanwendung sind dieselben wie bei der Ösophagussondierung, dazu tritt noch die einer frischen Magenblutung. Als Hauptindikation der Sondierung gilt die Gewinnung von Mageninhalt für die funktionelle Diagnostik (Sekretion und Motilität). In selteneren Fällen handelt es sich darum, festzustellen, ob ein Hindernis in der Cardia gelegen ist. Zur Herausbeförderung des Mageninhalts kann man sich der Expressions- und Aspirationsmethode bedienen. Erstere kommt so zur Anwendung, daß man nach Einführung des Magenschlauches den Patienten zu pressen auffordert, wobei der Mageninhalt durch den Schlauch nach außen gepreßt wird. Gelingt es auf diese Weise nicht, Inhalt herauszubefördern, so kann man die zweite Methode der Aspiration zur Anwendung bringen. Man bedient sich dazu eines zweckentsprechenden Gummiballons, der nach Rosenau mit einer Flasche armiert ist. Die Aspiration führt noch manchmal da zum Ziele, wo die einfache Expression infolge der zu breiartigen oder zu grobkörnigen Konsistenz des Mageninhaltes versagte. Wird auch mit ihrer Hilfe nichts herausbefördert, so kann man versuchen, durch Nachspülen mit etwa einem halben Liter lauwarmen Wassers den Mageninhalt zu verdünnen und eine Heberwirkung zu erzielen. Dieses Hilfsmittel gibt uns dann nur darüber Aufschluß, ob noch und welcher Inhalt im Magen vorhanden war. Die chemische Untersuchung wird dabei hinfällig.

Da der Magen nüchtern leer oder fast leer ist, da andererseits (s. oben) die verschiedenen Nahrungsmittel einen verschiedenen Reiz auf die Magensekretion ausüben, es uns aber darauf ankommt, eine gewisse Norm für die Beurteilung der sekretorischen und motorischen Funktion zu gewinnen, hebert man den Magen nicht nach einer beliebigen Mahlzeit zu einer beliebigen Zeit, sondern nach bestimmten Probemahlzeiten bestimmte Zeitabstände nach ihrer Einnahme aus. Die Erfahrung hat gezeigt, daß man so eine gewisse Konstanz der Zusammensetzung des Mageninhaltes unter normalen Verhältnissen erwarten kann, deren Abweichung bestimmte Schlüsse auf die Funktionsstörungen des Magens zuläßt. Die am meisten angewandten Probemahlzeiten sind das Probefrühstück (P. F.) nach Boas-Ewald und die Probemahlzeit (P. M) nach Riegel. Ersteres besteht aus einer Semmel (ca. 40—50 g) und einer großen Tasse schwarzen gezuckerten Tees. ³/₄—1 Stunde nach der Einnahme dieses Frühstücks erfolgt die Aushebung. Die Probemahlzeit besteht aus 150—200 g Deutsches Beefsteak, 150 g Kartoffelbrei, und einem Teller Bouillon; etwa nach drei bis vier Stunden wird ausgehebert. Das Probefrühstück hat den Vorteil, überall leicht beschaffbar zu sein, den Nachteil, daß es relativ geringe Anforderungen an die Leistungsfähigkeit des Magens stellt und nicht gerade appetitanreizend ist. Die Riegelsche Probemahlzeit entspricht einer normalen, den Ernährungsbedürfnissen Rechnung tragenden Mittagsmahlzeit, sie hat nur den Nachteil, daß sie nicht von allen Magenkranken genommen werden kann. In neuerer Zeit werden auch nach der Pawlowschen Lehre von dem Appetitsaft andere Probemahlzeiten angegeben, welche den Gaumen des Kranken in adäquater Weise reizen sollen.

Die Untersuchung des Mageninhalts betrifft die Menge, das Aussehen und die Konsistenz, den Geruch desselben. Die Menge hängt, abgesehen von der Art der Herausbeförderung, von der motorischen Kraft des Magens sowie von seiner Sekretion ab. Bei guter motorischer Funktion sind die Speisen gut durcheinandergemengt, bei gleichzeitiger guter Sekretion hat der Mageninhalt ein gleichmäßig homogenes Aussehen und eine etwas dickflüssige Konsistenz gewonnen. Bei übermäßiger Motilität findet man den Magen zur gewöhnlichen Zeit der Ausheberung bereits leer — wovon man sich durch Nachspülen überzeugen kann —, bei verminderter Motilität, die bis zum Pylorusverschluß gehen kann, sind die Rückstände abnorm reichlich. Man kann mehr Flüssigkeit im Magen finden, als der genossenen P. M. entspricht. Dies rührt meist daher, daß durch den Reiz des stagnierenden Mageninhaltes oder einen sonstigen pathologischen Reiz Flüssigkeit in den Magen hinein abgesondert wurde. (Wasserabscheidung oder Hypersekretion.) Im Falle der Stagnation erscheint der Mageninhalt nicht mehr homogen, vielmehr sondern sich nach kurzem Stehen die festen Bestandteile von der überstehenden Flüssigkeit am Boden des Glases ab, meist ein mehr oder minder feines Sediment aus Stärkekörnchen bildend; bei erheblicher Stagnation kommt es in der Regel zu einer Dreischichtung; über [der Sedimentschicht findet sich eine leicht trübe, beträchtlich höhere Flüssigkeitsschicht, nach oben zu allmählich farblos werdend, während sich als oberste Schicht eine starke Schaumschicht entwickelt, welche infolge ihres Gasgehaltes einzelne größere feste Partikelchen, die von den aufsteigenden Gasblasen emporgewirbelt wurden, festhält. Der Geruch ist nur dann von pathognomonischer Bedeutung, wenn er die Gegenwart von flüchtigen Säuren (Essigsäure, Buttersäure, Valeriansäure) anzeigt, die nur durch den Geruchssinn nachweisbar sind. Ganz selten wird der charakteristisch riechende Schwefelwasserstoff im Mageninhalt beobachtet. Selbstverständlich beanspruchen abnorme Beimengungen, vor allem Blut, besondere Beachtung; die nicht selten im Magensaft vorkommende Galle und der Dünndarmsaft sind meist bedeutungslos, da sie beim Aushebern durch krampfhaft pressende Bewegung des Patienten leicht in geringen Mengen aus dem Duodenum in den Magen hinein entleert werden können. Nur bei gleichzeitigen Stenosenerscheinungen (Erbrechen, Rückstände) und bei regelmäßigem Vorkommen deuten diese Beimengungen auf eine unterhalb der Papilla Vateri gelegene Duodenalstenose. Wichtig sind endlich erhebliche Schleimbeimengungen, die stets auf einen Magenkatarrh primärer oder sekundärer Natur deuten. Geringe Mengen von Schleim bilden einen normalen Befund, da der Magenschleim zu den physiologischen Bestandteilen gehört. Die Vermehrung des Schleims dokumentiert sich grobsinnlich beim Übergießen des Mageninhaltes auf das Filter, beim Herumrühren des Mageninhalts mit einem Glasstab oder dergleichen, wobei die kohärente Natur des Schleimes sich in charakteristischer Weise bemerkbar macht.

Dieser makroskopischen Prüfung des Mageninhaltes folgt die chemische Untersuchung, deren Hauptzüge, soweit sie für die Praxis von Bedeutung sind, kurz geschildert werden. Der Magensaft wird filtriert (bei sehr geringen Mengen vorheriges Anfeuchten des Filters), Prüfung des Filtrates auf Vorhandensein von freier Salzsäure durch Kongopapier, das dadurch blaugefärbt wird. Fehlt freie HCl, so entscheidet die Prüfung mit Lackmuspapier, ob der Mageninhalt überhaupt sauer reagiert oder nicht. Fehlen jeglicher Säure kommt nur bei Achylie vor, alkalische Reaktion in den schon erwähnten seltenen Fällen von Duodenalstenose, in denen größere Mengen Dünndarmsekret in den Magen übergetreten sind.

Ist freie Salzsäure vorhanden, so wird sie quantitativ bestimmt; ihr qualitativer Nachweis erfolgt in zweifelhaften Fällen neben der Reaktion mit Kongopapier am sichersten durch die Günzburgsche Phlorogluzinprobe: einige Tropfen Reagens (2 g Phlorogluzin, 1 g Vanilin auf 30 g Alkohol) werden mit einigen Tropfen Magensaft vorsichtig in einer Porzellanschale eingedampft; bei Gegenwart von freier HCl bildet sich ein roter Spiegel. Quantitative Bestimmung: 10 ccm Magensaft werden in einem Becherglase mit $^1/_{10}$ Normal-Natronlauge bis zum Verschwinden der Kongoreaktion versetzt. Die Zahl der verbrauchten ccm mal 10 ergibt den Azidilätsgrad für Salzsäure. Werden z. B. für 10 ccm Magensaft 4,5 ccm $^1/_{10}$ Normal-Natronlauge verbraucht, für 100 also 45, so sagt man, der betreffende Magensaft hat eine Azidität von 45. Will man die gefundene Zahl auf Salzsäure berechnen, so multipliziert man mit 0,00365, der Äquivalentzahl für 1 ccm $^1/_{10}$ N. HCl. Die freie Salzsäure beträgt durchschnittlich beim Gesunden 30—40 oder 0,1—0,2 %. Werte über 0,3 % bedeuten Hyperazidität, Werte unter 0,1 Hypazidität.

Neben der freien Salzsäure ist die Gesamtazidität durch Titrieren mit $^1/_{10}$ N. Natronlauge und Phenolphthalein als Indikator zu bestimmen. (In praxi wird nach Beendigung der Salzäuetitration dem Magensaft ein Tropfen Phenolphthalein zugesetzt und weiter titriert, bis eine schwache Rotfärbung, das heißt Alkaleszenz des Magensaftes auftritt.) Da die Hauptmasse der Gesamtazidität auf Rechnung der Salzsäure zu setzen ist, falls überhaupt freie Salzsäure vorhanden war, so gibt letztere Bestimmung eine ungefähre Anschauung über die überhaupt produzierte Salzsäure. Die normale Gesamtazidität beträgt nach einem P. F. ca. 40—60, nach einer P. M. 70—100. Bei Fehlen der freien Salzsäure wird die Gesamtazidität von organischen Säuren und von Phosphaten der Nahrung gebildet.

Beim Fehlen freier Salzsäure und hohen Gesamtaziditätswerten ist auf das Vorhandensein von pathologischen organischen Säuren, vor allem auf Milchsäure zu untersuchen. Ist bei Fehlen der HCl die Gesamtazidität sehr gering, so erübrigt sich die letztere Untersuchung, und es liegt eine Hypochylie oder Achylie vor. In diesem Falle ist die Bestimmung des Salzsäuredefizits anzuschließen. 10 ccm Mageninhalt werden mit $^1/_{10}$ N. Salzsäure titriert. Das Auftreten der bleibenden Kongoreaktion gibt das Ende der Titration an. Die Größe des Defizits nach einem P. F. ermöglicht die Bestimmung der überhaupt produzierten, also gebundenen HCl. Die Salzsäure wird von den Eiweißkörpern und Basen der Nahrung mit Beschlag belegt, ein P. F. enthält so viel dieser Körper, daß ca. 20 ccm $^1/_{10}$ N. Salzsäure von 100 Mageninhalt gebunden werden. Die Größe des Salzsäuredefizits ermöglicht also die Beurteilung, ob überhaupt Salzsäure produziert wurde, oder ob im Einzelfalle jegliche Salzsäureproduktion, auch während der Verdauung gefehlt hat.

Bei großer Gesamtazidität und Fehlen der HCl ist auf Milchsäure zu untersuchen. Praktisch kommt nur diejenige Milchsäure in Betracht, welche im Magen selbst durch abnorme Gärungs- und Fäulnisvorgänge entsteht. Die im Fleisch, in saurer Milch usw. enthaltenen Milchsäuremengen sind so geringfügig, daß sie bei den groben qualitativen Proben zum Nachweis pathologischer Milchsäure nicht in Betracht kommen. Der Nachweis von Milchsäure im Mageninhalt ist also immer von pathologischer Bedeutung. Sie findet sich, einmal, wenn infolge von Salzsäuremangel abnorme Gärungsvorgänge Platz greifen können und die

Entwicklung derselben durch gleichzeitige Stagnation des Mageninhaltes begünstigt ist. Diese gleichzeitige sekretorische und motorische Insuffizienz findet sich vor allem bei Carcinoma ventriculi, kann jedoch auch bei vollkommen gutartigen motorischen Störungen auftreten (gutartige Pylorusstenose). Die Milchsäuregärung wird durch bestimmte Mikroorganismen, die Boas-Oppler schen Bazillen, hervorgerufen.

Der Nachweis der Milchsäure geschieht am einfachsten durch die Uffelmannsche Probe: 10 ccm einer 4%igen Karbolsäurelösung werden mit 20 ccm Aq. dest. und mit einigen Tropfen einer 10%igen Eisenchloridlösung versetzt, so daß eine durchscheinende amethystblaue Färbung entsteht. Zusatz einiger Tropfen milchsäurehaltigen Magensaftes läßt unter Verschwinden der blauen Färbung eine zeisiggelbe Farbe auftreten. Die auf der Ätherextraktion basierenden Modifikationen dieser Probe sind meist überflüssig, da, wie oben begründet, nur der Nachweis größerer Milchsäuremengen von klinischem Interesse ist.

Die Untersuchung auf die im normalen Mageninhalt enthaltenen Fermente (Pepsin, Labferment und fettspaltendes Ferment) hat zurzeit im Großen und Ganzen nur ein wissenschaftliches Interesse. Innerhalb weiter Grenzen besteht ein Parallelismus zwischen Salzsäure- und Pepsinsekretion. Bei Anazidität ist auch meist die Pepsinsekretion herabgesetzt oder fehlt gänzlich. Das gleiche gilt für das Labferment.

Die Prüfung der motorischen Funktion des Magens ist zum Teil bei groben Störungen schon durch das Aussehen des in gewöhnlicher Weise ausgeheberten Probemahlzeit ermöglicht. Zum feineren Nachweis gestörter Motilität wird die Probemahlzeit statt nach 3—4, erst nach 7 Stunden ausgehebert und zugleich eine Spülung angeschlossen (Leube). Bei normaler Motilität muß der Magen um diese Zeit leer sein. Finden sich mehr oder minder beträchtliche Mengen reinen Magensaftes ohne Speiserückstände, so liegt eine Hypersekretion vor. Um eine schwere Motilitätsstörung, wie man sie nur bei Pylorusstenosen findet, sicher nachzuweisen, gibt man nach Boas dem Kranken ein Probeabendessen (400 g Tee mit Milchzucker, 2 Weißbrötchen mit Butter und etwas kaltem Fleisch). Werden morgens nüchtern durch Ausheberung oder Spülung Rückstände herausbefördert, so liegt eine schwere Motilitätsstörung vor. Man kann zu dem gleichen Zwecke auch zu der gewöhnlichen Abendmahlzeit Nahrungsmittel geben, die im Spülwasser am nächsten Tage leicht erkennbar sind, da sie von dem Magensafte schwer angegriffen werden, also z. B. einen Eßlöffel roher Korinthen, ungenügend gekochten Reis oder Graupen u. a. Fallen die letztgenannten Proben positiv aus, so spricht man von einer Motilitätsstörung zweiten Grades, die sich auch häufig dadurch äußert, daß morgens nüchtern Nahrungsmittel vom Tage vorher erbrochen werden. Ist nur die Leubesche Probe positiv, so ist eine motorische Störung ersten Grades vorhanden.

Die Probespülung des nüchternen Magens kann auch, selbst wenn sie bezüglich der motorischen Funktion negativ ausfällt, dadurch diagnostisch bedeutsam werden, daß sie reichliche Beimengungen von Schleim enthält, welche auf einen Magenkatarrh deutet, zahlreiche Leukozyten, welche auf einen ulzerösen Prozeß, Gewebspartikelchen, die auf maligne Neubildung schließen lassen, und endlich Blut, die auf Ulcus oder Karzinom hinweisen.

Die mikroskopische Untersuchung endlich kann die durch die bisherigen

Methoden gewonnenen Resultate infofern stützen, als sie die Speisereste in zweifelhaften Fällen identifiziert (Muskelfasern, Pflanzenteile, Fett usw.), und als sie durch den eventuellen Nachweis von Hefezellen (Sarcina ventriculi, Milchsäurebazillen) die Stagnation beweist.

Die Sahlische Desmoidprobe dient dazu, uns über die sekretorische Funktion des Magens ohne Benutzung der Magensonde in gewissem Umfange aufzuklären. Überall da, wo die Anwendung der Sonde auf Schwierigkeiten stößt, ist die Desmoidprobe als orientierende Untersuchungsmethode anzuwenden. Sie basiert auf der Tatsache, daß ungekochtes Bindegewebe nur der Magenverdauung durch Pepsinsalzsäure, nicht aber der Darmverdauung oder wenigstens nicht innerhalb der ersten 20 Stunden unterliegt. Sahli benutzt ein bestimmtes Rohkatgut als Verdauungsobjekt, mit dem er ein eine Methylenblau-Pille enthaltendes Gummibeutelchen verschließt. Dieses „Desmoidbeutelchen" erhält der Patient zum Verschlucken nach der Mittagsmahlzeit. Produziert der Magen während seiner verdauenden Tätigkeit Pepsinsalzsäure in ausreichender Menge, um den Katgutfaden zu verdauen, d. h. das Beutelchen zu eröffnen, so tritt innerhalb der ersten 8—10 Stunden das Methylenblau in den Harn über. Tritt diese positive Reaktion erst später ein, so ist mit der Möglichkeit einer Darmverdauung zu rechnen, die Probe ist dann also nicht beweiskräftig für das Vorhandensein von freier Salzsäure. Wird der Urin nicht blau gefärbt, so können Zufälle (z. B. zu schnelles Passieren der Pille in 'den Darm) trotz vorhandener Salzsäure die Katgutverdauung verhindert haben. Bei mehrfachem negativem Ausfall ist jedoch mit ziemlicher Sicherheit das Fehlen freier Salzsäure anzunehmen. In diesem Falle muß eine Sondierung des Magens vorgenommen werden, da uns die Probe über die nähere Beschaffenheit der Magenstörung nichts aussagt.

Liegt Erbrechen vor, so dient die Untersuchung des Erbrochenen in der gleichen Weise wie die des ausgeheberten Mageninhaltes zur diagnostischen Untersuchung. Die Beurteilung der Befunde ist kompliziert dadurch, daß die genossenen Ingesta entweder nicht bekannt sind oder durch ihre Zubereitung (freie Fettsäuren, gebräunte Butter, Milch, Kaffee, Rotwein) den Geruch und das Aussehen stark beeinflussen. Besonders wichtig beim Erbrochenen ist der Nachweis von Blut, Galle, Schleim und von fäkulenten Massen.

Bei blutigem Erbrechen (Hämatemesis) ist die Farbe des Erbrochenen von Wichtigkeit. Stammt das erbrochene Blut aus einer frischen Blutung, so ist es mäßig dunkel gefärbt (im Gegensatz zu dem schaumig hellen Lungenblut). Beim längeren Verweilen des Blutes im Magen wird es unter der Einwirkung von Salzsäure dunkelrot bis schwarzbraun, und kann saure Reaktion annehmen (Ulcus ventriculi). Bei dem durch Magenkarzinom verursachten Blutungen, die geringfügig sind und daher meist längere Zeit angedauert haben, bevor es zum Erbrechen kommt, hat das Blut infolge der Retention, der Zersetzung des Mageninhaltes meist ein sogenanntes kaffeesatzartiges Aussehen gewonnen. Bei Blutbrechen ohne nachweisbare Ursachen im Magen ist stets zu berücksichtigen, daß es durch Verschlucken von Blut durch Nase, Rachen und Ösophagus in den Magen gelangt sein kann.

Der Schleim kann ebenfalls in großen Mengen aus Mund und Rachen verschluckt sein oder aus dem Magen stammen. Die Unterscheidung im Erbrochenen ist oft nicht leicht. Die gallige Beimengung des Erbrochenen rührt meist von dem, besonders bei leerem Magen, gewaltsamen Würgen des Brechenden und dem dadurch bewirkten Gallenrückfluß aus dem Darm in den Magen her. Bei häufigem mühelosen galligen Erbrechen ist an Duodenalstenose zu denken. Das Koterbrechen ist für die Pathologie der Magenkrankheiten ohne Bedeutung und weist stets auf einen Darmverschluß (Ileus oder paralytischer Ileus) hin.

Der Blutnachweis kann bei Magenbluten ebenso wie aus dem Erbrochenen auch aus dem Stuhl gestellt werden, doch sind, wenn es sich um geringe Mengen Blutes, um den Nachweis sogenannter okkulter Magenblutungen handelt, die wie schon erwähnt, beim Magenkarzinom stets sehr geringfügiger Natur sind, zur diagnostischen Verwertung besondere Vorsichtsmaßregeln geboten. Einmal sind alle aus anderen Orten stammenden Blutungen (Nasen-, Rachen-, Zahnfleisch-, Hämorrhoidalblutungen) mit Sicherheit auszuschließen, dann ist dafür Sorge zu tragen, daß der betreffende Patient mindestens in den letzten 3mal 24 Stunden keinerlei Blutfarbstoff mit der Nahrung eingeführt hat. (Rohes Fleisch, Wurst, Puro, Hämatogen usw.) Der Blutnachweis geschieht folgendermaßen:

Guajakprobe. Etwas Stuhl wird, soweit er nicht an sich flüssig ist, mit Wasser unter Zusatz von 1—2 ccm Eisessig verrieben. Etwa 10 ccm der flüssigen Mischung werden mit der gleichen Menge Äther ausgeschüttelt. Einige Kubikzentimeter dieses, bei Anwesenheit von Blut braunrot gefärbten Äthers werden abgegossen und mit 20 bis 30 Tropfen alten Terpentinöls und 10 Tropfen einer frisch bereiteten Guajaktinktur versetzt und geschüttelt. Die Reaktion ist positiv, wenn eine Blaufärbung des Ätherextraktes auftritt; die blaue Farbe kann durch Chloroform ausgeschüttelt werden. — Das alte Terpentinöl kann auch durch 2 ccm 3%igen Wasserstoffsuperoxyds als O_2-Abgeber, die Guajaktinktur kann durch die gleiche Menge frischer Alointinktur ersetzt werden. Das Alointerpentin färbt sich positiven Falles hellrosa bis kirschrot. (Eine Messerspitze Aloin wird in 3—5 ccm 60—70%igen Alkohol aufgelöst.)

Phenolphthalinprobe nach Boas: Das Reagens wird durch Anwesenheit von Blutfarbstoff zu Phenolphthalein oxydiert. Der feste Kot wird mit Wasser bis zur Dünnflüssigkeit verrieben, etwas Eisessig hinzugefügt, verrührt, Äther hinzugefügt, langsam im Reagensglase hin- und herbewegt, der Äther in ein reines Reagensglas abgegossen, zum Äther 20 Tropfen des Phenolphthalinreagens (nachdem man die ersten Tropfen des letzteren zunächst hat ablaufen lassen) zugegeben, leicht geschüttelt, und schließlich 3—4 Tropfen Wasserstoffsuperoxyd hinzugesetzt. Bei vorhandenem Blutfarbstoff tritt eine rosa bis intensiv rosarote Färbung ein, die bei stärkerem Blutgehalt längere Zeit bestehen bleibt. Bei hohem Blutgehalt erübrigt sich der Zusatz von H_2O_2.

Eine sehr bequeme Methode ist die spektroskopische, die man im sauren Ätherextrakt des Stuhles vornimmt; eine Hämatinlösung in Essigsäureäther zeigt Absorptionsstreifen in rot, gelb, auf der Grenze zwischen gelb und grün und auf der Grenze zwischen grün und blau.

Die Teichmannsche Häminprobe fällt trotz vorhandenen Blutes nicht immer positiv aus, da die Häminkristalle nur aus dem Hämoglobin, nicht aber aus dem Hämatin darstellbar sind, das Hämoglobin aber im Magendarmkanal in Hämatin umgewandelt wird.

Die Mikroskopie des Mageninhaltes endlich hat ebenfalls einen, wenn auch relativ geringfügigen diagnostischen Wert. Beim Erbrochenen sowohl als auch nach der P. M. können stark veränderte Ingesta, die Muskelfasern und gequollenen Pflanzenteile, manchmal durch das Mikroskop identifiziert werden und so zur Sicherung einer angenommenen Motilitätsstörung beitragen. Stärkekörnchen sind eventuell durch Blaufärbung mit Lugolscher Lösung zu charakterisieren. — Bei Motilitätsstörung finden sich reichlich Hefe- und andere Sproßpilze, die bekannte Sarcina ventriculi. Die Hefezellen färben sich mit Jod gelb. — Von den zahlreichen, im Magen vorkommenden Spaltpilzen sind die schon erwähnten Boas-Opplerschen langen — Faden- oder Milchsäurebazillen — von besonderem Interesse, da sie als die hauptsächlichsten Erreger der Milchsäuregärung zu betrachten sind. Sie finden sich in größerer Menge nur bei gleichzeitiger Herabsetzung der Salzsäuresekretion und der Motilität; ein Zusammentreffen, welches sich hauptsächlich (aber nicht ausschließlich) beim Magenkarzinom findet. Sehr selten gelingt der mikroskopische Nachweis von Geschwulstpartikeln, am ehesten noch nach Sondierung bei nüchternem Magen.

Die Prinzipien der diätetisch-physikalischen Therapie der Magenkrankheiten.

Die Untersuchung des Mageninhalts nach P. F., P. M. oder aus dem Erbrochenen hat also, um es noch einmal kurz zusammenzufassen, die Aufgabe, festzustellen, ob eine normale, eine Hyper- oder Hyposekretion des Magens vorliegt, und gleichzeitig damit, ob eine normale, eine verzögerte oder eine beschleunigte Motilität besteht.

Je nach der Kombination der vorliegenden sekretorischen und motorischen Störungen wird sich die allgemeine Kostordnung, die Anzahl der Mahlzeiten, die Temperatur, in der die Speisen verabreicht werden sollen, und die Gesamtmenge der zu verabreichenden Nahrung zu richten haben, m. a. W. die Art der Schonung, welche wir dem kranken Organ angedeihen lassen wollen, ist eine ganz verschiedene je nach der Art der vorliegenden Störung. Für die folgenden Betrachtungen der physikalischdiätetischen Behandlung spielt die Tatsache, ob z. B. ein Karzinom des Magens vorhanden, eine viel weniger bedeutende Rolle als die, ob dadurch ev. eine motorische Störung (Pylorusstenose) bedingt ist, oder ob eine Achylie besteht, d. h. ob jegliche Sekretion fehlt. Die Berücksichtigung der operativen Indikationen hat in dieser allgemeinen Besprechung keinen Platz.

Die absoluteste Schonung für den Magen besteht naturgemäß darin, daß man dem Kranken nichts zu essen und zu trinken gibt. Es gibt nur sehr wenige Fälle von Ulcus ventriculi, bei denen wir zu dieser zwar für den Magen sehr rationellen, aber für den Gesamtorganismus höchst bedenklichen Maßregel greifen, nämlich dann, wenn aus Besorgnis vor Magenblutungen jede geringste Reizung der Magenschleimhaut, resp. der Wundfläche vermieden werden muß. In diesen Fällen, über die im speziellen weiter unten zu sprechen ist, wird die Ernährung vom Rektum aus durchgeführt. — Wenn die an Ulcus ventriculi leidenden Kranken selbst häufig aus Angst vor Schmerzen die Nahrungsaufnahme in mehr als zulässiger Weise beschränken, so ist es Aufgabe des Arztes, dieser schädlichen Nahrungsbeschränkung entgegenzutreten, wie ja überhaupt gerade bei Magendarmkrankheiten das den gesunden Menschen zu einer genügenden Nahrungsaufnahme veranlassende Hungergefühl entweder beeinträchtigt ist oder gewaltsam aus Furcht vor allerhand schädlichen Folgen nicht in normaler Weise beachtet wird. Bei der theoretischen Besprechung der verschiedenen Ernährungsbedingungen bei Magenkranken müssen die sekretorischen und motorischen Störungen gesondert betrachtet werden.

Bei der Hypersekretion wurde lange Zeit auf besonders reichliche Eiweißnahrung Wert gelegt, da die Klinik von der Idee ausging, daß die Eiweißkörper durch ihr Bindungsvermögen der Salzsäure am geeignetsten seien, das Auftreten überschüssiger Salzsäure zu verhindern. Fleisch muß natürlich vermieden werden, da es an sich den stärksten Anreiz zur Saftsekretion des Magens bildet (Pawlow). Als Eiweißträger kommen also vorwiegend Eier, Milch, Leimsubstanzen in Frage. Die Physiologie hat gezeigt, daß die Fette in ganz besonderem Maße sekretionsbeschränkend wirken, so daß also eine Fetteiweißdiät die adäquate Ernährung bei Hypersekretion bildet. Bei der Hyposekretion muß im Gegenteil anregende Nahrung gereicht werden, sofern in den einzelnen Fällen überhaupt noch eine Sekretionsanregung möglich erscheint. Es kommen also in Frage: rohes Fleisch, Fleischbrühe, Liebigs Fleischextrakt, Milch usw. Bei beiden Formen ist auf die Art der Kostzubereitung großes Gewicht zu legen. Bei der Hyperazidität müssen die Speisen deshalb fein verteilt sein, damit keine mechanischen Reizzustände geschaffen werden. Bei der Subazidität ist die gleiche breiige Verordnungsweise aus dem Grunde wünschenswert, um ev. auftretende Motilitätsstörungen möglichst unschädlich zu gestalten (Gärung usw.). Was die Temperatur der Nahrung anbelangt, so sind bei der ersteren Form der Erkrankung alle extremen Temperaturgrade zu vermeiden. Bezüglich der Häufigkeit der

Nahrungszufuhr verlangt die Hypersekretion und die Hyposekretion die gegenteilige Verordnung. Bei der ersteren Form wird man alle zu häufigen Reizungen durch die häufige Nahrungszufuhr vermeiden, bei der letzteren Form wird man umgekehrt häufigere und kleine Mahlzeiten geben, um die Ansammlung größerer Speisemengen in dem nicht Salzsäure sezernierenden, also Gärungen ausgesetzten Magen zu vermeiden.

Von den motorischen Störungen des Magens ist die verminderte Motilität die klinisch bedeutsamste Form, wie denn zweifellos eine Störung der motorischen Funktion im allgemeinen von schwereren Schädigungen für den Organismus begleitet ist als die der sekretorischen. Es ist klar, daß dabei jede grobe Kost vermieden werden muß, und daß auch hier das Prinzip häufiger und kleiner Mahlzeiten das herrschende ist. Dies gilt nicht nur bei gleichzeitiger Subazidität, sondern auch bei Hypersekretion, da bei der Kombination der letzteren mit motorischer Insuffizienz nicht nur die häufige Nahrungszufuhr als reizbildendes Moment in Frage kommt, sondern mindestens ebensosehr die Stauung größerer Speisemengen im Magen. Auch bei reiner motorischer Insuffizienz ohne Sekretionsanomalien, ein Zustand, der nur im Anfange der Erkrankung beobachtet wird, wird man aus leicht ersichtlichen Gründen häufige und kleine Mahlzeiten, und zwar stets in breiiger Form zu wählen haben. Überschreiten die motorischen Störungen gewisse Grenzen, so tritt die chirurgische Behandlung in ihre Rechte.

Auch die speziellen physikalischen Behandlungsmethoden, welche auf der Benutzung des Magenschlauches basieren, sind einer allgemeinen Besprechung zugänglich. Kußmaul war der erste, welcher die Magensonde zur Entleerung des zersetzten und stagnierenden Mageninhalts des gefüllten Magens anwandte. Der Ersatz der Magensonde durch den weichen Gummischlauch hat diese Therapie zu einer vollkommen ungefährlichen und daher überall anwendbaren gemacht. Ihr Indikationsgebiet hat sich zwar seither etwas erweitert, in der Hauptsache aber sind es auch noch heute nur die mit Rückständen verknüpften motorischen Störungen des Magens, bei welchen er angewendet wird. Bei jeder derartigen motorischen Störung, sofern ihre Ursache nicht sofort als eine maligne und noch operable gekennzeichnet ist, wird man zunächst zum Magenschlauch greifen. Dadurch werden die fast ausnahmslos mit der Stagnation verknüpften Reizerscheinungen gemildert oder behoben und das Grundleiden der Diagnose zugänglich gemacht. Waren z. B. bei einer gutartigen Stenose (Ulcusnarbe, peritonitischen Verwachsung, hochgradige Ptose usw.) infolge der Zersetzung die Salzsäuresekretion aufgehoben, so kann durch fortgesetzte Spülungen der sekundäre Katarrh behoben, die Salzsäure-sekretion wieder angeregt, die Ernährung wieder gebessert und dadurch die Benignität des Leidens nachgewiesen werden. Man läßt die Spülungen in solchem Falle am besten des Abends vornehmen und danach nur noch eine leichte, reizlose Schleimsuppe genießen, wodurch dem Magen die ganze Nacht zur Erholung Zeit gegeben wird.

Daneben erweisen sich die Spülungen, eventuell auch in Form von Duschen oder medikamentösen Spülungen, auch gelegentlich als vorteilhaft bei chronisch entzündlichen Zuständen der Magenschleimhaut, welche diätetisch-medikamentös bereits längere Zeit ohne Erfolg behandelt wurden. Bei den Fällen von Hypersekretion und Hyperazidität, der sogenannten Reichmannschen Krankheit, wandte man ebenfalls gern den Magen-schlauch an; doch hat die medikamentöse Therapie (Atropin s. S. 90 u. 92) hier die physikalische verdrängt.

Bez. der Technik der Magenschlaucheinführung s. o. S. 24; man verwendet allgemein die Jaquetschen Patentschläuche, etwa N. 9—12.

Als Spülflüssigkeit wird in erster Reihe das Wasser angewandt, ferner kommen leicht desinfizierende und adstringierende Zusätze zur Anwendung, Borsäure bis 3%ig, Thymol, Kalium hypermanganicum ½%ig, Ichthyol 1%. Argentum nitricum 1⁰/₀₀, ferner werden natürliche Brunnen wie Karlsbader, Vichy, Emser, resp. ihre aufgelösten Salze zur Spülung verwendet,.

Akuter Magenkatarrh (Gastritis acuta).

Es ist hier nur der primäre Magenkatarrh zu berücksichtigen; die sekundären Gastritiden im Gefolge akuter oder chronischer Infektions-krankheiten sind nicht Gegenstand besonderer klinischer Beachtung, da ihre Symptome neben den Symptomen der primären Erkrankung verschwinden. Ätiologisch spielen die Hauptrolle Diätfehler, sei es durch die Art oder die Menge der zugeführten Nahrung, sei es durch verdorbene Speisen; auch chemische Reize, zu große Hitze oder Kälte des Genossenen, oder mechanische, infolge mangelhaften Kauens, das Schlingen großer, schwer löslicher Bissen können einen akuten Reizzustand hervorrufen, Die toxische Gastritis, welche durch ätzende oder giftige Stoffe (Mineralsalze, Laugen, Säuren, Alkohol, Arsen, Phosphor usw.) entsteht, gehört in diese Kategorie.

Pathologisch-anatomisch unterscheidet sich der akute Katarrh der Magenschleimhaut nicht von den akuten Katarrhen anderer Schleimhäute. Die Schleimhaut ist in toto oder fleckweise gerötet, geschwollen und mit einem zähen, glasigen, fest anhaftenden Schleim bedeckt. Vereinzelt kommt es auch zu kleinen Blutaustritten auf der Schleimhaut.

Die Symptome sind die einer schweren Dyspepsie; die Kranken klagen über Appetitlosigkeit, Gefühl von Druck und Fülle in der Magengegend, daneben eine mehr oder minder ausgesprochene Übelkeit, gepaart mit schlechtem Geschmack, Durst und häufig mit Erbrechen. Eigentliche Schmerzen sind selten; es besteht Verstopfung oder auch Diarrhoe. Die Zunge ist schmutziggrau belegt, manchmal etwas geschwollen; starker Foetor ex ore und geringes Fieber werden selten vermißt; doch ist die Temperatur meist nicht höher als 38—38,5° C; eine Milzschwellung fehlt. Dabei ist das Allgemeinbefinden mehr oder minder beträchtlich gestört: Schwächegefühl, Unlust, psychische Depression usw. Die Untersuchung des Magens ergibt Aufgetriebenheit desselben und eine gewisse Druckempfindlichkeit. Das Erbrochene oder der ausgeheberte Mageninhalt zeigt ein Fehlen von freier HCl, reichliche Schleimbeimengungen und als Zeichen gleichzeitiger Motilitätsstörung die Anwesenheit mehr oder minder alter Nahrungsreste.

Die Diagnose macht in der Regel keine Schwierigkeiten, bei höherem Fieber und schweren Allgemeinstörungen kann ein Typhusverdacht entstehen, die weitere Beobachtung klärt schnell die Diagnose, da beim Magenkatarrh in wenigen Tagen eine Heilung einzutreten pflegt. Die Prognose ist nur dubiös bei Säuglingen (s. Leitfaden der Säuglingskrankheiten) und bei alten Leuten.

Zur Therapie gehört eine verständige Prophylaxe, da durch Vermeidung kulinarischer Exzesse in erster Reihe Magenkatarrhe zu vermeiden sind. Die akute Gastritis selbst heilt man am besten durch Entlastung und Schonung des Magens. Fehlt spontanes Erbrechen, so ist der angefüllte Magen durch Brechmittel oder mechanisch zu entleeren. Vielfach genügt es, wenn die Kranken sich den Finger tief in den Rachen stecken, am besten, nachdem sie vorher lauwarmen dünnen Tee zur Erleichterung des Brechaktes zu sich genommen haben. Gründlicher wird die Entleerung des Magens durch Auswaschen desselben mittels des Magenschlauches erzielt, eine Methode, die bei kleinen Kindern, wenn der Zustand irgendwie ernsthafter ist, stets anzuwenden ist. Von den früher vielfach angewandten Brechmitteln bedient man sich heute, da sämtliche einzunehmenden Medikamente die Magenschleimhaut reizen, nur noch des subkutan anzuwendenden Apomorphins.

88) Rp.   Apomorphini hydrochl. 0,1
         Aqua destillata   10,0
         S. für Erwachsene ¹/₂ bis 1 Spritze, für Kinder
         2—3 Teilstriche.

Ist der zersetzte Mageninhalt bereits in den Darm übergetreten (übelriechende diarrhöische Stühle, die stark gären), so ist ein energisches Abführmittel am Platze. Am besten 2 Eßlöffel Rizinusöl in heißem Kaffee, Karlsbader Salz oder Bitterwasser. Bei sehr starkem Brechreiz sind vorher 2—3 Tropfen Opiumtinktur zu geben, oder

> 89) Rp. Calomel 0,2
> Saccharin 0,3
> M. F. Pulv. D. T. Dos. II
> innerhalb einer Stunde zu nehmen. 2 bis 3 Stunden
> nach Beginn der abführenden Wirkung ist Opium
> (Tinctura opii spl. 15 Tropfen oder Pantopon)
> zu geben.

Häufig kommt man ohne Medikamente, allein durch diätetische Maßnahmen aus: während der ersten 24 Stunden Verbot jeglicher Nahrung und höchstens, wenn die Kranken auf dieses absolute Regime nicht eingehen wollen, etwas kalten dünnen Tee, kaltes kohlensaures Wasser, Eispillen, allenfalls Schleimsuppen. Bei starkem Durstgefühl erfrischt häufiges Gurgeln, Reinigung der Zunge mittels eines in Zitronensaft eingetauchten Leinwandläppchens. Nach 24—48 Stunden pflegt ein gewisses Hungergefühl sich geltend zu machen. Vorsichtige Ernährung durch Zufuhr geringer Mengen gezuckerten schwarzen Tees, Milch, Schleimsuppen oder Fleischbrühe. Bei noch bestehender Brechneigung werden die Getränke eßlöffelweise in eisgekühltem Zustande gereicht. Bei allmählicher Erweiterung des Speisezettels sind zu erlauben: geröstete Toasts, resp. frisch geröstete Zwieback (zur Abtötung der Hefepilze), geschabter Lachsschinken, Kalbshirn, Kalbsbries, gekochtes und feingewiegtes Huhn, Kartoffelpüree, Apfelmus, weiche Eier. Solange noch Zeichen von akuter Gastritis bestehen, beschränkt man sich auf diese stets in geringen Mengen, aber dafür häufig, 1½—2 stündlich, zu verabreichenden Nahrungsmittel, um dann ganz allmählich zur normalen gröberen Kost überzugehen. Heiße Umschläge auf den Leib, speziell auf die Magengegend, Prießnitzsche Umschläge während der Nacht mildern die subjektiven Beschwerden. Medikamentös regt Salzsäure, dreimal täglich 10—20 Tropfen, Tinctura pepsini Grübler, dreimal täglich 25 Tropfen, oder Chloralbacid dreimal täglich 0,3 in Tabletten, den Appetit an.

Bei heftigen Leibschmerzen Opium, Pantopon oder Kodein.

Chronischer Magenkatarrh (Gastritis chronica).

Man unterscheidet eine primäre und sekundäre Gastritis. Die primäre entsteht aus den gleichen Ursachen wie die akute Gastritis, durch chronische Ernährungsfehler, dauernde Unregelmäßigkeit in der Zeit der Nahrungsaufnahme, ungenügendes Kauen (weshalb stets auf das Gebiß zu achten ist), durch gewohnheitsmäßige Reize der Magenschleimhaut, wie durch Alkohol, Branntwein, Kaffee, Tee, Gewürz, auch Tabakmißbrauch u. a. Auch dauernde Überfüllung des Magens durch zu voluminöse Pflanzenkost kann zu chronischen Reizzuständen führen.

In das Gebiet der toxischen Gastritis fällt die durch jahrelange Abführmittel hervorgerufene Form. Sekundär entsteht der chronische Magenkatarrh entweder im Anschluß an den akuten, namentlich bei häufigeren Rezidiven, sowie im Anschluß an alle ,anderen Magenaffektionen, die zu Reizungen infolge von Hyperazidität und auch Zersetzungen führen (Karzinom, Ulcus, Ektasie usw.); ferner gehören hierher die Stauungskatarrhe, die bei allen Zirkulationsstörungen, welche den Magen betreffen, entstehen: also bei Herzkrankheiten, chronischer Bronchitis und Emphysem, Leberkrankheiten (Zirrhose), endlich infolge toxaemischer Erkrankungen, wie chronische Nephritis, Stoffwechselkrankheiten, Blutkrankheiten, Lues, Phthisis. Bei einzelnen dieser Erkrankungen stehen manchmal die Magenbeschwerden so im Vordergrunde, daß darüber die Grundkrankheit bei oberflächlicher Untersuchung übersehen wird.

Pathologische Anatomie. Die Magenschleimhaut ist wie beim akuten Katarrh oft nicht gleichmäßig betroffen, Lieblingssitz der Erkrankung bildet auch hier der Pylorusteil. Die Schleimhaut ist braunrot oder graurot verfärbt, geschwollen, aufgelockert und mit einem zähen graugelblichen Schleim bedeckt. Bei alten Katarrhen ist die Färbung geradezu schiefergrau, die Schleimhaut ist beträchtlich verdickt und zeigt eine unregelmäßige Quer- und Längsfaltenbildung (état mamelonné). In anderen Fällen ist die Schleimhaut verdünnt und zeigt eine glatte grauweiße Oberfläche (atrophische Form). Die hyperplastischen Veränderungen sowohl als auch die atrophischen betreffen häufig gleichfalls die Submukosa und die Muskularis, ja sogar die Serosa. Mikroskopisch stellt sich die chronische Gastritis als eine parenchymatöse Erkrankung dar, die neben dem Oberflächenepithel auch die Magendrüsen und das interstitielle Gewebe befällt. In sehr vorgeschrittenen Fällen kann es zu einer starken Bindegewebswucherung, die mit Verkleinerung des Magenvolumens einhergeht, kommen.

Symptome. Die chronische Gastritis tritt unter verschiedenen

Formen auf: als Gastritis acida und Gastritis anacida, d. h. sie kann mit Salzsäuresekretion, und zwar dann meist mit Hypersekretion, oder aber mit Salzsäuremangel verbunden sein. Im allgemeinen bildet das hyperazide Stadium das primäre Reizstadium, so bei der Alkoholgastritis, das allmählich in das anazide Stadium übergeht. Bei längerem Bestehen des letzteren fällt auch die anfänglich noch vorhandene Pepsin- und Lababsonderung fort, es entwickelt sich auf der Basis einer Atrophie der Magenschleimhaut die irreparable Achylia gastrica. Die chronische Gastritis geht stets mit reichlicher Schleimbildung einher. Der Nachweis der letzteren ist nur durch die Mageninhaltsuntersuchung möglich. Dadurch allein kann die sichere Diagnose gestellt werden. Die motorische Funktion des Magens ist nicht gestört, so daß Gärungserscheinungen nicht in das Krankheitsbild gehören.

Die subjektiven Symptome sind sehr wechselnd, und ganz allgemein als dyspeptische zu charakterisieren. Einzelne klagen über Magendrücken, dumpfen Schmerz in der Magengegend, Völlegefühl und Aufstoßen; bei anderen bestehen abnorme Geschmacksempfindungen, ein fader, pappiger Geschmack, das Verlangen nach pikanten Speisen. Häufiges Aufstoßen meist geruchloser Gase, hier und da auch mit ranzigem oder saurem Geschmack, ist ein ziemlich regelmäßiger Befund. Manche Kranken leiden besonders unter dem Sodbrennen (Pyrosis), das eine Reizung der Ösophagusschleimhaut durch den hochgetriebenen sauren Mageninhalt darstellt. Erbrechen ist ziemlich selten, es tritt hauptsächlich des Morgens nüchtern (Vomitus matutinus) bei Potatoren und Rauchern als Folge einer komplizierenden Pharyngitis auf. Dabei werden fast ausschließlich dünne, wäßrige, aus Schleim und verschlucktem Speichel bestehende Massen erbrochen. Die Zunge kann rein und unverändert oder stark belegt, graugelblich erscheinen. Häufig besteht dann ein unangenehmer Foetor ex ore. Der Magen ist meist aufgetrieben und oft, besonders in der Pylorusgegend, druckempfindlich. Die geschilderten subjektiven Symptome kommen in gleicher Weise bei der hyperaziden wie bei der anaziden Form zur Beobachtung, woraus wiederum ersichtlich, daß nur durch die objektive Untersuchung des Mageninhalts eine für die Therapie wichtige exakte Diagnose zu stellen ist.

Die Diagnose wird durch den Befund erhöhten Schleimgehaltes des Mageninhaltes geführt. Die bei fehlender freier Salzsäure prognostisch wichtige Frage, ob eine Salzsäureproduktion überhaupt noch, wenn auch in ungenügendem Maße, vorhanden ist, wird durch die Bestimmung des Salzsäuredefizits (s. S. 38) entschieden. Eine Achylie spricht für Atrophie der Magenschleimhaut. Differentialdiagnostisch kommt, solange die Sonde nicht zu Rate gezogen wird, vor allem nervöse Dyspepsie in Frage, da bei chronischem Magenkatarrh sich häufig schwere allgemein nervöse Störungen entwickeln, welche das Krankheitsbild verwischen, während umgekehrt bei allgemeiner Neurasthenie leicht eine Magenneurose entsteht. Die Differentialdiagnose zwischen Karzinom und chronischer Gastritis kann von besonderer Schwierigkeit sein, wenn das Karzinom nicht am Pylorus sitzt, da sich die Symptome, solange kein Tumor palpabel ist, in weitgehendstem Maße gleichen, insbesondere auch beim Karzinom eine Schleimabsonderung infolge der sekundär entstandenen Gastritis entstehen kann. (Die Untersuchungsmethoden des Karzinoms s. unter Magenkarzinom.)

Endlich ist nicht zu vergessen, daß mit der Feststellung der chronischen Gastritis die Diagnose noch nicht beendet ist, daß vielmehr noch zu entscheiden ist, ob eine primäre oder sekundäre Gastritis vorliegt.

Die Prognose der primären Gastritis — bei der sekundären Form entscheidet das Grundleiden — ist naturgemäß um so günstiger, je früher das Leiden erkannt, resp. behandelt wird. Die unbestimmten Beschwerden bringen es mit sich, daß die Patienten häufig erst so spät in die Behandlung treten, daß es bereits zur Atrophie eines mehr oder minder großen Teiles der Magenschleimhaut gekommen ist, daß also irreparable Störungen gesetzt sind. Bei einem relativ frischen Leiden und bei guten äußeren Verhältnissen ist die Prognose quoad sanationem nicht ungünstig.

Die Behandlung hat einmal mit dem ätiologischen Faktor zu rechnen, um die Ursachen der Gastritis sobald wie möglich zu beseitigen; im wesentlichen ist sie aber eine diätetische. Daneben kommt der physikalischen und der medikamentösen Therapie nur eine untergeordnete Bedeutung zu. Bei der diätetischen Verordnung ist zwischen der aziden und der anaziden Form der Gastritis zu unterscheiden. Bei der ersteren (Reizstadium!) sind alle reizenden Momente der Ernährung auszuschließen, also alle die Sekretion anregenden Speisen (Pawlowsche Untersuchungen!) fortzulassen: d. h. besonders die Extraktivstoffe des Fleisches, die Bouillon und alle pikant (Gewürze, Braten) zubereiteten extraktivreichen Fleischarten, Wild, Beefsteak, Rumsteak. Von den Eiweißträgern sind die leicht verdaulichen Fleischsorten zu bevorzugen: gekochtes Fleisch, weißes Fleisch, mageres Fleisch, Kalbshirn, Thymus, magerer Schinken usw. Daneben Milch, Eier, pflanzliches Eiweiß. Bei der anaziden Form, bei der die peptische Kraft des Magens gelitten hat, ist naturgemäß weniger die Art als die Form, in der das Fleisch gereicht wird, von Bedeutung, wenngleich direkte Reizmittel, die bei der nichtkatarrhalischen Form der An- und Hypazidität manchmal von Vorteil sind, naturgemäß vermieden werden müssen. Es muß also das Fleisch in feinverteiltem Zustande (durch die Maschine gegangen oder hachiert) gegeben werden, um dem Darm die Aufgabe der Verdauung, die er ohne die Vorarbeit des Magens zu erledigen hat, zu erleichtern. Die Kohlehydrate bilden bei beiden Formen der Gastritis den Hauptbestandteil der Ernährung, und vor allem in Form feinverteilter und aufgeschlossener Mehle (feine Mehlspeisen, K n o r r sche Leguminosenmehle, Maizena, Mondamin, Tapioka, Makkaroni, Hafermehle, Reis- und Griesbrei, Kartoffelpüree usw.). In leichteren Fällen werden auch Gemüse in Püreeform, Spinat, Maronen, Linsen, Erbsen, Spargelspitzen usw. vertragen. Von Gebäcken sind Weißbrot, Toast und Zwiebäcke zu geben. Bei dem Fett ist vor allem darauf zu achten, daß dasselbe nicht ranzig ist. Butter (nicht gebräunt), Sahne, selbst reines Öl werden meist anstandslos vertragen. Unter den Getränken nimmt die Milch den Hauptplatz ein. Nur bei Widerwillen ist dieselbe, da sie als Nahrungsmittel nicht zu entbehren, mit den genannten Mehlen oder Reis in Mengen von $1/2$—2 l zu verkochen. Die Sahne wurde schon erwähnt, saure Milch, zweitägiger Kefir oder Yogurth sind als zugleich stuhlfördernde Mittel nützlich. Daneben können Mineralwässer, Selters, Apollinaris usw. gegeben werden, Alkohol, starker Kaffee und Tee sind verboten; ebenso alle reizenden Genuß- und Nahrungsmittel; Gewürze, Pfeffer, Mostrich, Sardellen, Mayonnaisen, riechende Käse usw.

Als Anhaltspunkt einer detaillierten Verordnung sei ein Speisezettel von Z w e i g angeführt:

I.

Früh:	200 ccm Milchmehlsuppe, 50 g Zwieback, 10 g Butter	370,4 Kalorien
Vormittag:	2 Eier oder Hafermehlsuppe (20 g Hafermehl und 1 Ei) oder 50 g Schinken geschabt, 50 g Toast, 20 g Butter	420,0 „
Mittag:	200 g Reismilchsuppe, 150 g geschabtes Huhn, Taube, Beefsteak, Kalbshirn, Kalbsbries, Fisch, 100 g Gemüsepüree (Spinat, Kartoffel, Karotten, grüne Erbsen), 50 g Toast	757,8 „
Nachmittag:	Wie früh	370,4 „
Abend:	Milchmehlbrei (aus 250 g Milch, 20 g Tapioka, Sago Mondamin, Hafermehl, 15 g Zucker) 50 g Toast . .	300,0 „
		Summa 2218,6 Kalorien

Bei fortschreitender Besserung:

II.

Früh:	250 g Milchkakao (Prometheuskakao, Mehringsche Kraftschokolade, 50 g Toast, 20 .g Butter)	556,4 Kalorien
Vormittag:	Wie bei Diät I	420,0 „
Mittag:	200 g Leguminosenmehlsuppe, 1 Eigelb: Fleisch, Gemüsepüree (siehe Diät I), 1 Omelette soufflée (aus 10 g Zucker, 10 g Butter) oder 100 g Griesauflauf oder 100 g Eierkuchen mit Schinken, 50 g Toast. . . .	912,4 „
Nachmittag:	Wie früh.	556,4 „
Abend:	2 Eier oder Eierspeise oder 50 g Schabefleisch, Leguminosenmehlsuppe und 1 Eigelb, 50 g Toast, 20 g Butter	567,4 „

Summa 3012,6 Kalorien

Von den physikalischen Methoden sind bei sehr starker Schleimbildung und eventuell bei Zersetzungs- und Gärungsprozessen Magenspülungen indiziert; am besten morgens nüchtern. Da der Schleim ziemlich fest anhaftet, ist ein gewisser Druck (Hochhalten des Spültrichters) notwendig. Schleimlösende Zusätze sind Emser Wasser ($\frac{1}{2}$ Kaffeelöffel auf 1 l), Natron bic., Karlsbader oder Vichy-Salz (2 Teelöffel auf 1 l). Manche bevorzugen die Magendusche (Magenschlauch, der am unteren Ende mit zahlreichen Löchern versehen ist). Eine leichte und allgemeine Hydrotherapie, Abreibungen, Regenduschen, nacheinander heiß und kalt, kühle Sitzbäder und lokal P r i e ß n i t z sche Umschläge um den Leib, bei stärkeren Auftreibungen auch heiße Kompressen, Thermophor, Stangerotherm oder dgl.) sind von Nutzen. Beliebt sind Trinkkuren (Marienbad, Karlsbad, Franzensbad), die bei der aziden und anaziden Form indiziert sind. Die Kochsalzquellen, deren sekretionsanregende Wirkung experimentell nachgewiesen ist (Homburg, Kissingen), kommen vor allem für die anazide Form in Betracht.

Medikamentös ist dort, wo die Salzsäure fehlt, ihre Anwendung am besten mit Pepsin indiziert.

        90) Rp.   Grüblersche Pepsin-Salzsäure-Lösung
                   S. dreimal täglich 25 Tropfen nach der
                   Mahlzeit.

oder

        91) Rp.   Acidol-Pepsin (stark) Originalpackung in
                   Pastillen, dreimal täglich 1—2 Pastillen
                   in einem Weinglas Wasser.

Auch Bittermitteln kommt eine sekretionsanregende Wirkung zu.   Z. B.
    92) Rp.   Tinctura Strychni
             Tinktura Chin. compos.
             Tinctura Rhei vinosa āā 10,0
             S. 3 mal täglich 15 Tropfen.
oder 93) Rp.   Ext. Condurango fluid.
             S. 3 mal täglich 30 Tropfen.

Bei der Gastritis acida und bei Sodbrennen gibt man säurebindende
Mittel, wie Natr. Bi., Magnesia usta einzeln oder gemischt, messerspitzen-
bis teelöffelweise eine halbe Stunde nach dem Essen.

Achylia gastrica.

Man versteht darunter denjenigen Zustand des Magens, in dem jede
Sekretion (die der Salzsäure und der Fermente) fehlt. Die HCl-Sekretion
erlischt meist früher als diejenige der Fermente. Ätiologisch sind zwei
Formen der Achylie zu unterscheiden, je nachdem sie verursacht ist durch
die Atrophie des Drüsenparenchyms (Anadenia gastrica) oder bei Vorhandensein der Drüsen durch anscheinend nervöse Momente (Achylia ,
gastrica simplex). Die erstere Form der anorganischen Schleimhautveränderungen ist die weitaus häufigere. Übrigens existiert keine Möglichkeit intra vitam, die beiden Formen auseinanderzuhalten, da das klinische
Bild der Achylie stets das gleiche ist. Die Atrophie der Magendrüsen
basiert auf chronisch-katarrhalischen Entzündungsprozessen (cf. Gastritis
chronica). Ganz allgemein läßt sich sagen, daß die Achylia gastrica den
Ausgang oder richtiger den Endzustand der Gastritis chron. darstellt.
Ätiologisch spielt sicher die Lues aber auch andere Infektionskrankheiten
wie Typhus eine große Rolle.

Die anatomisch-pathologischen Veränderungen betreffen
einmal den Schwund der spezifischen Drüsenelemente, sowie die Umwandlung des Magenepithels in ein Epithel, das durchaus dem Darmepithel
ähnelt. Ferner zeigen sich interstitielle Veränderungen in Form einer gleichmäßigen oder herdweisen Rundzelleninfiltration.

Die lokalen Symptome gleichen durchaus denen der chronischen
Gastritis. Ebenso wie letztere kann auch die Achylie jahrelang voll-
kommen symptomenlos bestehen, die Patienten erfreuen sich eines all-
gemeinen Wohlbefindens und nur der Zufall einer intermediären
Erkrankung deckt das Leiden auf. Manchmal gleichen die subjektiven
Symptome bei der Achylie denen der Hyperchlorhydrie: Schmerzen und
Sodbrennen längere Zeit nach dem Essen, um bei erneuter Nahrungsauf-

54 Krankheiten des Magens.

nahme zu verschwinden. Sehr häufig bestehen chronische Diarrhöen, wahrscheinlich durch die bei fehlender Salzsäuresekretion des Magens gesteigerte Darmfäulnis bedingt. Da das Bindegewebe in der Hauptsache vom normalen Magensaft verdaut wird, findet man bei der Achylie häufig im Stuhl grobe Bindegewebs- und Sehnenreste (Bindegewebslienterie). Auch andere Allgemeinstörungen können sich aus der fehlenden Magenverdauung entwickeln; wissen wir doch überhaupt über die Bedeutung der Absonderung des Magensaftes durch die Pawlowschen Untersuchungen genügend (Reizbildung für die Pankreassekretion usw., s. o.), um zu ermessen, daß, wenn selbst durch eine geeignete Diät jede Fäulnisentwicklung im Magen vermieden wird, sich dennoch auf die Dauer schwere Schädigungen des Gesamtkörperhaushalts entwickeln müssen (so z. B. gestörte Eiweißverdauung und -ausnutzung im Darm infolge verminderter Pankreassekretion, Anämie, nervöse Störungen usw.). In einigen Fällen fehlt zweifellos zusammen mit der Saftsekretion auch die Peristaltikhormonbildung, so daß es zu chronischer Verstopfung kommt, welche der Autointoxikation durch die an sich schon erhöhte Darmfäulnis noch mehr Vorschub leistet und die Entstehung der genannten Allgemeinstörungen begünstigt. Hauptsächlich ist hier die perniziöse Anämie zu nennen, die nicht ganz selten den letalen Ausgang der Achylie herbeiführt. Leichtere Formen der Anämie gehören geradezu zum Krankheitsbilde der Achylie. Bezüglich des lokalen Befundes ergibt die Untersuchung der Magenfunktion nur Störungen der Sekretion, während die Motilität in der Regel normal, eher gesteigert ist. Der nüchterne Magen enthält infolgedessen nur geringe Mengen schleimiger, neutral reagierender Flüssigkeit; im Spülwasser findet man nicht selten kleine Schleimhautfetzen, welche auf die leichte Vulnerabilität der Magenschleimhaut bei Achylie hindeuten und diagnostische Bedeutung beanspruchen. Nach P. F. ist die Gesamtazidität sehr niedrig, 2—5 freie HCl, Salzsäuredefizit sehr hoch, und in einem gewissen Stadium fehlen auch Lab und Pepsin vollkommen. Schleim findet sich nur in den Fällen von primärer chronischer Gastritis oder Magenkarzinom.

Differentialdiagnostisch kommt bei dem genannten Befund nur Magenkarzinom in Frage. (Näheres siehe daselbst.)

Die Prognose ist nach dem Gesagten quoad restitutionem schlecht. Bei günstigen äußeren Verhältnissen erscheint das Leben selten gefährdet. Unter ungünstigen Bedingungen ist die Erwerbsfähigkeit auf das äußerste geschmälert. Die Möglichkeit einer komplizierenden perniziösen Anämie ist stets in Erwägung zu ziehen.

Die Therapie ist überwiegend diätetischer Natur. Sie hat die Aufgabe, Gärungen, die bei der fehlenden Salzsäure leicht auftreten können, zu verhindern, die Speisen in einer solchen Form zu geben, daß motorische Störungen unter allen Umständen vermieden werden und endlich dafür zu sorgen, daß der Darm, welcher die verdauende Aufgabe des Magens mit zu übernehmen hat, nicht zu sehr überlastet wird. Die allgemeine Verordnung lautet deshalb: häufige Mahlzeiten, leicht verdauliche Kost, am besten in flüssiger, breiiger oder Püreeform; eventuell (bei Widerwillen gegen die dauernde Breiform) sind die Kranken auf die Notwendigkeit intensiven Zerkauens hinzuweisen. Die Diät ist eine gemischte, mit Überwiegen der Amylazeen. Letztere sind in aufgeschlossener Form zu geben, da die normale Amylorrhexis, das Aufschließen der durch die Klebermassen, die Eiweißhüllen eingeschlossenen Stärkekörnchen durch die Eiweißverdauung im Magen fortfällt. Von den Fleischsorten, die gehackt, geschabt oder sehr fein geschnitten gegeben werden müssen, sind die zarten weißen (lebende Fische, Huhn, Taube, Lamm, Kalb usw.) zu bevorzugen. Das Fleisch ist stets in gekochtem Zustande zu geben, da ungekochtes Bindegewebe nur durch den salzsäurehaltigen Magensaft gelöst wird und unverdaut mechanisch den Darm reizen kann. Fett kann in der üblichen Weise gegeben werden (s. Gastritis). Starke Gewürze sind, soweit sie zum Katarrh führen könnten, zu meiden. Eine leicht pikante Bereitungsform ist bei der an sich monotonen Nahrungsform indessen nicht zu entbehren. Alkohol in größeren Mengen ist verboten. Milch ist individuell nach der Verträglichkeit zu erlauben. — Die geringsten Darmstörungen sind sofort mit einer streng antidiarrhöischen Kost zu behandeln.

Die physikalische Behandlung betrifft einmal den Magen (Spülungen), sobald sich die geringsten Gärungserscheinungen, Aufgetriebenheit des Magens, bemerkbar machen. Ebenso sind durch Darmspülungen die eventuell auftretenden Darmauftreibungen zu beseitigen und so der Autointoxikation entgegenzuarbeiten. — Bei der mit perniziöser Anämie komplizierten Form der Achylie sind regelmäßige Magenspülungen mit 1 prozentiger Kochsalzlösung und anfängliche Darmspülungen sowie Nährklystiere, um den Magen eine Zeitlang zu entlasten, empfohlen worden.

Medikamentös wird Salzsäure in hohen Dosen gegeben (s. Rp. Nr. 90/91). Die Anwendung des nach Pawlow gewonnenen Hundemagensaftes scheint keine Vorzüge vor der Pepsinsalzsäure zu besitzen. Die komplizierenden Darmstörungen, die sicher zum großen Teil auf das Fehlen der Peristaltikhormonbildung zurückzuführen sind, können jedenfalls für eine gewisse Zeit geradezu spezifisch durch das Hormonal

(Peristaltikhormon Zuelzer) beeinflußt werden. Doch ist naturgemäß hier eine häufigere Injektion des Hormons notwendig. Eine Trinkkur kann nach Lage der Sache bei einer Achylie von keiner kausalen Zweckmäßigkeit sein. Im übrigen bestehen dafür dieselben Indikationen wie bei der Gastritis.

Gegen die Anämie sind Strychnin- oder Arsenpräparate subkutan anzuwenden (s. unter Anämie); bei nachweisbarer Lues eine antiluetische Behandlung.

Gastritis purulenta (s. phlegmonosa).

Diese sich als eitrige Entzündung des submukösen Zellgewebes der Magenschleimhaut darstellende Erkrankung tritt entweder als diffuse Infiltration oder als umschriebener abszeßartiger Eiterherd auf. Die Ursache dieser äußerst seltenen Krankheit ist entweder eine Verletzung, ein mechanisches oder chemisches Trauma (Alkalien, Säuren), oder sie tritt als sekundäre Gastritis im Verlauf von schweren Infektionskrankheiten (Typhus, Septikopyämie, Milzbrand usw.) auf.

Das Hauptsymptom dieser, je nachdem plötzlich oder allmählich einsetzenden Erkrankung sind heftige Schmerzen in der Magengegend, Erbrechen und Fieber. Meist bestehen daneben die Zeichen einer mehr oder minder ausgebreiteten Peritonitis, schmerzhafte Aufgetriebenheit des Leibes, so daß eine exakte Diagnose bei unbekannter Anamnese fast unmöglich wird. Die schweren Allgemeinerscheinungen, zu denen auch blutiger Stuhl, Zeichen von Nephritis usw. hinzutreten können, sind septischer Natur, der Verlauf der Krankheit ein akuter, meist nach Tagen zählend und mit dem Tode endigend.

Die Therapie ist symptomatisch, vor allem Morphium.

Toxische Gastritis.

Wie der Name besagt, handelt es sich um entzündliche Veränderungen der Magenschleimhaut, welche durch (absichtliche oder unabsichtliche) Vergiftungen hervorgerufen wurden. Als hauptsächlichste Gifte kommen in Betracht: Säuren, Alkalien, Sublimat, Lysol, Phosphor, Arsen, Chlorkalium usw.

Die anatomischen Veränderungen sind von der Art und Konzentration des Giftes abhängig, man sieht je nachdem oberflächliche oder tiefgehende Ätzungen bis zur Nekrose und Perforation, resp. Verschorfung.

Die Symptome bestehen in heftigen Schmerzen, Erbrechen und, je nachdem, Diarrhöe oder Blutstuhl und Allgemeinstörungen (Nephritis, Benommenheit, Kollaps). Der Ausgang ist entweder baldiger Tod, Stenosenbildung des Magens (auch hochgradige Schrumpfungen sind durch neugebildetes Bindegewebe beobachtet) oder Heilung. Die Diagnose ist durch die Anamnese resp. durch das stürmische Einsetzen der Erkrankung selten schwierig.

Therapie. Je nach der Art der Vergiftung wird man mit Gegenmitteln die Ätzwirkung zu lindern versuchen, bei Alkali verdünnten Essig oder eine sonstige dünne Säure, bei Säurevergiftung Magnesia usta, im Notfall Kreide geben. Wenn noch eine Herausbeförderung des Giftes möglich erscheint, ist eine intensive Magenspülung so lange fortzusetzen, bis das Spülwasser klar oder geruchlos erscheint. Die weitere Therapie ist symptomatisch, Morphium, Eisblase, Nährklystiere.

Das runde Magengeschwür (Ulcus ventriculi s. rotundum).

Die Ätiologie dieser so verbreiteten Krankheit ist ebenso wie die Art der Entstehung noch nicht einwandfrei geklärt. In der Mehrzahl der Fälle ist die Ursache unbekannt. Da beim weiblichen Geschlechte das Ulcus ventriculi im Alter von 14—20 Jahren relativ häufig auftritt, schreibt man dem Eintritt der Pubertät eine gewisse ätiologische Bedeutung zu. Ebenso gilt die Chlorose zum mindesten als prädisponierend, in gleicher Weise die Störungen der Menstruation. Bezüglich des Geschlechtes scheint zwar ein Überwiegen des weiblichen zu bestehen, doch sind nach vergleichenden Statistiken die Differenzen nicht sehr groß. Vom Kindesalter abgesehen, bei dem kein richtiges Ulcus, sondern höchstens hämorrhagische Erosionen beobachtet werden, kommt dasselbe in allen Lebensaltern vor, am häufigsten jedoch zwischen dem 15. und 30. Lebensjahre. — Köchinnen werden gemeinhin als am häufigsten vom Ulcus befallen bezeichnet. Man nimmt an, daß das häufige Kosten zu heißer Speisen die Ursache der Schleimhautläsion darstellt. Der diesbezügliche experimentelle Beweis fiel jedoch negativ aus.

Neben dem Berufe der Köchinnen sollen die Berufe für das Magengeschwür prädisponieren, bei denen das Epigastrium einer dauernden starken Kompression ausgesetzt ist (Tischler, Gürtler, Schlosser, Schuhmacher usw.).

Für die Pathogenese des Ulcus sind eine große Reihe von verschiedenen Momenten verantwortlich gemacht worden, welche Payr übersichtlich zusammengestellt hat. 1. Zirkulationsstörungen (ungenügende Blutversorgung der Magenwand als Grundlage für eine Selbstverdauung). 2. Lokale Schädigungen der Magenschleimhaut durch chemische oder thermische Noxen (Verletzung, Alkohol, Verbrühung), durch chronischen Katarrh, motorische Alterationen des Magens. 3. Vermehrung der verdauenden Kraft des Magensaftes, sei es durch vermehrten Pepsin- und Salzsäuregehalt, oder verminderten Gehalt der Zellen an Antiferment, oder aber durch längeres Verweilen des Magensaftes im Magen infolge Abflußverhinderung. 4. Nervöse Einflüsse. 5. Auf dem Blutwege zustande kommende mykotisch-peptische Nekrosen. 6. Toxische Schädigungen der Magenschleimhaut durch Blutgifte, sei es mit oder ohne Vermittlung von Thromben in den Gefäßen der Magenwand (Magengeschwür nach Verbrennungen, Vergiftungen). 7. Eine große Rolle spielt ferner die Blutbeschaffenheit (Anämie, Hämoglobinämie). 8. Das Trauma.

Endlich sind Kombinationen der angeführten, für die Pathogenese des Magengeschwüres als wichtig erachteten Gesichtspunkte vielfach in den Bereich der Möglichkeit gezogen worden.

Die experimentellen Versuche, ein Ulcus ventriculi hervorzurufen, sind früher zumeist daran gescheitert, daß es zwar gelang, Magenschleimhautbezirke in größerer oder geringerer Ausdehnung vollständig zu zerstören, oder so in der Ernährung zu schädigen, daß sie der Selbstverdauung unmittelbar anheimfallen, mit anderen Worten, es gelang, teils Erosionen, teils traumatische oder Korrosionsdefekte zu erzeugen, nicht aber ein Ulcus ventriculi, charakterisiert durch die zum mindesten für lange Zeit völlig mangelnde Heilungstendenz oder durch die Progredienz.

Wurden neben den lokalen Schädigungen der Magenschleimhaut eine Anomalie des Blutes oder eine dauernde Ernährungsstörung gesetzt, so erwies sich die Heilungstendenz als geringer. Erst Payr gelang es, wirklich ausgedehnte tiefe Ulzerationen mit allen den dem Ulcus rotundum eigentümlichen Charakteren bei Kaninchen, Meerschweinchen und Hunden zu erzeugen, das in seinem ganzen Aussehen und in seinen klinischen Erscheinungen völlig den beim Menschen zu beobachtenden Geschwüren glich. Ja, es gelang ihm sogar, ein vollständig typisches Ulcus callosum ebenso auch Ulcera, welche gegen die Nachbarorgane penetrierten, zu erzeugen, deren eines von einem Netzdeckel verschlossen wurde, während das andere sich an die Leber anlötete.

Payrs erste Versuche, durch retrograde Injektion mechanische Verstopfung feinster Gefäßendigungen zu erzielen, hatten zwar eine Reihe pathologischer Veränderungen, wie sie dem Ulcus ventriculi zukommen, erzeugt, immer wieder aber war in kurzer Zeit eine Heilung aufgetreten, da der lädierte Bezirk zu klein gewesen war, und durch Anastomosen bald wieder mit Blut versorgt wurde. Durch endovasale Injektion heißer physiologischer NaCl-Lösung, verdünnter Formalinlösungen und verdünnten Alkohols gelang es ihm, das gesamte Gefäßsystem zirkumskripter oder ausgedehnter Magenwandbezirke dauernd zu schädigen bzw. bleibend krank zu machen, und damit die oben erwähnten Resultate zu erzielen. Auf diese Weise hat Payr den Beweis erbracht, daß nur dann artifiziell wirkliche Magengeschwüre erzielt werden können, wenn ausgedehnte Schädigungen der Gefäße vorhergegangen sind. Es ist nun wahrscheinlich, daß in der Pathogenese des menschlichen Ulcus verschiedenartige, in ihrer Natur sicher nicht einheitliche Ursachen zu den notwendigen krankhaften Veränderungen an Wand und Inhalt der Magengefäße führen.

Die einzelnen Möglichkeiten sind in der Payrschen Zusammenstellung schon angeführt. Am häufigsten sind es wahrscheinlich die Bakterien oder deren Toxine (mykotisch-peptisches Geschwür, Nauwerck), welche die für die Entstehung des Ulcus notwendigen arteriellen Gefäßwandschädigungen verursachen.

Pathologische Anatomie. Das Ulcus rotundum findet sich am häufigsten an der hinteren Magenwand und auf der kleinen Kurvatur, weniger häufig am Pylorus, an der vorderen Magenwand oder an der Kardia; am Anfangsteil des Duodenums wird es relativ selten, sehr selten am unteren Teil der Speiseröhre angetroffen. In der Regel findet man nur eins, in den selteneren Fällen zwei oder mehrere Geschwüre zugleich. Wie der Name Ulcus rotundum besagt, ist das typische Magengeschwür kreisrund. Man beobachtet es auch von ovaler oder länglicher Form; es erscheint, da der Geschwürsrand scharf und glatt ist, wie mit dem Locheisen aus der Wand geschlagen. Ebenso ist der Geschwürsgrund meist glatt, eventuell mit Schleim oder mit schwarzen Blutmassen bedeckt. Bei genauerem Zusehen findet man meistens einen obliterierten Gefäßstumpf. Charakteristisch für das frische Magengeschwür ist seine Trichterform, derart, daß der Geschwürsgrund dem Trichterhalse entspricht. In älteren Stadien sieht man an dem Trichter einzelne Zonen, die als wallartige Verdickungen hervortreten, und die so stark sein können, daß sie bei der Palpation als Tumor imponieren. Endlich ist dieses Geschwür dadurch ausgezeichnet, daß es die Magenwand schräg durchsetzt, entsprechend dem schrägen anatomischen Verlaufe einer kleinen Magenarterie.

Ist das Geschwür verheilt, was den häufigsten Ausgang darstellt, so findet man entsprechend der Tiefe des Geschwürs mehr oder minder ausgedehnte Narbenbildung mit Schrumpfungsprozessen, die zu starken Verzerrungen, z. B. Einschnürungen (Sanduhrmagen) führen können. Ist der Sitz der Narbe am Pylorus, so kann es durch die Narbenbildung zu ausgesprochener Pylorusstenose mit sekundärer Magenektasie gekommen sein.

Wenn das Geschwür, statt zu vernarben, weiter in die Tiefe geht, so entsteht eine Perforation der Magenwand mit sekundärer Peritonitis, oder aber es hat der geschwürige Prozeß vor dem Durchbruch durch die Serosa zu einer reaktiven Entzündung und perigastrischen Verwachsung mit den Nachbarorganen geführt. Endlich kann das Geschwür ein größeres Blutgefäß arrodiert haben, so daß es zu einer tödlichen Blutung kommt.

Symptomatologie. Ein Magengeschwür kann so gut wie symptomenlos verlaufen und nur durch eine plötzliche Blutung oder in einem späteren Stadium durch die Narbenbildung und deren Folgen oder durch den Sektionsbefund erkannt werden. — In der Regel sind es drei Kardinalsymptome, welche zu dem Bilde des typischen Ulcus ventriculi gehören, wenn sie auch in recht verschieden starker Weise ausgesprochen sein können: es sind dies die Kardialgie, das Erbrechen und die Magenblutung. Der Magenschmerz ist das konstanteste Symptom. Er erscheint zunächst als Unbehagen, Druck in der Magengegend, hauptsächlich nach dem Essen, und kann sich bis zu dem heftigsten, unerträglichen, bohrenden, schneidenden Wundschmerz steigern. Der Schmerz wird in die Gegend dicht hinter dem Schwertfortsatz verlegt, woselbst auch eine ausgesprochene Druckempfindlichkeit, auch bei fehlender spontaner Schmerzhaftigkeit vorhanden ist. Es entspricht übrigens der Schmerzpunkt, wie die Röntgenkontrolle ergibt, keineswegs dem eigentlichen Sitz des Ulcus. Charakteristisch ist für den Ulcusschmerz eine zeitliche Abhängigkeit von der Nahrungsaufnahme, sowie seine Abhängigkeit von der Art und der Menge der genossenen Nahrung. Morgens nüchtern besteht fast immer Schmerzfreiheit. $\frac{1}{4}$—$\frac{1}{2}$—1 Stunde, manchmal auch bereits unmittelbar nach der Nahrungsaufnahme, treten die Schmerzen auf, die sich allmählich bis zur Unerträglichkeit steigern können. Es kommt dann häufig unter Übelkeit zum Erbrechen des stark sauren Mageninhaltes, wonach die Schmerzen wesentlich nachlassen. Es wird angenommen, daß die Ursache des Schmerzes in einer entzündlichen Reizung des Geschwüres zu suchen ist. Dann genügt eine größere Belastung des Magens mit einer großen Mahlzeit oder die Gasauftreibung, um den Schmerz zu steigern, während das Erbrechen oder die Lageveränderung (wonach auch häufig eine Erleichterung auftritt) durch die damit verbundene Entspannung den Schmerz lindern. Wahrscheinlich wirkt auch die auf der Höhe der Verdauung maximale freie Salzsäure als schmerzsteigernd mit. Das zeitliche Auftreten des Schmerzes hat man für den Sitz des Ulcus verwerten wollen. Je später die Schmerzen auftreten, um so weiter soll das Ulcus von der Kardia entfernt sitzen, eine Annahme, die wohl in den seltensten Fällen zutreffen dürfte. Nur wenn unmittelbar nach der Nahrungsaufnahme der Schmerz eintritt, kann man einen kardialen Sitz annehmen.

Der Algesimeter von Boas, ein instrumenteller Druckmesser, erlaubt zahlenmäßig festzustellen, welcher Druck auf den Magen bereits Schmerzempfindung auslöst. Die normale algesimetrische Druckempfindlichkeit des Magens beträgt 5—10 kg, während sie beim Ulcus ventriculi zwischen 0,5 und 3 kg schwanken soll.

Das Auftreten des Schmerzes nach der Nahrung bewirkt nicht selten eine solche Angst vor dem Essen, daß viele Kranke trotz des vorhandenen

Hungers sich vor jeder Nahrungsaufnahme fürchten, sich aus diesem Grunde unzureichend ernähren und erheblich abmagern. Häufig besteht ein dorsaler Druckpunkt am Körper des 12. Brustwirbels links von der Wirbelsäule. Das zweite Hauptsymptom des Ulcus ist das Erbrechen, das kein besonderes, für das Ulcus charakteristisches Merkmal aufweist. In den mit Hyperazidität verbundenen Fällen ist das Erbrochene stark sauer, in anderen Fällen ist es von subazidem Charakter; oft werden auch nur nüchtern morgens schleimig-wäßrige Massen von selbst alkalischer Beschaffenheit (Speichel) erbrochen, oder aber das Erbrechen tritt, wie schon erwähnt, im Anschluß an allmählich sich steigernde Schmerzen 1—2 Stunden nach der Mahlzeit auf. Die Häufigkeit des Erbrechens beim Ulcus wird verschieden veranschlagt, einzelne Autoren haben es in 60—75 % der Fälle beobachtet.

Von diagnostisch entscheidender Bedeutung ist das dritte Kardinalsymptom: die Magenblutung, die als Hämatemesis, Bluterbrechen oder auch durch den blutigen (Teer-)Stuhl (Melaena) in die Erscheinung tritt. Seine Häufigkeit wird sehr verschieden angegeben, zwischen 30 und 75 %. Eine Magenblutung tritt nur dann auf, wenn ein größerer Gefäßstamm arrodiert ist. Besteht nur eine minimale Blutung, die weder durch Blutbrechen noch durch einen Teerstuhl manifest wird, sondern sich nur durch den mikroskopischen oder chemischen Nachweis des Blutes im Stuhl offenbart, so spricht man von einer okkulten Blutung, die sich nur quantitativ von der manifesten unterscheidet. — Die Blutungen treten meist ohne erkennbaren Grund, selten im Anschluß an ein Trauma ein. Ihr Umfang ist äußerst verschieden, von geringsten, einige wenige Eßlöffel betragenden Mengen werden Blutmassen bis zu einem halben Liter und mehr erbrochen. Die Menge des wirklich aus dem Blutgefäß ausgetretenen Blutes ist schwer bestimmbar, da sich das Blut mit dem Mageninhalt mischen kann, zum Teil im Magen zurückbleibt und in unbestimmbaren Mengen in den Darm übertritt. Das erbrochene Blut ist meist durch die Veränderung, welche es durch den salzsauren Mageninhalt erfahren, zu einer dunklen, schwarzroten, mehr oder weniger geronnenen Masse umgewandelt, im Gegensatz zu dem schaumigen Blute, das aus der Lunge stammt. Blieb bei mittleren Blutungen das Blut längere Zeit im Magen, so hat es die bekannte kaffeesatzartige Beschaffenheit angenommen, wie sie vor allem beim Magenkrebs vorkommt. Das durch den Stuhl entleerte Blut verleiht demselben ein glänzendes, schwarzes, teerartiges Aussehen.

Während bei den manifesten Blutungen die Erkennung des Blutes kaum ernstlichen Schwierigkeiten begegnen kann, erfordert der N a ch - w e i s d e s B l u t e s bei den sogenannten okkulten Blutungen besondere Sorgfalt. Übrigens können relativ große Mengen Blutes dem Stuhl beigemengt sein, ohne makroskopisch erkennbar zu sein. (Bezüglich der Untersuchung und der klinischen Kautelen s. S. 41.)

Bei starken Blutungen kommt es zu Schwindelerscheinungen, Augenflimmern, Ohrensausen, ja selbst zur Ohnmacht; das Gesicht wird blaß, der Puls klein und frequent, starker Schweißausbruch tritt auf, verbunden mit einem Gefühl schwerer Unruhe, alles Zeichen, welche unverkennbar auf einen plötzlichen schweren Blutverlust hindeuten. In seltenen Fällen kann es zum plötzlichen Exitus kommen.

Kleinere Blutungen verursachen, abgesehen von der dadurch hervorgerufenen Angst des Patienten, im Augenblick keine weiteren objektiven Störungen.

Neben diesen Hauptsymptomen (Magenschmerz, Erbrechen, Blutung) sind die übrigen Erscheinungen nicht charakteristisch für das Magenulcus. Der Appetit kann normal sein, trotzdem der Patient, wie schon erwähnt, in manchen Fällen aus Angst vor Schmerzen sich ungenügend ernährt. Oft ist er verringert, sei es infolge einer komplizierenden Gastritis oder einer chronischen Verstopfung. Häufig wird über Aufstoßen von Luft oder saurem oder auch unangenehmem Geschmack geklagt oder über Sodbrennen. Das schlechte Allgemeinbefinden, eine oft zu beobachtende Anämie können entweder durch häufige Blutungen verursacht sein, oder auch eine Folge der sicher für den Organismus nicht gleichgültigen andauernden Schmerzen, die nicht ganz selten zu schwerer seelischer Depression führen. Die funktionelle Untersuchung des Magens — in den meisten Fällen dürfte es ungefährlich sein, in vorsichtiger Weise die weiche Magensonde einzuführen, wenn nicht gerade eine frische Blutung stattgefunden hat; in vielen Fällen gewährt uns auch das Erbrochene die Möglichkeit einer Mageninhaltsuntersuchung — ergibt in der überwiegenden Mehrzahl der Fälle hohe Salzsäurewerte, welche für Superazidität sprechen. In anderen Fällen besteht Subazidität. Motorische Störungen werden nicht ganz selten beobachtet, und zwar anscheinend dann, wenn das Ulcus im Pylorusteil des Magens sitzt. Sonst kann wohl auch eine konkomittierende Gastritis Ursache verzögerter Entleerung des Mageninhaltes sein. In anderen Fällen besteht zweifellos eine Hypermotilität.

Der Verlauf des Ulcus ventriculi ist äußerst wechselvoll. Ein Magengeschwür kann jahrelang bestehen, ohne nennenswerte Beschwerden zu machen, oder von Zeit zu Zeit die typischen Erscheinungen hervorrufen, die dann wieder von langen Pausen relativer Symptomenlosigkeit unterbrochen sind. Zweifellos kann auch ein Ulcus ventriculi abheilen und rezidivfrei bleiben. Zahlreich sind die Komplikationen, zu denen ein Ulcus führen kann. Die Perigastritis, die entzündliche Verwachsung der Magenserosa mit der Serosa der benachbarten Organe, ist eine nicht ganz seltene Folge des Magenulcus. Sie kann sich symptomenlos entwickeln und verlaufen, in anderen Fällen können die Verwachsungen — und zwar solange, als ein entzündliches Stadium besteht — bei jeder Zerrung, also bei Lagewechsel, bei Füllung des Magens usw., zu mehr oder minder heftigen Schmerzen Veranlassung geben. Sind die Verwachsungen nach vorn mit dem Rippengürtel eingetreten, so kann man durch Zerren an dem unteren Thoraxrand eine Zerrung der Verwachsungen und damit einen starken Schmerz hervorrufen, der dann dem einer Pleuritis diaphragmatica durchaus gleicht. Es können die perigastritischen Adhäsionen durch starke Bindegewebswucherung zu einer Tumorbildung führen, deren Abgrenzung vom Karzinom nicht immer leicht ist.

Das verhängnisvollste Ereignis im Verlaufe des Ulcus ist die Perforation der Magenwand. In relativ seltenen Fällen erfolgt der Durchbruch in die freie Bauchhöhle, wodurch es zu einer meist tödlichen Perforationsperitonitis kommt. In diesen Fällen sitzt das Ulcus wohl stets an der vorderen Magenwand. Die Perforation offenbart sich durch einen plötzlich, oft inmitten völliger scheinbarer Gesundheit auftretenden heftigsten Schmerz in der Magengegend, der mit einem schweren Vernichtungsgefühl gepaart ist. Oft haben die Kranken die Empfindung, als ob etwas im Leib zerrissen sei. Schon in kurzer Zeit kommt es zu ausgebreiteten Schmerzen im ganzen Leib, einer starken Gasauftreibung des Leibes, wodurch Milz- und Leberdämpfung verschwinden, oft tritt Erbrechen, fast stets schwerer Singultus hinzu, der Puls wird klein, fadenförmig, äußerst frequent, die Atemnot steigt aufs höchste, die Haut ist kühl, schweißbedeckt, die Züge verfallen, der Tod tritt unter zunehmendem Kollaps ein, falls nicht ein chirurgischer Eingriff Rettung bringt.

Wenn — was relativ häufig der Fall ist — die Häufigkeit der Perforationen überhaupt wird auf 3—5 % der Ulcusfälle geschätzt— an der Perforationsstelle vorher Verwachsungen zwischen der Serosa und den Nachbarorganen eingetreten waren, so tritt der Mageninhalt nicht in die freie Bauchhöhle, es kommt vielmehr meist zu einem abgesackten jauchigen Abszeß, der, was für die röntgenologische Diagnose von Bedeutung ist, mit Gasentwicklung einhergeht. Dieser abgekapselte Abszeß stellt sich, da das Magengeschwür nach dem Pankreas, der Leber, Darm, Milz oder Zwerchfell hin durchbrechen muß — falls nicht die Entleerung durch die Bauchwand nach außen erfolgt —, als ein subphrenischer Abszeß dar. Die Erscheinungen dieses sich allmählich entwickelnden Abszesses sind naturgemäß ganz andere, wie bei der Perforation in die freie Bauchhöhle. Kleine Abszesse können fast symptomenlos verlaufen. Bei größeren subphrenischen Abszessen sind folgende vier Merkmale charakteristisch (zitiert nach Craemer, „Das runde Magengeschwür", S. 145): 1. Heftige Schmerzen im Hypochondrium, 2. Schmerzhaftigkeit und Steifigkeit im Rücken beim Versuch, sich aufzusetzen, 3. schmerzhaftes Aufstoßen und Schluchzen, 4. die Lage der Kranken auf dem Rücken bei erheblichem Pleuraerguß, mehr oder weniger starkes Ödem der unteren seitlichen Thoraxwand bis in die Lendengegend hinab. Diese immerhin etwas vagen und wohl selten zusammen vorhandenen Symptome können leicht — besonders wenn es sich um ein latentes, vorher nicht diagnoziertes Ulcus ventriculi handelt — die Diagnose übersehen lassen. Die Röntgenuntersuchung kann gerade für diese Fälle die wertvollste diagnostische Hilfe gewähren, da, wie schon erwähnt, es bei dem jauchigen Abszeß meist zu einer Gasentwicklung kommt. Der untere Teil der Abszeßhöhle füllt sich nach der Wismutmahlzeit mit Wismut und behält das Wismut lange Zeit bei sich, während die darüber schwebende Luftblase sich kontrastreich abhebt. Die Röntgenbilder gewähren die Möglichkeit einer ungefähren Lokalisation. Wird der Abszeß nicht operativ behandelt, so kann eine Selbstheilung dadurch zustandekommen, daß er in das benachbarte Colon oder durch die äußere Bauchwand durchbricht. Es kann auch Durchbruch erfolgen in die Lungen, die Pleura — linksseitiger Pyopneumathorax ist meist durch ein Ulcus bedingt —, in das Perikard oder in die Bauchhöhle. Beim Durchbruch in das Colon bildet sich eine Fistula gastrocolica, die durch das gleichzeitige Aufhören der Schmerzen und das ziemlich unveränderte Auftreten der Nahrung in dem Stuhl (Lienterie) sich erkennen läßt. Es kann auch umgekehrt durch die Fistel Kot in den Magen übertreten. Derartige Fisteln können spontan heilen.

Bleibt der Abszeß bestehen, so gehen die Kranken unter septikopyämischen Erscheinungen zugrunde.   !

Eine weitere und die häufigste Folge des Ulcus ist die Pylorusstenose. Kommt es zur Vernarbung eines am Pylorus gelegenen Ulcus — bekanntlich dem Lieblingssitze der Ulzeration — so bedingen (s. oben) die Schrumpfungen eine Erschwerung des Austritts des Mageninhalts in den Darm, die nur so lange ohne ernstere Störungen bleibt, als die Kraft der Magenmuskulatur das Hindernis am Pförtner zu überwinden vermag. Über die Folgen der zunehmenden Stenose, die Gastrektasie, siehe daselbst. Narbenschrumpfungen an anderer Stelle können zu verschiedenartigen Einschnürungen des Magens führen, welche denselben in zwei Teile teilen und damit zur Bildung des sog. Sanduhrmagens, auch Hourglaßstomach genannt, führen. Die Einschnürung des Magens kann in leichten Fällen symptomenlos verlaufen, in schweren Fällen, wenn die Abschnürung die Austreibung des Mageninhalts in die untere Magenhälfte verhindert, zu den typischen Stenoseerscheinungen führen. Die Symptomatologie ist dieselbe wie bei der Pylorusstenose.

Bezüglich der Diagnose steht das Röntgenverfahren an erster Stelle. Genaueres, speziell die Abgrenzung der normalen peristaltischen, also vorübergehenden Einschnürungen des Magens von den persistierenden des Sanduhrmagens s. Ltfd. der Röntgendiagnose innerer Krankheiten. — Von den übrigen Symptomen sind diejenigen, welche nur auf eine Stenose resp. Atonie der Magenwand hinweisen, nicht für den Sanduhrmagen charakteristisch. Die Aufblähung des Magens läßt in den meisten Fällen die Abschnürung des Organs in ziemlich deutlicher Weise hervortreten. Manchmal ist das Büdingersche „Rieselsymptom" charakteristisch für einen Sanduhrmagen mit enger Kommunikation zwischen den beiden Abschnitten. „Wenn man eine Hand auf die Gegend der Striktur legt und mit der anderen den Flüssigkeit enthaltenden kardialen Magenteil drückt, so fühlt man deutlich die Flüssigkeit in den anderen rieseln." Weiter hat man eine Gummiblase in den Magen eingeführt und dieselbe aufgebläht. Bei Sanduhrmagen ist dieselbe, welche sonst die Form des Magens annimmt, nur in der linken Seite des Epigastriums fühlbar. Das Röntgenverfahren macht die letztgenannten mehr geistreichen als sicheren Untersuchungsmethoden wohl überflüssig.

Die Diagnose des Magengeschwürs ist leicht bei Vorhandensein der drei Kardinalsymptome. Fehlt die Magenblutung, besteht nur die Kardialgie oder das Erbrechen unter allgemein-dyspeptischen Erscheinungen, so kommt man trotz Anwendung aller Untersuchungsmethoden häufig über die Wahrscheinlichkeitsdiagnose nicht hinaus. Bei der Differentialdiagnose ist zu unterscheiden, ob eine Magenblutung vorliegt, oder ob die anderen Symptome das Krankheitsbild beherrschen. Bei Magengeschwüren, die mit Magenblutungen verbunden sind, müssen alle jene Krankheitszustände berücksichtigt werden, die mit Magenblutungen einhergehen, um hier von der schon a. O. besprochenen Unterscheidung von Lungenblutungen abzusehen. Sehr schwierig, wenn es sich nicht um eine reichliche Blutung handelt, die nur selten beim Magenkrebs zur Beobachtung kommt, kann die Unterscheidung von diesem sein (die differentialdiagnostischen Momente s. unter Magenkrebs).

Ferner kommen bei Magenblutungen in Betracht die Stauungsblutungen, namentlich bei Leberzirrhose. Die Milz- und Leberschwellung, eventuell der Aszites und Ikterus, sind für letztere Erkrankung charakteristisch.

Eine Ösophagusblutung ist nicht immer von einer Magenblutung zu unterscheiden, wenn nicht eine Ösophagusstenose ätiologisch für die Blutung in Betracht kommt. Unter günstigen Umständen kann die Lokalisierung der Schmerzen beim Schlucken oder beim Sondieren auf den Sitz des Geschwüres hinweisen.

Die Blutung beim Ulcus duodeni ist als solche nicht von der Magenblutung zu differenzieren. Meist wird freilich beim Ulcus duodeni das Blut durch den Darm entleert, sehr selten erbrochen. Ferner sitzt der Schmerz beim Ulcus duodeni in der rechten Seite, beim Magenulcus mehr in der linken Seite; ebenso wie die dorsale Druckempfindlichkeit dort rechts, hier links von der Wirbelsäule lokalisiert wird.

Fehlt jegliche Blutung, so pflegt der Schmerz, sei es der spontane, sei es der Druckschmerz stets an derselben Stelle das Hauptkriterium für die Wahrscheinlichkeitsdiagnose eines Ulcus ventriculi zu sein. Schmerz in der Magengegend kann bei einer Reihe von anderen Erkrankungen in subjektiv genau der gleichen Weise auftreten. Vielleicht am häufigsten zu Verwechslungen Veranlassung gibt die Interkostalneuralgie, und zwar die des 5.—9. Interkostalnerven. Die im Gefolge des Herpes zoster auftretende Neuralgie ist schon durch ihre Anamnese leicht zu erkennen. Leichter übersehen werden die oft recht hartnäckigen Influenzneuralgien, um so mehr, wenn sie von chronisch-dyspeptischen Beschwerden und allgemeiner Mattigkeit, wie sie dem chronischen Ulcus eigentümlich sind, begleitet sind. Am häufigsten aber geben wohl die doppelseitigen Interkostalneuralgien im Gefolge der Insufficientia vertebrae und anderer Wirbelerkrankungen (chronischer Gelenkrheumatismus, Spinalgie bei Bronchialdrüsentuberkulose u. a.) zu Verwechslungen Anlaß. Die schnellste Unterscheidungsmöglichkeit gewährt die Untersuchung mit der Nadel; dadurch wird bei vorhandener Neuralgie ein dem Verbreitungsbezirk der betreffenden Interkostalnerven genau entsprechendes Hautgebiet abgegrenzt, und zwar zeichnen sich die Neuralgien der aus dem Wirbelkanal austretenden Spinalnerven dadurch aus, daß der Hautbezirk des Ramus anterior von der Hyperästhesie verschont ist. Es ist diese Beobachtung speziell bei der differentialdiagnostischen Entscheidung zwischen Ulcus und Neuralgie wertvoll, da bei ersterer die über dem Ulcus gelegene Hautpartie fast regelmäßig hyperästhetisch ist (H e a d sche Zone), während bei der Inter-kostalneuralgie die Hyperästhesie nur bis ungefähr zur vorderen Axillarlinie reicht. Das Bestehen einer Veränderung an der Wirbelsäule, die stets mit Klopfempfindlichkeit der betreffenden Wirbel gepaart ist, sichert die Diagnose. Erwähnt sei, daß selbst so grobsinnliche Veränderungen wie sie die Spondylitis darbietet, zu diagnostischen Irrtümern Veranlassung gegeben haben, wenn die Magensymptome, wie nicht selten, die ersten Krankheitserscheinungen machen. Diese differentialdiagnostischen Momente verdienen besondere Berücksichtigung bei jugendlichen Individuen, bei denen die Chlorose, die Insufficientia vertebrae, die Bronchialdrüsentuberkulose, zu den gleichen allgemeinen Störungen führen wie das Ulcus ventriculi.

Die Abgrenzung der Ulcusschmerzen gegen die der Cholecystitis resp. Cholelithiasis kann unmöglich sein, wenn keine weiteren prägnanten Symptome für die eine oder die andere Krankheit sprechen. Die allgemeinen dyspeptischen Erscheinungen gleichen sich bei beiden völlig. Einzelne differentialdiagnostische Kriterien subjektiver Art sind angegeben. Bei der Gallensteinkolik sind die Schmerzanfälle häufig von Erbrechen begleitet, das hier nicht die Linderung schafft wie beim Ulcus. Bei der Cholecystitis besteht in der Schmerzperiode wohl ausnahmslos leichte Temperatursteigerung (ev. Rektalmessungen) mit leicht remittierendem Typus (s. Bd. I S. 6). Objektiv ist bei der Gallenblasenerkrankung die Gallenblase meist, zum mindesten bei häufiger Untersuchung, ev. im heißen Bade, als schmerzhaft abzutasten. Doch kann bei einem Ulcus ir der Pylorusgegend ebenfalls die schmerzhafte Stelle beträchtlich rechts liegen. Die anderen Symptome der Cholecystitis siehe dort. Handelt es sich um peritoneale Verwachsungen infolge Durchbruchs beim Ulcus oder lokale Peritonitis bei Cholecystitis, Pankreatitis oder Pankreassteinen, so kann die Erkennung des Ausgangspunktes der Erkrankung unüberwindliche Schwierigkeiten bereiten.

Die Abgrenzung der Ulcusschmerzen gegenüber den Gastralgien bei Gastritis geschieht durch die Mageninhaltsuntersuchung. Im Falle von Achylie können ulcusähnliche Schmerzen erfahrungsgemäß auftreten. Die nervösen Gastralgien unterscheiden sich gelegentlich von denen beim Ulcus durch ihr zeitlich regelloses Auftreten, da sie sich als völlig unabhängig von jeder Nahrungsaufnahme erweisen und häufig durch psychische Erregungen hervorgerufen werden. Sonstige differentialdiagnostische Momente werden bei Fehlen der Blutung vollkommen vermißt. Nicht selten gibt die sogenannte Appendicitis larvata zu Verwechslungen Anlaß. Es genügt, an die Möglichkeit der Appendicitis zu denken, trotzdem die Schmerzen in der Magengegend lokalisiert werden, um diese Diagnose zu stellen.

Eine andere Quelle diagnostischer Irrtümer, an die ebenfalls nur gedacht zu werden braucht, um sie zu verschließen, bietet die Hernia epigastrica. Die kleinen Bauchwandbrüche in der Magengegend verursachen oft hartnäckige Schmerzen und dyspeptische Beschwerden. Läßt man den Kranken sich langsam aus der liegenden in die sitzende Stellung aufrichten, so tritt bei vorhandenem Bruch derselbe deutlich hervor und nimmt an Schmerzhaftigkeit zu.

Über die Prognose des Ulcus ventriculi läßt sich nichts Einheitliches sagen. Die Erkrankung kann sich zweifellos über Jahrzehnte erstrecken, andererseits erliegen nach den verschiedenen Statistiken durchschnittlich 8—10 % aller Ulcusfälle den Folgen des Geschwürs (Blutung, Perforation). Ferner ist zu berücksichtigen, daß die Folgen der perigastritischen Verwachsungen oder der sekundären Narbenschrumpfungen die allgemeine Ernährung und damit die Arbeitsfähigkeit des Kranken in hohem Grade zu schädigen vermögen.

In dem einzelnen Falle entscheidet daher für die Prognose der Sitz des Geschwürs und die Art ihrer Symptome. Blutungen sind prognostisch am ungünstigsten. Nicht zu unterschätzen ist weiterhin die soziale Lage des Kranken, da von ihr allein oft die Möglichkeit vollkommener Heilung abhängt.

Therapie. Eine Prophylaxe des Magengeschwürs gibt es nicht. Es gibt nur eine solche der manifesten Magenblutung bei nachgewiesenem Geschwür resp. bei okkulten Blutungen. Sie deckt sich im übrigen mit den Maßnahmen bei der manifesten Hämatemesis.

Die frische Magenblutung, soweit nicht eine Perforation oder eine heftige Blutung einen sofortigen chirurgischen Eingriff indiziert, wurde bis vor kurzem nur nach den allgemeinen, von Leube aufgestellten Prinzipien behandelt. Der Kranke wird ins Bett gelegt und mit einer Eisblase auf dem Magen absolut ruhig liegen gelassen. Jedes Aufrichten wird vermieden und dafür gesorgt, daß das kranke Organ ebenfalls vollkommen ruhiggestellt wird. Die Ernährung erfolgt deshalb durch Nährklysmen. Gegen den häufig sehr starken Durst läßt man Mund und Zunge mit Eisstückchen benetzen, die nach Möglichkeit nicht zum Zerfließen gebracht werden. Eventuell wird das Eiswasser ohne Lageveränderung des Kranken wieder ausgespuckt. Ist größere Flüssigkeitszufuhr notwendig, so ist diese auf rektalem oder subkutanem Wege zu bewirken. Genügen die Maßnahmen nicht zur Stillung der Blutung, so sind Hämostyptika anzuwenden (intravenöse Injektion von 5—10 ccm 10prozentige Kochsalzlösung, subkutane oder rektale Injektion von 20—40 ccm sterilem Pferdeserum, ev. Diphtherieserum, oder von 100—200 ccm 2—5prozentiger Mercksche Gelatinelösung; Adrenalin 1:1000, 1 Pravazspritze subkutan).

Ist infolge zu starker Blutung Kollaps eingetreten, so ist in der üblichen Weise wie bei allen Verblutungen dagegen vorzugehen. (Kochsalzinfusionen, Abbinden der Glieder, siehe Bd. I, S. 290.)

Nach 24 Stunden ist meist die Hauptgefahr vorüber, man kann nunmehr zur Ernährung mit Nährklistieren schreiten. Bei schweren Blutungen sind auch diese in den ersten 24 Stunden zu unterlassen, da sie peristaltikanregend wirken können. Als Nährklysma gibt man 250 g Milch mit 2—3 Eiern und etwas Kochsalz. Will man größere Kalorienmengen zuführen, so erhöht man den Nährwert der Milch durch Einkochen um die Hälfte; bei längerer Rektalernährung sind reizlose Nährmittel wie Protogen, Kalodal, Dextrin, Hygiama oder dextrinisierte Mehle, und endlich Fett in Form von Sahne, die durch Hinzufügen von 5 g Pankreon purissimo Merck zu $^1/_4$ l sehr gut resorbierbar wird, hinzuzufügen. Wein (z. B. 1 Eßlöffel Rotwein) ist im allgemeinen fortzulassen, da er nachgewiesenermaßen die Saftsekretion des Magens, die gerade vermieden werden soll, anregt; er ist nur bei kollapsartigen Zuständen indiziert. Vor jedem Nährklysma ist durch ein körperwarmes, anfänglich sehr kleines Wasserklistier ($^1/_4$ l) der Darm zu reinigen. Zu den ersten Nährklysmen setzt man zweckmäßig 0,01—0,015 Extractum opii. Die Zahl der Nährklistiere beträgt gewöhnlich pro Tag 2, höchstens 3. Das Klistier darf nur mittels eines weichen (Nélaton-)Darmrohres, das am besten oben geschlossen und mit Seitenöffnungen versehen ist, verabreicht werden. Der Einlauf hat langsam zu geschehen, der Irrigator darf also nicht höher als $^1/_2$ m gehalten werden. Will man nach sehr starken Blutverlusten größere Flüssigkeitsmengen als 200—300 ccm einführen, so hat das Einlaufenlassen tropfenweise (Wernitzsche Rektalinstillation) durch entsprechendes Abklemmen des Irrigatorschlauches zu geschehen. Bei solchen Dauerklistieren kann im Verlaufe von einigen Stunden bequem 1 l und mehr ohne jede peristaltische Reizung zugeführt werden.

Hat die Blutung drei Tage lang sistiert, so erhält der Kranke folgende (etwas modifizierte) Diät. In der ersten Woche Milch, Suppe mit Fleischsolution, von der täglich eine Büchse verbraucht werden soll, eventuell ein Ei in der Suppe. Die Milch wird abgekocht, lauwarm oder kühl genommen, die auf einmal gereichte Menge soll 20 g nicht übersteigen. Bei auftretenden Durchfällen oder Widerwillen gegen die Milch wird sie mit $^1/_3$ Kalkwasser oder etwas Tee, Kakao, Vanille o. dgl. oder als Kefir-, Yogurth- oder Pegninmilch gereicht. Gelatinelösung 15—20:200, 2 bis 3 stündlich 1 Eßlöffel kann unter der Diätverordnung aufgeführt werden, da sie neben ihrer hämostyptischen Wirkung einen hohen Nährwert besitzt; sie kann auch durch Kalbfleisch-, Wein- oder Fruchtgelee ersetzt werden; in verringertem Maßstabe Nährklistiere. In der zweiten Woche bildet die Milch ebenfalls noch das Hauptnahrungsmittel. Sie wird in einer Menge von 3—4 l gestattet. Dazu kommt Zwieback, eingeweichte Semmel, Biskuits o. dgl. In der dritten Woche wird Fleisch erlaubt, Kalbsmilch, Kalbshirn, Taube, Huhn, Austern, Forelle, Hecht, in geschabter oder hachierter oder Geleeform, oder in Butter gedünstet, anfänglich etwa 100 g. Dabei wird die Milch allmählich auf $1^1/_2$—1 l reduziert. Wird das Fleisch gut vertragen, so wird der Fleischspeisezettel erweitert: 100 g feingehacktes Filetbeefsteak, Lachsschinken, geschabtes Rindfleisch, Rostbeef, Kalbfleisch, Rebhuhn, halb durchgebraten, daneben Gemüsepüree, Spinat, Blumenkohl (in Salzwasser gekocht, nur die Blume), Kartoffelpüree, Salzkartoffeln zerdrückt, Apfelmus, Pflaumenmus. In der fünften Woche endlich kommen dazu leichte Mehlspeisen, Auflauf, Omelettes, leichtes Gebäck mit Butter, das innere Weiche der Semmel, kurz, man geht allmählich zur leichten gemischten Kost über, unter Wahrung der breiigen oder Püreeform, und sorgfältiger Vermeidung sehr kalter oder sehr heißer Speisen, wie auch die schlackenreichen Gemüse, ebenso die schlackenreiche Kost zur Vermeidung aller mechanischen Reize noch auf Jahre hinaus vermieden werden müssen.

Wenngleich unter günstigen Umständen bei exakter Beobachtung dieser Schonungsdiät am Ende der Kur nicht nur keine Gewichtsabnahme, sondern sogar nicht unbeträchtliche Gewichtszunahmen beobachtet worden sind, so ist doch nicht zu verkennen, daß bei dem nicht seltenen Widerwillen gegen Milch und vor allem gegen die Quantitäten Milch, wie sie diese Kur im Anfange vorschreibt, es nicht selten zur Unterernährung kommt. Aus diesem Grunde hat Lenhartz von vornherein eine kompaktere Nahrung empfohlen, die zugleich sehr eiweißreich ist, um neben der Kalorienzufuhr auch gleichzeitig bei der immerhin nicht seltenen Hyperazidität möglichst große Mengen freier Salzsäure zu binden. Lenhartz behauptet, daß die Schonung des kranken Organs durch Vermeidung jeglicher Nahrungszufuhr per os nicht so wesentlich ist, als das vielmehr die meist anämischen und durch Blutungen noch anämischer gemachten Individuen möglichst schnell durch die Ernährung wieder gekräftigt werden. Er betont, daß es unseren sonstigen Vorstellungen durchaus widerstreitet, akut verblutete Kranke hungern und dursten, resp. durch neue Blutungen geschwächte chronische Kranke bei strenger Abstinenz tagelang ohne Nahrung zu lassen oder lediglich auf die fragwürdigen Nährklistiere zu beschränken. Dazu kam dann die fernere Überlegung, daß auf experimentellem Wege gezeigt worden ist, daß künstliche Defekte der Magenschleimhaut bei schweren künstlichen Anämien überhaupt nicht oder nur in sehr langsamem Tempo heilen. Das Lenhartzsche Regime besteht also darin, daß man den Kranken sofort Nahrung zuführt, während andererseits natürlich absolute Bettruhe die erste Woche eingehalten werden muß. Daneben wird eine Eisblase auf den Magen und innerlich Bismutum subnitricum in 2 g-Dosen 2—3mal täglich, in Wasser aufgeschwemmt gegeben. Bei der Nahrungszufuhr kommt es weniger darauf an, den Magen absolut ruhig zu stellen, als darauf, daß jede Ausdehnung des Magens in peinlichster Weise vermieden wird. Dies wird einmal durch die Eisblase erreicht, während sich im übrigen frische Fier ganz besonders für diese Indikation eignen. Milch hingegen darf nur in sehr eingeschränktem Maße und in geeister Form gegeben werden, weil gerade bei ihrer Darreichung die Gefahr bestehen soll, daß der Magen gedehnt und dabei das Geschwür von neuem geschädigt wird. Die Diät gestaltet sich also folgendermaßen: Am ersten Tage nach der Blutung 2 Eier und 200 g Milch. Die weitere Nahrungszufuhr ist aus der folgenden Tabelle ersichtlich:

Tag:	1.	2.	3.	4.	5.	6.	7.	8.	9.	10.	11.	12.
Eier	2	3	4	5	6	7	8	8	8	8	8	8
Milch	200	200	300	400	500	600	700	800	900	1000	1000	1000
Zucker				20	20	30	30	40	40	50	50	50
Hackfleisch							35	2×35	2×35	2×35	2×33	2×35
Milchreis								100	100	200	200	300
Zwieback									20	40	40	60
Rohschinken											50	50
Butter											20	40
Kalorien	280	420	637	777	953	1135	1588	1721	2138	2478	2941	2941

Die Eier werden anfangs entweder roh oder in geschlagenem Zustande eisgekühlt gegeben. Ferner ist zu bemerken, daß das Rindfleisch roh und in fein geschabtem Zustande gegeben wird, daß der Milchreis oder an seiner Stelle Grießbrei sehr sorgfältig durchgekocht sein muß, und der Zwieback naturgemäß eingeweicht verabreicht wird. Auf diese Weise gelingt es, bereits am Ende der Woche eine nicht unangenehme Kost zu geben, welche ca. 1600 Kalorien enthält, während man am zwölften Tage bereits über 2900 Kalorien den Kranken zuführt; eine Kalorienmenge, welche noch durch Vermehrung des Milchreises in den nächsten Tagen gesteigert werden kann. Nach 3—4 Wochen ist die Kost eine normal gemischte Kost, das Fleisch wird nicht mehr roh gegeben, sondern leicht angebraten oder gut gekocht; alle Speisen sind natürlich in gewiegtem oder durchpassiertem Zustande zu geben. Zu vermeiden sind natürlich alle blähenden Gemüse und Hülsenfrüchte.

Das Prinzip der Lenhartzschen Diätkur ist also größerer Kaloriengehalt bei geringerem Volumen, ein Prinzip, das gegenüber der alten Vorschrift, wie die zahlreichen Erfolge beweisen, zweifellose Vorzüge hat. Dennoch scheint es, daß die strenge Lenhartzsche Kur sich in der allgemeinen Praxis nicht einbürgern wird. Vor allem scheut man sich, unmittelbar nach der Blutung mit der Ernährung per os einzusetzen. Es haben deshalb Modifikationen der Lenhartzschen Kur Anklang gefunden, die darin bestehen, mit der Einleitung derselben 1—2 Tage zu warten. Ferner bewirkt der reichliche Eiweißgehalt nicht nur eine Bindung der Salzsäure, sondern auch einen steten Anreiz zur Saftsekretion. In den meisten Fällen wird aber Sahne oder gefrorene Butter gern genommen, wodurch bekanntlich (siehe unter Hyperazidität) eine Beschränkung der Salzsäuresekretion bewirkt wird. Weiter ist nicht allen Kranken die große Eierzufuhr angenehm oder auch nur verträglich. Dafür ist, wie schon erwähnt, Gelatine oder das Fett zu geben.

Die Neuerung L e n h a r t z' bedeutet zweifellos einen Fortschritt in der Diätbehandlung der Magengeschwüre. Die vielfach angewandten Modifikationen sind geeignet, eine Brücke zu der früher allein herrschenden L e u b e schen Diät zu bilden, und sie damit in der allgemeinen Praxis einzubürgern.

Daneben besteht die Behandlung in der Verabreichung alkalischsalinischer Mineralwässer: Karlsbader Wasser, morgens nüchtern, angewärmt, zu trinken; bei starker Verstopfung eventuell mit einem Zusatze von ½ bis 1 Teelöffel des künstlichen Karlsbader Salzes. Ferner sind tagsüber heiße Kataplasmen aufzulegen, nachts ein Prießnitzscher Umschlag. Diese Kur beansprucht 4—5 Wochen, in leichteren Fällen darf der Kranke schon von der dritten Woche an täglich stundenweise das

Bett verlassen. Zweifellos ist nach Ablauf dieser Frist das Magengeschwür in den seltensten Fällen anatomisch völlig geheilt, wenn auch die Schmerzen, die meist in den ersten Tagen verschwinden, fehlen können. Der Kranke muß mindestens ein Jahr lang in ärztlicher Beobachtung bleiben (Untersuchungen auf okkulte Blutungen) und hat sich während dieser Zeit (Schonungsdiät, Vermeidung körperlicher Anstrengungen oder sonstiger mechanischer Schädigungen des Magens) als Rekonvaleszent zu betrachten.

Neben der geschilderten diätetischen Behandlung ist die medikamentöse von sekundärer Bedeutung. Die eine Indikation medikamentöser Therapie besteht in der Heilung des Magengeschwürs selbst. Das hier gebräuchlichste Mittel ist das Wismut, welches als Bismuthum subnitricum, 1 Teelöffel in einem Glase lauwarmen Wassers aufgeschwemmt, morgens nüchtern und nach den Mahlzeiten genommen wird. Es bleibt das Wismut nachgewiesenermaßen auf dem Ulcus liegen und bildet eine Art Schutzdecke.

94) Rp. Bismuthum subnitr.
Magnesia usta āā 100,0,
teelöffelweise in warmem Wasser.

oder

95) Rp. Chloroform 1 : 150
Bismuthum subnitr. 3,0
stündlich 1—2 Eßlöffel (nach Stepp).

Es wirkt das Wismut häufig schmerzstillend und setzt die Hyperchlorhydrie herab. An Stelle des Wismut sind neuerdings Escalin und Neutralon, beides Aluminiumpräparate als sekretionsherabsetzend empfohlen worden.

Zur Heilung des Geschwürs berieselt man die Magenschleimhaut des leeren Magens mit 1—2 $^0/_{00}$ Argentum nitricum-Lösung.

Besteht Hyperchlorhydrie, wodurch in einzelnen Fällen, unter Verzögerung des Heilungsprozesses, die heftigsten Schmerzen infolge des Reizes der überschüssigen Säure auf das Geschwür und durch sekundäre Pylorospasmen ausgelöst werden können, so ist in den Fällen, in denen die Eiweißfettdiät nicht zum Ziele führt, das Atropin das souveräne Mittel zur Beseitigung der Hyperchlorhydrie und des Pylorospasmus. Das Atropin wird 4—8 Wochen lang 2—3mal täglich in Mengen von je 1 mg subkutan injiziert und meistens, da es sich hier um sogenannte vagotonische Individuen handelt, vorzüglich vertragen.

Bei Ulcusschmerzen ist Morphium als die Magensaftsekretion anregend kontraindiziert; an Stelle des Atropins kann auch Extr. Belladonnae 0,02—0,05 pro dosi als Stuhlzäpfchen gegeben werden. Als schmerzstillend gibt man auch Orthoform, 0,3 mehrmals täglich als Pulver. Es ist besonders zu betonen, daß jede medikamentöse Behandlung nur neben der diätetischen und Ruhebehandlung, nicht aber als Ersatz für dieselbe durchzuführen ist. Führt die Ruhekur und auch die Atropinbehandlung nicht zur Beseitigung der Schmerzen und des Erbrechens, so ist der chirurgische Eingriff, die Gastroenterostomie, indiziert. In allen komplikationslosen Fällen ist die chirurgische Behandlung des Ulcus ventriculi sicher nicht gerechtfertigt. Neben der genannten Indikation kommen dafür ferner noch in Betracht: Perforation des Geschwürs, fortgesetzte, zur schwerer Anämie führende Blutungen, und die sekundären Erkrankungen, die Pylorusstenose (siehe dort) und die Perigastritis, sofern sie ernste dauernde Beschwerden verursacht.

Handelt es sich um eine lebensgefährliche Blutung, so pflegen die Chirurgen während derselben im allgemeinen nicht zu operieren, sondern eventuell bei Wiederholungen im freien Intervall.

Magenkrebs (Carcinoma ventriculi).

Das Karzinom des Magens ist prozentual das am häufigsten vorkommende. Man rechnet, daß 35—50% aller Karzinome vom Magen ausgehen, und zwar scheinen die Männer häufiger zu erkranken als die Frauen. Das bevorzugte Alter ist jenseits des 40. Lebensjahres. Es kommen Magenkarzinome bereits im zweiten und dritten Dezennium vor.

Ätiologisch wird der Erblichkeit vielfach eine bedeutende Rolle vindiziert, ohne daß man bisher exakte Vorstellungen über dieses Moment hätte gewinnen können. Von großer praktischer Bedeutung ist die Frage, ob ein Trauma ursächlich wirksam sein kann. Da bei der Annahme eines ursächlichen Zusammenhanges zwischen Trauma und Erkrankung stets das zeitliche Moment des unmittelbaren Anschlusses letzterer an das Trauma vorhanden sein muß, die Entwicklung eines Magenkarzinoms bis zum Auftreten klinischer Symptome aber zweifellos einer relativ langen Zeit bedarf, so ist die Entscheidung sowohl im Einzelfall wie im allgemeinen ziemlich willkürlich. Die einzelnen Gutachter sowohl als auch die einzelnen Entscheidungen variieren. „Es ist bezeichnend für die auf diesem Gebiete herrschende Unsicherheit, daß sich in der bereits ziemlich reichen Literatur über ‚traumatisches Magenkarzinom' meines Wissens kein Fall findet, in dem ein Zusammenhang des Karzinoms mit chronisch entzündlichen Prozessen traumatischen Ursprunges oder einer auf Magenverletzung zurückzuführenden Narbe tatsächlich beobachtet worden wäre" (Stern). Die Frage nach der parasitären Natur des Karzinoms ist noch in der Schwebe. (Näheres cf. Leitfaden der allgemeinen Chirurgie.) Zweifellos disponierend zur Krebsentwicklung wirkt das Ulcus ventriculi. Die Häufigkeitsschätzung schwankt zwischen 2 und 8—10%.

Pathologische Anatomie. Bevorzugt wird die Gegend des Pylorus, vielleicht weil diese Stelle am stärksten den mechanischen und sekretorischen Reizen ausgesetzt ist. Dann folgen in der Häufigkeit die Kardia und die kleine Kurvatur; die vordere und hintere Magenwand und die große Kurvatur sind relativ selten Sitz eines Krebses. Meist ist das Magenkarzinom primärer Natur. Es ist entweder ein Adenokarzinom mit umschriebenen höckrigen Geschwulstknoten oder ein Medullarkarzinom, welches von noch weicherer Konsistenz als das erstere ist und eine stärkere Neigung zum Zerfall und zur Metastasenbildung zeigt als jenes. Im Gegensatz zu der höckrigen Form bildet der Scirrhus eine diffuse Infiltration, welche durch den faserigen Bau und die derbe, auf starker Bindegewebsentwicklung beruhende Beschaffenheit ausgezeichnet ist. Relativ selten findet man Gallert- oder Kolloidkrebs, dessen Aussehen durch den Namen gekennzeichnet ist. Der Scirrhus zeigt den langsamsten Verlauf, während der Markschwamm durch seine Zerfalls- und Metastasenneigung und der Gallertkrebs durch sein Bestreben, auf das Peritoneum überzugreifen, am schnellsten zum Exitus führen. Von den Metastasen ist die Lebermetastase wohl die häufigste.

Durch den Zerfall des Krebsgewebes kann es zu Blutungen kommen, die jedoch meist nur einen geringfügigen Umfang annehmen. In sehr seltenen Fällen kommt es zum Durchbruch eines zerfallenden Geschwüres in die Bauchhöhle und zu sekundärer Peritonitis.

Bei zunehmendem Wachstum eines Pyloruskarzinoms bildet sich eine Pylorusstenose und sekundäre Gastrektasie aus.

Die nicht vom Karzinom ergriffene Schleimhaut des Magens weist fast immer die Zeichen einer chronischen Gastritis, die bis zur vollkommenen Atrophie der Magenschleimhaut führen kann, auf (s. S. 48 ff.).

Symptome. Die Frühsymptome eines Magenkarzinoms sind absolut uncharakteristisch. Lange Zeit können allgemein dyspeptische Erscheinungen, wie sie einem einfachen Katarrh zukommen, das einzige Zeichen bilden. Erst wenn diese Beschwerden (Appetitlosigkeit, pappiger

Geschmack, Gefühl der Fülle nach dem Essen, Aufstoßen usw.) jeder
Behandlung trotzen, wenn dabei der Kranke immer mehr an Körper-
gewicht abnimmt, wenn Schmerzen auftreten, und last not least der
Kranke in dem krebsverdächtigen Alter ist, rücken häufig zum ersten
Male die Symptome in die Beleuchtung von krebsverdächtigen Er-
scheinungen.

Das Auftreten des Erbrechens bildet oft den Anfang des manifesten
Stadiums. Besonders frühzeitig stellt sich das Erbrechen bei dem Pylorus-
karzinom ein als erstes Zeichen der durch ein Hindernis erschwerten
physiologischen Entleerung des Magens. Anfänglich tritt das Erbrechen
seltener, später täglich und schließlich nach jeder Mahlzeit auf. In den
Fällen hingegen, in denen das Karzinom an einer indifferenteren Stelle
des Magens sitzt, kann das Erbrechen dauernd fehlen. In den erstgenannten Fällen werden zunächst nur die aufgenommenen Speisen mit
Schleim vermengt erbrochen, stets in einem mehr oder minder zersetzten
Zustande (s. Gastrektasie). Die chemische Untersuchung ergibt hier bereits
häufig das Vorhandensein von Blut. Bei zunehmendem Zerfall des Karzinoms nimmt der Blutgehalt zu, das Blut erhält infolge der Verdauung
das bekannte kaffeesatzartige Aussehen.

Als weiteres Symptom sind die Schmerzen zu nennen, die in einer
Reihe von Fällen vorhanden sind, und an Stärke ungemein variieren;
von dem einfachen, mehr lästigen Magendrücken bis zu heftigen Gastralgien. Es ist wahrscheinlich, daß diese Schmerzen bedingt sind durch
den gesteigerten Innendruck, durch zu starke Dehnung der Magenwände;
Aufstoßen von Gasen oder Entleerung des Magens durch Brechen oder
Magenspülung beseitigt fast augenblicklich die Schmerzen. Der Sitz der
Schmerzen ist ein verschiedener: unterhalb des Processus xyphoideus,
in der Mittellinie oder mehr nach beiden Seiten. Ebenso sind die Aus-
strahlungen des Schmerzes einmal nach der rechten, einmal nach der
linken Schulter oder den Rippenbogen entlang. Mit zunehmender Ektasie
pflegen die Schmerzanfälle an Intensität und Häufigkeit abzunehmen.
— In vielen Fällen kann aber jeder spontane Schmerz dauernd fehlen.
Man beobachtet dann noch häufig einen Druckschmerz im Epigastrium,
der wohl ebenfalls als Spannungsschmerz zu deuten ist, und einen auf
den Ort der Geschwulst lokalisierten Druckschmerz, ohne daß man an
dieser Stelle oft nur eine vermehrte Resistenz oder gar einen Tumor
zu palpieren vermöchte. Das dauernde Vorhandensein eines Druckschmerzes an bestimmter Stelle gehört zu den beachtenswertesten
Symptomen des Magenkarzinoms.

Von den übrigen subjektiven Symptomen wurde die Appetitlosigkeit
schon erwähnt. Doch gibt es auch Fälle, in denen im Gegenteil sogar
ausgesprochener Heißhunger besteht, oder der Appetit lange Zeit hindurch,
sogar bei schon palpablem Tumor erhalten bleiben kann. Wenn er
fehlt, so ist der Widerwillen gegen das Fleisch häufig eine hervor-
stechende Erscheinung. Manchmal ist es aber die Furcht vor Schmerzen,
die die Kranken am Essen hindert. Häufig tritt eine schwere Obstipation
auf und zwar bei Kranken, die vorher stets geregelte Stuhlverhältnisse
hatten. Wahrscheinlich beruht dieselbe auf dem Sistieren der Peristaltikhormonbildung in Analogie zu der aufgehobenen Produktion der Magen-
fermente.

Die objektiven Symptome basieren einmal auf der mikroskopischen und chemischen Untersuchung des (erbrochenen oder ausgeheberten) Mageninhalts. In der überwiegenden Mehrzahl der Fälle
fehlt die freie Salzsäure im Magen, und ist die Gesamtazidität sehr
niedrig: weil erfahrungsgemäß mit der Entwicklung des Karzinoms eine
mehr oder minder ausgesprochene Atrophie der Magenschleimhaut einhergeht. Es gibt jedoch andererseits zahlreiche Fälle von Karzinom mit
normaler und selbst gesteigerter freier HCl-Produktion. Es sind dies
vorwiegend diejenigen, in denen das Karzinom sich auf der Basis eines
hyperaziden Ulcus ventriculi entwickelt hat. Bedeutungsvoller als der
Nachweis der Achylie ist derjenige okkulter Blutungen (Technik s. 41),
der entweder aus dem Mageninhalt oder aus den Fäzes erbracht werden
kann. Die Blutungen sind aber naturgemäß an einen mehr oder minder
ausgesprochenen Zerfallsprozeß des Karzinoms geknüpft, der manchmal
sehr lange ausbleiben kann.

Kommt es zu einigermaßen stärkeren motorischen Störungen, so
nimmt der Mageninhalt die für Pylorusstenose charakteristische Beschaffenheit an: Gärung des Mageninhalts, Dreischichtung desselben,
Milchsäuregehalt und Vorhandensein reichlicher Mengen anderer organischer Säuren, SH_2-Entwicklung; mikroskopisch Milchsäurebazillen und
Sarzine).

Salomon hat ein Verfahren angegeben, welches bezweckt, das auf der
Wundfläche eines eventl. vorhandenen Karzinoms ausgeschiedene Eiweiß zum
Nachweis zu bringen, und somit ein neues differential-diagnostisches Moment
einer nicht-ulcerösen Erkrankung gegenüber zu schaffen. Die modifizierte Probe
beruht darauf, durch mechanische und chemische Reizung die eventl. vorhandene
Wundfläche zu stärkerer Eiweißsekretion zu bringen, und dieses menschliche Eiweiß durch die spezifische Präzipitinreaktion mit spezifischem Kaninchenimmu-
serum nachzuweisen. Das Verfahren stellt sich folgendermaßen dar: man spült

morgens nüchtern den Magen aus, gibt dann ein Probefrühstück von einer Semmel und 300 ccm Tee. Man hebert dann, nachdem man in der Zwischenzeit zwecks gleichmäßigerer Verteilung des Mageninhaltes den Kranken die Lage etwas hat wechseln lassen, aus, filtriert und neutralisiert schwach mit Kalilauge resp. Salzsäure. Nunmehr versetzt man je 2 ccm des konzentrierten Saftes, einer Verdünnung auf die Hälfte und auf $1/4$ mit dem Präzipitin, welches auf schwarzem Glanzpapier angetrocknet und über Chlorkalzium aufbewahrt, lange haltbar ist. In den menscheneiweißhaltigen Röhrchen bildet sich meist schon nach einer Vierteistunde bei 35 Grad ein Niederschlag und eine starke Trübung.

Das S a l o m o nsche Verfahren bezweckt den Nachweis, einer Serumausschwitzung auf dem Grunde einer Geschwürsfläche im Magen und dient deshalb zur differential-diagnostischen Ausschaltung aller nicht mit einem solchen Prozesse einhergehenden Erkrankungen. Zu dem Zwecke müssen alle äußeren Quellen gelösten Eiweißes ausgeschaltet werden. Der Kranke erhält vormittags flüssige Kost, Milch, Schleim usw., um 2 Uhr mittags eine zugleich flüssige und eiweißfreie Kost, Bouillon Wein, Tee, Kaffee, um eine völlige Reinwaschung des Magens zu erleichtern. Um 9 Uhr abends wird letztere mit größeren Mengen Wassers vorgenommen, bis die Spülflüssigkeit wasserklar abfließt. Am anderen Morgen werden 400 ccm physiologischer Kochsalzlösung in den Magen einlaufen gelassen, wieder zurückgehebert, nochmals einlaufen gelassen, wieder zurückgehebert, so daß die Flüssigkeit eine möglichst gründliche Abspülung der gesamten Magenoberfläche vorgenommen hat. Die zurückgeheberte Flüssigkeit wird dann auf ihren N-Gehalt nach K j e l d a h l und auf ihren Eiweißgehalt nach E ß b a ch untersucht. Der N-Gehalt schwankt zwischen 0 und 16 mmg N auf 100 Spülflüssigkeit, es fehlt eine Reaktion mit Eßbach, höchstens entsteht eine leichte Opaleszenz bei nichtkarzinomatösen Fällen inkl. dem chronischen Ulcus. In Fällen von Magenkarzinom entsteht mit E ß b a ch eine schnell flockig werdende Trübung ($1/6$ bis $1/30^0/_{00}$, während der N-Gehalt 20 mmg in 100 Waschwasser übersteigt.

Ist ein Tumor zu fühlen, so ist dies ein Symptom von ausschlaggebender Bedeutung. Bei stark entwickelten Tumoren und sehr kachektischen Individuen tritt manchmal der Tumor als eine augenfällige, in der Magengegend belegene, mit der Atmung auf- und absteigende Vorwölbung hervor. Für die Palpation kleinerer Tumoren ist es wichtig, eine möglichste Entspannung der Bauchmuskel herbeizuführen. (Vollkommen gerade Rückenlage mit nicht erhöhtem Kopf, Sorge für entleerten Darm. Aufstellen der Beine, auch Untersuchung in rechter Seitenlage zur Erurierung eventueller Tumoren im linken Hypochondrium; bei stärkerer Spannung führt Untersuchung im heißen Bade oft ebensoweit wie die Narkose.)

Vielfach wird die künstliche Aufblähung des Magens angewandt, um festzustellen, ob ein Tumor dem Magen oder dem Darm angehört, resp. um die Lokalisation des Tumors am Magen selbst festzustellen; denn durch die künstliche Aufblähung tritt eine Lagenveränderung des

Magens derart ein, daß die große Kurvatur etwas nach vorn, die kleinere nach hinten kommt. Ein deutlicheres Zutagetreten oder ein Verschwinden des vorher palpablen Tumors nach der Aufblähung läßt demgemäß einen Schluß auf den Sitz desselben zu. Der Pylorus rückt nach der Aufblähung mehr nach rechts und unten.

Immerhin ist nicht zu vergessen, daß eine stärkere Aufblähung bei vorhandenem Tumor zur Blutung und selbst zu einer Perforation führen kann. Die zunehmende Vervollkommnung der Röntgenphotographie kann vermutlich die diagnostische Aufblähung in sehr weitem Maße einschränken.

Die Erkennung der Tumoren im Röntgenbilde beruht darauf, daß die karzinomatös infiltrierten Stellen nicht mit Wismutbrei bedeckt werden, so daß die Tumorpartie ausgespart erscheint, ferner auf den abnormen Konturen des Wismutschatten, sowie endlich auf dem Fehlen einer Peristaltik bei kinematographischen Aufnahmen. (Das Nähere über die Röntgenphotographie des mit Wismut gefüllten Magens siehe Leitfaden der Röntgendiagnose innerer Krankheiten.)

Das Röntgenbild verschiebt die Bedeutung der Palpation, soweit es sich um die Feststellung der Zugehörigkeit des Tumors zu einem bestimmten Organe handelt, dahin, daß die definitive Entscheidung diesem neuen Verfahren zukommt.

Die mehr oder minder große respiratorische Verschieblichkeit, die im Zweifelsfalle die Lebertumoren vor den Magentumoren auszeichnen, die mehr seitliche respiratorische Verschieblichkeit bei der Milz beanspruchen als Symptome nicht mehr die Bedeutung wie früher. Das Gleiche gilt für das Symptom der exspiratorischen Fixierbarkeit eines Tumors, die für einen Magentumor spricht, während der Lebertumor bei der Exspiration nach oben gleitet. Übrigens hängt die Fixierbarkeit sehr wesentlich damit zusammen, ob sich der Tumor nach oben hin umgreifen läßt, so daß hier nicht nur ein topisches Moment zur Beurteilung kommt, sondern auch die Frage, ob der Tumor frei beweglich oder mit der Umgebung verwachsen ist. Nicht ohne Bedeutung ist die Perkussion für die Beurteilung der Zugehörigkeit eines Tumors zum Magendarmkanal resp. zur Leber oder Milz. Die leise Perkussion läßt über letzteren eine Dämpfung, über ersteren in der Regel vollen tympanitischen Schall entstehen. Das Hervorrufen von Plätschergeräuschen in nüchternem Zustande des Kranken spricht für motorische Insuffizienz. Auskultatorisch hört man hier und da bei den nicht ganz seltenen perigastrischen Entzündungen des Peritoneums ein deutliches Reiben „Peritoneales Reiben", das auf das Epigastrium beschränkt ist.

Neuestens ist es gelungen, durch direkte Betrachtung des Magens mittels des Gastroskops die Symptomatologie zu erweitern. Vorläufig ist die Methode der Gastroskopie nur für Spezialisten anwendbar. Während die Symptome im Anfange der Erkrankung sehr vager Natur sind, gewinnt mit zunehmendem Wachstum das Krankheitsbild des Magenkrebses so an Deutlichkeit, daß die Diagnose meist primo visu zu stellen ist. Als relativ häufige Metastasen sind neben der Lebermetastase solche am Rektum und an den Ovarien zu nennen.

Beim Magenkrebs sind wohl die allgemeinen Krebssymptome, eigentümlich fahle, graublaß bis gelbliche Gesichtsfarbe, die eingefallenen Schläfen, die allgemeine Abmagerung, die sekundäre, oft hochgradige Anämie und der offensichtliche Kräfteverfall am frühesten unter allen übrigen Krebslokalisationen ausgesprochen. Allmählich treten ödematöse Schwellungen der Extremitäten hinzu, die aber auch bis zuletzt fehlen können. Der in der Regel fieberlose Verlauf kann einem unregelmäßig intermittierenden Fieber Platz machen. Häufig treten Metastasen, vor allem der Leber auf, wodurch die äußere Konfiguration des Leibes (Hervorspringen des linken Leberlappens) verändert wird. In vorgeschrittenen Fällen fehlen selten metastatische Lymphdrüsenanschwellungen in der linken Supraklavikulargrube, doch kann auch dieses Symptom häufig eher auftreten als der Magentumor palpabel wird, weshalb ihm eine gewisse diagnostische Bedeutung zukommt. Gegen Ende beobachtet man öfters komatöse Zustände, die an das Coma diabeticum erinnern. Charakteristisch für die durch die karzinomatöse Intoxikation bedingte Eiweißeinschmelzung ist die reichliche Stickstoffausscheidung im Harn, in welchen mehr N. erscheint, als durch die Nahrung zugeführt wird.

Der letale Ausgang erfolgt mehr oder minder schnell, je nach der Art des Karzinoms, nach dem Sitze desselben, — eine Stenosierung des Pylorus durch das Karzinom und damit die Unmöglichkeit einer ausreichenden Ernährung muß natürlich ihrerseits den Ausgang beschleunigen — je nach dem Vorhandensein von Metastasen, auftretenden Blutungen usw.

Man nimmt eine Dauer von mehreren Monaten bis zu zwei Jahren als die normale Dauer des Magenkrebses in nicht operierten Fällen an. Der Kräfteverfall braucht dabei nicht ein stetiger zu sein, sondern es können in gewissen Zeiten Remissionen eintreten, welche durch eine zweckentsprechende Ernährung oder durch sonstige therapeutische Maßnahmen bedingt sind oder auch anscheinend spontan auftreten.

Die Prognose ist demnach bei nicht rechtzeitiger Erkennung absolut infaust, bei frühzeitiger Operation, so lange die radikale Entfernung noch möglich ist, hingegen relativ günstig, da sich die Zahl der auf diese Weise geheilten Fälle mehren.

Diagnose. Aus dem Gesagten geht hervor, daß die rechtzeitige Stellung der Diagnose eines Magenkarzinoms von entscheidender Bedeutung für den Kranken ist.

Der Verdacht eines Magenkarzinoms wird durch das Fehlen freier HCl, durch das lange Bestehenbleiben magenkatarrhalischer Symptome, zunehmende Verschlechterung des Allgemeinbefindens und eine hartnäckige Verstopfung bei einem vorher in dieser Beziehung normalen Individuum geweckt. Lang andauernde Schmerzen, stärkere Verdauungsbeschwerden die der üblichen Therapie nicht weichen, sollten stets vor der einfachen Diagnose eines Magenkatarrhs zugunsten des Karzinomverdachtes warnen. Der Nachweis lange dauernder okkulter Magenblutungen trotz zweckentsprechender Behandlung, der röntgologische Befund einer anormalen Aussparung sowie die Zeichen einer beginnenden Motilitätsstörung am Röntgenschirm können zusammen als hinreichend karzinomverdächtige Momente in der Regel eine Probelaparotomie zur Aufdeckung eines noch kleinen Magenkarzinoms rechtfertigen.

Differentialdiagnose. Die Differentialdiagnose gegenüber dem Ulcus ventriculi kann unüberwindliche Schwierigkeiten bereiten. Oft entscheidet erst die mikroskopische Untersuchung eines bei der Probelaparotomie exzidierten Stückes, so daß selbst, trotz der Inspektion, der Chirurg noch in die Lage kommen kann, eine Schnelldiagnose mit dem Gefriermikrotom ausführen zu lassen, um die Richtschnur für sein weiteres chirurgisches Handeln zu gewinnen.

Bestehen nur die Symptome des Kräfteverfalls, der Anorexie, so kann besonders in einem gewissen Alter die differentialdiagnostische Schwierigkeit entstehen, ob es sich um ein Karzinom oder eine Phthise handelt, da diese senilen Phthisen durch mangelnde Lungensymptome (cf. Bd. 1) ausgezeichnet sind. — Ist die Anämie im Vordergrunde, so kann neben dem Karzinom die perniziöse Anämie in Frage kommen. Zweifellos versagt in manchen Fällen, wie die Obduktionsbefunde gezeigt haben, die Blutuntersuchung. Dauernde Verstopfung spricht zugunsten des Magenkarzinoms, Diarrhoe und nicht selten ein Milztumor zugunsten der perni-

ziösen Anämie. Im ersteren Falle sind okkulte Blutungen nachweisbar, die bei der Anämie fehlen (R u d o l f S c h m i d t).
T h e r a p i e. Die eigentliche Therapie ist die chirurgische. Ist infolge von Metastasenbildung oder eines zu schlechten Allgemeinzustandes eine Radikaloperation nicht mehr ausführbar, so wird die Therapie symptomatisch. Auch ein chirurgischer Eingriff, eine Gastroenterostomie, kann rein symptomatisch bei fortdauerndem Erbrechen und Stenose des Pylorus indiziert sein. Die interne symptomatische Therapie hat hauptsächlich die Aufgabe, soweit wie möglich den Appetit zu heben. Man verordnet Bittermittel, vor allem Kondurangorinde.

> 96) Rp. Cort. Condurango   15,0
> Macera per horas XII
> cum aqua fontanea   360,0
> coque usque ad remanent. 180,0
> Acid. muriat.   1,5
> Sirup. cort. Aurant   20,0
> M. D. S. 3 mal tägl. 1 Eßlöffel
> oder 97) Rp. Extractum condurango fluidum 3 mal
> täglich 20 Tropfen.

Salzsäure, Pepsinsalzsäure werden wie bei Achylie verordnet (cf. Rp. Nr. 90/91) oder auch Orexinum tannicum 0,3 g 3 mal täglich in Oblaten.

Gegen die Kardialgien und zugleich als Antifermentativum wird Chloroformwasser oder Thymolwasser eßlöffelweise gegeben. Bei Stagnation und Brechen kommen Magenspülungen in Frage, soweit der allgemeine Kräftezustand diese immerhin anstrengenden Prozeduren zuläßt.

Die Diät muß vor allem leicht und zugleich kalorienreich sein. Eine gemischte, fettreiche, in der Form breiige Kost ist zu verordnen.

Bei zunehmenden Schmerzen, Erbrechen, Kachexie, tritt als das souveräne symptomatische Mittel das Morphium in sein Recht. Hier sind die größten Dosen indiziert.

Magenerweiterung (Dilatatio ventriculi, Gastrectasie, Atonia ventriculi, Motorische Insuffizienz).

Man unterscheidet im allgemeinen zwei Formen der Magenerweiterung, eine quasi primäre, welche durch eine primäre Insuffizienz oder Atonie der Magenmuskulatur hervorgerufen ist, und eine sekundäre, bei welcher eine Pylorusstenose zur allmählichen Überfüllung des Magens, und, erst, wenn die austreibende Kraft desselben versagt, wenn also ein

Mißverhältnis zwischen der Pylorusöffnung und der austreibenden Kraft der Muskulatur zu ungunsten der letzteren entstanden ist, zu einer sekundären Dilatation oder Ektasie führt. Im letzteren Falle beobachtet man, zum mindesten zu Beginn der Erkrankung, eine Hypertrophie der Muskulatur, während im Falle der primären Atonie die mangelhafte Entwicklung der Muskulatur des Magens das Entscheidende ist.

Seitdem wir durch die kinematographischen Röntgenaufnahmen des arbeitenden Magens und durch Untersuchungen am überlebenden Organ genauere Einblicke in die Bewegungsvorgänge des Magens erlangt haben, wissen wir, daß der Fundus des Magens und der Pylorusmagen vollkommen getrennte, von einander unabhängige Teile darstellen, in gewisser Weise (in motorischer Hinsicht) mit dem Vorhof und dem Ventrikel des Herzens vergleichbar; der Pylorusmagen entspricht dem Ventrikel. Er ist der Motor, der gleich einer regelmäßig arbeitenden Maschine stoßweise, ohne seine Kapazität in nennenswerter Weise zu verändern, den Mageninhalt in das Duodenum befördert. Das Antrum Pylori ist durch einen Schließmuskel, den sphinkter antri, von dem Fundus getrennt. Der Fundusteil hingegen besitzt keine austreibende Kraft. Dies beweist schon, abgesehen von seiner viel schwächer entwickelten Muskulatur, die Verschiedenheit des manometrischen Druckes in beiden Magenabschnitten. Während letzterer im Fundusteil äußerst gering ist, ist er im Pylorusteil entsprechend der austreibenden Kraft nicht unerheblich. Die Fundusmuskulatur zeigt eine aktive Diastole, d. h. der Magen erweitert sich bei jeder Nahrungszufuhr aktiv, nicht, wie man meistens annahm, infolge der mechanischen Druckbelastung. Diese nur in der Hauptsache wiedergegebenen Resultate neuester Forschung lassen den Gegensatz der genannten beiden Formen der Magenerweiterung in deutlicher Weise hervortreten.

A) Primäre Magenatonie. Diese Form der Erkrankung ist charakterisiert durch die Schwäche der Magenmuskulatur. Sie findet sich häufig vergesellschaftet mit einem allgemeinen Erschlaffungszustande der Muskeln und Bänder, wie sie von Stiller als Habitus asthenicus beschrieben worden ist. Dieser Habitus, der nach Stiller eine konstitutionelle Anomalie darstellt, ist ausgezeichnet durch eine allgemeine Enteroptose (Habitus enteroptoticus) und zeigt eine Reihe anderer Eigentümlichkeiten, deren hauptsächlichste sind: dürftiger Pannikulus, schlaffe Muskulatur, graziles Skelett, langgestreckter, schmaler Brustkorb mit freibeweglicher 10. Rippe — öfters ist auch die 9. Rippe an der Spitze gelockert — breiten Interkostalräumen und sehr spitzem Angulus epigastricus. Die hier vorkommende Magenatonie und Gastroptose stellt also einen angeborenen Zustand vor. Es kann sich die Atonie der Magenmuskulatur ebenso wie die allgemeine Schwäche der Muskulatur auf anämischer oder neurasthenischer Grundlage oder in direktem Anschluß an schwächende Krankheiten entwickeln. Selten, wenn überhaupt, kann eine dauernde Überladung des Magens durch Speisen oder Getränke zu einer Gastrektasie mechanischer Natur führen, wenn sonst der Magen nicht erkrankt war. Anders liegen die Verhältnisse bei der primären Gastritis, die schon an und für sich mit Motilitätsstörungen und mit einer gewissen Erschlaffung der Muskulatur einhergeht. Symptome. Bei leichten Formen können jegliche Beschwerden fehlen, und die Erschlaffung des Magens wird nur gelegentlich durch das längere Zeit nach der Flüssigkeitsaufnahme als normal vorhandene Plätschergeräusch festgestellt; oder aber die Beschwerden sind unbestimmt dyspeptische: Gefühl von Fülle nach dem Essen, sogenannte schwere Speisen lösen Magenbeschwerden wie Aufstoßen, Übelkeit aus, so daß die Kranken schon von selbst zu einer leichten Diät gedrängt werden. In vorgeschritteneren, schwereren Fällen, in denen sich stärkere motorische Störungen geltend machen, in denen also die Speisen lange im Magen verbleiben und zu abnormen Gärungserscheinungen Veranlassung geben, entwickeln sich dieselben Stagnationserscheinungen, die bei der pylorusstenotischen Form der Gastrektasie näher beschrieben sind.

Die sekundäre Gastrektasie entwickelt sich von dem Augenblicke an, in dem die Muskulatur des Magens nicht mehr imstande ist, den Mageninhalt restlos durch das stenosierte Ostium pylori hindurchzupressen. Zunächst hypertrophiert die (gesunde) Pylorusmuskulatur und versucht so des Hindernisses Herr zu werden. Erst beim Versagen dieses Hilfsmittels kommt es infolge der retinierten Speisereste und der dadurch hervorgerufenen, den Magen gewaltsam aufblähenden Gasbildung zur Ektasie. Zunächst des Fundusteiles des Magens. Es verhält sich also die Magenmuskulatur quasi umgekehrt wie die Muskulatur des Herzens bei einem sich entwickelnden Klappenfehler, bei dem die Dilatation des stets mitgeschwächten Herzmuskels das primäre und die Akkomodation durch Hypertrophie das sekundäre ist.

Sehr verschiedenartige Ursachen können zur Behinderung der Magenentleerung führen. Als kongenitale Form der Pylorusstenose wird die hypertrophische Pylorusstenose der Säuglinge aufgefaßt, bei der man annimmt, daß eine funktionelle Störung im Innervationsmechanismus der Pylorusmuskulatur zu einem krampfhaften Zustand und allmählich zur Hypertrophie führt. Beim Erwachsenen sind die auf Pylorospasmus beruhenden Pylorusstenosen, die sogenannten relativen Stenosen, ziemlich selten. Es kann zum Pyloruskrampf kommen, wenn pathologische Ursachen, wie hyperazider Magensaft die Pylorusschleimhaut treffen, oder wenn Fissuren oder Geschwüre am Pylorus diesen gegen geringere Reize überempfindlich machen, seltener wenn eine lokalisierte entzündliche Schleimhautreizung am Pylorus besteht. In derartigen Fällen kann ein so lange andauernder Verschluß des Pylorus reflektorisch hervorgerufen werden, daß es zur sekundären Gastrektasie kommt. Häufiger sind die narbigen oder durch Perigastritis bedingten Pylorusstenosen. Meist handelt es sich um Narben, die auf dem Boden eines Ulcus ventriculi sich entwickelt haben; auch können ätzende Gifte, wie Laugen und Säuren zu Narbenstrikturen führen, oder aber strangartige Verwachsungen mit den Nachbarorganen, vor allem mit der Gallenblase, können durch Zug und Druck zu hochgradigen Verengungen des Pylorus führen und einen Tumor vortäuschen. Die Neubildungen selbst, die am Pylorus sitzen, führen relativ früh zu Stenoseerscheinungen.

Die Symptome dieser Form der Gastrektasie sind zu Beginn des Leidens ebenfalls sehr geringfügig, sofern nicht die Grundkrankheit (Karzinom, Perigastritis, Ulcus ventriculi usw.) schon frühzeitig das Krankheitsbild beherrrscht. Die vermehrte Peristaltik der hypertrophischen Pylorusmuskulatur geht nicht selten mit Schmerzen oder wenigstens mit einem starken Druck- oder Füllegefühl einher, so daß diese Beschwerden zeitlich mit der Nahrungsaufnahme zusammenhängen. Die subjektiven Symptome ändern sich, sobald ein Teil der Nahrung im Magen zurückbleibt. Dadurch allein kommt es in kurzer Zeit zur Gastritis, und dadurch wieder zu einer Zunahme der Zersetzung der stagnierenden Nahrungsmittel. Das Druckgefühl nimmt zu und besteht so lange, bis sich der Kranke durch Aufstoßen oder künstliches Erbrechen entlastet. Dazu treten Übelkeiten, und in kurzer Zeit infolge der schweren Ernährungsstörung Abmagerung. Das allmählich häufiger werdende Erbrechen kann als Hauptsymptom der Gastrektasie und Pylorusstenose gelten. Der Mageninhalt ist durch die Gärungs- und Fäulnisprozesse, durch seine Menge und die eventuellen tagealten Rückstände charakterisiert. Man findet nicht selten 1—2 l Mageninhalt. Nach kurzem Stehen tritt eine Dreischichtung ein; die oberste Schicht stellt infolge der meist sehr lebhaften Gärung eine trübschmutzige Schaumschicht dar, während sich am Boden die gröberen unverdauten Bestandteile absondern, die u. a. die alten Nahrungsreste enthalten. Der Geruch des Mageninhaltes ist charakteristisch sauer oder faulig (H_2S). Die Gesamtazidität ist stark erhöht; ob freie Salzsäure vorhanden ist oder nicht, richtet sich einerseits nach der Grundkrankheit, andererseits nach der Dauer der bestehenden Stagnation. Je älter dieselbe ist, desto stärker die Gastritis, und desto häufiger vermißt man freie Salzsäure, obgleich auch in anderen Fällen eine Gastritis acida mit Hypersekretion die Folge der dauernden Reizung der Magenwände sein kann. Fehlt bei gutartiger Stenose freie Salzsäure, so gelingt es häufig, durch regelmäßige Spülungen mit dem Verschwinden des Katarrhs auch die Salzsäure wieder zum Auftreten zu bringen, was natürlich bei karzinomatöser Stenose nicht möglich ist. Im letzteren Falle vermißt man kaum je Milchsäure, die aber auch als alleiniges Produkt abnormer Gärungen bei fehlender Salzsäure, d. h. bei gutartiger Stenose vorhanden sein kann.

Mikroskopisch findet man bei fehlender Salzsäure neben den unverdauten Nahrungsresten (unverdauten Muskelfasern) massenhaft die sogenannten Boas-Opplerschen Milchsäurebazillen. Bei vorhandener HCl beherrschen die Hefe und die Sarzine das mikroskopische Bild, welch' letztere bei fehlender Salzsäure kaum je vorkommen. Bei freier HCl sind die Muskelfasern in mehr oder weniger verdautem Zustand, hingegen sehr reichlich unverdaute Stärkekörner.

Die abnormen Gärungen führen neben den erwähnten Symptomen zu Allgemeinstörungen (Auto-Intoxikation), wie Kopfschmerzen, Schwindel, verschiedenartige Parästhesien, besonders der größeren Gefäß- und Nervenstämme des Oberarms und nicht ganz selten zur Tetanie. In den meisten Fällen besteht das Trousseausche Phänomen (durch Kompression eines Hauptnervenstammes Hervorrufung eines Krampfes in der betreffenden Extremität) als Zeichen erhöhter Erregbarkeit oder das Chvosteksche Phänomen (Kontraktion der mimischen Gesichtsmuskeln nach Beklopfen des Fazialisstammes) oder das Erbsche Phänomen der gesteigerten galvanischen Erregbarkeit. Auch das Coma dyspepticum und Bradykardie (Vagusreizung) sind hierher zu rechnen. Die starken Wasserverluste infolge häufigen Erbrechens zusammen mit der verminderten Nahrungsaufnahme führen zu schwerer Verstopfung. Charakteristisch ist das Verhalten des Urins, dessen Menge fast parallel mit der zunehmenden Stenose abnimmt und durch Chlorarmut ausgezeichnet ist.

Der Verlauf der Erkrankung der Gastrektasie ist naturgemäß ein ganz verschiedener, je nach dem Grundleiden und nach dem Grad der motorischen Insuffizienz, in welchem der Kranke in die Behandlung kommt. Man teilt allgemein die motorische Insuffizienz in zwei verschiedene Grade ein. Der erste Grad besteht darin, daß die Herausbeförderung der Speisen vom Magen ins Duodenum nur verzögert ist, ohne daß jedoch Speisereste zurückbleiben. Beim Spülen des nüchternen Magens werden also keine Speisereste herausbefördert. Bei dem zweiten Grad der motorischen Insuffizienz wird der Magen nie vollständig leer. Die Myasthenie (Stiller) oder primäre Atonie bleibt sehr häufig zeitlebens auf das erste Insuffizienz-stadium beschränkt. Durch unzweckmäßige Lebensweise oder Zunahme der enteroptotischen Momente (zahlreiche Schwangerschaften, starke Ab-magerung u. a.) kann es jedoch zu Insuffizienzerscheinungen zweiten Grades kommen, indem die starke Senkung und die Atonie dahin führen, daß die austreibende Kraft gegenüber den durch die mechanische Ab-knickung des ausgezogenen Pylorus oder Duodenums gesetzten Hinder-nissen versagt. Ist es einmal zu abnormen Gärungen gekommen, so ist damit ein Circulus vitiosus geschlossen, der die Insuffizienz dauernd erhöht.

Bei den sekundären Gastrektasien setzt die Insuffizienz eigentlich gleich mit dem zweiten Grade der nachweisbaren Rückstände ein. Dem ersten Grade der Insuffizienz entspricht hier die Hypertrophie der Pylorus-muskulatur. Erfolgt kein geeignetes therapeutisches Eingreifen, so ist nicht nur bei den karzinomatösen Stenosen, sondern auch bei den gut-artigen der Ausgang ein unbedingt schlechter. Bei letzteren vermag jedoch die Therapie eine völlige klinische Heilung zu erzielen.

Der lokale Befund am Magen ist in ausgesprochenen Fällen von Pylorusstenose bei vorgeschrittener Abmagerung sehr charakteristisch: der durch Gas aufgetriebene Magen läßt deutlich die große und kleine Kurvatur erkennen; eventuell kann man sich durch Beklopfen die Konturen deutlicher gestalten. Dabei beobachtet man häufig peristaltische Wellen, welche nach beiden Seiten zu am Magen ablaufen. Der Nachweis der anti-peristaltischen Welle ist von pathognomonischer Bedeutung für die Pylorus-stenose, obgleich umgekehrt das Fehlen derselben nicht gegen die Stenose zu verwerten ist. Im frühen Stadien der Insuffizienz ist das durch Ballottement hervorzurufende Plätschergeräusch zu Zeiten, in denen der Magen normaler Weise leer sein müßte, ein beachtenswertes Symptom. Eventuell ermöglichen die Aufblähung des Magens (s. S. 28) und die Röntgendurchleuchtung nach Wismutfüllung in exakter Weise die Größen-verhältnisse des Magens festzustellen.

Die Diagnose der primären Atonie ersten Insuffizienzgrades ist oft nur zu stellen durch sorgfältige Beobachtung des Kranken, die den Nachweis der verzögerten Magenentleerung (Plätschergeräusche) gestattet. Daneben ist auf den Habitus asthenicus s. enteroptoticus zu achten. — Der zweite Grad der Insuffizienz ist kaum zu verkennen (Erbrechen, Rückstände im nüchternen Magen, abnorme Gärung des Mageninhaltes, peristaltische Wellen usw.). Mit dem Nachweis der motorischen Insuffizienz ist die Diagnose jedoch nicht erschöpft, da es für die Therapie und Prognose von äußerster Wichtigkeit ist, ob die Ursache gut- oder

bösartig ist. Der Nachweis freier Salzsäure spricht mit ziemlicher, aber
nicht vollkommener Sicherheit für eine gutartige oder relative Stenose
(Enteroptose). Umgekehrt sprechen Milchsäure und Milchsäurebazillen eher
für Karzinom. Der Nachweis eines palpablen Tumors beweist nicht unbedingt
das Vorhandensein eines Karzinoms, da perigastritische Verwachsungen
einen Tumor vortäuschen können. Die Anamnese, welche mit Sicherheit ein
vorangegangenes Ulcus, eine Verätzung, Cholecystitis oder dergleichen fest-
stellt, ist von großer Bedeutung, doch weiß man, daß ein chronisches
Ulcus auch karzinomatös entarten kann, ebenso wie damit zu rechnen
ist, daß sich ein Karzinom neben den genannten Affektionen entwickeln
kann. Treten die Erscheinungen der motorischen Insuffizienz nur zeitweise
und in Verbindung mit heftigen Schmerzen auf, so ist an eine spastische
Pylorusstenose (eventuell an ein Ulcus duodeni) zu denken. Die Wirkung
von Atropininjektionen kann hier eine diagnostische Entscheidung geben.

In allen zweifelhaften Fällen, in denen vielleicht die Schwere der
Störung noch keine absolute therapeutische Indikation zur Operation geben
würde, ist unbedingt die diagnostische Indikation dazu gegeben.

Therapie. Bei der primären Atonie im ersten Insuffizienzstadium
ist die Therapie eine schonende, diätetische, und allgemein roborierende.
Die Anämie, Neurasthenie sind nach den dort beschriebenen Prinzipien zu
behandeln (Arsen-Strychnin-Präparate, Abhärtung durch Luftbäder, Abreibungen usw., klimatische Kurorte). Die diätetische Therapie hat die
Aufgabe, eine zu starke Belastung des Magens zu vermeiden, damit an
seine motorische Kraft keine unzweckmäßigen Anforderungen gestellt
werden: Häufige, aber kleine Mahlzeiten (5—6 täglich), Beschränkung
der Flüssigkeitszufuhr auf $1—^5/_4$ l Flüssigkeit. Bezüglich der Art
der Speisen sind keine besonderen Verordnungen notwendig; man ver-
meide die sogenannten schwer verdaulichen Nahrungsmittel und kann
sich dabei die Verweildauer der einzelnen Nahrungsmittel im Magen gesunder Personen nach der bekannten Penzoldtschen Tabelle als Richtschnur dienen lassen. Um das Belastungsmoment der Speisen zu vermindern, empfehlen sich 1—2 Stunden Ruhe nach jeder größeren Mahlzeit. Daneben heiße Kompressen auf den Magen, der Versuch einer
elektrischen oder Massagebehandlung des Magens ist gelegentlich angezeigt. Sehr wichtig ist die Bekämpfung der häufig gleichzeitig vorhandenen Verstopfung (Hormonal).

Die Therapie des zweiten Grades der motorischen Insuffizienz,
also vor allem der sekundären Motilitätsstörungen, ist in erster Reihe eine
chirurgische, abgesehen von den prozentual seltenen Fällen, in denen ein

Pyloruskrampf infolge Magengeschwürs die Stenose und sekundär die Magenektasie verursacht hat.

Die interne Behandlung kann, von letzterer Ausnahme abgesehen, stets nur eine symptomatische sein, indem sie versucht, in dem Mißverhältnis von austreibender Kraft und Pylorusstenose einen Ausgleich zu schaffen. Auf die Dauer wird in den allermeisten Fällen auch ohne weitere Zunahme der Stenose dieser Ausgleichsversuch versagen.

Bezüglich der Diät ist die Form sowohl bei vorhandener wie bei fehlender Sekretion stets eine ausschließlich flüssige oder flüssig-breiige. Denn praeter propter wird die Flüssigkeit am schnellsten und bei einem gewissen Grade der Verengerung überhaupt nur noch allein in den Darm übergeführt. Andererseits muß die Menge der Flüssigkeit möglichst gering gehalten werden, um eine Überbelastung des Magens zu vermeiden (1—2 l pro Tag). Bei Hyperazidität ist Fleisch in fein gewiegter Form (weißes Fleisch, roh geschabtes Fleisch, lebende Fische usw.) erlaubt, da die proteolytische Kraft die vollständige Verarbeitung dieses Nahrungsmittels gewährleistet. Kohlehydrate, die schnell der Gärung anheimfallen, sind nur in kleinen Mengen und in gut aufgeschlossenem Zustande zu nehmen (s. unter Hyperazidität); Fette setzen die Salzsäurebildung herab und sind wegen des hohen Kaloriengehalts sehr erwünscht. (Sahne, Butter, Eigelb, Knochenmark als Zusatz zu Milch und Suppen.)

Das Fett hat nebenbei die Aufgabe, die Reibung zu vermindern, d. h. den Pylorus schlüpferig und durchgängig zu erhalten und bei vorhandenen Spasmen sekretionshemmend und dadurch krampfstillend zu wirken. Man gibt das Öl am besten eine Stunde vor dem Essen (reines Öl oder Emulsio amgydalina), eßlöffelweise und mehr, eventuell durch den Magenschlauch im Anschluß an die Magenspülung.

Bei fehlender Sekretion werden fast nur Suppen vertragen. Hier können die Kohlehydrate in Form von breiförmigen Mehlen, Sago, Tapioka, Mondamin usw. stärker herangezogen werden. Reines Fett macht auch hier selten Störungen.

In schweren Fällen muß die notwendige Flüssigkeitsmenge in Form von mehreren Kochsalzwasserklysmen zugeführt werden. Die Größe der Urinausscheidung ist ein Maßstab dafür, in welcher Menge die rektale Wasserzufuhr zu geschehen hat. Dieselbe ist so lange durchzuführen als die Oligurie vorhanden.

Die physikalische Therapie besteht hauptsächlich in Magenspülungen. In leichteren Fällen gelingt es, mit einer täglichen Ausspülung (am besten vor dem Abendbrot) die Gärungserscheinungen hintanzuhalten; in schweren Fällen, bei tetanieartigen Zuständen ist eine zweite Ausspülung notwendig. Der Kranke lernt die Spülung in der Regel in kurzer Zeit selbst. Man benutzt meist klares Wasser und spült so lange, bis das Wasser klar abläuft. Zusätze von Resorzin, Salizyl, Borsäure haben selten größeren Nutzen. Bei Hyperazidität kann man Karlsbader Wasser oder 1 prozentige Natron bi-Lösung anwenden.

Andere physikalische Hilfsmittel wie Faradisation, Sitzbäder, Massage, sind von problematischem Nutzen.

Pylorusspasmen können in vielen Fällen durch konsequente subkutane Verabreichung von Atropin (2—3 mal täglich 0,75—1 mg oder Methylatropinum bromatum 1—1,5 mg pro dosi so günstig beeinflußt werden, daß man diese Therapie (bei feststehender Diagnose) vor jeder Operation anwenden sollte.

Hypersekretion (Sekretorische Magenneurose).

Man unterscheidet zwei Formen von Hypersekretion, diejenige, bei welcher die Mehrabscheidung von Magensaft kontinuierlich, also ohne besonderen äußeren Reiz stattfindet (kontinuierliche Gastrosuccorrhoe) und die alimentäre oder digestive Form, bei welcher die Mehrabscheidung nur auf den digestiven Reiz zugeführter Nahrung hin erfolgt. Bei der ersteren Form enthält also auch der nüchtern normalerweise leere oder fast leere Magen ein salzsäurereiches Magensekret, bei der alimentären Form hingegen ist der nüchterne Magen leer.

Man spricht im allgemeinen von Hypersekretion, wenn der Inhalt des nüchternen Magens mehr als 10—20 ccm beträgt. Der kontinuierliche Magensaftfluß, Reichmannsche Krankheit, findet sich vor allem bei zwei Magenaffektionen, dem Ulcus ventriculi und der Gastrektasie. Bei der letzteren Affektion erklärt man die kontinuierlich gewordene Saftabscheidung so, daß die durch die motorische Insuffizienz übermäßig verlängerte Verdauungsperiode Ursache des abnormen Reizes wurde. Auch für das Ulcus ventriculi kann für manche Fälle (spastischer Pyloruskrampf) eine analoge Ursache angenommen werden. Doch ist es sehr wahrscheinlich, daß es Fälle von primärer Hypersekretion gibt (nervöse Einflüsse).

Pathologisch-anatomisch fehlt zurzeit noch ein einheitlicher charakteristischer Befund für diese wie überhaupt für jede krankhafte Steigerung der Drüsentätigkeit des Magens, wenngleich gelegentlich katarrhalisch-entzündliche Prozesse in der Magenschleimhaut gefunden wurden.

Die Symptome, soweit die eventuellen primären Affektionen nicht das Krankheitsbild beeinflussen, bestehen in allgemein-dyspeptischen Beschwerden, Druckgefühl, Sodbrennen und saurem Aufstoßen, das in exquisiter Weise die Zähne stumpf macht, in Schmerzen, die nicht an die Mahlzeiten gebunden, vielmehr auch nüchtern auftreten und zu kolikartigen, unerträglichen Paroxysmen sich steigern können, in Heißhunger, hier und da im Erbrechen größerer Mengen saurer Flüssigkeit; daneben wird häufig über Schwindel, Kopfschmerzen und dgl. geklagt. Objektiv findet man meistens eine starke Druckempfindlichkeit im Epigastrium. Charakteristisch ist allein der Befund des Mageninhalts; nüchtern ausgehebert stellt er sich als ein dünnflüssiges, wasserklares, saures Sekret dar, selten durch gallige Beimengungen und Epithelfetzchen verändert. Die chemisch-mikroskopische Untersuchung zeigt nur freie HCl und Pepsin; keinerlei Nahrungsreste. Der Nachweis reinen Magensaftes (wie etwa durch den Pawlowschen Außenmagen) sichert also die Diagnose der Gastrosuccorrhoe.

Entsprechend findet man nach PF. oder PM. eine außerordentlich vermehrte Mageninhaltsmenge. Der Flüssigkeitsgehalt kann 1—2 l betragen. Der Salzsäuregehalt, nicht wesentlich unter dem der Gesamtazidität stehend, kann hier sehr hohe Werte erreichen.

Behandlung. Diätetisch benutzt man die sekretionshemmende und krampfstillende Wirkung des Fettes; wahrscheinlich wird durch große Fettgaben ein Rückfluß von alkalischem Pankreassaft und Galle in den Magen hervorgerufen. Man gibt mehrmals täglich eßlöffelweise reines Öl, Butter, Sahne u. dgl. Daneben zur HCl-Bindung Eiweiß; also eine überwiegende Eiweiß-Fettdiät.

Für die Abstumpfung der schmerzhaft wirkenden freien Salzsäure spielen die Alkalien eine große Rolle. Natron bi. und Magnesia usta (am besten nüchtern wirkend) können fast à discrétion gegeben werden. Gaben von 30 und 40 g Natron bi. sind nicht selten.

98) Rp. Magnes. ust. 20,0
       Natrii citr.   10,0
       Natr. sulf.   5,0
       event. mit Fol. Belladonna 1,0 $^1/_2$ Stunde
       vor der Mahlzeit (v. Tabora)

Auch Magenausspülungen mit alkalischen Wässern wirken lindernd.

Eine spezifische Therapie ist die Atropinmedikation, während in leichten Fällen die innerliche Verabreichung von 1—2 mmg pro Tag oder

92 Krankheiten des Magens.

der 1½ fachen Menge von Methylatropin. bromat. bereits hilft, ist in den schwereren Fällen (cf. Pylorrusspasmus S. 85) die subkutane Atropinkur von 1—3 mmg täglich indiziert. Es handelt sich bei den in Rede stehenden Kranken wohl stets um Vagotoniker, welche auf das Atropin in ganz anderer Weise reagieren wie normale Menschen.

Die alimentäre Hypersekretion (Hyperchlorhydrie).

Die alimentäre Hypersekretion ist von der Hyperazidität oder Hyperchlorhydrie nicht streng zu trennen. Denn wir wissen heute, daß die Hyperchlorhydrie nicht darin besteht, daß ein Magensaft von einem erhöhten Salzsäuregehalt abgeschieden wird; letzterer ist vielmehr stets der gleiche. Die Aziditätsschwankungen, die der mit dem Sekret vermischte Mageninhalt aufweist, müssen anders erklärt werden; entweder durch eine quantitativ vermehrte Magensaftabscheidung oder durch eine Hypermotilität. Für den ersteren Fall ist zu berücksichtigen, daß die Azidität des Mageninhaltgemisches sich aus dem abgeschiedenen Sekret, der aufgenommenen Flüssigkeitsmenge und dem Verdünnungssekret, der durch Osmose in den Magen abgeschiedenen säurefreien Flüssigkeit bestimmt wird. Es ist ohne weiteres klar, daß eine quantitativ stärkere Sekretion den Salzsäuregehalt des Gemisches erhöhen muß. Ebenso kann bei gleichbleibender Sekretion durch gesteigerte Motilität, d. h. dadurch, daß die eingeführte Flüssigkeit schneller entfernt wird, eine Aziditätssteigerung hervorgerufen werden. Bei der ersterwähnten Möglichkeit deckt sich der Begriff der Hyperchlorhydrie mit dem der Hypersekretion. Da es praktisch kaum möglich ist, die genannten beiden Formen von Hyperchlorhydrie durch Hypersekretion und Hypermotilität zu trennen, da sich ferner die Symptome und auch die Behandlung vollkommen decken, so erscheint eine Trennung zum mindesten praktisch unzweckmäßig. Ätiologisch kommen sicher nervöse Einflüsse, psychische Erregungen, geistige Überarbeitung, andererseits auch periphere Ursachen, wie lokale Reize, die die Magenschleimhaut treffen, die mechanischer oder chemischer Natur sein können, in Frage. Bestimmte Nahrungs- oder Genußmittel, wie Kaffee, Alkohol, Tabak, auch gewisse Medikamente, wie Strychnin, werden ätiologisch angeschuldigt. Man findet die Hypersekretion ferner bei Enteroptotikern, bei chlorotischen Mädchen, im Verlaufe der Tabes dorsalis, endlich häufig kombiniert mit Ulcus ventriculi, wobei letzteres nicht immer die Folge der Hypersekretion darstellt. Der Vermehrung der Salzsäure bei Gastritis wurde schon gedacht (s. Gastritis acida S. 53]. Auffällig häufig ist sie kombiniert mit chronischer Verstopfung (Vagusreizung), denn wie überhaupt die Hyperchlorhydrie ein Symptom der allgemeinen Vagotonie darstellt.

Symptome. Die Hyperchlorhydrie ist charakterisiert durch den Magenschmerz, welcher 1—3 Stunden nach der Mahlzeit, also auf der Höhe der Verdauung, auftritt. Seine Abhängigkeit von der Nahrungsaufnahme wird durch das Fehlen des Schmerzes bei leerem Magen dokumentiert. Der Schmerz kann ein bohrender, brennender sein, oft äußern sich die Beschwerden aber nur als ein Gefühl von Fülle und Druck. Daneben bestehen saures Aufstoßen, Sodbrennen und in seltenen Fällen saures Erbrechen. Es sind die geschilderten Symptome nur aus dem Grunde nicht pathognomonisch für Hyperazidität, als wir ganz den gleichen Klagen bei Anazidät — hier wahrscheinlich durch die entwickelten organischen Säuren bedingt — begegnen. Diagnostisch entscheidend ist daher nur die Untersuchung des Mageninhalts. Man findet nach PF. bereits Salzsäurewerte über 40, Gesamtaziditätswerte über 60. Die Flüssigkeitsmenge ist in den reinen Fällen von Hypersekretion ohne gleichzeitige Hypermotilität oft beträchtlich vermehrt, so daß der Mageninhalt eine dünnflüssige, fast wäßrige Konsistenz zeigt. Zur eventuellen Unterscheidung zwischen Hypersekretion und Hyperchlorhydrie dient nach Boas die Untersuchung nach einem trockenen PF., bestehend aus fünf trockenen Albertcakes; wenn danach 100—200 g eines vorwiegend flüssigen Mageninhaltes ausgehebert werden, so steht die Hypersekretion außer Frage. Gegenüber der kontinuierlichen Gastrosuccorrhoe spricht der leere nüchterne Magen für die alimentäre Hypersekretion.

Ist man nicht in der Lage, den Magen auszuhebern, so kann die positive Desmoidprobe (s. S. 40) in Verbindung mit der Feststellung, daß Alkalien- oder auch eiweißreiche Speisen wie Eier und Milch die Beschwerden lindern, die Diagnose wahrscheinlich machen.

Die Behandlung ist im Prinzip dieselbe wie bei der Gastrosuccorrhoe (s. S. 90), nur daß hier auch die ätiologischen Momente, soweit sie in der Vermeidung von Schädlichkeiten (Kaffee, Tabak usw.) oder in der Bekämpfung der Neurasthenie, in der Verhinderung der Überarbeitung usw. bestehen, zu berücksichtigen sind. Speziell auf die Verstopfung ist zu achten.

Sensible Neurosen.

Nervöse Kardialgie oder Gastralgie.

Diese, vor allem im jugendlichen und mittleren Alter vorkommende nervöse Erkrankung des Magens umfaßt alle nervösen Hyperästhesien, die auf mechanische, chemische oder thermische Reize auftreten und einer nachweisbaren anatomischen oder funktionellen Grundlage entbehren. Ätiologisch kommen alle Ursachen der Hysterie und Neurasthenie in Betracht. Die Gastralgie ist durch anfallsweises Auftreten von Magenschmerzen, die sich kolikartig steigern können, und die genau im Epigastrium auf die Magengegend beschränkt sind, gekennzeichnet. Diese Schmerzen können minuten-, stundenlang und länger anhalten, sie können unvermittelt bei leerem Magen, im Anschluß an eine Nahrungsaufnahme oder auch ohne jede Beziehung zu derselben auftreten, durch Erregungen, oder ohne jede nachweisbare Ursache entstehen, von Aufstoßen oder Erbrechen begleitet sein und so heftig werden, daß die Kranken ohnmächtig hinfallen. Die objektive Untersuchung läßt keine Sekretions- oder Lageanomalien nachweisen — natürlich kann auch zu bestehender Gastroptose eine nervöse Gastralgie hinzutreten. Die Untersuchung auf Headschen Zonen und Neuralgien der Interkostalnerven fällt negativ aus; nur in der Mitte des Epigastriums, wo der spontane Schmerz lokalisiert wird, kann eine überaus große Druckempfindlichkeit bestehen. Dieser hyperästhetische Punkt entspricht dem Plexus solaris, wie denn auch die Kardialgie als eine Neuralgie des Bauchsympatikus (Hyperästhesie des Plexus solaris) angesehen wird.

Die Differentialdiagnose kann außerordentliche Schwierigkeiten bereiten. Die Heftigkeit der Schmerzen läßt an alle Koliken, wie Gallenstein-, Nierenkolik, an Ulcus ventriculi oder auch an schmerzhafte Neuralgien denken. Alle diese Erkrankungen ebenso wie die Sekretionsneurosen und die Perigastritis sind sorgfältig auszuschließen, bevor man die Diagnose einer nervösen Gastralgie stellen kann. Da nicht selten auch der MacBurneysche Punkt gleichzeitig schmerzhaft ist, kann die differentialdiagnostische Ausschließung der Appendizitis ebenfalls sehr schwierig sein. Die Gastralgien können endlich den tabischen gastrischen Krisen vollkommen gleichen, wobei von Bedeutung ist, daß letztere gelegentlich das erste Symptom der Tabes darstellen. Kurz, die sichere Diagnose einer Gastralgie ist erst nach längerer klinischer Beobachtung möglich.

Die Behandlung besteht bei sehr heftigen Anfällen unbedingt in Morphium- oder Pantoponinjektion (Gefahr der Morphiumsucht!). In leichteren Fällen Kodein, Heroin usw.; Belladonna oder Atropin sind gelegentlich zu versuchen, desgleichen Pyramidon, Aspirin u. a. Eine diätetisch schonende Behandlung ist zwecklos; ja eine Schonung des Magens wirkt im allgemeinen ebenso schlecht auf die nervöse Gastralgie wie eine Schonung des Herzens bei nervösen Herzleiden. Faradisation, Massage, heiße Umschläge sind manchmal von Nutzen. Im übrigen ist die Behandlung eine allgemein antineurasthenische.

Nervöse Anomalien des Hunger- und Sättigungsgefühls.

Anorexie.

Die nervöse Appetitlosigkeit ist durch das Fehlen jeder konkreten Ursache für den mangelnden Appetit gekennzeichnet. Die Diagnose ist daher nur nach sicherem Ausschluß jedes organischen Leidens zu stellen.

Bulimie.

Der nervöse Heißhunger oder Wolfshunger ist dadurch charakterisiert, daß plötzlich, oft nur kurze Zeit nach einer reichlichen Mahlzeit, ein krampfartiger Hunger auftritt, welcher gebieterisch zum Essen zwingt; andernfalls kommt es zu unangenehmen Sensationen, wie Ohnmachtsgefühl u. a. Zur Befriedigung des Hungergefühls genügen einige Schluck einer Flüssigkeit oder ein Stückchen Schokolade oder dgl. Die Bulimie findet sich vor allem bei Frauen, z. B. bei hysterischen, am häufigsten begegnet man dem Heißhunger in der Gravidität.

Akoier.

Man versteht darunter das Fehlen des Gefühls von Sättigung nach einer an sich reichlichen Mahlzeit. Die Kranken essen daher ohne Maß und Ziel und überladen sich häufig den Magen, wodurch sekundäre Magenkatarrhe entstehen.

Während die Anorexie differentialdiagnostisch gegen Magenkarzinom, Gastritis usw. oft schwer abzugrenzen ist, bereitet die Diagnose der beiden letzten Sättigungsanomalien keine besonderen Schwierigkeiten. Von der Polyphagie der Diabetiker unterscheiden sie sich dadurch, daß letztere nur bei leerem Magen Hungergefühle entwickeln. Eine quasi sekundäre Bulimie findet man sehr häufig bei Superazidität, bei Tänien usw.

Motorische Magenneurose.

Ebenso wie in der sensiblen können auch in der motorischen Sphäre des Magens ohne jede anatomische Grundlage Störungen auftreten. Es sind dies das nervöse Erbrechen, Vomitus nervosus, das nervöse Aufstoßen, Eructatio nervosa, das Wiederkäuen, Ruminatio, und endlich andere, weniger bedeutungsvolle Anomalien in der Motilität, wie beschleunigte motorische Aktion des Magens, peristaltische Unruhe usw.

Vomitus nervosus.

Ätiologisch kommen allgemeine Neurasthenie und Hysterie, organische Erkrankungen des Zentralnervensystems (gastrische Krisen bei Tabes) und endlich reflektorisch Erkrankung eines anderen Organs, des Uterus, der Nieren (Urämie) usw. in Frage. Abgesehen von dem Nachweis der Intaktheit des Magens selbst ist charakteristisch für das nervöse Erbrechen die Leichtigkeit, mit der dasselbe geschieht, der Mangel an Übelbefinden von seiten des Kranken, die Unabhängigkeit von der Art der Nahrungsaufnahme, ferner der Umstand, daß das Erbrechen trotz seiner Häufigkeit meist keinen besonderen Einfluß auf den allgemeinen Ernährungszustand ausübt. Die Diagnose ist selten schwierig, das Hauptgewicht ist auf die Ergründung der Ursache zu legen.

Die Behandlung ist die des Grundleidens. Symptomatisch sind vorübergehende Entziehung oder Beschränkung der Nahrung (eßlöffelweise Milch), Bettruhe, Eisstückchen, eventuell Narkotika, Kodein, auch Morphium, Anästhäsin, Kokain u. dgl. oder Orexin tannic. verordnet; bei Hysterischen vor allem psychische Behandlung.

Unter nervösem Aufstoßen versteht man das Verschlucken von Luft und Wiederheraustreiben derselben aus dem Magen. Im Gegensatz zu dem Aufstoßen bei Magenerkrankungen ist dasselbe vollkommen geruch- und geschmacklos. Ein Teil der aufgenommenen Luft (Aerophagie) wird auch durch den Darm entleert. Das Aufstoßen findet sich nur bei nervösen Personen; meist ziemlich harmlos, kann es in schwereren Fällen oft stunden- oder tagelang anhalten; es erfolgt mit lautem Geräusch und ist daher nicht nur für den Kranken, sondern auch für die Umgebung äußerst lästig. Für die Diagnose und für die Behandlung ist die Kenntnis seiner Entstehungsweise wichtig, daß nämlich das Aufstoßen erst sekundär nach vorhergehendem Verschlucken der Luft erfolgt. Um das Übel zu heilen, ist also das Luftschlucken zu beseitigen, am besten durch Offenhalten des Mundes während des Anfalles, eventuell durch Hineinstecken eines Pfropfens.

Die Ruminatio ist durch das Wiederhinaufbefördern der genossenen Speisen in die Mundhöhle einige Zeit nach dem Essen und durch das gänzliche Fehlen von Übelkeitsgefühl dabei gekennzeichnet. Meist haben die Speisen noch den Geschmack, den sie ursprünglich hatten; er wird erst nach längerem Aufenthalt im Magen mehr oder minder sauer. Nach dem abermaligen Kauen der Speisen werden dieselben in der Regel im Magen zurückbehalten. Inwieweit dabei eine Insuffizienz der Kardia bei Pylorusschluß wirksam sein muß, steht noch dahin.

Die Hypermotilität ist ihrem Wesen nach durch den Namen gekennzeichnet. Man findet sie hauptsächlich bei Achylie.

Die nervöse Dyspepsie.

Man rechnet hierher alle diejenigen Fälle von mehr oder minder ernsten funktionellen Magenstörungen, welche ohne nachweisbare anatomische Grundlage entstanden sind. Bei der nervösen Dyspepsie begegnet man allen den verschiedenartigsten Magenbeschwerden, welche man bei allen möglichen organischen Magenveränderungen findet, Appetitlosigkeit und Heißhunger, Schmerzen von dem einfachen Gefühl des Hungers und der Fülle angefangen, bis zu den heftigen, kolikartigen Krämpfen, Aufstoßen, Erbrechen, sowohl nüchtern als auch nach dem Essen. Mit den sensiblen und motorischen Störungen sind die sekretorischen Störungen derart kombiniert, daß man neben normalen Säureverhältnissen Achylie und Hyperazidität antrifft. Häufig besteht auch das für die nervöse Dyspepsie charakteristische, als .Heterochylie bezeichnete sekretorische Verhalten, derart, daß abwechselnd Achylie, Hypersekretion oder normale Säurewerte gefunden werden.

Ätiologisch finden wir die nervöse Dyspepsie fast stets im Gefolge der Neurasthenie, Hysterie oder Myasthenia universalis congen. (Stiller). Ferner in anscheinend reflektorischer Abhängigkeit von bestimmten Organleiden, so von Uterin- oder Sexualerkrankungen, von Helminthiasis, von Verstopfung usw. Die Kombination der nervösen Dyspepsie mit Pulsirregularität, Bradykardie, das wechselvolle Verhalten der Sekretion geben heute schon einen Anhaltspunkt dafür, daß diese Erkrankung nicht eine allgemein-nervöse Erkrankung darstellt, sondern daß sie sich in einer gewissen Abhängigkeit vom Vagus oder Sympathikus befindet (vagotonische oder sympathikotonische Erkrankung?).

Die Symptome mußten bereits bei der Kennzeichnung des Krankheitsbegriffes kurz geschildert werden. Sehr bezeichnend für die nervöse Dyspepsie, im Gegensatz zu den organischen Magenerkrankungen, ist das wechselvolle Verhalten der Beschwerden, die ganz unvermittelt auftreten, wochenlang aussetzen, um plötzlich wieder da zu sein, und ihre Abhängigkeit von psychischen Einflüssen, wie Ärger, Kummer usw. Der lokale objektive Befund ist natürlich vollkommen negativ, eine leichte Ptosis wird nicht selten gefunden, doch darf sie nur so geringfügig sein, daß aus ihr allein die Beschwerden nicht herzuleiten sind. Die Diagnose wird vor allem gestützt durch das wechselvolle Verhalten der Kranken, die sich an einzelnen Tagen vollkommen wohl befinden und oft die

schwersten Speisen besser vertragen als die leichtesten, sowie durch den
Nachweis allgemeiner Neurasthenie. Im übrigen müssen im Einzelfalle
alle diagnostischen Momente, die auf organische Magenerkrankungen
hindeuten können, durch die in den betreffenden Kapiteln geschilderten
Untersuchungsmethoden ausgeschlossen werden.

Die Behandlung ist einmal eine symptomatische, sie richtet sich
also gegen die Form der Sekretionsanomalie, gegen die Schmerzen usw.,
und in zweiter Reihe eine antinervöse, unter Berücksichtigung der psychischen Momente. Die Einzelheiten s. unter Neurasthenie (cf. Leitfaden der
Neurologie). Hier seien nur die allgemeinen diätetisch-physikalischen
Gesichtspunkte hervorgehoben: Mastkur unter Verwendung einer möglichst reizlosen Diät; häufig wird eine vier- bis sechswöchentliche fleischfreie Diät von Nutzen sein, eine leichte Hydrotherapie, unter Vermeidung
aller stärkeren Reize, lokale Faradisation, Galvanisation oder Massage
und, wenn möglich, eine klimatische Kur (milde Orte, wo die Kranken
stundenlang im Freien liegen können). |

Dort, wo die nervöse Dyspepsie nachweislich reflektorischer Natur
ist, ist selbstverständlich das Grundleiden zu behandeln.

Darmkrankheiten.

Der enge Zusammenhang der Erkrankungen des Darmes mit denen
des Magens muß einleitend wiederum besonders betont werden. Es sei
daran erinnert, daß das Hormon für die Darmperistaltik in der Magenschleimhaut produziert wird, daß das Sekretin für die Absonderung des
Pankreassaftes durch die Salzsäure des Magens aktiviert wird usw. Umgekehrt mußte bei der Besprechung bestimmter Magenerkrankungen, so der
Hyperazidität, bereits auf ihren Zusammenhang mit Darmaffektionen (wie
der chronischen Verstopfung usw.) hingewiesen werden. Es geht daraus
hervor, daß die Magen-Darmkrankheiten ein untrennbares klinisches
Ganzes bilden, und daß bei dem Vorherrschen der Erkrankung des einen
Teils der andere nie außer acht gelassen werden darf. So, um ein Beispiel anzuführen, beobachtet man nicht selten chronische Diarrhöe, die
den gewöhnlichen antidiarrhöischen Mitteln nicht weichen will, und als
deren Ursache schließlich eine Achylie sich entpuppt. Während aber
bei den Magenkrankheiten die funktionelle Diagnostik in weitem Maße
über den Zustand des Magens orientiert, versagt diese funktionelle Me-

thode bei den Darmkrankheiten heute fast noch vollkommen. Der Anfang einer solchen funktionellen Untersuchungsmethode ist freilich von Schmidt und Straßburger gemacht worden; sie besteht darin, daß man nach einer bestimmten, mehrere Tage hindurch gegebenen Probediät die Verdaulichkeit einzelner Nahrungsmittel dahin prüft, daß man in den Fäzes Untersuchungen anstellt, mit spezieller Berücksichtigung der der normalen Verdauung entgangenen Produkte. Die Probekost wird so lange gegeben, bis der Stuhl sicher von dieser Kost stammt. Dies ist meist schon nach der zweiten Defäkation der Fall. Der Kot einer solchen, stets gleichen Nahrung erlaubt naturgemäß trotz der individuellen Schwankungen der Darmverdauung, Darmperistaltik usw. eine viel leichtere Beurteilung von normalen und abnormen Bestandteilen, und es hat sich ziemlich genau feststellen lassen, welche Mengen Muskelbestandteile, Stärkekörner und Fett normalerweise noch im Stuhl erscheinen dürfen. Es läßt sich also mit dieser Methode für die einzelnen Hauptgruppen der Nahrungsmittel, Fleisch, Bindegewebe, Stärke und Fett die Verdaulichkeit feststellen, nicht aber für die einzelnen Nahrungssorten, weil für diese erst Vergleichsmöglichkeiten durch außerordentlich umfangreiche Untersuchungen gewonnen werden müßten. Die Probekost ist folgendermaßen zusammengesetzt:

Morgens: 0,5 l Milch, 50 g Zwieback.

Vormittags: 0,5 l Haferschleim (aus 40 g Hafergrütze, 10 g Butter, 200 g Milch, 300 g Wasser und 1 Ei bereitet, durchgeseiht).

Mittags: 125 g gehacktes Rindfleisch (Rohgewicht) und 20 g Butter leicht übergebraten, so daß es inwendig noch roh bleibt.

Dazu: 250 g Kartoffelbrei aus 190 g gemahlenen Kartoffeln, 100 g Milch und 10 g Butter bereitet.

Nachmittags: wie morgens.

Abends: wie vormittags.

Die Brauchbarkeit dieser funktionellen Diagnostik erstreckt sich ersichtlicherweise nur auf die Erkennung bestimmter intestinaler Dyspepsien; bei dem überwiegenden Komplex der andersartigen Darmerkrankungen sind wir auf eine allgemeine symptomatische Diagnostik angewiesen.

Es sind also einmal zu berücksichtigen die subjektiven Klagen der Kranken, die sich beziehen auf Schmerzen, welche an bestimmten Stellen lokalisiert oder allgemein auftreten können, deren Intensität von leichtem Unbehagen bis zu stärksten Koliken variieren kann, ferner die Klagen über Durchfälle oder Verstopfung, über Gasauftreibung oder Flatulenz, über Darmunruhe usw. Die Dauer und der Beginn der Erkrankung sind

von großer Bedeutung, ob dieselbe ganz plötzlich im Anschluß an den
Genuß bestimmter Speisen eingesetzt, oder ob sie sich allmählich entwickelt hat, ob daneben Fieber bestand oder nicht, ob sonstige ätiologische Momente, Blei, Quecksilber, Lues, Tuberkulose nachweisbar
sind. Eine exakte Anamnese ist gerade bei den Darmerkrankungen für
die Diagnose von unberechenbarem Werte. Die Inspektion und Perkussion orientieren über eventuell vorhandene Gasauftreibung; der Meteorismus kann diffus sein oder in seltenen Fällen an einer bestimmten
Stelle aufhören, wobei dann unter günstigen Umständen, bei schlecht ent-
wickeltem Fettpolster, Darmsteifung als Zeichen eines Darmhindernisses zu
beobachten ist. Die Palpation hat die Aufgabe, über abnorme Kontrak-
tionszustände des Darmes, vor allem des Colons, zu orientieren und Geschwülste, Resistenzen, Exsudate und schmerzhaft entzündliche Stellen
aufzudecken. Normalerweise soll der Leib in Horizontallage, eventuell
im warmen Bade, weich und gleichmäßig eindrückbar sein. Bei schmerzhaften lokalen Erkrankungen, wie bei der Perityphlitis, besteht eine ausgesprochene Spannung der Bauchmuskeln (Défense musculaire).

Zur Feststellung, ob fühlbare Tumoren dem Darm oder Nachbarorganen angehören, oder ob sie Darmstenosen verursachen, kann man
unter Umständen durch Aufblähung vom Dickdarm aus die Geschwulst
zugänglicher gestalten. Die Aufblähung geschieht in ganz analoger Weise
wie beim Magen, mit einem weichen Darmrohr, das mit einem Gebläse
mit Hilfe eines T-Stücks verbunden ist. Da zu starke Gasauftreibung dem
Kranken schwere Unannehmlichkeiten verursachen kann, so ist die Luft-
einblasung vorsichtig vorzunehmen. Normalerweise dehnt sich der ganze
Dickdarm gleichmäßig auf, manchmal tritt auch Luft durch die Bau -
hinsche Klappe in den Dünndarm über. Bei stärkeren Darmstenosen markiert sich der mit Luft gefüllte Abschnitt deutlich von dem
oralwärts gelegenen, infolge der Stenose nicht mitaufgeblähten Abschnitte. Palpiert man während des Aufblasens den fühlbaren Tumor, so
ist das Verschwinden oder Deutlicherwerden desselben meist charakteristisch für seine Zugehörigkeit oder Nichtzugehörigkeit zum Darm.

Bei atonischen Zuständen des Dickdarms bewirkt eine stoßweise
Palpation desselben, wenn er mit einem flüssig-breiigen Inhalt gefüllt
ist, eventuell also nach einem Einlauf von 2—300 ccm Wasser, ein deutliches Plätschern. Lageanomalien des Dickdarms, die man früher auch
auf diese Weise durch Feststellung des Ortes, an dem das Plätschern auftrat, zu bestimmen vermochte, werden heute einfacher durch die Röntgenuntersuchung des Darmes festgestellt. Handelt es sich um Störungen

im Bereiche des unteren Dickdarms, so tritt die Digitalpalpation des Mastdarmes, sowie die Inspektion des Dickdarmes mit Hilfe eines der vielen angegebenen Rektoskope hinzu. Bei der Digitaluntersuchung ist bei Verdacht auf Karzinom nicht nur auf exulzerierte Stellen zu achten, sondern auch auf Drüsen, die im submukösen Gewebe gelegen sind. Für diese Untersuchung ist die Knieellenbogenlage oder die Seitenlage die geeignete. Die Rektoskopie gestattet mit Hilfe des Schreiberschen, Straußschen oder eines ähnlichen Rektoskops unter günstigen Umständen die Besichtigung von 25—30 cm Länge des Dickdarms, von der Analöffnung an gerechnet. Die Rektoskopie gestattet nicht nur die frühzeitige Diagnose von bösartigen Neubildungen, sie läßt auch Dickdarmkatarrhe, Geschwüre verschiedenartiger Natur, Strikturen, innere Hämorrhoiden usw. erkennen.

Durch die Auskultation hört man, meist schon ohne Anwendung des Hörrohrs, gurrende Geräusche, sogenannte Borborygmi, die eventuell durch gleichzeitige Palpation deutlicher zu machen sind.

Die Untersuchung des Kotes spielt naturgemäß bei allen Darmleiden eine wichtige Rolle. Inwieweit sie zur funktionellen Diagnostik heranzuziehen ist, wurde bereits besprochen. Über die Funktion der Peristaltik, der Fortbewegung des Darminhaltes vom Magen bis zum Dickdarm orientiert die Anamnese resp. die Besichtigung des Stuhles. Eine pathologisch gestaltete lebhafte Peristaltik äußert sich in wässerigen, diarrhoischen Stühlen. Die Nahrung durcheilt bekanntlich in wenigen Stunden den Dünndarm, um als flüssigbreiiger Chymus in den Dickdarm einzutreten und dort im Verlauf von 12 und mehr Stunden zu der gewöhnlichen festen Konsistenz des Stuhles durch Resorption der Flüssigkeit eingedickt zu werden. Bei Verstopfung, bei der tagelang kein spontaner Stuhl erfolgt, wird die Eindickung so stark, daß der Stuhl eine ganz harte Konsistenz und eine schaftkotähnliche Form annimmt. Schleimhauterkrankungen des Darmes bedingen pathologische Schleimhautsekretsbeimengungen zum Stuhl (Schleim, Eiter, Blut usw.), deren Feststellung Schlüsse auf die Art der Schleimhauterkrankung zuläßt.

Der normale Stuhl besteht aus Nahrungsresten, soweit sie nicht resorbiert worden sind, vor allem also aus den zellulosehaltigen Bestandteilen der Nahrung, aus den Resten der in den Darm abgeschiedenen Verdauungssäfte (Pankreassaft, Galle usw.), aus abgestoßenen Schleimhautepithelien, sowie zum großen Teil aus Bakterien, denen physiologischerweise, neben den verschiedenen Fermenten, der Abbau verschiedener Nahrungsgruppen und die Behinderung der Entwicklung pathogener Bakterien obliegt. Die Menge des Stuhles ist, je nach der aufgenommenen Art und Menge der Nahrung und nach dem Alter des Menschen verschieden. Schlackenreiche, also vegetabilische Kost, bildet größere Stuhlmengen, als rein animalische, welche mehr oder minder vollständig resorbiert wird; aber auch im absoluten Hungerzustande wird noch Stuhl gebildet aus den Verdauungssäften, Schleimhautabschilferungen und Bakterien. Der normale Stuhl ist

festweich, wurstförmig und von bräunlicher Farbe. Letztere wird durch die Bei-
mischung des zu Hydrobilirubin reduzierten Gallenfarbstoffes bewirkt. Fehlt
die Gallenbeimengung bei Gallenabschluß, so ist der Stuhl tonfarben (acholischer
Stuhl). Bei sehr starker Fettbeimengung, meist also, wenn die Fettverdauung
gelitten hat (Pankreaserkrankung), wird der Stuhl lehmfarbig; unveränderter
Gallenfarbstoff läßt die Stühle grün erscheinen, wie bei Säuglingskatarrhen.
Pathologische Beimengungen größerer Mengen Blut färben den Stuhl schwarz,
solche von Schleim und Eiter verleihen eine grauweißliche Färbung; bei bestimmten Arzneimitteln nimmt der Stuhl verschiedene Färbungen an, so wird er nach
Eisen und Wismut schwarz, nach Kalomel grün usw. Der normale Fäkalgeruch
wird durch die Eiweißfäulnis im Dickdarm hervorgerufen; der Milchkot ist fast
geruchlos, sehr heftige Diarrhöen wie bei Cholera verhindern ebenfalls die Entwicklung der Zersetzungen, während abnorme Gärungen Ursache stinkender
Stühle sind.

Die mikroskopische Untersuchung des Stuhls ergibt normalerweise erkennbare Nahrungsreste, vor allem Pflanzenzellen, vereinzelte Muskelfasern, Bindegewebe, Fetttröpfchen und Kristalle. Stärkekörner in größerer Zahl sind von
pathologischer Bedeutung, sie sind durch die Jodreaktion leicht identifizierbar
und sprechen für Störungen der Pankreas- oder der Dünndarmsekretion. Darmepithelien und Leukozyten sind normalerweise in gut erhaltenem Zustande selten.
Häufiger trifft man sie nur bei katarrhalischen Affektionen an. Das Vorhandensein von Leukozyten spricht für einen geschwürigen Prozeß im unteren Darmabschnitt; rote Blutkörperchen findet man bei Blutungen. Geringe Mengen Schleim
sind ohne pathologische Bedeutung, größere Mengen sind makroskopisch zu erkennen. Die Bedeutung des Nachweises bestimmter Nahrungsreste nach der
Probekost ist oben gewürdigt.

Der chemische Nachweis von Blut ist der gleiche wie für den Mageninhalt,
der Befund von Konkrementen im Stuhl (Gallensteine oder Kotsteine), von Parasiten oder deren Eiern bedarf keiner Erläuterung.

Stuhlträgheit, habituelle Obstipation.

Die meisten Menschen haben einmal täglich, doch viele noch vollkommen physiologischerweise zweimal täglich Stuhlentleerung. Auch eine
alle zwei Tage regelmäßig erfolgende Defäkation kann normal sein. Ist die
Stuhlentleerung dauernd zu selten, oder erfolgt sie nur auf künstliche Nach-
hilfe, so spricht man von habitueller oder chronischer Verstopfung. Es
gibt aber auch eine Form der Stuhlverhaltung trotz täglicher Absetzung
von Stuhl, wenn eben die Quantität des Entleerten ungenügend ist, so
daß sich trotzdem Stuhl im Dickdarm anhäuft. Nicht hierher gehören die
Fälle, in denen infolge organischer Verengung eines tiefen Darmabschnittes
die Stuhlentleerung unterbleibt.

Das Wesen der Verstopfung ist noch keineswegs klargestellt. Wir
wissen heute, daß die normale Peristaltik durch ein Hormon angeregt
wird, welches in der Magenschleimhaut gebildet, in der Milz höchst-

wahrscheinlich aufgestapelt wird (Zuelzer). Wahrscheinlich reizt dieses Hormon unter Vermittlung der Ganglien und Nerven die Darmmuskulatur zur Tätigkeit. Dauernde Mißachtung dieser Reize oder Störungen in der Bereitung des Hormons (in Analogie zur Achlorhydrie bei Achylie) sind vielleicht die häufigsten Ursachen der Verstopfung. In gewissen Fällen kann auch die funktionelle oder organische Erkrankung der Darmmuskulatur selbst die Obstipation herbeiführen. Ferner besteht die Möglichkeit, daß die vermittelnden Nerven erkranken und dem sie treffenden Reiz nicht Folge geben. Dafür spricht eine Beobachtung, wonach bei einem Tabiker eine schwere, jahrelang bestehende Verstopfung durch eine Salvarsaninjektion behoben wurde. Ob auch eine zu starke Eindickung des Kotes innerhalb des Darms infolge zu lebhafter Wasserresorption und zu guter Nahrungsausnutzung, wodurch die für die normalen peristaltischen Reize notwendigen Gärungs- und Fäulnisprozesse gehindert werden, als Ursache der Verstopfung und nicht als Folge derselben aufzufassen ist, harrt noch der Entscheidung.

Ätiologisch ist die erbliche Veranlagung zu nennen, ferner sitzende Lebensweise, bestimmte einseitige Ernährung, z. B. ausschließliche Fleischkost, plötzliche Änderung in der Ernährungsweise, längerer Gebrauch von Abführmitteln; ferner findet man die chronische Verstopfung quasi als sekundäres Leiden bei Magenkrankheiten, wie Pylorusstenose, Ulcus ventriculi usw., bei Darmkrankheiten, chronischen Stauungszuständen, Leberleiden usw. Des weiteren bei vielen Erkrankungen des Zentralnervensystems, der Tabes, Meningitis u. a. Auch die allgemeine Neurasthenie führt sehr häufig zu habitueller Obstipation, wie auch umgekehrt erstere eine Folge der letzteren sein kann.

Symptome. Die habituelle Obstipation kann jahre- und jahrzehntelang, abgesehen von der zu seltenen Stuhlentleerung, ohne jedes Symptom verlaufen. Der Stuhl ist in derartigen Fällen hart, wie verbrannt aussehend, die kleinen Kotballen sind nicht selten mit Schleimpartikeln, die aus dem Dickdarm stammen, überzogen. Diese geringfügige Schleimbeimischung ist als Folge eines mechanischen Schleimhautreizes durch die harte Kotsäule aufzufassen. — Es können sich aber auch eine Reihe mehr oder minder schwerer sekundärer Störungen entwickeln, welche die Grundkrankheit zu einer bedeutungsvollen gestalten. Die Beschwerden sind dann einerseits lokaler Natur, insofern sie den Unterleib betreffen und sich in Aufgeblasenheit, Gefühl von Fülle, Flatulenz, Spannung des Leibes usw. äußern, während andererseits Allgemeinstörungen, wie Appetitlosigkeit, Schwindel, Kopfschmerzen, schlechte, gedrückte Stimmung, verminderte Arbeitslust dadurch bedingt werden. Durch Druck des gefüllten Dickdarms auf den Magen kann es zu unangenehmem Fötor ex ore, zum Aufstoßen, auch zu Übelkeit und Erbrechen kommen. Die Allgemeinerscheinungen können durch Autointoxikation, d. h. durch die Vergiftung mit den im Darm sich ansammelnden Gasen, z. T. aber auch mechanisch durch das Hochdrängen des Zwerchfelles, welches die Zirkulation der oberhalb des Zwerchfelles gelegenen Organe behindert, erklärt werden. Der lokale Befund des Leibes ist ein verschiedener, je nachdem die Verstopfung eine „atonische" oder eine „spastische" ist. Nur in ausgesprochenen Fällen ist jedoch der Unterschied bei der Untersuchung zu konstatieren; alsdann sieht man bei der atonischen Form den Dickdarm in seiner ganzen Länge aufgetrieben, während er sich bei der anderen Form als kontrahiert, besonders in der Flexura sigmoidea, und auf Druck schmerzhaft erweist. Im letzteren Falle fühlt man wohl meist weniger die kontrahierte Darmwand als die von ihr umschlossenen harten Kottumoren von außen durch. Man nimmt an, daß bei der spastischen Form nicht der Mangel an Kontraktion die Verstopfung bedingt, sondern daß im Gegenteil gewisse unregelmäßige Spasmen den Darm um die Kotballen kontrahieren, ihn quasi abschnüren und den Stuhl in paradoxer Weise zurückhalten. Der entleerte Stuhl ist infolgedessen kleinkalibrig, oft aus dünnen, bleistiftähnlichen Würsten bestehend. Oder er wird in kugelförmigen, schafkotähnlichen Massen, und zwar in vollkommen ungenügender Weise, entfernt, so daß die Patienten nach dem Stuhlgang niemals das Gefühl einer wirklichen Entleerung und Befreiung besitzen. Bei dieser Form der Verstopfung erscheint der Leib eher eingezogen und nicht meteoristisch. Es scheint, daß beide Formen nebeneinander bestehen und zeitweilig ineinander übergehen können. Jedenfalls beobachtet man manchmal vorübergehend Spasmen, während zu anderen Zeiten eine Darmatonie vorzuliegen scheint. — Wie bereits gesagt, ist die Unterscheidung beider Formen meistens nicht ohne weiteres möglich. Von einzelnen Autoren wird überhaupt die Form der spatistischen Obstipation geleugnet. Als eine besondere Form ist die im Rektum cokolisirte oder ampulläre Obstigation anzusehen.

Eine Form der chronischen Verstopfung, die Darmatonie Crämer, ist von den genannten zu trennen. Während bei der gewöhnlichen habituellen Obstipation die Retention der Kotmassen das Wesentliche ist, während also bei jenen Formen die Kotmassen bis in den untersten Teil des Colons vorgeschoben werden und dort liegen bleiben, treten bei der Darmatonie noch verschiedene Momente hinzu, um ein komplizierteres Krankheitsbild zustandekommen zu lassen. Einmal ist der Stuhl nicht hart, sondern es sind weiche, schmierige, lettige Massen, welche in unfertig verdautem Zustande meist im Colon transversum, in der Flexura lienalis oder im S. romanum liegen bleiben, während das Rektum gewöhnlich frei von Kot gefunden wird. Neben dieser Retention besteht ein auffallend vermehrter Gasgehalt im Darm: Dyspepsia intestinalis flatulenta. Es beruht dieser vermehrte Gasgehalt nicht von vornherein und jedenfalls nicht ausschließlich auf einer vermehrten Gasbildung, sondern auch auf einer verminderten Resorption der normalerweise verschluckten Luft. Endlich wirkt bei der Darmatonie auch eine sekretorische Störung des Darmes mit. Es kann diese Darmatonie aber zusammen mit der habituellen Obstipation abgehandelt werden, da wir einen wesentlichen ätiologischen Unterschied bis heute nicht kennen, und da das Symptom der ungenügenden Stuhlentleerung bei der Behandlung die Hauptaufmerksamkeit verlangt.

Diagnose. Dieselbe ist durch die Anamnese zu stellen; die Untersuchung des Stuhles hat die Möglichkeit eines Darmkatarrhes auszuschließen. Die klinische Beobachtung wird eine Verwechslung mit Ileus oder schweren organischen Stenosen kaum aufkommen lassen.

Therapie. Bei der Behandlung der einfachen habituellen Obstipation spielt die Prophylaxe eine sehr bedeutende Rolle insofern, als sie bei feststehender hereditärer Veranlagung durch frühzeitige Regelung der Stuhlverhältnisse die Entwicklung des Leidens zu hindern vermag. Die frühzeitige Erziehung der Kinder zur regelmäßigen Stuhlentleerung, der Hinweis auf die Schädlichkeit der Unterdrückung der normalen Stuhlreize usw. können viel tun. Tritt durch äußere Verhältnisse, längeres Liegen, Reisen oder dergleichen einmal eine Stuhlverhaltung ein, so ist ein Abführmittel nur vorübergehend zu gestatten; bei irgendwie länger dauernden Störungen ist sofort ein entsprechendes Regime zu verordnen. Im Kindesalter ist vor Abführmitteln überhaupt zu warnen; hier sind Einläufe oder andere physikalische Mittel (s. u.) am Platze.

Die Behandlung der bestehenden Verstopfung ist in erster Linie eine diätetische. Die harte, trockene Beschaffenheit des Stuhles weist darauf hin, die Nahrung schlackenreich zu gestalten, um einen wasserreichen und gärungsfähigen Stuhl zu erzielen. Vor allem geeignet sind die zellulosereichen Nahrungsmittel, welche einerseits dadurch, daß die Zellulose schwer verdaulich ist und bis zu den untersten Darmabschnitten gelangt, ihre Wirkung ausüben, ferner dadurch, daß sie die in den Zellulosehüllen

eingeschlossenen Eiweiß- und Stärkemehlsubstanzen bis zum Dickdarm
gelangen lassen, woselbst sie einer bakteriellen Zersetzung anheimfallen, endlich noch dadurch, daß sie ihren Wasserreichtum bis zum Dickdarm mehr oder minder bewahren und so dazu beitragen, einen volumi-
nösen Stuhl abzusetzen. Es sind deshalb in der Diät zu bevorzugen:
frische wasserhaltige Gemüse, wie Rüben, die Kohlarten, Salate, Gurken,
Kraut, Schwarzwurzel, Hülsenfrüchte, Kartoffeln, in Schale gekocht oder
in Püreeform, Graham- und Schwarzbrote, Kommißbrot, Simonsbrot,
Pumpernickel usw. — Wirkt die Zellulose vorwiegend mechanisch, so
kommt den organischen Säuren höchstwahrscheinlich eine chemische Wirkung im Sinne der direkten Anregung der Darmperistaltik zu: Buttermilch, Kefir, Yogurth, Obstwein (Apfelwein), Traubenmost (Wormser
Weinmost); die obergärigen Biere sind deshalb, je nach den individuellen
Neigungen in die Diätverordnung aufzunehmen. Das Obst, frisch oder ge-
schmort, wirkt ebenfalls durch Pflanzensäuren, daneben noch durch seinen
Zuckergehalt, sowie eventuell mechanisch (Preiselbeeren, Stachelbeeren,
Erdbeeren usw.). Man stellt sich die Art der Zuckerwirkung analog derjenigen der Bittersalze, wenn auch quantitativ viel schwächer, vor. Sie
lösen im Magendarmkanal einen nach innen gerichteten Transsudations-
strom aus, so daß eine Verflüssigung der Darmkontenta zustandekommt.
Man bevorzugt wegen ihres höheren Zuckergehaltes südländische Früchte,
Orangen, Mandarinen, Trauben usw. (Traubenkur, bei der täglich 3 bis
4 kg Weintrauben gegessen werden müssen). Marmeladen, Gelees, Honig
wirken analog. Zu verbieten hingegen sind alle adstringierenden Nahrungsmittel, wie Kakao, Tee, Rotwein, Heidelbeeren, ferner solche, die
erfahrungsgemäß stopfend wirken, wie gewöhnliche Milch, Reis, Nudeln,
Makkaroni usw., sofern nicht individuelle Ausnahmen bestehen. Vorübergehende Entziehung des Fleisches (laktovegetabilisches Regime) beseitigt nicht selten eine chronische Verstopfung; die fleischfreie Diät ist
vier bis sechs Wochen durchzuführen, nachher ist der Fleischgenuß innerhalb mäßiger Grenzen zu gestatten.

Zu diesen diätetischen Maßnahmen treten die physikalischen im
weitesten Sinne des Wortes. Viel Aufenthalt im Freien zusammen mit
denjenigen Übungen, welche die Bauchmuskulatur stärken; Bauchmassage,
die aber nur von sachverständiger Hand ausgeübt werden darf und meist
monatelang fortgesetzt werden muß, Vibrationsmassage, elektrische
Behandlung des Darmes sind nicht selten von Nutzen. Bezüglich
der letzteren sind verschiedene Methoden angegeben worden; man wendet
den Strom entweder intrarektal oder abdominal an. Die letztere Form

kommt besonders für die spastische Obstipation in Frage, während bei der ersteren die intrarektale wirkungsvoller erscheint. Sehr geeignet ist die Ewaldsche Elektrode; sie besteht aus einem weichen Mastdarmrohr, das an seinem unteren Ende eine Anzahl kleiner Öffnungen trägt, in welche die Elektrode, eine biegsame Metallspirale, eingeführt wird, so daß eine direkte Berührung derselben mit dem Darm nicht erfolgen kann. Die Anode wird in das Rektum eingeführt, eine ca. 400 qcm große Kathode auf den Leib appliziert. Es kommen 8—10 M. A. zur Anwendung; eine Sitzung dauert ¼—½ Stunde.

Von hydrotherapeutischen Maßnahmen kommen Sitzbäder, Abreibungen, Duschen usw. in Frage. Die Gesamtheit der geschilderten Maßnahmen führt erst allmählich zum Ziele, anfänglich muß man direkte stuhlbefördernde Mittel anwenden. Als solche kommen rationellerweise nur Einläufe (Klistiere) in Betracht. Am wirksamsten sind die Ölklistiere (¼ l Mohn- oder Sesamöl). Diese wie alle Einläufe werden mit Hilfe eines weichen Nélaton-Darmrohres eingeführt, welches mit einem Irrigator in Verbindung steht, der ca. ½ m hoch gehalten wird, so 'daß kein zu starker Druck ausgeübt wird. Als Ersatz für die Ölklistiere sind Paraffinklistiere angegeben worden, welche gewisse Unbequemlichkeiten des Öls, das Herauslaufen, den üblen Geruch zersetzten Öls usw., vermeiden. An Stelle des Öls kann man Kochsalzwasserklistiere (1 Eßlöffel Kochsalz auf 1 l Wasser, davon abends einen halben Liter) anwenden. Energischer wirken Seifenwasserklistiere (ein nußgroßes Stück Kernseife in einem halben Liter Wasser gelöst) oder eine Emulsion von Öl und Seifenwasser unter Beigabe einer Messerspitze Soda. Noch energischer und doch nicht reizend wirken. Glyzerin-Rizinusölklistiere (z. B. 10 g Glyzerin, 30 g Rizinusöl), während 10—15 ccm reines Glyzerin schon einen ziemlich erheblichen Reiz ausüben. In manchen Fällen von ampullärer Verstopfung ist die manuelle Evakuation des Mastdarmes nötig.

Bestehen ausgesprochene Spasmen, so sind alle reizenden und anregenden Klistiere kontraindiziert. Man verwendet dann am besten Öl- oder Kochsalzeinläufe in einer Temperatur, welche jeden Kontraktionsreiz ausschließt, also von 35—38—42° C. Zweckmäßig gibt man zehn Minuten vorher Belladonna-Stuhlzäpfchen à 0,01—0,03. Nicht selten muß man sich mit Einläufen von 50—100 oder 150 ccm begnügen, da größere Mengen starke Schmerzen hervorrufen.

Die medikamentöse Therapie, welche, soweit sie aus Abführmitteln besteht, als Heilmittel abzulehnen ist und nur vorübergehend symptomatisch gegeben werden sollte, hat seit kurzem eine Bereicherung erfahren durch die Darstellung des spezifischen Heilmittels für die Anregung der Darmperistaltik in Form des Hormonals, des spezifischen Hormons für die Darmperistaltik. Das aus der Milz bereitete und zur Injektion steril hergestellte Hormonal bewirkt in etwa 60—70 % der Fälle von habitueller Obstipation eine mehr minder lang anhaltende Heilung. Es wird dieses Mittel dem Kranken einmal intramuskulär oder intravenös injiziert, dadurch erfolgt nach der bisherigen theoretischen Vorstellung entweder eine spezifische Beeinflussung der nervösen Zentren, welche der Darmperistaltik vorstehen, oder es wird ein spezifischer Reiz auf die Zellen der Magenschleimhaut ausgeübt, welcher dieselben zu einer Neubildung des vorher fehlenden Peristaltikhormons anregt. Nach der Einverleibung des Mittels wird zunächst ein Schiebemittel (Rizinusöl oder dgl.) gegeben, um den Darm einmal gründlich zu entleeren und die eventuellen Hindernisse für eine normale physiologische Peristaltik zu beseitigen, dann bildet sich in den Fällen, in denen eine Heilung erfolgt, innerhalb weniger Tage ein spontaner Stuhlgang aus. Zur Unterstützung der physiologischen Wirksamkeit dieses Mittels ist es notwendig, daß man in der ersten und folgenden Zeit vorschreibt, den sich neu bildenden Defäkationsreiz dadurch wachzuhalten, daß der Patient regelmäßig zu einer bestimmten Zeit zu Stuhl geht, daß er eine antiobstipationelle Diät bevorzugt, zum mindesten die stopfenden Nahrungsmittel, wie Reis, Rotwein usw., vermeidet, kurz, daß er alles das tut, was man als vernünftige Prophylaxe gegen Verstopfung an und für sich verordnen würde. Versagt das Hormonal, so muß man zu den oben angeführten Maßnahmen diätetisch-physikalischer Natur schreiten.

Eine gewisse Sonderstellung nimmt das Regulin (Ad. Schmidt) ein; es ist fein geschnittenes Agar-Agar mit ein wenig Cascara imprägniert. Das Agar-Agar, eine wasseranziehende quellbare Masse, soll der zu starken Wasserresorption aus dem Stuhl (s. S. 103) entgegenarbeiten und den Stuhl voluminös gestalten. Es ist aber fraglich, ob nicht das Cascara im feinverteilten Zustande an sich relativ stark abführend wirkt.

Es lassen sich aus äußeren Gründen nicht immer die Abführmittel vermeiden. Die milderen können ohne Nachteil, soweit es sich, wie gesagt, um symptomatische Beeinflussung handelt, bei der atonischen Form gegeben werden, bei der spastischen sind Beruhigungsmittel (s. u.) zu verordnen. Von einem längere Zeit anzuwendenden Abführmittel muß verlangt werden, daß es weder krampfartige Schmerzen hervorruft, noch diarrhöischen Stuhl bewirkt. Die bekanntesten Abführmittel sind Cascara-Sagrada-Präparate, Sennesblätter in Form von Infus. fol. Sennae

comp., Rhabarber, Rizinusöl, Tamarindenpastillen, Pulv. Rhei. c. Magnesia, Karlsbader Salz (morgens nüchtern 1 Teelöffel), Kurellasches Brust-
pulver (Pulv. liquiritiae compos.), messerspitzenweise des Abends, M a r -
tinscher Tee (1 Teelöffel auf eine Tasse Tee), Rheum mit Aloe, Purgen
in Tabletten von 0,2—1 g usw. Die Wirksamkeit der genannten Mittel
ist bei den verschiedenen Individuen eine verschiedene und muß im Einzelfall ausprobiert werden.

Bei der spastischen Obstipation wirken die Abführmittel in der Regel
Krampf hervorrufend, so daß die kontraindiziert sind. Hier müssen beruhigende Mittel verordnet werden, z. B. Belladonna (Extractum Belladonna 0,01—0,03—0,05) als Suppositorien oder innerlich:

> 99) Rp. Tinct. Belladonnae,
> Tinct. Kino,
> Tinct. Strychni $\overline{aa}$ 10,0
> 3 mal täglich 30 Tropfen,

oder

> 100) Rp. Extr. Cannabis indic. butyr. 0,75
> Aether 10,0
> M. D. S.
> 3 mal täglich 10 Tropfen. (G. Sée).

oder auch Brom-Baldrianpräparate.

Die C r ä m e r s c h e D a r m a t o n i e, welche durch besonders reichliche Gärungs- oder Fäulnisprozesse, die sich äußerlich als Meteorismus
dokumentieren, ausgezeichnet ist, sowie häufig durch eine paradoxe Diarrhöe, bedarf einer besonderen Behandlungsweise, sowohl diätetisch wie in
medikamentöser Beziehung. Die Kost soll sowohl der Qualität wie der
Quantität nach in mehr oder weniger beträchtlicher Weise reduziert
werden, da es sich häufig bei diesen Formen um Vielesser handelt. Alle
Nahrungsmittel, welche im Dickdarm zu Gärungen führen und welche
als blähende Speisen bekannt sind, sind zu verbieten. Also: Schwarzes
Brot, rohes Obst, Hülsenfrüchte (Erbsen, Linsen, weiße Bohnen, Kastanien),
Kraut- und Kohlarten, rohe Salate, Kartoffelsalat, schwere Mehlspeisen,
Schmalz, Hefegebackenes, Süßigkeiten aller Arten, Schokolade, reine Milch,
riechende Käse, Zwiebeln, Essig, Körnerkompott, Saures, Scharfgewürztes,
Pilze, Nüsse, Mandeln, Preiselbeeren usw. Man sieht, daß die Darmatonie
die geradezu entgegengesetzte Diät wie die habituelle Obstipation erfordert, wie ja auch die Beschaffenheit des Stuhls quasi die gerade entgegengesetzte ist: bei der Darmatonie eine unfertige, reichliches Gärungs-

material enthaltende Stuhlmasse, bei der habituellen Verstopfung ein übermäßig ausgenutzter, wasserarmer Stuhl. Bei der habituellen Obstipation ist also das Heilprinzip, einen wasserreichen, gärungsfähigen, massigen Stuhl zu produzieren, bei der Darmatonie hingegen soll die Gärung unterdrückt und die Stuhlmasse reduziert werden. Man verordnet deshalb eine einfache gemischte Kost unter Vermeidung der genannten Nahrungsmittel.

Die physikalische Therapie unterscheidet sich nicht von derjenigen der habituellen Obstipation, medikamentös hingegen sind Abführmittel im allgemeinen kontraindiziert, vielmehr ist der Stuhl mit Hilfe von Klysmen, die am besten warm resp. heiß gegeben werden, zu erzwingen. Belladonna-Stuhlzäpfchen sind am geeignetsten, um die Flatulenz zu beseitigen. Das Hormonal hat sich gerade in diesen Fällen besonders bewährt. Gegen den Meteorismus werden noch gegeben: Menthol 0,1—0,2, Validol 3—5 Tropfen täglich, Magnesium salicylicum 1—2 g, dreimal täglich.

Nervöse Diarrhöe (Nervöser Durchfall).

Wie bereits der Name besagt, handelt es sich bei dieser Erkrankung um eine motorische Darmneurose, eine gesteigerte Motilität, die übrigens meistens mit einer Hypersekretion kombiniert ist. Bei manchen Menschen, als deren klassisches Beispiel Benvenuto Cellini gelten kann, bewirkt plötzliche Angst, Schrecken, Erregungen usw. eine Steigerung der Peristaltik und führt zu Diarrhöen. In anderen Fällen sind es bestimmte Nahrungsmittel, nach deren Genuß sofort die Diarrhöe eintritt, auch können wohl Reize, welche andere Organe treffen, reflektorisch gesteigerte Peristaltik hervorrufen.

Die Symptome sind hauptsächlich Poltern und Kollern im Leibe (Borborygmi) und enorm schnell einsetzender Stuhldrang. Dabei treten häufig allgemeine Angstzustände, Schwindel, Herzklopfen, Blutandrang usw. auf.

Während die einmaligen Anfälle keiner besonderen Besprechung bedürfen, ist die Diagnose der chronisch nervösen Diarrhöe nicht immer leicht zu stellen. Streng genommen müßten dabei in den Fäzes alle auf Darmkatarrh hinweisenden Beimengungen, also vor allem der Schleim, fehlen, doch kommen naturgemäß häufig Mischformen vor, bei denen geringe Mengen Schleim ebenfalls vorhanden sind, die aber nicht gegen die nervöse Natur des chronischen Durchfalles sprechen. Die Diagnose ist dann nur aus dem negativen Erfolg der üblichen Therapie zu stellen.

Während die gewöhnlichen chronischen Darmkatarrhe durch die Diät meist mehr oder minder deutlich und schnell zu beeinflussen sind, fällt naturgemäß bei der nervösen Form der Diarrhöe dieser Einfluß fort. Man findet häufig das scheinbar paradoxe Verhalten, daß die Patienten eine grobe und allgemein als schwer bekömmlich bekannte Kost wochenlang gut vertragen, und daß bei leichter Kost dann plötzlich der Durchfall eintritt. Dazu kommen die allgemeinen Stigmata von Hysterie oder Neurasthenie, welche die Diagnose ermöglichen. Die Diarrhöe bei M. B a s e d o w z. B. ist auch häufig eine nervöse.

Die Therapie ergibt sich aus dem Gesagten. Sie kann keine diätetische sein, sondern muß ihr Hauptmerk auf die allgemeine antineurasthenische und psychische Behandlung legen. Medikamentös kann man Brom, Belladonna, Baldrian usw. geben. In den Fällen, in denen der Stuhldrang unmittelbar nach jedem Essen auftritt, also durch die Reizbarkeit der Magenschleimhaut ausgelöst wird, empfiehlt F u l d, vor dem Essen 10 Tropfen einer 3% Novocain-Kodeinlösung (ää) nehmen zu lassen.

Akuter Darmkatarrh (Enteritis catarrhalis acuta).

Man unterscheidet den primären oder idiopathischen und den sekundären Darmkatarrh; die Ursachen können die gleichen sein, wie beim akuten Magenkatarrh: Unzweckmäßige Nahrung, Intoxikation durch organische oder anorganische Gifte, wie Quecksilber, Arsen usw., Erkältungen und Infektionen; letztere sind besonders bei Säuglingen beobachtet, so eine Streptokokkenenteritis, eine Staphylokokkenenteritis usw. Hierher, aber auch ebensogut unter die Klasse der sekundären Darmkatarrhe kann man die durch spezifische Bakterien hervorgerufenen Darminfektionen, wie bei Cholera, Typhus, Dysenterie rechnen; zu den sekundären Darmkatarrhen gehören weiter diejenigen bei Zirkulationsstörungen, infolge von Herzaffektionen; ferner die Katarrhe bei akuten oder chronischen Infektionskrankheiten, wie Tuberkulose, Masern usw.

Die anatomischen Veränderungen sind oft auffällig gering im Vergleich zu den sehr heftigen Erscheinungen während des Lebens, so daß p. m. häufig weder Rötung noch Schwellung noch Schleim zu finden ist; in anderen Fällen können letztere Erscheinungen stark ausgesprochen sein; die Schleimhautfalten sind dann am stärksten gerötet; bisweilen kommt es zu Blutaustritten. Die P e y e r schen Plaques sind meist ebenso wie die Solitärfollikel des Dünn- und Dickdarms deutlich erhaben und zeigen in der Mitte, besonders in frischen Fällen, kleine Erosionen.

Symptome. Das hervorstechendste Symptom ist der Durchfall. Nur wenn der Katarrh auf den Dünndarm beschränkt ist, kann die Diarrhöe fehlen. Der anfänglich vielleicht noch dünnbreiige Stuhl wird in kurzer Zeit dünnflüssig; die Farbe, erst bräunlich, wird immer heller, manchmal ist sie mehr grünlich durch den Gehalt an unveränderter Galle. Stets ist reichlicher Schleim im Stuhl enthalten. Die Anzahl der Entleerungen in 24 Stunden ist sehr wechselnd, man beobachtet bis 20 und mehr Stühle am Tage. Die Reaktion kann neutral, alkalisch oder sauer sein. Mikroskopisch besteht der diarrhöische Stuhl aus Mikroorganismen, Epithelien, Schleimzellen, Kristallen von phosphorsaurem oder oxalsaurem Kalk und anfänglich aus unverdauten Nahrungsresten. Vereinzelt findet man Blut; Eiter kaum je.

Neben dem Durchfall bestehen starke Leibschmerzen, die sich zur richtigen Darmkolik steigern können. Der Leib ist mehr oder minder aufgetrieben; man hört lautes Gurren und Poltern. Erbrechen deutet auf komplizierenden Magenkatarrh; der Appetit fehlt, während der Durst sehr groß ist. Die Zunge ist belegt, es besteht große Mattigkeit; häufig ist die Temperatur etwas erhöht und man findet leichte Albuminurie und Zylindrurie. Bei sehr häufigen Stuhlentleerungen, besonders wenn sie mit starken Leibschmerzen einhergehen, kann es zu einem starken Kräfteverfall, selbst zu kollapsartigen Zuständen kommen. Die Dauer der Erkrankung erstreckt sich über einige Tage; hält sie länger als 8 bis 10 Tage an, so tritt der Katarrh damit in ein chronisches Stadium über. Nach Aufhören der Diarrhöe bedingt der Allgemeinzustand der Kranken noch eine längere Schonung.

Die Diagnose der akuten Enteritis macht keine Schwierigkeiten unter Berücksichtigung des plötzlichen Einsetzens, der Anamnese, schließlich auch des Verlaufs. Bei höherem Fieber und längerer Dauer kann wohl Abdominalthyphus in Frage kommen (s. die dort angegebenen diagnostischen Merkmale) (s. Bd. I, S. 17, 17).

Die Therapie der akuten Enteritis hat, wenn möglich, eine kausale zu sein, d. h. zu versuchen, die Schädlichkeiten zu entfernen. Wo also solche, sei es durch die Anamnese, sei es auf Grund vorhandener Temperatursteigerungen, vermutet werden, ist eine energische Darmentleerung die erste therapeutische Aufgabe. Am besten gibt man 2 Eßlöffel Rizinusöl oder 0,3—0,4 g Calomel als einmalige Dosis. Hat dieses Abführmittel einige Male gewirkt, so kann man Opium oder Pantopon zur Stillung der Diarrhöe anwenden, mehrere Male 10—20 Tropfen, auch Opium als Suppositorium.

101) Rp. Opii. pur. s. Pantopon.   0,02
         Ol. butyr. Cacao.   2,0
         M. D. S. Supposit..

Nach ein- bis zweimaliger Dosis steht meist der Durchfall oder hat eine
sehr milde Form angenommen, so daß man jetzt Bolus alba (mehrmals
täglich 1 Eßlöffel) oder Tannnipräparate, z. B. Tannigen oder Tannalbin,
2—3 g täglich, verordnen kann. Längerer Opiumgebrauch ist zu vermeiden. Neuerdings ist Uzara (Liq. Uzara, 2—3 mal täglich 30 Tropfen)
an Stelle des Opiums empfohlen worden. Es soll die Darmkrämpfe (Leibschmerzen) beseitigen, ohne damit die stopfende Wirkung der Opium-
präparate zu verbinden.

Der Patient gehört selbstverständlich ins Bett, heiße Umschläge
lindern die Schmerzen und die Darmunruhe; die Diät besteht zunächst
nur in Schleimsuppen (eventuell nach einem Tag absoluter Nahrungs-
entziehung); gegen den Durst Eis oder Tee mit Rotwein. Mit zunehmender
Besserung gibt man Kakao oder Hygiama, aufgeschlossene Mehle,
Tapioka, Grünkern in Fleischbrühe als Grundlage. Die allmähliche Erweiterung des Speisezettels erfolgt nach den bei der Gastritis acuta
auseinandergesetzten Grundsätzen (s. S. 45).

Die chronische Diarrhöe (Enteritis chronica).

Diese Form des Darmkatarrhs entwickelt sich entweder aus der akuten
Enteritis oder sofort als chronische oder auch im Anschluß an infektiöse
Darmerkrankungen, besonders den Typhus oder die Dysenterie. Die Ur-
sachen sind also im allgemeinen dieselben wie bei der akuten Form. Das
Hauptsymptom besteht in den Veränderungen der Stuhlentleerungen. Sie
können dauernd diarrhöisch sein, oder es wechseln Verstopfung und
Diarrhöe ab, oder auch es besteht eine chronische Stuhlverstopfung.
Der Stuhl selbst ist durch reichliche Mengen von Schleim gekennzeichnet.
Subjektiv haben die Kranken stets unangenehme Gefühle im Leibe, ein
gewisses Unbehagen, Druck, häufig auch Schmerzen, Auftreibung, dabei
magern sie ab, verlieren ihr frisches Aussehen und haben die Beschwerden
der allgemeinen Neurasthenie und Anämie.

Während bei den akuten Katarrhen auf die Einteilung zwischen
Dünndarm- und Dickdarmkatarrh verzichtet werden konnte, geht dies
für die chronische Form nicht an; einige Autoren gehen sogar so weit,
die einzelnen Darmabschnitte bezüglich des Befallenseins zu unterscheiden.
Man beobachtet Fälle, in denen Dünn- und Dickdarm gleichzeitig befallen
sind, andere, in denen ein isolierter Dünndarm-, und wieder andere, in

Zuelzer, Innere Medizin.   8

denen der Dickdarmkatarrh allein besteht. Die Unterscheidung wird ermöglicht durch die Stuhlbeschaffenheit. Bei dem chronischen Dünndarmkatarrh (schnelle Passage durch den Dünndarmabschnitt) ist der Stuhl
größtenteils flüssig, mit herumschwimmenden glasigen, gelblich gefärbten Schleimklümpchen, der Gallenfarbstoff ist meistens makro- und
mikroskopisch unverändert im Stuhl zu erkennen, die Nahrungsreste, wie
Muskelfasern, Stärkekörnchen und Fett sind deutlich nachzuweisen. Bei
dem reinen Dickdarmkatarrh hingegen besteht als einzige Anomalie die
Anwesenheit von Schleim im Stuhl. Derselbe kann geformt oder breiig
oder auch dünnflüssig sein, im letzteren Falle enthält er jedoch keine
Nahrungsreste, wie beim Dünndarmkatarrh, oder zum mindesten nicht
in einer von der Norm erheblich abweichenden Menge, da ja die Dünn-
darmverdauung eine im großen und ganzen ungestörte ist. Im äußeren
Verlauf gleichen sich die beiden Formen der Katarrhe ziemlich genau.

Die auskultatorische Untersuchung des Leibes läßt häufig eine Darmunruhe (Gurren und Kollern) erkennen, der Leib kann im ganzen aufgetrieben sein (Meteorismus), das Colon ist druckempfindlich. Ist die
Gegend des Colon ascendens besonders befallen, so kann die hier ausgesprochene Druckempfindlichkeit eine Appendizitis vortäuschen. Auch
spontane Schmerzen können in dieser Gegend, durch spastische Kontraktionen oder Gasaufblähung hervorgerufen, auftreten. Die auf dieser Grundlage nicht selten vorgenommenen Operationen ergeben dann stets ein
völliges Intaktsein des Blinddarmes.

Die Diagnose der chronischen Enteritis ist in der Regel leicht
(charakteristischer Stuhlbefund); doch sollte die Diagnose nie als gestellt
gelten, solange man sich nicht über die Ätiologie klar geworden ist. Es
ist deshalb stets bei länger dauerndem Leiden eine Magenuntersuchung
vorzunehmen (Achylie), der Stuhl mikroskopisch zu untersuchen, um
Tuberkulose oder andere chronisch-infektiöse Prozesse sowie auch das
Vorhandensein von Würmern als Ursache des chronischen Katarrhs auszuschließen, und ferner, um die Lokalisation des Katarrhs festzustellen.
Die intestinale Gärungsdyspepsie ist differentialdiagnostisch von dem
Dünndarmkatarrh abzusondern (s. unter Gärungsdyspepsie), da sie eine
rein funktionelle Erkrankung des Dünndarms darstellt, die zwar sekundär
zu Reizungen der Schleimhaut und zu Katarrhen führen kann, die aber
therapeutisch ganz speziell zu behandeln ist. Auch der sogenannte
Fäulniskatarrh, welcher sich durch besonders starke Eiweißfäulnis auszeichnet, ist von der gewöhnlichen chronischen Enteritis abzusondern.
Die Schmidtsche Brutschrankprobe zeigt hier nicht, wie bei der Gärungs-

dyspepsie, starke Gasentwicklung, der Stuhl wird hier nicht sauer, sondern er nimmt eine dunkle Farbe an, reagiert alkalisch und verbreitet einen intensiven Fäulnisgeruch. Therapie. Eine kausale Behandlung, wie bei der akuten Form, ist bei der chronischen naturgemäß ausgeschlossen. Bei den sekundären Formen ist vor allem die Grundkrankheit zu behandeln. Bei der chronischen Enteritis nimmt die diätetische Behandlung die Hauptstelle ein. Sie ist eine exquisite Schonungstherapie, d. h. alle diejenigen Speisen, welche einen erhöhten Reiz, sei es durch ihre Vergärung oder Verdauung, ausüben, sind zu vermeiden. Der Dünndarmkatarrh und der Dickdarmkatarrh erfordern eine getrennte Besprechung.

Dünndarmkatarrh. Alle diejenigen Speisen, welche eine erhöhte Peristaltik auszulösen oder zu unterhalten geeignet sind, sind auszuschließen, d. h. alle sehr kalten Speisen und Getränke, da die Kälte auf die Peristaltik anregend wirkt, ferner alle schlackenreichen Substanzen, Grahambrot, zellulosereiche Gemüse usw.; Zellulose regt nicht nur direkt die Peristaltik an, sie behindert auch die Verdauung und Resorption der in ihr eingeschlossenen Stärkemehle und eiweißhaltigen Substanzen, begünstigt daher deren bakterielle Zersetzung und bietet auf diese Weise einen neuen Anreiz zu erhöhter Peristaltik. Ebenso wirkt Zucker, als leicht in Gärung übergehend, meist schädlich. Die aufgeschlossenen dextrinisierten Mehle, feinstes Weizenmehl, frisch geröstetes Gebäck (Toast, Zwieback, Albertbiskuits), Reis, Gries, Mondamin, Tapioka, die Knorrschen Hafermehle usw. usw. bilden die Hauptkalorienträger. Von den Fleischsorten sind die zarten, bindegewebs- und fettarmen Fleischsorten, wie gut gekochtes Fleisch vom Huhn, Taube, Süßwasserfische, leichtes Kalbfleisch usw. zu erlauben. Eier werden meist gut vertragen. Fette sind sehr vorsichtig zu verordnen, am besten nur Butter; letztere frisch oder frisch zerlassen, sie muß frei von reizenden Fettsäuren sein. Fleischfett ist sorgfältig zu vermeiden. Milch wird häufig (Milchzucker?) schlecht vertragen; in anderen Fällen bewirkt sie Heilung.

Die Getränke dürfen nicht kalt genossen werden. Das geeignetste Getränk ist eine Abkochung von getrockneten Heidelbeeren, durchgeseiht und nach Bedarf mit Saccharin versetzt. Daneben dünner Tee, Michaelis-Eichelkakao, auch Haferkakao und andere Kakaos; Glühwein wird im allgemeinen gern genommen. Von Mineralwässern sind die schwach kohlensäurehaltigen, wie Fachinger, Biliner, erlaubt, oder kalkhaltige Wässer, wie Wildunger, Marienbader Rudolfsquelle usw. Haben die Durchfälle aufgehört, so ist mit der Erweiterung des

Speisezettels sehr allmählich und vorsichtig vorzugehen. Bei jeder Zulage zu der genannten Standardkost, Gemüsezulagen in Püreeform, Buttermilch, geschmortes Fleisch, Mehlspeisen, süße Sahne usw. ist auszuprobieren, ob sie gut vertragen werden, oder ob sie neue katarrhalische Reizerscheinungen verursachen, bis man allmählich zu einer normalen reizlosen Kost gelangt.

Speisezettel (nach Boas) als Standardkost.

Morgens 8 Uhr: Eichelkaffee (in Wasser), 1 Saccharintablette, Toast und Butter (20—30 g).

10 Uhr: 200 g Schleim von Reis, Hafergrütze, Buchweizengrütze und Kalbsbouillon (cave Salz). Dazu 50 g gebratenes Kalb- oder Rindfleisch (geschabt) oder kaltes Fleisch (cave gesalzenen oder gepökelten Schinken).

1 Uhr: Legierte Suppe (Leguminosen, Hafermehl, Gries, Mondamin u. a. Zusatz von Nutrose, Tropon oder Eukasin gestattet, Somatose verboten); 200 g Bouillonreis (cave Milchreis) oder Bouillongries (dick eingekocht). Gemüse oder Kartoffeln in Püree 50—100 g, Fleisch, Fisch, ausgenommen die fetten, 50 bis 100 g (Buttersaucen, frisch zerlassen gestattet, Sahnensauce oder pikante Saucen verboten). Von Kompotten nur Heidelbeer- oder Preiselbeergelees. Aufläufe (mit Mondamin, mit wenig Gelbei und Saccharin) gestattet (cave Fruchtsäfte). Als Getränk: Heidelbeerwein, Burgunder, Camarite (griech. Wein), alter Bordeaux.

4 Uhr: Tee (ohne Milch) mit Saccharin oder Kakao, Kakes, Toast, Zwieback (mit Butter).

7 Uhr: Legierte Schleimsuppe (Oat-meal, Hafermehl u. a.), kaltes und warmes Fleisch (50 g, Toast, Butter 20 g). 1 Glas Heidelbeer- oder Rotwein.

9 Uhr: 1 Glas warme Heidelbeerlimonade (1—2 Teelöffel voll Heidelbeergelee zu abgekochtem Wasser) oder heißer Glühwein (Saccharin) oder Tee mit Rotwein.

Die übrige Behandlung besteht in unbedingter Bettruhe, solange Diarrhöen bestehen. Von Nutzen sind möglichst langdauernde heiße Umschläge oder Alkoholkompressen, auch warme Halb- oder Sitzbäder. Als Badekur kommt vor allem Karlsbad in Betracht. Der Sprudel wird möglichst heiß und in kleinen Quantitäten, zweimal täglich etwa 20—50 ccm, verabreicht, ebenso Vichy und Neuenahr. Die Diarrhöe kann durch Bolus alba (eßlöffelweise) oder Tanninpräparate symptomatisch beeinflußt werden (z. B. Tannigen, Tannalbin, je 2—4 g pro die).

Kolitis. Bei dieser Form der chronischen Enteritis ist vorwiegend der Dickdarm befallen. Es sind daher hier alle stopfenden und adstringierend wirkenden Nahrungsmittel zu vermeiden, während andererseits ebenfalls die stark schlackenhaltigen wegen ihrer Eigenschaft, den Dickdarm zu reizen, auszuschalten sind. Es soll ein möglichst wasser- und fettreicher Stuhl erzeugt werden. Dazu eignen sich einmal Fette (Butter,

Sahne, reines Olivenöl), ferner Wasser enthaltende Gemüse und Früchte, am besten in Püreeform. Die mehlhaltigen Speisen werden ebenfalls in Püreeform gegeben, Fleisch ist wegen der Eiweißzersetzung hier mehr einzuschränken als bei der Enteritis, bezüglich der Milch gilt hier auch, daß im Einzelfalle probiert werden muß. Meist werden Yogurth oder Kefir als stuhlanregend sehr gut vertragen. Kompotte können in Püreeform gereicht werden. Als Getränke werden leichter Weißwein, selbst Bier genommen, um die Verstopfung zu beheben.

Bei den gemischten Formen der Enteritis hat sich die Diät nach der Diarrhöe zu richten.

Abführmittel sind bei bestehender Darmreizung naturgemäß kontraindiziert. Medikamentös ist auch hier Hormonal zu versuchen. Sonst ist Stuhlentleerung durch Klysmen zu erzwingen (Öl und Wasser). Die Einläufe können auch zur Behandlung des lokalen Prozesses angewandt werden; bei starker Schleimproduktion ist derselbe durch heiße Wasserspülungen (40—42°) zu entfernen, bei Neigung zu Blutungen sind Wismut- oder Schlemmkreideaufschwemmungen anzuwenden, die man mehrere Minuten lang einwirken läßt. Auch Spülungen mit heißem Karlsbader oder Vichywasser sind zu empfehlen; ebenso ein mit Soda neutralisierter Heidelbeeraufguß (Merck) als Spülflüssigkeit. Bei irgendwie stärkeren Schmerzen sind Belladonna-Stuhlzäpfchen (Ext. Belladonnae 0,02—0,05), eventuell vor den Einläufen anzuwenden.

Cholera nostras.

Man versteht darunter die in den Sommermonaten ganz akut einsetzenden Brechdurchfälle, die vorwiegend bei Kindern, aber auch bei Erwachsenen zur Beobachtung kommen. Die Krankheit ähnelt zuerst durchaus der asiatischen Cholera und differenziert sich nur durch das Fehlen des Kochschen Bazillus. Die Ursache dieser Erkrankung ist sicher keine einheitliche, wenngleich die Infektiosität außer Frage steht. Die Krankheit beginnt mit Erbrechen, welches dauernd anhält und zu dem sich schwere profuse Diarrhöen gesellen. Die Stühle nehmen in kurzer Zeit reiswasserähnliches Aussehen an und werden, anfänglich stinkend, schnell geruchlos und reagieren alkalisch. Zu Beginn ist die Temperatur oft sehr hoch, bis 41° C, um schnell unter die Norm zu sinken, während gleichzeitig ein kollapsähnlicher Zustand (schnelle Wasserverarmung) eintritt. Die Augen sinken ein, die Gesichtszüge werden spitz, die Haut wird welk und aschfahl, die Zirkulation mangelhaft. Der Harn wird eiweißhaltig, oft treten Wadenkrämpfe ein. Der

Tod kann im Kollaps eintreten. Man rechnet mit einer Todeszahl von 10 %.

Der pathologisch-anatomische Befund ähnelt, abgesehen von dem bakteriologischen Verhalten, durchaus dem bei Cholera nostras (s. Bd. I, S. 54).

Für die Differentialdiagnose kommt also in erster Reihe die Cholera asiatica in Frage; wenn die letztere Erkrankung überhaupt im Bereich der Möglichkeit liegt, ist eine strenge Isolierung durchzuführen, bis der bakteriologische Befund feststeht. Im übrigen kommen vor allem akute Intoxikationen in Betracht. Endlich kann in sehr seltenen Fällen das gleiche Krankheitsbild durch inkarzerierte Hernien sowie durch urämische Zustände hervorgerufen werden.

Die Therapie hat vor allem den Kollaps zu bekämpfen. Das souveräne Mittel bilden Kochsalzinfusionen, eventuell mit Zusatz von 2—3 Tropfen Adrenalin auf 1 l Flüssigkeit. Dann aber heiße Bäder oder heiße Einwicklungen sowie dauernde heiße Leibumschläge. Besteht der Verdacht einer Vergiftung, so ist Rizinusöl oder abführende Klistiere anzuwenden, vorausgesetzt, daß der Zustand dies möglich macht. Sonst sind im Gegenteil Opiate angezeigt, vor allem die subkutane Injektion von Pantopon, Uzara (s. o.) oder Klistiere von Tannin (0,5 %).

Enteritis pseudo-membranacea oder Colica mucosa.

Man versteht darunter einen anfallsweise, unter heftigen krampfartigen Schmerzen auftretenden Abgang von Schleim, der in membranartigen oder röhrenförmigen Gebilden entleert wird. Die Entleerung erfolgt entweder für sich ohne Stuhlbeimengung, aber unter Stuhldrang, oder zugleich mit Stuhl. Im allgemeinen besteht gleichzeitig eine starke Obstipation. Es handelt sich hierbei nach der allgemein akzeptierten Annahme um eine Sekretionsneurose, die mit einer Mobilitätsneurose (die krampfhaften Kontraktionen) kombiniert ist, nicht aber um einen Katarrh des Dickdarms. Denn in den anfallsfreien Intervallen fehlt jeder Schleim im Stuhl. Bei langem Bestehen der Colica mucosa kann natürlich ein Dickdarmkatarrh hinzutreten.

Es findet sich diese Erkrankung fast ausschließlich beim weiblichen Geschlecht, und zwar bei hysterischen oder sonst neuropathisch veranlagten Individuen.

Die Diagnose ist leicht, wenn man sich die pseudomembranösen Schleimmassen ansieht (sie bestehen mikroskopisch aus einer homogenen oder einer streifigen Grundsubstanz, deren Streifen durch Essigsäure-

Zusatz noch deutlicher hervortreten, und Darmepithelien). Bei oberflächlicher Betrachtung können wohl Verwechslungen mit großen unverdauten Sehnenresten vorkommen; beim Dickdarmkatarrh werden gelegentlich ähnliche Schleimmassen ausgeschieden.

Die Behandlung ist eine vorwiegend diätetische. Da es sich nicht
um einen Katarrh handelt, ist eine grobe, antiobstipationelle Diät angezeigt.
Eine sehr schlackenreiche Nahrung, in Verbindung mit großen Mengen
Fett bewirkt meist am schnellsten, daß sich der vor der Behandlung schaf-
kotartige Stuhl zu einer weichen, nachgiebigen und sich spontan ent-
leerenden Masse formt. Die Diät soll also enthalten: spelzenreiches
Brot (Schrotbrot, Simonsbrot u. dgl.) in der Menge von mindestens 250 g
pro die, daneben Hülsenfrüchte, zellulosereiche Gemüse, Stachelbeeren,
Weintrauben und andere kleinkernige und grobschalige Früchte. Daneben reichlich Fett in Form von Butter und Speck. In den ersten Tagen
nach dieser Verordnung treten häufig Übelkeit, Spannung des Leibes und
vermehrte Schmerzen auf, die sich jedoch unter Zuhilfenahme von Belladonna-Stuhlzäpfchen (0,02—0,05) bald verlieren. Daneben ist auf einen
Kalorienreichtum der Nahrung besonders Rücksicht zu nehmen, wie überhaupt die allgemeinen antineurasthenischen Maßnahmen anzuwenden sind.
Gegen die Schmerzen möglichst heiße Umschläge resp. Bäder, sowie heiße
Öl- oder Kochsalzwassereinläufe gegen die chronische Obstipation.

Diphtherische oder kruppöse Enteritis.

Diese seltene, pathologisch-anatomisch als diphtherisch imponierende
Entzündung der Darmschleimhaut ohne Diphtheriebazillen findet sich
hauptsächlich infolge Vergiftung mit Quecksilber (Sublimat, Calomel),
Arsen, Blei; ferner als terminaler Prozeß bei chronischen Erkrankungen,
wie Nephritis, Leberzirrhose, Karzinom, Sepsis und Tuberkulose; am
häufigsten entsteht die nekrotisierende Darmentzündung bei Ruhr. Hier
ist die Entzündung im Dickdarm lokalisiert (s. unter Dysenterie, Bd. I).
Bei anderer Lokalisation verläuft das Leiden ganz symptomenlos und wird
erst bei der Autopsie festgestellt, wenn nicht zufällig Schleimhautfetzen
mit den Fäzes entleert werden.

Die Therapie s. unter Ruhr.

Darmgeschwüre.

Eine Reihe verschiedenster Ursachen können Geschwüre und Abszesse im Darm hervorrufen. So entstehen die katarrhalischen oder
Follikulargeschwüre im Gefolge von schweren Darmkatarrhen, die De-

kubitalgeschwüre durch den Druck harter Kotmassen. Die im Gefolge akuter Infektionskrankheiten (Typhus, Dysenterie, Sepsis usw.) entstehenden sind daselbst erwähnt. Ferner können konstitutionelle Erkrankungen, Gicht, Leukämie, hämorrhagische Diathese sowie die chronischen Infektionskrankheiten, wie Tuberkulose und Syphilis, zu Geschwüren führen. Alle diese Ulzerationen können symptomenlos verlaufen oder Schmerzen verursachen, oder, wenn sie tief unten sitzen, zu Tenesmus führen. Nur bei sehr ausgedehnter Geschwürsbildung, wenn reichlich Schleim, Eiter oder Blut abgesondert und durch den Stuhl entleert wird, ist eine Diagnose möglich, sowie in den Fällen, in denen die tief sitzenden Geschwüre der Rektoskopie zugänglich sind. Ist einmal durch die dauernden Schmerzen an einer bestimmten Stelle, durch die Abmagerung oder durch die Diarrhöen der Verdacht auf Geschwüre gelenkt, so kann auch der Nachweis okkulter Blutungen (s. unter Magenblutungen) die Diagnose stützen. In vielen Fällen freilich, auch bei ausgebreiteter Geschwürsbildung, kann der Stuhl vollkommen normal sein. Der Nachweis von Tuberkelbazillen bei Tuberkulose ist nur dann beweisend, wenn sich dieselben massenhaft finden und keine gleichzeitige Lungentuberkulose (verschlucktes Sputum) besteht.

Die Therapie besteht nur in einer schonenden Diät (reizlose, breiig-flüssige Form); eventuell symptomatisch Opium, Wismut usw. Sitzen die Geschwüre im Rektum, so sind sie einer lokalen Behandlung mit Argentum nitric., Perubalsam, Ferrum sesquichlor., Tannin-Wismutpulver u. a. zugänglich.

Das Duodenalgeschwür (Ulcus intestini rotundum).

In ätiologischer wie in pathologisch-anatomischer und auch in klinischer Hinsicht ähnelt dieses Ulcus durchaus dem Ulcus ventriculi. Es ist viel seltener als das Magengeschwür und findet sich öfters bei Männern, als bei Frauen. Sein häufigster Sitz ist am oberen Teil des Duodenum zwischen Pylorus und Papilla Vateri. Die Lokalisation des Duodenalgeschwüres läßt es erklärlich erscheinen, daß seine Symptomatologie ebenfalls derjenigen des Magenulcus ähnelt. Die Schmerzen werden nach rechts von der Mittellinie verlegt. Sie treten aber nicht, wie beim Magenulcus unmittelbar nach dem Essen, sondern erst 2—3 Stunden später in der größten Intensität auf und werden meist durch Nahrungszufuhr zum Verschwinden gebracht; sie werden hervorgerufen durch die Reizung mit dem sauren Speisebrei des Magens. In anderen Fällen jedoch wird jeglicher Schmerz vermißt und die plötzlichen, manchmal

tödlichen Blutungen treten vollkommen unerwartet ein. Das Duodenal-
geschwür kann ebenfalls Verwachsungen in der Umgebung machen, wie
das Magengeschwür, so daß auch in dieser Beziehung eine Differentialdiagnose oft unmöglich ist. Erst wenn es sekundär zur Stenosenbildung
kommt, kann die Röntgendiagnostik Aufklärung schaffen. Hat man einmal
den Verdacht auf Ulcus duodeni, so kann der negative Ausfall der Salo-
monschen Probe (s. S. 77) das eventuell normale Verhalten des Magensaftes (meist besteht jedoch auch beim Ulcus duodeni Hypersekretion),
die Lokalisation und der Zeitpunkt des Schmerzes die Diagnose stützen,
nicht aber sichern, da ein am Pylorus sitzendes Magenulcus genau die
gleichen Abweichungen darbietet.

Die Therapie ist dieselbe wie beim Magenulcus.

Neubildungen des Darmes.

Darmkarzinom. Diese häufigste Neubildung des Darmes unter den Darm-
tumoren ist meist primärer Natur,' obschon auch Metastasen von Nachbarorganen aus
vorkommen. In der Regel ist der Darmkrebs ein Zylinderepithelkrebs, von den
Epithelien der Lieberkühnschen Drüsen ausgehend (Adenokarzinom). Seltener sind der Scirrhus, der Kolloid- und Pigmentkrebs. Von den einzelnen
Teilen des Darmes ist der Dickdarm am häufigsten befallen, und an ihm ist
wiederum die Lieblingsstelle für den Krebs die Übergangsstelle zur Flexura sigmoidea. In absteigender Häufigkeit sind dann die einzelnen Umbiegungsstellen
des Colon zum Coecum, die Flexura coli hepatica und Flexura coli lienalis zu
nennen. Das Krebsgewebe des Darmes zeigt einmal große Neigung zum Zerfall,
so daß die Geschwülste meist eine geschwürige, zottige Oberfläche darbieten,
und es nicht selten zu Darmblutungen und zum Durchbruch in das Peritoneum
kommt. Andererseits hat der Darmkrebs die Neigung, gürtelförmig den Darm
zu umwachsen und durch die Infiltration der Ränder eine zirkuläre Striktur bilden.
Auf diese Weise kommt es zu Darmstenosen (s. unter Darmverschluß), die aber
durch den eventuellen geschwürigen Zerfall wieder verschwinden können.

Über die Ursachen der Bildung des Darmkrebses ist nicht mehr bekannt, als
über die Bildung des Krebses im allgemeinen. Er kann sich auf dem Boden
von Geschwüren entwickeln; die genannten Lieblingslokalisationen lassen stärkere
mechanische Läsionen ursächlich bedeutungsvoll erscheinen, bezüglich des Ein-
flusses äußerer Traumen ist hier so wenig, wie bei den übrigen Karzinomen bisher ein exakter Beweis erbracht. Der Darmkrebs entwickelt sich meist nach dem
40. Jahre, doch sind in seltenen Fällen bereits im Kindesalter Karzinome beobachtet
worden.

Die Symptome sind verschieden, je nach dem Sitz und je nach
der Art des Karzinoms. Die allgemeinen Krebssymptome, wie Abmagerung und Marasmus, werden schließlich in keinem Falle fehlen, doch ist
wichtig zu wissen, daß gerade der Darmkrebs, solange er nicht zum geschwürigen Zerfall kommt, auffällig lange bestehen kann, ohne die all-

gemeine Ernährung des Kranken in nennenswerter Weise zu beeinflussen.
Die einzigen Erscheinungen, welche darauf hinweisen, pflegen Unregelmäßigkeiten des Stuhls, meist plötzlich auftretende Verstopfung, während
das Individuum Zeit seines Lebens regelmäßigen Stuhl hatte, und mehr
oder minder häufig auftretende Schmerzen zu sein, welche ungefähr auf
den Sitz des Karzinoms hindeuten und von kolikartiger Intensität sein
können. Es ist dann wohl meist die Fixierung des Darmes, welche bei
auftretender Peristaltik oder bei lokaler Aufblähung des Darmes schmerzhaft empfunden wird. Läßt sich in solchen Fällen eine äußere Ursache
für die Schmerzen nicht auffinden, so sollte dies eine Mahnung zu ein-
gehendster röntgenologischer und rektoskopischer Untersuchung und, wenn
die erreichbare Partie krebsfrei gefunden wird, zur Untersuchung in Narkose sein. Denn die an den oberen Flexuren sitzenden Krebse sind oft
nur in Narkose bei absolutester Entspannung dem Gefühl zugänglich.

Ist es erst zur Ulzeration des Darmes gekommen, so erleichtert der
Stuhlbefund die Diagnose. Man findet im Stuhl neben Schleim Blut und
Eiter. Dies trifft besonders häufig für die Rektumkarzinome zu, welche
durch die Romanoskopie dem Auge zugänglich gemacht werden. In
anderen Fällen sind plötzlich auftretende Stenosenerscheinungen das erste
Symptom (s. unter Darmverschluß). — Nach der Darmperforation ent-
wickeln sich die Zeichen der Peritonitis, oder es kann durch frühzeitige
Verwachsungen und nachträglichen Durchbruch in Nachbarorgane, wie
Magen, Blase, Vagina usw. zu plötzlichem Kotauftreten in diesen Organen
kommen (Kotfisteln), deren Deutung kaum Schwierigkeiten bereitet. —
Die Schmerzen pflegen ins Kreuz verlegt zu werden, oder aber es treten
ausgesprochene Ischiadikusschmerzen auf. Bei dem höher sitzenden Colon-
karzinom weist der Schmerz meist auf den Sitz hin, manchmal ist ein
Tumor fühlbar. Derselbe kann verschieblich sein, ist aber häufig mit der
Nachbarschaft fixiert. Durch Aufblähung des Darmes kann er dann aus
seiner Lage gebracht werden.

Der an der Oberfläche gelegene Tumor läßt bei leisester Perkussion
meist eine deutliche Dämpfung erkennen.

Schreitet der nicht rechtzeitig operierte Darmkrebs fort, so entwickelt
sich unter zunehmenden Schmerzen und geschwürigem Zerfall ein trost-
loses Krankheitsbild: peritonitische Komplikationen, septisch-pyämisches
Fieber, Kachexie. Die Kranken gehen dann entweder durch die Kachexie
oder infolge einer durch eine Venenthrombose bedingten Lungenembolie
oder aber im karzinomatösen Coma zugrunde, wenn es nicht zum Ileus
kommt, welcher, unoperiert, ein Ende mit Schrecken darstellt.

Die Therapie ergibt sich aus dem Gesagten von selbst. Sie ist chirurgisch, andernfalls symptomatisch, wobei das Morphium die Hauptrolle spielt. Alle therapeutischen Versuche, ein bestehendes Karzinom durch Radium, Röntgenstrahlen usw. zu behandeln, sind bisher als aussichtslos zu bezeichnen.

Sarkom des Darmes.

Diese bösartige Neubildung unterscheidet sich von dem Karzinom in klinischer Hinsicht vor allem dadurch, daß ihr Verlauf bedeutend schneller als beim Karzinom ist. Eine sichere Unterscheidung ist intra vitam nicht möglich und bei der überaus großen Seltenheit der Sarkome praktisch nicht besonders wichtig.

Von den gutartigen Neubildungen beanspruchen nur die Polypen, und besonders die Mastdarmpolypen, größeres praktisches Interesse. Es sind entweder gestielte Fibrome oder Papillome, entstanden durch Wucherungen der Schleimdrüsen. Sie machen sich klinisch bemerkbar entweder durch fortgesetzte Darmblutungen, welche schließlich zu schwerer Anämie führen können, oder seltener dadurch, daß sie beim Stuhlgang aus dem After heraustreten. Die Rektoskopie ermöglicht es, in zweifelhaften Fällen die exakte Diagnose zu stellen und zugleich die Beseitigung der Polypen operativ vorzunehmen. Nur die höher sitzenden Polypen entziehen sich der Therapie.

Darmverengerung (Darmverschluß, -Stenose, Ileus).

Der Darmverschluß oder die Undurchgängigkeit des Darmes kann sich allmählich aus einer bestehenden, zunehmenden Darmverengerung entwickeln oder akut einsetzen und zu dem unter Ileus oder Miserere bekannten, vollentwickelten schweren Krankheitsbilde (vollkommene Verhaltung von Stuhl und Winden, Kolikschmerzen, Koterbrechen und Meteorismus) führen. Ätiologisch und zum Teil auch klinisch läßt sich daher die Darmverengerung von dem Ileus nicht trennen. Man unterscheidet zwei Formen von Darmverschluß, den dynamischen oder paralytischen und den mechanischen Ileus. Bei dem dynamischen Ileus ist der Darm anatomisch vollkommen durchgängig. Die Unterbrechung der Darmpassage ist durch eine Darmlähmung, durch das Fehlen der Triebkraft der Darmmuskulatur bewirkt. Die Ursachen derartiger Darmlähmungen sind sehr zahlreich. Letztere entstehen, rein nervös-reflektorisch bedingt, bei Gallen- und Nierensteinkoliken, nach Kontusion und Entzündung der Hoden oder der Eierstöcke, nach Operationen von Hämorrhoiden, an Genitalorganen, nach Bruchoperationen, nach Nierenoperationen und vor allem nach Laparotomien, ebenso nach Rückenmarksverletzungen u. a.

Anders als der postoperative paralytische Ileus ist derjenige bei Peritonitis — und das ist die häufigere Form — zu bewerten. Hier sind wohl weniger reflektorische als lokale Einflüsse im Spiele. Das gleiche gilt für den Ileus nach Thrombosen und Embolien der Arteria mesaraica. In gleicher Weise wie die Lähmung kann auch ein Spasmus des Darmes eine Störung der Darmpassage hervorrufen. Dieser spastische Ileus ist sehr selten, aber zweifellos beobachtet. Ursächlich nimmt man Hysterie, Bleiintoxikation u. a. an. Auch können wohl Fremdkörper, wie Gallensteine, zu einer spastischen Reizung der Darmwand Veranlassung geben.

Bei dem mechanischen Ileus besteht eine anatomische Verlegung des Darmweges. Man unterscheidet den Strangulationsileus und den Obturations- oder Okklusionsileus. Bei dem letzteren ist einfach das Darmlumen verlegt, bei der ersteren Form ist eine bestimmte Darmstrecke mit dem zugehörigen Mesenterium derart eingeschnürt, daß eine Schädigung der Zirkulation die Folge ist. Der fundamentale Unterschied beider Formen leuchtet ein: Bei dem Strangulationsileus unterliegt der Darm viel schneller und leichter der Nekrose, als bei der anderen Form, wo die Gefäßversorgung intakt ist. Die Ursachen für den mechanischen Ileus können in dem Darmlumen, in der Darmwand und außerhalb durch Veränderung der Nachbargebilde gegeben sein.

Die innere Verlegung des Lumens kann erfolgen durch Fremdkörper: Gallensteine, Kotsteine, durch angehäufte Fäkalmassen, durch zusammengeballte Darmparasiten, durch verschluckte Fremdkörper, des weiteren durch Geschwülste der Darmwand und durch Geschwürsnarben; am häufigsten sind es die Narben nach Dysenterie, seltener Tuberkulose, Syphilis und auch nach einfachen katarrhalischen Darmgeschwüren.

Eine besondere Stellung nimmt der Darmverschluß durch Invagination (Intussuszeption) ein. Man versteht darunter die Einstülpung eines Darmteiles in einen anderen. Da hierbei das Mesenterium mit eingestülpt und schwer gezerrt werden kann, da andererseits bei chronischen Formen Ausgleiche der Zirkulationsstörungen vorkommen, steht diese Form zwischen dem Obturations- und Strangulationsileus. Meist wird das obere Ende des Darmes in das untere Ende eingestülpt, wobei man den Schlauch, in welchen hinein die Einstülpung erfolgt, Intussuszipiens, den eingestülpten Teil aber Intussuszeptum nennt. Die Intussuszeption erfolgt häufig als agonale Erscheinung, die klinisch bedeutungslos ist;

sonst ist es vorwiegend das Kindesalter, in dem man diese Erscheinung beobachtet. Man unterscheidet eine Invaginatio enterica, bei welcher Dünndarm vom Dünndarm, eine Invaginatio colica, bei der Dickdarm vom Dickdarm, und endlich eine Invaginatio ilio-coecalis, bei welcher der Dünndarm vom Dickdarm invaginiert wird. Letztere Form ist die bei weitem häufigste. Eine Darmeinschiebung kann von selbst wieder zurückgehen. In der Regel aber hat sie eine Neigung zum Wachsen, es kommt dann zur zunehmenden Einklemmung des Mesenteriums, zu Zirkulationsstörungen, Schwellungen und Blutungen in das Gewebe, wodurch allmählich das Darmlumen verengt und schließlich vollkommen verschlossen werden kann. Der Verschluß kann wohl auch durch Abknickung oder durch komplizierte Achsendrehung hervorgerufen werden.

Die Okklusion kann auch durch außerhalb des Darmes gelegene Geschwülste, die das Darmlumen komprimieren, erfolgen. Eine Strangulation des Darmes kann eintreten, wenn Verwachsungen oder Strangbildungen des Peritoneums, Meckelsche Divertikel oder bandartige Bindegewebsneubildungen, die nach peritonitischen Affektionen, wie nach Blinddarmentzündungen oder Gallenblasenentzündungen oder dgl., entstanden sind, zu Unterschnürungen des Darmes Veranlassung geben. Man unterscheidet einfache Darmknickungen (Inkarzeration über dem Strang), indem ein Darmteil einfach auf einem gespannten Band reitet — bei Füllung beider Darmenden kommt es dann zu einer vollkommenen Darmabknickung —, Einklemmung unter dem Strang — ein Darmteil schlüpft unter einem Strang hindurch und wird so abgeschnürt — und endlich die Knoten- und Schlingenbildung, indem das Band einen Knoten bildet, in welchen die Darmschlinge hineingerät. Diese inneren Hernien oder Inkarzerationen gleichen durchaus den äußeren, die bekanntlich ebenfalls Ursache eines Darmverschlusses werden können. Am häufigsten kommen vor die Hernia obturatoria, ischiatica, diaphragmatica, perinealis, vaginalis usw.

Endlich kann es durch Achsendrehung oder Verknotung des Darmes zum Darmverschluß kommen, ebenfalls unter dem Bilde des Strangulationsileus. Der Darm dreht sich entweder um seine eigene Achse oder um die Achse seines Mesenteriums, und zwar mindestens um 180°. Die Achsendrehung wird auch als Volvulus bezeichnet. Es ist klar, daß bei einer solchen Drehung auch die Gefäße abgeschnürt werden, so daß sehr schwere Zirkulationsstörungen entstehen. Am häufigsten findet sich die Achsendrehung an der Flexura sigmoidea, bei abnormer Länge desselben und seines Mesenteriums, sowie bei Fettarmut des letzteren. Ein Trauma, eine plötzliche körperliche Anstrengung genügt dann, um den einen, eventuell durch Kotmassen beschwerten Schenkel der Flexur über den anderen herabfallen zu lassen.

Symptomatologie der Darmverengerung. Die allmählich einsetzende Verengerung des Darmlumens verrät sich zuerst allein durch zunehmende Stuhlträgheit, vorausgesetzt, daß der Sitz der Stenose oder der Stenosen — denn es kommen nicht selten zwei oder mehrere Stenosen bei demselben Individuum vor — im Dickdarm oder möglichst tief gelegen ist. Dünndarmstenosen können, wenn sie nicht zu vollkommenem Verschluß führen, infolge der normalerweise dünnen Beschaffenheit des Stuhles daselbst, ohne Symptome zeitlebens bestehen. Andererseits kann auch hier eine plötzliche Unvorsichtigkeit, z. B. Verschlingen eines groben, unzerkleinerten und unverdaulichen Bissens, zu Darmverschlußerscheinungen führen. Bei Stenosen im Colon unterscheidet sich die daraus resultierende Verstopfung von der habituellen zunächst vielleicht nur durch ihre außerordentliche Hartnäckigkeit. Die üblichen antiobstipationellen Kuren sind naturgemäß ohne Effekt; nur solange Abführmittel gereicht werden, erfolgt Stuhl. Die regelmäßige Ansammlung des Kotes an bestimmten Stellen führt häufig zu Katarrhen, selbst zu Ulzerationen, so daß nicht selten Diarrhöen mit der Verstopfung abwechseln. Die Geschwüre, welche vielleicht durch Druck der angestauten Kotmassen, vielleicht auch durch die dadurch bewirkte Dehnung des Darmes entstehen, können unter Umständen zur Perforation desselben und sekundär zur tödlichen Peritonitis führen. Mit zunehmender Stenose macht sich eine oberhalb der Verengerung im zunehmenden Maße auftretende Gasauftreibung des Darmes, ein Meteorismus, geltend, der sehr unangenehm empfunden wird (chronischer Ileus).

Sobald durch die Austreibung des Darminhaltes die Verengerung überwunden ist, verschwindet der Meteorismus. Die starken Anstrengungen der Darmmuskulatur werden subjektiv meist als heftige Koliken, zum mindesten als sehr schmerzhafte Krampfvorgänge empfunden. Übrigens ist es noch zweifelhaft, ob die kolikartigen Schmerzen durch die tetanischen Kontraktionen oder nicht vielmehr durch die dabei entstehenden Zerrungen entstehen. Daß eine Stenose eine vermehrte Kraftanstrengung der Darmmuskulatur hervorruft, geht aus der proportional der Darmstenose zunehmenden Hypertrophie der Darmmuskularis hervor. Nicht selten ist man in der Lage, diese hypertrophische Muskulatur im Zustande der Kontraktion durchzufühlen, wobei beachtenswerterweise die an sich bestehende Schmerzhaftigkeit durch den Druck nicht nennenswert gesteigert wird. Bei nicht zu starkem Meteorismus und zu dickem Fettpolster läßt sich auch wohl die durch die Hypertrophie in ihrer Energie gesteigerte Peristaltik als eine ablaufende Welle mit dem Auge erkennen; die Welle macht an der Stenose Halt. Bei tiefsitzenden Stenosen hat der Kot durch die Stenose selbst resp. durch die krampfhafte Kontraktion der höher gelegenen Muskulatur eine charakteristische Form angenommen: eine bandartige Abflachung mit Längsrinnen, den Tänien des Dickdarmes entsprechend, oder er wurde bleistiftdünn oder viehkotähnlich usw. Ist die Stenose durch einen im geschwürigen Zerfall begriffenen Tumor bedingt, so haftet der Kotsäule auch wohl Blut und Eiter an. Selbst bei mäßiger Stenose kann vorübergehend (unzweckmäßige Nahrung oder ungenügende Sorge für Stuhl) ein vollkommener Verschluß der Stenose herbeigeführt werden, so daß sich ein starker Meteorismus in den rückwärts gelegenen Darmschlingen entwickelt. Solche Anfälle sind dann stets von heftigen Koliken begleitet, als deren Hauptcharakteristikum die Darmsteifung zu betrachten ist. Hat man öfters Gelegenheit, solche Darmsteifung zu beobachten, so wird der Sitz der Stenose — da dieselbe naturgemäß immer an derselben Stelle sich entwickelt — mit ziemlicher Sicherheit zu erkennen sein. Die Röntgenuntersuchung ermöglicht sicherer, unter stundenweiser Verfolgung des per os eingeführten Wismutbreies oder ev. nach rektaler Applikation von Bi. die Feststellung des Ortes und des Umfanges der Stenose.

Die Entwicklung der Stenose richtet sich nach der Art und der Ursache derselben. Gutartige Stenosen können jahrzehntelang bestehen, doch ist immer mit der Möglichkeit zu rechnen, daß ein plötzlicher Verschluß mit allen Erscheinungen des akuten Ileus das chronische Krankheitsbild unterbricht. Aber auch bei allmählich zunehmenden Stenosen ist das Auftreten des vollkommenen Verschlusses meist ein überraschendes, weil die Patienten sich an die Unbequemlichkeit des chronischen Ileus (Verstopfung, Darmauftreibung) allmählich so gewöhnt haben, daß sie darin meistens nur den Ausdruck einer zunehmenden Verstopfung erblicken.

Differentialdiagnose. Treten allmählich zunehmende Stuhlträgheit zusammen mit Koliken auf, so ist bereits der Verdacht einer Darmstenose gegeben. Bevor man sich für die Annahme einer einfachen spastischen Obstipation entscheidet, sind alle Hilfsmittel der Darmuntersuchung (sorgfältige Anamnese, Aufblähung des Darmes, ev. Röntgenuntersuchung, Stuhluntersuchung) anzuwenden. Eventuell klärt das fortschreitende Krankheitsbild die Diagnose. Da die Koliken bei der Stenose sehr heftig sein können, sind auch Nierenstein, ev. Gallensteine, Bleikolik (Blutdruck, Blutbild!) in Betracht zu ziehen.

Der Darmverschluß. Entwickelt sich der Darmverschluß aus der Stenose, so können die ersten Erscheinungen von dem Kranken übersehen werden, da er in der Stuhlverhaltung und dem zunehmenden Meteorismus anfangs nur eine geringfügige Steigerung allbekannter Erscheinungen sieht. Allmählich jedoch fällt auch ihm auf, daß neben der vollkommenen Stuhlverhaltung keine Winde, wie bisher, abgehen, wodurch sich der Meteorismus in bald unerträglicher Weise steigert.

In der Regel tritt bereits frühzeitig ein periodisch einsetzender kolikartiger Schmerz auf, der bei bereits entwickelter Muskelhypertrophie, also bei chronischem Ileus, mit typischer Darmsteifung verbunden ist. Da der normale Darmausgang verschlossen ist, versucht der Organismus, sich des Darminhaltes nach der entgegengesetzten Seite, also nach dem Magen hin, zu entledigen. Zunächst entweicht massenhaft Luft durch Aufstoßen, was den Patienten momentan erleichtert, dann weist ein lebhaftes Gurren und Poltern im Darm darauf hin, daß auch der stark luftgemischte Darminhalt nach dem Magen zu strebt. Die Ruktus nehmen allmählich einen kotähnlichen Geruch an, es treten Übelkeiten auf, es erfolgt Erbrechen, anfangs nur des Mageninhaltes, dann gallig gefärbter Massen, endlich kommt es zu dem pathognomonischen Koterbrechen. Es handelt sich dabei weniger um ein Erbrechen von richtigem, bereits fertigem Dickdarmkot, als vielmehr um Erbrechen fäkulent riechender, durch die erhöhte Eiweißzersetzung faulig stinkender Massen; denn das gleiche fäkulente Erbrechen findet man nicht nur beim Dickdarm-, sondern auch bei Dünndarmileus, also in Fällen, in denen der fertige Kot nach oben zu abgeschlossen ist. Die erbrochenen Massen können sehr reichlich sein, das Genossene bei weitem übertreffen und alsdann nur durch Sekretion des Magens und Darmes geliefert worden sein. Das Erbrechen der fäkulenten Massen ist nicht sowohl durch antiperistaltische Wellen des Darmes, als vielmehr durch Überlaufen der übermäßig gefüllten Darmschlingen infolge der Bauchpresse zu erklären. Die erwähnte starke Eiweißfäulnis dokumentiert sich im Harn durch Auftreten abnorm reichlicher Indikanmengen.

Man versetzt 10 ccm Harn mit der gleichen Menge konzentrierter Salzsäure, setzt einen Tropfen frischer Chlorkalk- oder verdünnter Eisenchloridlösung hinzu und schüttelt das ganze mit 3 ccm Chloroform aus. Das zu indigoblau oxydierte Indikan teilt sich dem Chloroform mit.

Die weitere klinische Entwicklung des Krankheitsbildes richtet sich danach, ob ein Strangulations- oder Okklusionsileus vorliegt.

Der Okklusionsileus läßt sich meist schon bei genauer Anamnese von dem Strangulationsileus unterscheiden, da sich Symptome finden, welche auf eine schon länger bestehende Verengerung hinweisen (Meteorismus, zunehmende Verstopfung); der absolute Verschluß für Kot und Winde, die heftigen Kolikanfälle mit sichtbarer Peristaltik und Darmsteifung bilden die Grundlage des Symptomenbildes. Aufstoßen tritt bald hinzu, doch kann jeder fäkulente Charakter längere Zeit fehlen, ebenso wie das Allgemeinbefinden anfangs relativ wenig gestört ist. Tritt keine Hilfe ein, so ändert sich meist am zweiten oder auch erst am dritten Tage das Krankheitsbild, das Erbrechen wird fäkulent, der zunehmende Meteorismus verursacht Atembeschwerden, die Übelkeit quält den Kranken, die übermäßig gedehnten Darmschlingen erlahmen allmählich (Darmlähmung), es kann zur Geschwürsbildung, zum Durchbruch daselbst und dadurch zur tödlichen Peritonitis kommen.

Die Ursache des Verschlusses im Anfalle festzustellen, ist meist unmöglich. Die stark aufgetriebenen Darmschlingen verhindern jede genauere Palpation; ist der Sitz der Stenose im Colon, so ist häufig dort, wo der tympanitische Schall des geblähten Colons einer Schallverkürzung (leiseste Perkussion!) Platz macht, der Ort des Hindernisses. Für die Frage, ob Dünndarm oder Dickdarm Sitz des Verschlusses sind, kann der Indikangehalt des Harns einen Hinweis geben. Reichlicher Gehalt schon am zweiten Tage spricht für den Sitz des Verschlusses im Dünndarm (zunehmende Eiweißfäulnis). Fehlen vermehrten Indikans für tiefsitzende Stenose im Dickdarm. Hat jedoch längere Zeit bereits Verstopfung bestanden, so versagt naturgemäß dieses Symptom.

Ein besonderes charakteristisches Bild gewährt der Gallenstein-ileus. Es handelt sich dabei meistens um Frauen zwischen 40 und 50 Jahren, welche sicher ein Gallensteinleiden überstanden haben; der Anfall kann direkt im Anschluß an einen Ikterus infolge Gallensteinverschluß auftreten, meist ist dann der Gallenstein in den Dünndarm durchgebrochen. Sitzt der Verschluß im Duodenum, so ist das gallige Erbrechen charakteristisch, die Symptome erinnern sonst an Pylorusstenose, der Meteorismus ist relativ gering. Winde gehen häufig noch ab.

Bei dem Ileus durch Koprostase sind zuweilen die Kotmassen, sei es durch die Bauchmuskeln, sei es vom After her, fühlbar. Auch die Anamnese kann auf die Koprostase hinweisen, doch wird es nicht immer leicht sein, eine allmählich zunehmende Stenose mit Sicherheit auszuschließen. Die Allgemeinerscheinungen pflegen bei dieser Form des Ileus die relativ leichtesten zu sein.

Strangulationsileus. Die Symptome des Strangulationsileus sind viel stürmischer als die bisher geschilderten. Die Patienten erkranken

oft mitten in vollster Gesundheit ganz plötzlich mit heftigen, kolikartig
einsetzenden Schmerzen, die zuweilen ganz richtig in die Gegend der
Strangulation verlegt (Volvulus, Invagination), in anderen Fällen aber
an weit davon entfernten Stellen wahrgenommen werden. Zu dem bereits
geschilderten Bild des Verschlusses treten die Folgen der Abschnürung
der Gefäße und Nerven; die Darmwand wird schnell blutig infiltriert und
so für die Darmbakterien durchgängig. Dadurch wird ein schwerer allgemeiner Chok hervorgerufen, sei es infolge der Reizung der Nervi vagi
oder splanchnici, sei es infolge der septischen Peritonitis: die Kranken
verfallen schnell, die Extremitäten werden kühl, die Gesichtszüge spitz,
die blasse Hautfarbe, tiefe Ringe um die Augen, zusammen mit dem
schweren Erbrechen und Aufstoßen, zeigen das Bild eines schweren Verfalles. Die Urinsekretion wird eingeschränkt, Eiweiß und Zylinder treten
auf, oder es kann zu vollkommener Anurie kommen (Folge der Wasserverarmung durch Erbrechen?).

Die beim Okklusionsileus beschriebenen peristaltischen Bewegungen
fehlen meist bei dem Strangulationsileus. Die abgeschnürten Darmschlingen sind hier zu Beginn nicht selten als Hervorwölbung unter den
Bauchdecken zu sehen (lokaler Meteorismus infolge der venösen Stauung
und Lähmung der Darmmuskulatur) (v. Wahlsches Symptom). Dieses
wichtige Frühsymptom verschwindet mit zunehmendem Meteorismus und
kann bei dicken Bauchdecken oder ungünstiger Lage der geblähten und
strangulierten Darmschlinge naturgemäß überhaupt fehlen. Beim Strangulationsileus gehen, ebenso wie beim Okklusionsileus, keine Winde mehr
ab. Das gleiche gilt in der Regel bezüglich des Stuhles; doch sind mitunter
beim Strangulationsileus diarrhöische Entleerungen beobachtet, wohl infolge abnormer Transsudation unterhalb der Abschnürung, welche sogar
zu Verwechslungen mit Cholera geführt haben, weshalb man sie als
Cholera herniaria bezeichnet hat. Auch bei der Invagination hat
man diarrhöische Entleerungen beobachtet, die aber keinen fäkulenten
Charakter haben, sondern aus Blut und Schleim bestehen und infolge des
eventuell brandig gewordenen Darmabschnittes sehr stinken können. Die
gleichen Stühle findet man auch bei Verschluß der Arteria mesaraica.
Der Verlauf des Strangulationsileus ist in kurzer Zeit letal, wenn nicht
baldige chirurgische Hilfe eintritt. Das strangulierte Darmstück wird
nekrotisch, es kommt dann schnell zur tödlichen Peritonitis.

Paralytischer (dynamischer) Ileus (bei Peritonitis und bei
Verschluß der Darmgefäße).

Das ausgesprochene Krankheitsbild gleicht im allgemeinen dem des

Okklusionsileus: Starker Meteorismus, Fehlen von Stuhl und Winden. Es besteht eine infolge der diffusen Peritonitis ziemlich lebhafte Schmerzhaftigkeit, welche auf Druck erheblich zunimmt, so daß man meist den Leib nicht abtasten kann. Derselbe ist stark aufgetrieben, und zwar in gleichmäßiger Weise, im Gegensatz zu dem Okklusionsileus, wo sich der Meteorismus nur bis zur Okklusionsstelle erstreckt. Das Erbrechen ist hochgradig, gallig, hat einen fäkulenten Charakter. Die Temperatur ist meist erhöht, der allgemeine Zustand ein sehr schlechter, der Puls klein und frequent, Atemnot erheblich, die Kranken verfallen in kurzer Zeit. Als charakteristisches Symptom des paralytischen Ileus ist die vollkommene Ruhe der Därme hervorzuheben, während beim Okklusionsileus lebhaftes Gurren und Poltern im Darme zu hören ist. Endlich fehlt bei der Peritonitis niemals ein peritonitischer Erguß, der bei den übrigen Formen des Ileus erst später, wenn die Peritonitis sich sekundär ausgebildet hat, nachweisbar ist. Es ist deshalb die Differentialdiagnose zwischen dem dynamischen Ileus und den anderen Formen anfangs oft mit Sicherheit zu stellen, während bei ausgesprochenem Krankheitsbilde die Symptome sich in weitestem Maße ähneln; um so mehr, als es bei den übrigen Formen des Ileus mit dem Versagen der Muskulatur auch zu einer vollkommenen Lähmung des Darmes kommen kann.

Neben diesem schweren Krankheitsbilde der allgemeinen Darmparalyse existiert eine zirkumskripte oder partielle Darmlähmung, eine lokale Peritonitis. Letztere kommt vor bei den lokalen Erkrankungen der Bauchhöhle, wie bei Perityphlitis, Cholezystitis, bei Erkrankungen der Genitalorgane usw. In diesen Fällen sind nur kurze Darmstrecken aufgebläht und unbeweglich, die Allgemeinerscheinungen sind viel leichtere, der Ileus pflegt ein vorübergehender zu sein.

Der spastische Ileus bietet durchaus das Bild des Okklusionsileus und ist von diesem, wenn nicht die Anamnese mit Sicherheit auf Hysterie oder Bleiintoxikation hinweist, nicht zu trennen.

Die Diagnose des Ileus ist mit der Feststellung des Darmverschlusses noch nicht erledigt. Sie hat auch den Ort des Hindernisses und die Art des Verschlusses festzustellen. Bezüglich des Ortes sind bereits bei der Symptomatologie die einzelnen diagnostischen Momente (Grenze der Gasauftreibung, fühlbarer Tumor, Röntgenbild, Aufblähung des Darmes vom After aus, der Indikangehalt des Harns, v. Wahlsches Symptom u. a.) aufgeführt. Als wichtigste Regel hat zu gelten, daß vor allen eingehenden inneren Untersuchungen sämtliche äußeren Bruchpforten abzusuchen sind, um nicht eine äußere Hernie zu übersehen. Dann ist eine Exploration des

Mastdarmes resp. der Vagina vorzunehmen. Die Abtastung der Bauchdecken, unter möglichster Entspannung des Kranken, das sorgfältige
Fahnden auf Peristaltik, unter günstigen Beleuchtungsverhältnissen, ev.
durch leichtes Beklopfen der Bauchdecken an verdächtigen Stellen, läßt
unter bestimmten Umständen den Sitz des Hindernisses erkennen. Die
laute und leiseste Perkussion endlich kann bei wechselnder Lage des
Kranken über die Verbreitung der Meteorismus Auskunft geben.

Die Menge des in den Dickdarm einführbaren Wassers (unter niedri-
gem Druck, ev. nach Gewöhnung des Kranken an Einläufe) gibt einen
Maßstab für die Höhe des Sitzes. Die Dickdarmkapazität beträgt normaler-
weise 2—3 l; wird nicht einmal 1 l behalten, so deutet das auf tiefen
Sitz der Stenose. Bezüglich der Art des Erbrechens endlich weist reine
Galle mit Sicherheit auf einen Sitz im Duodenum unterhalb der Papilla
Vateri hin. Das zeitliche Auftreten von fäkulentem Erbrechen läßt keinen
Schluß auf die Tiefe des Sitzes zu, da hier nicht die Länge des Darmes,
sondern ganz andere Momente mitspielen.

Mit Bezug auf die Art des Verschlusses kann eine diagnostisch-thera-
peutische intravenöse Injektion von Hormonal wertvolle Aufschlüsse geben.
Es wird dadurch ziemlich ausnahmslos eine mehr oder minder lebhafte
Peristaltik hervorgerufen, welche bei mechanischem Ileus durch die zunehmende Darmsteifung den Ort der Stenose erkennen läßt, während die
durch eine geregelte Peristaltik überwindbaren Hindernisse (Koprostase,
unter günstigen Umständen Invagination, nicht zu starker Volvulus, paralytischer Ileus) beseitigt werden. Es kann 12, wohl auch 16 Stunden
dauern, bis ein schweres Hindernis überwunden ist. Sind während der
Zeit die allgemeinen Erscheinungen günstige, also nicht auf einen Strangulationsileus hinweisend, so ist es erlaubt, sowohl zu diagnostischen wie zu
therapeutischen Zwecken die Wirkung abzuwarten. Beim Strangulationsileus, sofern er nicht von vornherein durch das schwere Krankheitsbild
sich offenbart und eine diagnostische Einspritzung unnötig macht, kann
dieselbe keinen Schaden anrichten. Die peristaltischen Wellen machen an
der strangulierten Stelle Halt und führen nicht zu einer Perforation. Auch
hier kann der Sitz der Strangulation durch die Peristaltik des gesunden
Teiles offenbar werden. Selbstverständlich darf die Hormonalinjektion
niemals Ursache des Aufschubs einer notwendigen Operation werden.

Im übrigen gilt als Regel, daß die Invagination im allgemeinen vorwiegend im Kindesalter vorkommt, daß man jenseits des 50. oder
60. Lebensjahres mit einem bösartigen Tumor zu rechnen hat, und daß

im übrigen die Art des Krankheitsbildes und die Anamnese von ausschlaggebender Bedeutung für die Beurteilung des Falles sind.

Prognose. Dieselbe ist stets ernst; bei den auf gutartigen Momenten beruhenden Darmverengerungen naturgemäß um vieles besser, als wenn ein bösartiger Tumor die Ursache ist; im letzteren Falle ist sie davon abhängig, ob noch eine Radikaloperation möglich ist oder nicht, in der Hauptsache ist aber ausschlaggebend, wie frühzeitig der Kranke operiert wird. Gerade in dieser Hinsicht ist die diagnostische Hormonalinjektion als frühzeitig das Krankheitsbild klärend von großer Bedeutung.

Therapie. Die Behandlung der chronischen Darmverengerung ist in erster Reihe eine chirurgische. Wird die Operation verweigert oder ist sie bereits unausführbar, so hat sie die Aufgabe, durch diätetisch-physikalische Maßnahmen einem Ileus vorzubeugen. Die Diät muß jede abnorme Belastung des Darmes vermeiden: breiig-flüssige Diät, unter Verbot aller unverdaulichen, schlackenbildenden Kost. Gegen die Verstopfung Hormonalinjektion zur Kräftigung der Darmperistaltik, daneben Einläufe (Öl, Kochsalzwasser) oder eventuell solche Abführmittel, welche den Stuhl verflüssigen und keine Koliken hervorrufen, also salinische, Purgen, oder sonst individuell bereits erprobte. Bei Koliken ist der Darm durch Belladonna oder Atropingaben (z. B. Methylatropin. brom. 1 mg oder Extract. Belladonna, 0,03—0,05 g, mehrmals täglich) zu beruhigen. Daneben heiße Bäder, heiße Umschläge, Bettruhe. Bei eingetretenem Ileus ist, wenn nicht ein schwerer Strangulationsileus sich sofort als solcher dokumentiert, sofort eine intravenöse Hormonalinjektion zu machen. Leichte Achsendrehung, Invagination (paralytischer Ileus s. unter Peritonitis) können zurückgehen, der spastische Ileus kann durch die Regulierung der peristaltischen Welle aufgehoben werden. Bei gutem Allgemeinbefinden (guter Puls, kein Koterbrechen, keine nennenswerte Temperatursteigerung) kann der Erfolg 16—20 Stunden abgewartet werden. Ist dann kein Stuhl oder keine Winde abgegangen, so ist die Indikation zur Operation zu geben. Vorher ist durch Einläufe, ev. durch Magenspülungen, die Wirkung des Hormonals zu unterstützen. Belladonna oder Atropin können die Krampfzustände beseitigen, Morphium ist nur dann zu geben, wenn die Operation bereits beschlossen ist. Jede Nahrungszufuhr ist zu unterlassen, quälender Durst durch Eisstückchen, höchstens durch kleine Schlückchen eiskalter Milch oder Zitronenwasser zu löschen. Durch die Magenausspülungen soll vor allem eine Spannungsverminderung hervorgerufen und dadurch der Meteorismus gemindert werden. Dieselbe ist eventuell alle 2—3 Stunden zu wiederholen. Die

134 Darmkrankheiten.

Hormonalinjektion kann jedoch dadurch allein, daß sie die Darmschlingen zu stärkerer Kontraktion anregt, den Meteorismus günstig beeinflussen und die Magenspülungen im allgemeinen unnötig machen. Auch die warmen Wassereinläufe von je 1—2 l entlasten den Darm und sind häufiger zu wiederholen. Eine Punktion geblähter Darmschlingen kann ebenfalls eine bedeutende Entlastung hervorrufen und ohne Gefahr wiederholt werden. Daneben sind heiße Umschläge um den Leib von subjektivem Nutzen. Die bisher gegen den paralytischen und den einfachen Obturationsileus empfohlene Atropineinspritzung von ½—1½ mg sind durch das Hormonal überholt, um so mehr, als sie nicht ganz ungefährlich sind und zu schweren Intoxikationserscheinungen führen können, während der Nutzen problematisch ist. Weiterhin ist Physostigmin 0,5—0,75 mg 3—4 mal täglich empfohlen. In Kombination mit der Hormonalinjektion hat es einen entschiedenen Nutzen; denn während es allein tetanische Kontraktionen bewirkt, werden dieselben durch das Hormonal zu einer verstärkten normalen Peristaltik umgewandelt.

Was die Indikation zu dem chirurgischen Eingreifen anlangt, so ist sie durch die Hormonaltherapie nur wenig modifiziert worden. Beim Strangulationsileus besteht unverändert die Indikation sofortigen Eingreifens, sobald die Diagnose mit genügender Sicherheit feststeht. Beim Okklusionsileus, bei der Invagination pflegte man im allgemeinen so lange abzuwarten, bis der Zustand gefahrdrohend wurde, um inzwischen eine interne Medikation anzuwenden. Das Hormonal ermöglicht es, innerhalb 16—20 Stunden wohl die absolute Sicherheit zu gewinnen, daß ein unüberwindliches mechanisches Hindernis vorliegt; dadurch ist die ·absolute Indikation eines Eingriffes gegeben und dadurch wiederum die Prognose des Eingriffes bedeutend gebessert. Es ist zu hoffen, daß die bisherigen Chancen der operativen Behandlung des Ileus, welche eine Mortalität von 37—40 % bot, dadurch erheblich gebessert werden.

Blinddarmentzündung (Perityphlitis, Appendicitis).

Ätiologie. Man versteht darunter eine Entzündung des Blinddarmes (Processus vermiformis) und der sich häufig dazu gesellenden lokalen Peritonitis (Perityphlitis). Eine eigentliche Typhlitis (Entzündung des Coecums) und Paratyphlitis wird heute nicht mehr angenommen Eine Entzündung des Blinddarms kommt nur durch Bakterienwirkung zustande. Die verschiedenartigsten Bakterien kommen hier in Frage, vor allem das Bakterium Coli, höchstwahrscheinlich auch der Influenzabazillus u. a. Die Bakterien können entweder vom Coecum aus in den

Blinddarm eindringen oder auf dem Blutwege, quasi als Metastase einer entfernt lokalisierten Entzündung, z. B. einer Angina. Prädisponierend für die Entzündung und vor allem für einen stärkeren Entzündungsgrad sind alle die Momente, welche eine Stauung im Blinddarm hervorrufen, also abnorme Länge und Knickung (Fixation des Blinddarmes), besonderer Reichtum an Follikeln sowie besondere Enge des Rohres. Eine Rolle für die Entstehung der Appendizitis spielen auch die Kotsteine — eigentliche Fremdkörper sind nur relativ selten in dem entzündeten Appendix gefunden. — Die Kotsteine bestehen in abgelagertem Schleim und Epithelien um ein Kotpartikelchen; sie wirken höchstwahrscheinlich viel weniger durch mechanischen Druck entzündungserregend als dadurch, daß sie Bakterien in konzentrierter Anhäufung enthalten, welche die Schleimhaut infizieren. Wenn dann gleichzeitig der Kotstein eine solche Größe erreicht, daß das Lumen des Blinddarmes verlegt wird, sind die Bedingungen für eine entzündliche Stauung im Blinddarm gegeben. Dem Trauma endlich kann eine auslösende Rolle zukommen, indem ein schon chronisch entzündeter Blinddarm plötzlichen Zerrungen ausgesetzt wird, wodurch die Entzündung akut wird. Neben den schon erwähnten Fremdkörpern (Nadeln, Kernen usw.) sind nicht ganz selten Darmparasiten, z. B., Bandwurmstücke, im Blinddarm gefunden worden; sie wirken wohl nicht mehr als prädisponierend. Die Virulenz der infizierenden Bakterien und die Größe resp. Art des Hindernisses für den Rückfluß der gestauten Entzündungssekrete in das Coecum sind ausschlaggebend für die Schwere der Blinddarmerkrankung.

Beide Geschlechter sind ziemlich gleichmäßig befallen. Das Hauptkontingent stellt das jüngere und mittlere Lebensalter bis etwa zum 30. Jahre.

Pathologische Anatomie. Man kann die einfache katarrhalische Appendizitis (Entzündung des Processus vermiformis) von der Appendicitis destructiva unterscheiden. Bei der Appendicitis simplex ist die Mukosa gerötet, geschwollen und aufgelockert; die Follikel in der Submukosa bilden den Hauptsitz der Entzündung. Kleinzelliges Granulationsgewebe drängt sich zwischen die Drüsen ein. Bei fortschreitender Entzündung wird die Muskularis und eventuell das Peritoneum mit ergriffen. Wenn der Abfluß des entzündlichen Sekretes, das eine serösschleimige Flüssigkeit darstellen kann, nach dem Coecum zu gesichert ist, so kann eine vollkommene Abheilung der akuten Appendicitis catarrhalis stattfinden. In anderen Fällen kommt es zu einer zirkumskripten Bindegewebsentwicklung, welche zu einer narbigen Striktur führen kann.

Infolgedessen staut sich das Sekret in dem Wurmfortsatz an, und es bildet sich, je nach dem Vorhandensein oder Nichtvorhandensein von Eitererregern ein Empyem oder ein einfacher Hydrops des Processus vermiformis. Endlich kann sich auch ein chronischer Entzündungszustand herausbilden.

Die Appendicitis destructiva, welche durch eine gangränöse Zerstörung der Wand des Blinddarmes gekennzeichnet ist, kann die Folge des geschilderten Empyems des Processus vermiformis sein, oder sich ganz akut entwickeln, wenn die Passage von vornherein durch einen Kotstein oder dgl. verlegt ist; auch können besonders schwere Entzündungsprozesse eine Ulzeration der Blinddarmwand bewirken. In solchen Fällen sind es wohl Ptomainwirkungen oder Thrombosen in den zuführenden Gefäßen, welche die Wandschädigung hervorrufen. Eine geringfügige Steigerung des Innendruckes führt dann zur Perforation. Die Perforation des septischen Inhaltes erfolgt entweder in die freie Bauchhöhle, oder aber der Entzündungsprozeß hat vorher bereits auf die benachbarten Darmschlingen und das Netz übergegriffen, es war zu einer Periappendizitis mit Verklebungen der benachbarten Darmschlingen gekommen, und der Durchbruch erfolgt in einen allseitig durch entzündlich fibrinöse Auflagerungen abgeschlossenen Raum. Diese Periappendizitis führt zu einer eitrigen Exsudatbildung. Dieser Abszeß kann sich nun stärker gegen die Umgebung abkapseln oder aber nach Durchbruch in die Bauchhöhle zu einer allgemeinen Peritonitis führen. Der periappendikuläre Abszeß stellt also eine relative, zumindest vorübergehende Heilung dar. Die Peritonitis ist entweder eitrig, fibrinös oder jauchiger Natur.

Auch bei den einfachen katarrhalischen Appenziditiden, besonders aber bei den eitrigen nicht perforierten findet man nicht selten einen freien serösen Erguß in der Nachbarschaft, der auch mit einer serösen Imbibition der äußeren Serosa kombiniert sein kann.

Der periappendikuläre Prozeß kann durch starke Schwartenbildung vollkommen abheilen; er kann auch zu Strangneubildungen führen, welche ihrerseits einen Ileus oder eine Darmverschlingung hervorrufen, oder er kann endlich sich weiter ausdehnen und nach außen oder in einen Darmabschnitt hindurch perforieren.

Symptome. Die ersten Erscheinungen der akuten Appendizitis können äußerst verschiedener Natur sein. In dem einen Falle wird nur über leichte Übelkeit, geringen Schmerz in der Blinddarmgegend, vielleicht etwas Frösteln oder dgl. geklagt, im anderen Falle beginnt das Leiden mit einem heftigen kolikartigen, langandauernden Leibschmerz, der den Kranken plötzlich, inmitten vollster Gesundheit, überfällt; dazu gesellt sich dann meist ein mehr oder minder schweres Erbrechen, Übelkeit, Aufstoßen. Das Krankheitsbild ist von vornherein ein schweres. Diese Erscheinungen können innerhalb weniger Stunden zurückgehen: der Appendix hat seinen Inhalt in das Coecum entleert, und es können Wochen und Monate bis zu einem neuen Anfalle vergehen, ja, der Anfall braucht überhaupt nicht wieder aufzutreten. Oder aber es ist bei dem ersten Anfall bereits zur Perforation in die Bauchhöhle gekommen, und es vergeht nur eine Anzahl von Stunden, bis die Erscheinungen der Peritonitis sich bemerkbar machen. In wieder anderen Fällen bleibt das Krankheitsbild ziemlich unverändert dasselbe, die Schmerzen halten an, sie steigern sich beim Gehen, Husten usw., das Erbrechen, die Übelkeit bestehen fort. Subjektiv findet man fast stets Temperatursteigerung. Dieselbe kann sehr gering, kann aber auch bis 39 und 40° C betragen. Häufig ist die Darmtätigkeit gestört, es besteht Diarrhöe oder Verstopfung. Der Schmerzhaftigkeit in der rechten Unterbauchseite entspricht der Mac Burneysche Druckschmerz. Der Punkt liegt ungefähr in der Mitte zwischen rechter Spina ossis ilei sup. und Nabel, doch kann der Schmerz auch diffus verbreitet sein, besonders häufig findet man ihn auch an der entsprechenden Stelle links. Oft besteht eine lokale meteoristische Blähung des Colon in der Ileozökalgegend. Von besonderer Bedeutung ist die sogenannte défense musculaire, welche sich beim Eindrücken der rechten Unterbauchseite als stärkere (reflektorische) Muskelspannung kundgibt. Häufig, aber nicht immer geht die Spannung der Bauchdecken parallel dem Grade der intraabdominellen Entzündung, so daß bei hochgradigen Entzündungen die leiseste Berührung schon die Abwehrspannung hervorruft. Ist es zu der oben geschilderten Exsudation in der Blinddarmgegend gekommen, so ergibt die leiseste Perkussion eine leichte Dämpfung. Der Versuch, den Blinddarm durch die Bauchdecken zu fühlen, fällt fast stets negativ aus. Nur in leichten Fällen kann man unter günstigen Verhältnissen den geschwollenen Appendix als einen länglichen, walzenförmigen Körper durchfühlen. Bei der Untersuchung per rectum hingegen erweist sich die rechte Seite als um vieles empfindlicher als die linke, auch läßt sich nicht ganz selten aus der Schwellung der Schleimhaut ein Exsudat feststellen. Von großer Bedeutung ist das Verhalten des Pulses. Bleibt derselbe gleich, unter 90—100, so spricht dies gegen eine peritoneale Reizung, also gegen einen drohenden eitrigen Durchbruch, während das von der Temperatur unabhängige Ansteigen des Pulses von prognostisch ungünstiger Bedeutung ist und zur sofortigen Operation auffordert. Eine

Leukozytose (20000 und mehr Leukozyten) findet sich häufig in Fällen von Eiterung. Das Symptom ist jedoch nicht von solcher Regelmäßigkeit, daß sich daraus bestimmte Schlüsse ziehen lassen, daß sich also die Appendicitis simplex von der destruktiven Form mit Sicherheit unterscheiden ließe. Endlich ist das Allgemeinbefinden, der Gesichtsausdruck, die Unruhe des Kranken usw. von nicht zu unterschätzender Bedeutung für die Beurteilung des Falles.

Der weitere Verlauf der akuten Appendizitis richtet sich einmal nach der Schwere der Infektion, dann danach, ob der Processus vermiformis sich seines Inhaltes zu entledigen vermag oder nicht. Im ersteren Falle verschwinden, wie erwähnt, sämtliche Symptome innerhalb kurzer Zeit. Im anderen Falle können die akuten Erscheinungen, das höhere Fieber, die Schmerzhaftigkeit, verschwinden, die Bauchdeckenspannung kann einer Entspannung Platz machen, nur kleine abendliche Temperatursteigerungen, etwa 37,1—37,3° C, und ein allgemeines Gefühl des Elendseins, der Appetitlosigkeit, meist auch eine Pulssteigerung deuten auf einen krankhaften Prozeß hin. In anderen Fällen kommt es zu einer der oben geschilderten Formen des Durchbruchs des Blinddarmabszesses, also entweder zu einer Periappendizitis oder zu einer Peritonitis. Die Periappendizitis verursacht einen fühlbaren Tumor in der Fossa iliaca. Anfänglich stellt derselbe eine verschwommene Resistenz dar, die sich allmählich mehr und mehr abgrenzt, bis sie eine umschreibbare Geschwulst geworden ist. Sie beginnt in der Regel oberhalb des Poupartschen Bandes und kann bis zur Mitte und noch weiter nach links hinüberreichen, während sie nach oben häufig den Nabel übersteigt und selbst an die Leber grenzt. Auf Druck ist die Geschwulst sehr empfindlich. Sie kann sich im Verlaufe von einigen Wochen zurückbilden, indem sie durch Aufsaugung des Exsudates immer kleiner und härter wird; entsprechend hört das anfänglich unregelmäßige Fieber allmählich auf, und der Kräftezustand nimmt zu, oder aber das Wachstum des Tumors schreitet fort, es kommt zu einer Darmlähmung mit tödlichem Ausgang. Auch im ersteren Falle kann es jederzeit zu einem Rezidiv und Wiederaufleben der peritonitischen Entzündung kommen. Endlich kann der Abszeß auch in eines der benachbarten Organe, den Darm, die Blase oder durch die Haut durchbrechen, sofern er nicht operativ eröffnet wird.

Die Diagnose der akuten Appendizitis kann nach dem Gesagten so leicht sein, daß sie auf den ersten Blick zu stellen ist: heftiger Schmerz, hohes Fieber, hoher Puls, MacBurneysche Druckschmerzhaftigkeit, Bauchdeckenspannung, Erbrechen, Übelkeit und last not least plötzlicher

Anfang können zur Stellung der Diagnose genügen. Es kann jedoch die Summe der objektiven Symptome so geringfügig sein, daß wir auf das subjektive Moment des Druckschmerzes angewiesen sind, und dabei sind der Verwechslung mit anderen Krankheiten Tür und Tor geöffnet. Wenn ein plötzliches Fieber infolge irgendeiner Infektionskrankheit, z. B. Influenza, mit einer an dem MacBurneyschen Punkt lokalisierten Schmerzhaftigkeit einhergeht, so kann eine Blinddarmentzündung vorgetäuscht werden. So gab in einem jüngst zur Operation gekommenen Falle ein nach rechts gelagertes Colon descendens, welches durch Kotansammlung äußerst druckschmerzhaft war und eine Schallverkürzung verursachte durch zufällige Kombination mit Influenza Anlaß zur Verwechslung mit Perityphlitis. Wie oft haben nicht rechtsseitige Lumbalneuralgien, hysterische Druckpunkte, Kolitis des Coecums, um nur einige Möglichkeiten des Irrtums zu nennen, Veranlassung zur Verwechslung mit Blinddarmentzündung gegeben. Gallen- und Nierensteinkolik sind differentialdiagnostisch in Betracht zu ziehen. Pleuritis diaphragmatica dextra, ev. als Begleitsymptom einer Pneumonie, kann (Guénau de Mussyscher Druckpunkt) im Anfang eine Appendizitis vortäuschen, eine Ovarie oder rechtsseitige Salpingitis kann um so leichter die typischen Beschwerden der Perityphlitis hervorrufen, als bei der großen Nachbarschaft der beiden Organe bei ersterer Erkrankung die Serosa des Appendix meist in Mitleidenschaft gezogen ist. Selbst menstruelle Koliken können zur Verwechslung Veranlassung geben. Ein Ileus mit rechtsseitiger Lokalisation kann im Beginn genau die gleichen Symptome hervorrufen; ist es erst zu einer Peritonitis gekommen, so kann die Differentialdiagnose unmöglich werden. Vorher spricht fäkulentes Erbrechen mit Sicherheit gegen Perityphlitis. Auch eine geplatzte Tubargravidität kann differentialdiagnostische Schwierigkeiten bieten. Die starke, mit dem Chok verbundene Anämie spricht zugunsten der letzteren, auch fehlt hierbei meist Temperaturerhöhung, während das Erbrechen, die Schmerzen, die Druckempfindlichkeit, der plötzliche Beginn oft keinen Unterschied erkennen lassen.

Steht die Diagnose der Appendizitis fest, so ist zu entscheiden, ob eine Appendicitis simplex oder destructiva vorliegt. Die Unterscheidung ist in ausgesprochenen Fällen leicht. Besteht nur eine leichte Temperatursteigerung, eine geringe Pulserhöhung, unter 90, ist der Leib weich und eindrückbar und nur bei tiefen Eindrücken in der Fossa iliaca schmerzhaft, so ist selbst, wenn der Anfall unter heftigen kolikartigen Schmerzen begann, nur eine einfache Appendizitis vorliegend; die Kolik wurde durch eine Sekretstauung hervorgerufen, nach deren Entleerung der Schmerz und die Gefahr verschwunden ist. Ist hingegen die Schmerzhaftigkeit bleibend, der Puls 100 und mehr, besteht eine starke Bauchdeckenspannung, lebhafte Unruhe, Erbrechen usw., so liegt mit höchster Wahrscheinlichkeit eine destruktive Appendizitis vor. In vielen Fällen ist die Unterscheidung unmöglich, und man hat therapeutisch dann stets mit der Möglichkeit einer destruktiven Appendizitis zu rechnen. Ferner ist stets zu berücksichtigen, daß ein anscheinend leichter Fall plötzlich zu einem schweren sich entwickeln kann.

Therapie. Bei jeder Appendizitis ist von vornherein die Frage zu erörtern, ob ein chirurgischer Eingriff indiziert ist oder nicht. Bekanntlich steht eine Reihe von Chirurgen heute auf dem Standpunkte, jede frische Appendizitis zu operieren. Dieser Standpunkt ist entschieden zu weitgehend. Wir wissen, daß die Appendicitis simplex nach einem einmaligen Anfall vollkommen ausheilen kann, hier ist also eine Operation nicht angezeigt. In schweren Fällen ist die Behandlung eine chirurgische, und zwar ist der Eingriff so früh wie möglich vorzunehmen. In zweifelhaften Fällen entscheidet das Verhalten des Pulses und der Bauchdeckenspannung. Wir betrachten das plötzliche Ansteigen des Pulses als das sicherste prämonitorische Zeichen, daß der Prozeß die Serosa in Mitleidenschaft zu ziehen beginnt. (Über den Zeitpunkt der Operation cf. Leitfaden der speziellen Chirurgie von Bockenheimer.)

Ist es bereits zur Tumorbildung gekommen, ist also aus irgendeinem Grunde die Frühoperation nicht ausgeführt worden, befindet sich also der Kranke im sogenannten Intermediärstadium, so ist, wenn die Entzündung zirkumskript ist, im allgemeinen zunächst der weitere Verlauf abzuwarten. Borchardt stellt folgende Indikationen für das chirurgische Eingreifen jenseits des dritten Tages auf: 1. hohes Fieber, länger als 2—5 Tage bestehend; 2. schlechtes Allgemeinbefinden oder wenn dasselbe sich plötzlich auffallend verschlechtert; 3. wenn der Tumor sich vergrößert, stärkere Schmerzen hervorruft und Erweichung, kurz Abszeßsymptome zeigt.

Bildet sich der Tumor hingegen zurück, so ist später im Intervallstadium die Exstirpation des Appendix vorzunehmen.

Schreitet jedoch die Entwicklung zur allgemeinen Peritonitis fort, so sind nach den bisher vorliegenden Erfahrungen die Resultate der Operation und der internen Behandlung gleich schlechte. Die Patienten sterben an der Darmlähmung und der Toxinwirkung. Es ist hier zunächst eine Hormonalinjektion anzuwenden. In nicht seltenen Fällen — und zwar anscheinend dann, wenn die Darmlähmung und nicht die Sepsis den Krankheitsprozeß beherrscht — gelingt es, auf diese Weise den Kranken durchzubringen und dem Exsudat Zeit zur Resorption zu geben. Auch hier ist alsdann im Intervallstadium, also nach vollkommener Resorption des Exsudates, der Blinddarm zu exstirpieren.

Die interne Behandlung der akuten Appendizitis kann nach der ganzen Sachlage nur eine symptomatische sein. Sie hat die Aufgabe, den Darm nach Möglichkeit ruhig zu stellen, um die Appendizitis ausheilen zu lassen und gegebenenfalls eine Weiterverbreitung des im Appendix angehäuften Infektionsstoffes zu verhindern. Absolute Bettruhe und möglichste Vermeidung von Nahrungszufuhr sind die sicherste Gewähr für die Verhinderung des Auftretens stärkerer Darmperistaltik und daher im akuten Stadium absolut durchzuführen. Unterstützend wirken Opiumgaben (dreimal täglich 15—20 Tropfen Tinctura opii simplex), wobei man sich bewußt bleiben muß, daß die beruhigende und schmerzstillende Wirkung des Opiums unter Umständen das Krankheitsbild verschleiern kann. Solange also noch eine Operationsmöglichkeit erwogen wird, tut man besser, das Opium fortzulassen. Man verordnet dann lieber Extractum Belladonnae 0,02—0,03 in Suppositorien und sucht die Schmerzlinderung durch heiße oder kalte Umschläge zu bewirken. In den anderen Fällen setzt man die Opiumtherapie einige Tage fort, bis die Reizerscheinungen, auch bei Druck auf den Processus vermiformis, mehr oder minder im Verschwinden sind und gehe dann mit der Dosis allmählich zurück. Die Stuhlfrage braucht den Arzt nicht besonders zu beunruhigen, wenn nicht vorher bereits eine hochgradige Verstopfung bestand. In letzterem Falle wird man durch Öleingießungen die Entleerung des Dickdarmes herbeiführen. Im anderen Falle bewirkt das Opium — so paradox wie es klingen mag — schließlich eine Regulierung des Stuhles von selbst. Eventuell ist nach einer Woche oder mehr durch Einläufe der Stuhl zu erzielen. Die Ernährung bleibt die ersten Tage flüssig, je nach dem Reizstadium des Appendix. Mit Abnahme des Reizzustandes beginnt man allmählich eine breiigflüssige und immer mehr breiige Diät. Roborat- und Fettzulagen (Butter, Sahne) ermöglichen es, den Eiweiß- und Kalorienbestand aufrechtzuerhalten. Allmählich geht man zu geschabtem Fleisch, Kartoffel-, Gemüsepüree, Apfelmus usw. über.

Tritt zu der einfachen Appendizitis eine der genannten Komplikationen (Tumorbildung, Peritonitis), ohne daß aus irgendwelchen Gründen zur Operation geschritten wird — so können z. B. schwere Herzerkrankungen, Diabetes, Fettsucht oder auch absolute Weigerung des Kranken die Ausführung einer sonst indizierten Operation verhindern —, so hat die

Therapie neben der genannten symptomatischen Aufgabe vor allem für die Erhaltung der Herzkraft zu sorgen.

Digitalis, Koffein, Ergotina styptica, Kampfer, Äther, Adrenalin usw. sind die hier indizierten und anderen Ortes eingehend geschilderten Medikamente.

Chronische Appendizitis.

Diese Form unterscheidet sich von der akuten, abgesehen von ihrem schleichenden Verlauf, durch ihre relativ geringfügigen Symptome und ihre Benignität. Sie kann sich aus der akuten Form entwickeln oder aber primär schleichend entstehen. Anatomisch findet man ein vergrößertes derbes Organ, dessen Mukosa hyperämisch und verdickt ist. Der Wurmfortsatz enthält sehr häufig Fremdkörper, ist auch nicht selten verengt, ohne daß jedoch ein vollkommener Verschluß vorhanden wäre.

Symptome. Wenn sich das Leiden nicht aus einem akuten Anfall entwickelt hat und nach demselben fortbesteht, wissen die Kranken über den Anfang desselben häufig nichts Genaues anzugeben. Seit unbestimmter Zeit bestehen Beschwerden in der rechten Bauchseite, besondern bei Bewegungen und Anstrengungen, es wird über chronische, allgemein dyspeptische Beschwerden geklagt, für welche die Untersuchung des Magens und des Darmes keinen Anhaltspunkt gewähren, im allgemeinen sind diese Beschwerden ziemlich geringfügig, jedoch können auch stärkere Abmagerungen und neurasthenische Zustände sich daraus entwickeln. Die objektive Untersuchung läßt nur eine regelmäßig und dauernd feststellbare Empfindlichkeit des MacBurneyschen Punktes erkennen. Der Verlauf dieses Leidens kann jahrelang unverändert derselbe sein, doch kann sich aus dem chronischen Zustande jederzeit eine akute Appendizitis mit den oben geschilderten stürmischen Erscheinungen entwickeln.

Diagnose. Differentialdiagnostisch kommt das in letzter Zeit sehr gewürdigte Coecum mobile in Betracht. Es hat sich gezeigt, daß ein langes und bewegliches Coecum die gleichen Beschwerden verursachen kann wie eine chronische Appendizitis. Es ist auch druckempfindlich im Bereiche des MacBurneyschen Punktes, und zwar werden die Schmerzen hervorgerufen durch Zerrung und Dehnung der Nerven, die im Mesenterium und im Mesenterium des Appendix gelegen sind. Deshalb findet man auch hier wie bei der chronischen Appendizitis, daß stärkere Verstopfung die Beschwerden erhöht. Die Röntgenuntersuchung des wismutgefüllten Coecums in wechselnder Lage (in aufrechter Stellung und in linker Seitenlage des Patienten, wobei das wismutbeschwerte bewegliche Coecum die

Tendenz hat, nach der Mittellinie zu sinken) entscheidet in zweifelhaften Fällen diese Differentialdiagnose. Im übrigen sind naturgemäß alle Erkrankungen des Magens und Darmes durch die bei den betr. Kapiteln angegebenen Untersuchungsmethoden auszuschließen. Ebenso Neuralgien, insbesondere die Lumbalneuralgie auf Grundlage chronisch entzündlicher Veränderungen der Wirbelsäule, Myalgien.

Therapie. Die ideale Therapie bei andauernden Beschwerden der chronischen Appendizitis ist naturgemäß auch hier die Herausnahme des Organes (während bei Coecum mobile die Fixation des Coecums die Beschwerden manchmal beseitigt). Wird die Operation nicht vorgenommen, so hat die Diät für Beseitigung der chronischen Verstopfung (Hormonalinjektion) zu sorgen und den eventuell konkomitierenden Darmkatarrh zu beeinflussen; bei stärkeren Beschwerden eine Liegekur mit heißen Umschlägen, regelmäßige Einläufe, keine Abführmittel.

Krankheiten der Blutgefäße des Darmes:

Embolie der Mesenterialarterien. Ätiologisch kommen Herz- und Gefäßerkrankungen in Frage, bei denen wandständige Thromben, z. B. von der Herzwand oder eines Aneurysmas oder aber Auflagerungen einer arteriosklerotischen Intima in die Mesenterialgefäße geschleudert wurden. Pathologisch sieht man nach den Verstopfungen größerer Gefäße — die kleineren bleiben häufig ohne jede Folge — eine Infarzierung des zu der betreffenden Arterie gehörigen Darmabschnittes. Obgleich die Mesenterialarterien keine eigentlichen Endarterien sind, verhalten sie sich funktionell wie solche. Der Darmabschnitt ist blutig infarziert, ödematös geschwollen oder schon in brandige Zersetzung eingetreten. Der Blutaustritt erstreckt sich eventuell in den Darm und in das Peritoneum.

Klinisch macht die Embolie entweder die Erscheinungen eines Ileus (heftiger Leibschmerz, Erbrechen, eventuell blutiges Erbrechen, auch blutiger Stuhl wird beobachtet, kollapsähnlicher Zustand), oder aber bei der sogenannten diarrhöischen Form ist der Verlauf ein langsamerer, — auch hier sind heftige Leibschmerzen vorhanden, Erbrechen kann bestehen, ein teerartiger, ganz besonders stinkender Stuhl wird ausgeschieden, es kommt zur zirkumskripten Auftreibung des Leibes; es können jedoch auch alle ausgesprochenen Darmerscheinungen fehlen, an Stelle des Durchfalles kann Verstopfung bestehen. Unbehagen, Erbrechen und ein schwerer Allgemeinzustand weisen auf die Schwere der Erkrankung hin.

In beiden Fällen kann die Diagnose auf unüberwindliche Schwierigkeiten stoßen, wenn nicht ein vorhandenes Herzleiden auf die Möglichkeit einer Embolie hinweist, oder wenn nicht, wie in einem jüngst beobachteten Falle, gleichzeitig eine Embolie in einer anderen Arterie, so in der Arteria radialis, wo der Puls plötzlich verschwand, auftritt. Bei der Verstopfung eines einigermaßen großen Gefäßes führt die Embolie innerhalb kurzer Zeit zur Peritonitis und damit zum tödlichen Ausgang. Die Therapie ist meist eine symptomatische. Ist die Diagnose gestellt, der Allgemeinzustand leidlich, so kommt eine Darmresektion, die in einzelnen Fällen bereits mit Erfolg ausgeführt worden ist, in Frage. Sie ist absolut indiziert bei Brandigwerden eines Darmstückes.

Die Thrombose der Mesenterialarterie macht genau die gleichen pathologisch-anatomischen Erscheinungen. Sie ist eine sehr seltene Erkrankung infolge endarteriitischer Gefäßveränderungen.

Die Arteriosklerose der Darmgefäße oder Angina abdominalis beruht ätiologisch auf denselben Faktoren wie die Angina pectoris resp. die Claudicatio intermittens.

Sie äußert sich klinisch in anfallsweise auftretenden heftigen Leibschmerzen und motorischen Störungen. Der Darm ist partiell meteoristisch aufgetrieben, so daß einzelne Darmabschnitte als besonders gebläht hervortreten. Dabei fehlt die für Darmstenose charakteristische Darmsteifung. Die Darmblähung ist vorübergehender Natur; sie kann mit den Schmerzen kombiniert oder auch ohne sie intermittierend auftreten. Die Kranken empfinden den Leib als schmerzhaft gespannt, sie klagen über Aufstoßen, Kurzatmigkeit, Beklemmung während des Anfalles. Größere Mahlzeiten verschlimmern den Zustand, kleinere sind ohne Einfluß, wie auch die Anfälle ohne jeden zeitlichen Zusammenhang mit einer Mahlzeit auftreten. Erbrechen kommt vor, gehört jedoch nicht unbedingt zu dem Krankheitsbilde. Charakteristisch für dasselbe ist das periodenweise Einsetzen sei es des Schmerzes, sei es des Meteorismus oder beider.

Bezüglich des Schmerzanfalles ist die Pathogenese dieselbe wie für die Angina pectoris (s. Bd. 1). Mit Bezug auf den lokalen Meteorismus ist es nachgewiesen, daß die maßgebende Ursache für die Bildung desselben die Störung des Kreislaufes in der Darmwand ist. Wenn also durch einen vorübergehenden Gefäßkrampf oder Gefäßverschluß eine Störung in der Darmzirkulation eines bestimmten Astes eintritt, so ist die lokale Blähung die Folge desselben.

Die Deutung der geschilderten Symptome als abhängig von Gefäßveränderungen ist leicht, wenn eine allgemeine Arteriosklerose (s. Bd. 1) besteht. Bei einigermaßen ausgebreiteter Arteriosklerose des Splanchikusgebietes muß der Blutdruck erhöht sein, weil die Widerstände in diesem größten Gefäßgebiet des Organismus nur durch erhöhten Blutdruck bewältigt werden können. Differentialdiagnostisch kommen in Betracht alle Koliken des Abdomens. In zweifelhaften Fällen entscheidet der Erfolg der geradezu spezifischen Therapie, welche in Ordination von Theobrominpräparaten (Diuretin 0,5 alle 6 Stunden) besteht. Die abdominelle Angina pflegt in prompter Weise davon beeinflußt zu werden.

Therapie. Neben der schon genannten Theobromintherapie kommen noch alle diejenigen Mittel, welche bei der Arteriosklerose angegeben sind, zur Verwendung. Diätetisch muß selbstverständlich für leichte Kost gesorgt werden, bei der häufig bestehenden Verstopfung ist dieselbe nach den daselbst angegebenen Methoden zu behandeln.

Amyloiderkrankung der Darmgefäße.

Sie tritt dort auf, wo allgemeine Amyloidose besteht, also bei Phthise, chronischen Eiterungen, zu Kachexie führenden Krankheiten. Die amyloide Degeneration tritt im Dünndarm stärker auf als im Dickdarm und kann zu Ulzerationen neben der allgemeinen Atrophie der Darmschleimhaut führen. Sie äußert sich klinisch hauptsächlich in schweren Diarrhoen, gelegentlich in Darmblutungen infolge der Brüchigkeit der Gefäße. Eine exakte Diagnose ist wohl selten zu stellen, besonders bei Tuberkulose ist die Verwechslung mit tuberkulösen Geschwüren oder tuberkulöser Diarrhoe naheliegend.

Die Therapie ist eine symptomatische (siehe unter Diarrhoe).

Hämorrhoiden:

Man versteht unter Hämorrhoiden die Ektasie des Plexus haemorrhoidalis (Phlebectasia haemorrhoidalis). Dieselbe entsteht infolge allgemeiner Stauung, also bei Erkrankungen der Leber, der Lunge und des Herzens. Ätiologisch wichtiger ist aber noch der durch lokale Zirkulationsstörungen abnorm gesteigerte Druck in den Hämorrhoidalvenen, wie man ihn bei chronischer Obstipation (abnorme Anspannung der Bauchpresse), bei Strikturen des Rektums, bei Prostatahypertrophie oder bei Tumoren im kleinen Becken (Myome, Gravidität, entzündliche Exsudate) usw. findet.

Ob auch aktive Kongestion zur Aftergegend, wie sie durch vieles Sitzen auf gewärmten Polstermöbeln hervorgerufen werden kann, Hämorrhoiden hervorrufen kann, ist noch zweifelhaft. Vielleicht handelt es sich in den Fällen ohne direkt nachweisbare Stauungsursachen um echte Neubildungen, venöse Angiome, bei denen also die Erkrankung der Gefäße der primäre Vorgang ist.

Je nach dem Sitze der Hämorrhoiden unterscheidet man innere, im Bereiche des Plexus haemorrhoidalis sup. und äußere Hämorrhoiden im Bereiche des Plexus haemorrhoidalis inferior. Häufig kommen auch beide gemischt vor. Die Hämorrhoiden können als einzelne Venenknoten oder Varizen von oft recht beträchtlicher Größe auftreten, oder aber sie bilden einen Kranz gleichmäßig erweiterter Venen um die Afteröffnung, gewissermaßen einen wulstartigen Ring von bläulich durchscheinender Farbe; in kollabiertem Zustande manchmal kaum bemerkbar, treten sie beim Pressen als ein prall gespannter blauroter Knoten hervor (weshalb man in zweifelhaften Fällen den Patienten unmittelbar nach einem Wasserklistier, über dem Eimer sitzend, besichtigen muß). Häufig gehen die Venenknoten sekundäre Veränderungen ein, indem es durch entzündliche Vorgänge zur Peri- oder Thrombophlebitis kommt. Die Thromben können sich allmählich zu Bindegewebssträngen organisieren (natürlicher Abheilungsprozeß). Sie können aber auch zur Verkalkung führen, zur Bildung von sogenannten Phlebolithen. Die Symptome sind äußerst wechselnd. Manchmal bestehen nur seltene Blutungen bei besonders hartem Stuhl, daneben Jucken und Brennen als einzige Symptome. Sekundär kommt es dann leicht in der Umgebung zu Exkoriationen und Fissuren; entzündet sich ein äußerer Knoten, so entstehen sehr schmerzhafte Anschwellungen, die mit unangenehmem Tenesmus einhergehen können. In anderen Fällen verursachen die Hämorrhoiden, und besonders die hochsitzenden, sogenannten inneren, dauernde Beschwerden, wie Kreuzschmerzen, Schmerzen beim Stuhlgang, ein Gefühl von Schwere und schließlich als Hauptsymptom Blutungen, welche so hochgradig werden können, daß die Kranken schwer anämisch werden. Die Blutungen können unausgesetzt in kleinerem oder größerem Maßstabe stattfinden, oder auch periodenweise auftreten. Auch führen die Hämorrhoiden häufig zu einem Rektalkatarrh, zu einer chronischen Blennorrhöe der Mastdarmschleimhaut. Die Kranken leiden dabei an starkem Tenesmus und entleeren bei ihren häufigen Stuhlgängen schleimige und schleimig-eitrige Massen mit und ohne Stuhlbeimengung (sog. Schleimhämorrhoiden).

Eine Komplikation der Hämorrhoiden bildet der Vorfall und die Einklemmung derselben. Wenn bei starkem Pressen die Hämorrhoiden stark anschwellen und aus dem Afterring herausgetrieben werden, so kann infolge eines eintretenden Krampfes das Zurücktreten derselben unmöglich werden. Die Kranken leiden dabei heftigste Schmerzen, oft kommt es zu Ohnmachtsanfällen. Der Ausgang der Einklemmung, falls es nicht gelingt, die Hämorrhoiden zu reponieren, kann Thrombosierung oder Entzündung sein. In ersterem Falle tritt schließlich eine Spontanheilung ein, indem sich nach Verödung harte Säckchen am After bilden, oder aber es kann zu den schweren Folgen einer allgemeinen Sepsis oder Peritonitis oder Proktitis kommen.

Während die Diagnose der äußeren Hämorrhoiden im allgemeinen, eventuell unter den oben geschilderten Untersuchungsmaßnahmen, leicht ist, kann diejenige der inneren Hämorrhoiden große Schwierigkeiten bereiten und die Rektoskopie notwendig machen. In allen zweifelhaften Fällen ist neben der Digitaluntersuchung die Rektoskopie vorzunehmen.

Die Therapie hat zunächst die Grundursache zu berücksichtigen, bei Verstopfung, der häufigsten Ursache, dieselbe zu beheben; und zwar ist im Gegensatz zu den üblichen Verordnungen hier zunächst durch innere Abführmittel für breiigen Stuhl zu sorgen, um eine Reizung der Hämorrhoiden durch Pressen, durch feste Kotmassen wie auch schon durch das Darmrohr zu vermeiden. Man kann also hier zunächst Karlsbader Salz, Bitterwasser, Cascara oder ein gleich ähnliches mildes Abführmittel, welches bei den einzelnen Individuen auszuprobieren ist, geben.

Eine Brunnenkur, Kissingen, Karlsbad, Marienbad oder dgl. wirkt hier oft sehr vorzüglich, indem sie neben der abführenden Wirkung eine Entlastung der blutüberfüllten Bauchorgane bei abdominalen Plethorikern hervorruft. Diese Kuren sind also indiziert sowohl bei Vielessern wie bei Emphysematikern und Herzkranken mit leichten Stauungen. Auch wenn keine eigentliche Herzstörung besteht, kann man durch zwei bis drei tägliche Gaben von Digitalis, z. B. dreimal täglich 0,1 Digipuratum, die pralle Füllung der Hämorrhoiden oft für einige Zeit beseitigen. Folgt dann eine verständige Diät, Regelung des Stuhles, Vermeidung der bisherigen Schädlichkeiten, so kann häufig eine Heilung eintreten. Sehr wichtig ist, daß keine Komplikationen auftreten, daß also die prophylaktische Behandlung der Hämorrhoiden sorgfältig durchgeführt wird. Dazu gehört zuerst die Schonung, die Verhütung jedes unnötigen Reizes; die Toilette des Anus nach dem Stuhlgang ist deshalb mit Watte, die in Öl oder Borwasser getaucht ist, vorzunehmen (Cave Papier!). Sehr empfehlenswert sind häufige Sitzbäder, lauwarm, und Afterduschen. Gegen das Jucken und leichte stechende Schmerzen sind besonders die Anusolstuhlzäpfchen wirksam, auch Zink-, Bor-, Alsolsalben wirken lindernd. Bei stärkeren Reizungen sind Umschläge mit essigsaurer Tonerde zu verordnen, bei stärkeren Schmerzen Morphium 0,01, Pantopon 0,03, als Suppositorien oder solche aus Anästhesin mit oder ohne Belladonna, Kokain u. dgl.

148 Darmkrankheiten.

102) Rp. Extractum Belladonnae 0,03
      Jodoformii   0,02
      Oleum butyr. Cacao   2,0
      Mf. Supposit.
      d. i. 2—3 mal täglich ein Stuhlzäpfchen.

Kleinere Blutungen bedürfen gewöhnlich keiner Behandlung. Es genügt, die Hämorrhoiden sorgfältig rein zu halten. Bei stärkeren Blutungen die üblichen antihämorrhagischen Maßnahmen: Einlauf von Gelatine (Merck), von 20—40 ccm Pferdeserum, von 10% Chlorkalziumlösung, je 20 ccm morgens und abends. Neuerdings sind Chlorkalzium enthaltende Suppositorien sehr empfohlen in Form der Noridal-Suppositorien, welche Calcium chloratum 0,05, Calcium jodatum 0,01, Paranephrin 0,0001, Balsamum Peruvianum 0,1 enthalten.

Bei Einklemmung prolabierter Knoten ist die Reposition manuell zu versuchen. Patient nimmt die Seitenlage ein, die prolabierten Knoten werden mit gut eingeölten Fingern vorsichtig zurückgeschoben. Bei starker Schmerzhaftigkeit ist eine Kokain-Adrenalinbepinselung vorher vorzunehmen. Ist die Reposition geglückt, kann man durch ein Hantelpessar, das über Nacht liegen bleibt und dessen eine gut eingeölte Olive in das Rektum eingeführt ist, das Wiederheraustreten der Knoten verhindern.

Reichen die genannten internen Mittel zur Bekämpfung der Hämorrhoidalbeschwerden nicht aus, so tritt die chirurgische Behandlung in ihr Recht (cf. speziell Chirurgie).

Fissura ani.

Man versteht darunter kleine oberflächliche Schleimhauteinrisse zwischen den Schleimhautlängsfalten des Afters, die sich auch zu Geschwüren umbilden und zu unangenehmen krampfhaften Zusammenziehungen des Schließmuskels führen können. Sie sind wohl immer traumatischen Ursprungs (harte Kotballen oder Fremdkörper), oder im Anschluß an chronisches Analekzem, resp. bei Hämorrhoiden durch Jucken verursacht. Um die kleinen Fissuren zur Anschauung zu bringen, ist es unbedingt notwendig, die Analschleimhaut sorgfältig auseinanderzuziehen, bei einfacher Digitaluntersuchung werden sie übersehen. Der durch die kleinen Geschwüre oder Einrisse verursachte Schmerz wird sehr verschieden angegeben, manchmal nur in unmittelbarem Anschluß an die Defäkation, manchmal stundenlang anhaltend beim Sitzen. Die Behandlung größerer Fissuren ist eine chirurgische. Bei kleinen Fissuren kann

man adstringierende oder ätzende Mittel anwenden, z. B. Ichthyol, das
rein jeden zweiten Tag aufgetupft wird.

Führt dies in 10—14 Tagen nicht zum Ziel, so wendet man reine
Jodtinktur oder Höllenstein an. Vorher ist die Geschwürsfläche mittels
Novokain oder Adrenalin oder dgl. zu anästhesieren. Auch ist in diesem
Falle dafür zu sorgen, daß der Stuhl längere Zeit, 2—4 Tage, angehalten
bleibt. Neuerdings ist lokale Hochfrequenzbehandlung empfohlen.

Prolapsus ani (Mastdarmvorfall).

Am häufigsten kommt derselbe bei Kindern infolge starken Pressens,
bei Darmkatarrhen, ferner bei Phimosis, bei Blasensteinen; bei Erwachsenen in Verbindung mit Hämorrhoiden, bei Frauen besonders bei
Dammriß, schließlich im Verlaufe schwerer chronischer Obstipationen vor.
Zunächst stellt sich der Vorfall nur bei starkem Pressen infolge schweren
Stuhlganges, später schon bei Husten, Lachen usw. ein. Die aus dem Anus
hervortretende Mastdarmschleimhaut kann durch mechanische Insulte verändert werden; es treten Blutungen, katarrhalische Entzündungen auf,
welche schließlich zur Bildung einer derben Schleimhaut führen.

Die Therapie hat zunächst die Ursachen zu beseitigen. Der Prolaps
ist am besten in Knieellenbogenlage zu reponieren und durch geeignete
Bandagen (Esmarchsche Mastdarmträger) oder durch einfachen Heft-
pflasterverband, welcher die beiden Nates zusammendrängt, reponiert
zu erhalten. Man kann auch mit adstringierenden Lösungen, z. B. mit 1 pro-
zentigen Tanninlösungen, imbibierte Wattetampons in den Mastdarm
einführen. Sorge für leichten Stuhl verhindert das Wiederauftreten des
Prolapses. Jeder stärkere Mastdarmvorfall ist Gegenstand chirurgischer
Behandlung.

Enteroptose (Glénardsche Krankheit).

Man versteht unter Enteroptose eine Ptosis, ein Herabsinken der Baucheingeweide, nicht nur des Darmes, weshalb der Name Viszeralptosis
die genauere Bezeichnung darstellt. Es ist aber die Viszeralptosis ätiologisch wie symptomatisch kein selbständiges Krankheitsbild, wie Glénard angenommen hatte. Stiller hat vielmehr gezeigt, daß die
Senkung der Baucheingeweide nur ein Stigma, d. h. eine Teilerscheinung
einer allgemeinen Konstitutionsanomalie bedeutet, welche er als Asthenia
congenita universalis oder kürzer als Morbus asthenicus bezeichnet. Die Anlage der Asthenie tut sich schon beim Kinde deutlich
durch den asthenischen Habitus kund: dünnes, nur selten überlanges

150 Darmkrankheiten.

Skelett, herabgesunkener, langer und flacher Thorax, steil abfallende Rippen, breite Interkostalräume, spitzer Angulus epigastricus. Besonders bemerkenswert ist an diesem Thorax ein angeborenes Stigma, welches Stiller Costa decima fluctuans genannt hat. Es ist ein mehr oder minder großer Defekt des zehnten Rippenknorpels, wodurch die normaliter stark fixierte Spitze der zehnten Rippe frei und beweglich erscheint. Aus dem Grade des Defektes schließt Stiller auf den Grad der durch das Stigma sich verratenden Affektion. Bei höheren Graden von Asthenie ist auch die Spitze der neunten Rippe deutlich gelockert und die elfte und zwölfte normaliter schon fluktuierenden Rippen zeigen ein höheres Maß von Beweglichkeit als gewöhnlich. Dieser atonische Habitus entspricht der allgemeinen inneren asthenischen Konstitution, welche sich in der Schlaffheit aller Gewebe und in der Schwäche fast aller vegetativen Lebensfunktionen manifestiert.

Der Astheniker stellt einen besonderen Typus der menschlichen Gestalt dar, welcher auf den ersten Blick erkennbar ist: es sind stets anämische Personen mit langgestrecktem, grazilem Knochenbau, bei denen sich der Körper mehr in die Länge als in die Breite entwickelt hat, so daß der Thorax große Ähnlichkeit mit dem Habitus phthisicus darbietet, vielleicht auch einen Übergang dazu darstellt. Die Muskulatur ist schlaff und wenig entwickelt. Herz und Blutgefäße sind hypoplastisch, die Lungen groß und schlaff. Diese mangelhafte Entwicklung des Gesamtorganismus, die fast immer auf ererbter asthenischer Grundlage beruht, disponiert zu einer Reihe von Störungen, welche sich meist erst nach der Pubertät entwickeln und im Verein mit dem Habitus den Morbus asthenicus ausmachen, und welche erst dann auftreten, wenn die für den schwächlichen Organismus zu starken Anforderungen des alltäglichen Lebens gewissermaßen zu seiner Insuffizienz geführt haben. Stiller bezieht vier große Gruppen solcher Störungen zum Morbus asthenicus, die Enteroptose, die Dyspepsie, Neurasthenie und die Ernährungsstörungen. Hier ist nur die Pathogenese und Symptomatologie der Enteroptose zu besprechen, die oft genug für sich allein zur Beobachtung kommt, häufig aber mit den genannten anderen Gruppen in mehr oder minder großem Umfange vergesellschaftet ist.

Die Pathogenese der Ptosen liegt in der allgemeinen Schlaffheit sämtlicher Gewebe. Nicht nur die Ligamente sind erschlafft und oft kongenital verlängert, sondern auch die Gewebe des ganzen Magendarmkanals haben ihren Tonus verloren. Deshalb sinken die Organe nach abwärts, um so mehr, als sie auch an der atonischen Bauchwand nicht das nötige Gegengewicht finden. Es ist jedoch zweifelhaft, ob diese Erklärung eine zutreffende ist, ob nicht vielmehr das Wachstum, die Verbiegung des Thorax, die Ursache der enteroptotischen Erscheinungen ist, so daß also die verlängerten Ligamente nicht Folge primärer Schlaffheit derselben, sondern sekundär bedingt sind. Die Enteroptose ist wohl in letzter Linie das Produkt des gestörten intraabdominellen Gleichgewichts. Für die Erhaltung dieses Gleichgewichtes werden verschiedene Faktoren angenommen. Nach der einen Auffassung werden die Abdominalorgane von den Ligamenten und Mesenterien getragen, nach einer anderen werden die Organe ausschließlich durch den intraabdominellen Druck in ihrer Lage erhalten, während eine dritte Auffassung eine vermittelnde Stellung einnimmt: nur ein Bruchteil des Gewichtes der Bauchorgane werde von den Ligamenten getragen, in der Hauptsache werden sie durch den Luftdruck und die Adhäsion ihrer Flächen aneinander und an die Bauchwand gehalten. Der hydrostatische Druck jedoch hängt von der kräftigen Entwicklung des Thorax, von der elastischen Spannung der Lungen ab; je höher die Zwerchfellkuppe steht, ein desto größerer Teil der Baucheingeweide wird durch den Luftdruck im oberen, von knöcherner Wand umgebenen Abschnitt der Bauchhöhle festgehalten. Bei der ausgebildeten Enteroptose paart sich dann die Kleinheit des oberen Bauchhöhlenraumes mit dem anderen ungünstigen Momente der Insuffizienz der vorderen Bauchwand.

Speziell für die Wanderniere, einem häufigen Befund bei der enteralen Ptosis konnte der Zusammenhang derselben mit einem bestimmten Habitus des Körpers nachgewiesen werden. Becher und Lennhoff konnten geradezu einen charakteristischen Index angeben, welcher für die Dispositon der Nephroptose entscheidend ist, und welcher das Verhältnis der vorderen Rumpflänge zum Brustumfang ausdrückt. Bei gut genährten, voll entwickelten Individuen findet sich dieser Index oder ein noch ungünstigeres Zahlenverhältnis niemals, und dementsprechend auch keine Nephroptose. Man findet bei derartigen Individuen eine ganz charakteristische Form der Lendenregion, anstelle der normalen Kegelform stets Zylinderform der Lenden, dementsprechend besonders seichte Paravertebralnischen. Dafür, daß besonders die rechte Niere so häufig aus ihrer Lage gedrängt wird, tritt ein weiterer konstitutioneller Faktor: die aus der relativen Kleinheit des oberen Bauchhöhlenraumes resultierende Form der Leber, welche die Gestalt der sogenannten Steilleber annimmt. Die wachsende Steilleber kann in dem relativ zu kleinen oberen Bauchhöhlenraum der Engbrüstigen die rechte Niere aus den zu seichten Paravertebralnischen leicht nach abwärts drängen, während die gewöhnliche lange herabgeklappte Leber die rechte Niere, welch letztere an jener eine Impression hervorbringt, von unten umgreift und in situ erhält (Kraus). Die angeführten Beispiele zeigen, daß die anatomisch konstitutionellen Verhältnisse die alleinige Ursache der Viszeralptosis bilden können, welche sich im Gegensatz zu den Störungen des intraabdominellen Gleichgewichts durch Insuffizienz der muskelschwach gewordenen Bauchpresse (Hängebauch) trotz straffester Bauchwand gerade ungemein häufig bei dem genannten Habitus findet (Kraus).

Neben dieser konstitutionellen Enteroptose gibt es, freilich in verschwindender Minderheit, eine rein mechanische, wo multiple Geburten, Exstirpation großer Bauchtumoren, wiederholte Bauchpunktionen usw. ätiologisch wirksam sind (Hängebauch). Doch gilt auch für diese Ursachen, was zweifellos für die vielfach ursächlich für die Enteroptose angeschuldigte Schnürwirkung zutrifft, daß diese Momente häufig nur auslösende Momente bei konstitutioneller Anlage darstellen.

Symptomatologie. Es muß nochmals betont werden, daß nach der heute allgemein geltenden Anschauung die neurasthenisch-dyspeptischen allgemeinen Störungen, welche zum Bilde der Enteroptose gehören, nicht als Folge der Senkung der Bauchorgane aufzufassen sind, sondern koordinierte Zeichen allgemeiner Asthenie darstellen; denn es existieren zweifellos zahlreiche Individuen mit mehr oder minder schwerer Organptosis, bei denen die allgemeinen Störungen entweder fehlten oder beseitigt wurden, ohne daß die Ptosis beseitigt wurde, so daß ein ursächlicher Zusammenhang zwischen den beiden, wie ihn Glénard annahm, nicht existieren kann. Die Kranken können alle Beschwerden, wie wir sie bei anämischen, neurasthenischen Individuen finden, darbieten: allgemeine Mattigkeit, Schwächegefühl, Kopfschmerz, Appetitlosigkeit, Unlust; von seiten des Magens Achylie oder Hyperaziditätssymptome, daneben schwere, selbst bedenkliche Ernährungsstörungen, Stuhlverstopfung, Schleimkoliken, ferner Kreuzschmerzen oder verschiedene Interkostal- oder Lumbalneuralgien.

Von den objektiven Symptomen ist sehr bedeutsam der schon oben näher geschilderte Habitus: der Brustkorb ist schmal, langgestreckt, der Angulus epigastricus ist klein und spitz, die Interkostalräume breit und eingefallen. Für das Abdomen sind charakteristisch seine dünnen, schlaffen Wandungen, seine langgestreckte Form; der oberhalb des Nabels gelegene Teil ist eher etwas eingezogen, während die Senkung der Bauchorgane sich durch den stärker hervortretenden Unterleib dokumentiert. Die genauere Untersuchung stellt eine Senkung des Magens sowie des Querkolons, der Leber, der Niere und der Milz fest. Von den genannten Organen brauchen nicht alle eine Senkung aufzuweisen, doch kommt in manchen Fällen auch eine solche allgemeine Enteroptose vor. Am häufigsten zeigen sich Magen, Querkolon und rechte Niere verlagert. Die Lage des Magendarmkanals ist heute leicht vermittels des Röntgenverfahrens, die der Niere hauptsächlich durch Palpation festzustellen.

Die Therapie ist nach der geschilderten Auffassung von dem Wesen der Krankheit eine allgemeine. Sie hat den Kräfte- und Ernährungszustand zu heben und der atonischen Erschlaffung, besonders der Bauchdecken, entgegenzuarbeiten. Die diätetische Behandlung besteht in einer Mastkur, bei der unter Berücksichtigung der Ptosis des Magens und der Atonie der Bauchwände häufige kleine Mahlzeiten und eine möglichste Ruhelage indiziert sind. Geringe Grade der Gastroptose können durch eine Mastkur beinahe beseitigt werden, der Einfluß derselben auf das allgemeine Befinden ist oft überraschend, wenngleich die Enteroptose bestehen bleibt. Unterstützend wirkt die mechanische Behandlung, teils durch

Massage (Bauchmassage), teils durch Anlegen geeigneter Bauchbinden. Medikamentös werden die bekannten tonisierenden Mittel: Strychnin, Arsen, Chinin usw. verordnet. Daneben leichte Hydrotherapie.

Tierische Darmparasiten.

a) Bandwürmer (Cestodes).

Es kommen vor allem drei Bandwürmer in unseren Gegenden vor: 1. die Taenia saginata (mediocanellata), 2. die Taenia solium, 3. der Bothriocephalus latus. Der Mensch erwirbt die Bandwürmer durch Verschlucken der Finnen oder Zystizerken im entwicklungsfähigen Zustande, also durch Genuß von finnigem, nicht gekochtem Fleisch. Die Zystizerken stellen das weitere Entwicklungsstadium der Bandwurmeier vor, welche zu ihrer Entwicklung eines sogenannten Zwischenwirtes bedürfen. Dies ist für die T. saginata das Rind, für die T. solium das Schwein und für den Bothriocephalus latus der Hecht. Die eingekapselten Zystizerken werden von dem Magensaft des Menschen aufgelöst, die von der Schale befreite Finne entwickelt sich dann im Magendarmkanal zum Bandwurm. Eine Übertragung des Bandwurmes von Mensch zu Mensch findet nicht statt.

Symptome. Es kommt vor, daß ein Bandwurm jahrelang ohne jede Beschwerde zu verursachen, vom Menschen beherbergt und nur zufällig entdeckt wird, oder aber seine Anwesenheit verursacht allgemein dyspeptische Störungen: unregelmäßigen Stuhl, gelegentliche Leibschmerzen, auch wohl Erbrechen — als lokale Symptome — oder aber allgemeine Symptome, wie: Heißhunger, Blässe, Abmagerung, Abgeschlagenheit oder auch Appetitlosigkeit, Enuresis nocturna, Herzklopfen, Kopfschmerzen, auch epileptische Krämpfe, Pupillenungleichheit, Gehörsstörungen usw. usw. Als ein besonderes Symptom des Bothriocephalus ist die der perniziösen Anämie durchaus gleichende, sogenannte Bothriocephalusanämie zu nennen. Wahrscheinlich wirken nur einzelne Bothriocephalen in dieser Weise toxisch. Die Diagnose des Bandwurms wird durch den Nachweis der abgehenden Bandwurmglieder, Proglottiden, primo visu, oder bei Verdacht auf Bandwürmer durch den Nachweis ihrer Eier erbracht. Die Diagnose hat sich auch auf die Art des Bandwurmes zu erstrecken.

Die Taenia solium ist 2—3 m lang, der Kopf ca. 2 mm breit, er besitzt ein Rostellum, auf welchem ein Hakenkranz mit 20—30 Chitinhaken angeordnet ist, und 4 Saugnäpfe. Die einzelnen Glieder sind ca. 10 mm lang und 4—6 mm breit, die Geschlechtsöffnung ist seitlich, der

Uterus ziemlich grob verzweigt. Die Eier sind rundlich, von ca. 0,035 mm Durchmesser und tragen im Innern meist 6 Chitinhäkchen; die Schale ist dick und radiär gestreift.

Die Taenia saginata ist bedeutend länger als die vorhergehende, bis 6 m lang; der 2,5 mm breite Kopf trägt keinen Hakenkranz, aber vier kräftige Saugnäpfe. Die reifen Glieder sind 15—20 mm lang und 5—7 mm breit, der Uterus ist sehr feingablig, dichotomisch verzweigt. Die Eier, vielleicht etwas größer als die der Taenia solium, sind nur schwer von ihnen zu unterscheiden.

Der Bothriocephalus latus ist der längste der menschlichen Bandwürmer und 4—8 m lang, der Kopf ist länglich, 2,5 mm lang und 1 mm breit, ohne Hakenkranz und mit zwei spaltenförmigen Saugnäpfen. Die Glieder sind 10—18 mm breit und 3—5 mm lang. Der Uterus ist sternförmig. Die Eier sind oval und haben eine dünne Schale, die an einem Pole ein kleines Deckelchen zeigt. Das Innere erscheint maulbeerartig gefurcht.

Die Therapie. Da eine Bandwurmkur ein, wenn auch nicht gefährlicher, so doch nicht ganz indifferenter Eingriff ist, da ferner manche Patienten Darmschleim oder Speisereste für Bandwurmglieder ansehen, sollte eine Bandwurmkur nur verordnet werden, wenn der exakte Nachweis des Vorhandenseins eines Bandwurmes makro- oder mikroskopisch erbracht ist. Eventuell kann man versuchen, durch probatorische Rizinusgabe Bandwurmglieder zum Vorschein zu bringen. Die Bandwurmkur beginnt damit, daß man am Abend vor der eigentlichen Kur einen Heringssalat, welcher reichlich Zwiebeln und auch Knoblauch enthalten soll, nehmen läßt, in der Annahme, daß dadurch die Lebensfähigkeit des Bandwurms bereits beeinträchtigt, er gewissermaßen betäubt wird. Am nächsten Morgen wird das Wurmmittel, 6—8—10 g Extract. filicis. mar., am bequemsten in Gelatinekapseln als sogenanntes Helfenbergsches Bandwurmmittel, gegeben. 2—3 Stunden danach gibt man ein wirksames Abführmittel: Rizinusöl 2 Eßlöffel oder 1—2 Löffel Inf. sennae comp., q. reiteretur bis Wirkung erfolgt. Bei empfindlichen Personen empfiehlt es sich, das Bandwurmmittel in Geloduratkapseln zu geben. Kindern, welche keine Kapseln schlucken können, verordnet man das Extractum als Elektuarium, also je nach dem Alter 1—5 g Extract. filic. mar. mell. depur. q. s. u. f. f. electuarium, im Laufe einer Stunde zu nehmen.

Alle übrigen sogenannten Wurmmittel, Flor. Coso, Granatwurzel usw., sind unsicherer als der Farnkrautextrakt.

Ascaris lumbricoides (Der gemeine Spulwurm).

Die Übertragung geschieht ohne Zwischenwirt durch Verschlucken der Eier, welche sich im Darm zu Spulwürmern entwickeln. Die Eier, welche sich monatelang entwicklungsfähig erhalten, werden meistens mit Gemüsen; Früchten, Trinkwasser usw. aufgenommen. Die Askariden, welche für gewöhnlich den Dünndarm bewohnen, brauchen keinerlei Beschwerden zu machen, oder aber sie verursachen örtliche resp. allgemein toxische Symptome, letzteres besonders bei Kindern. Sie können hier eine ausgesprochene Ruhelosigkeit, eine starke Erregbarkeit, Ohnmacht, Schwindel, choreatische Bewegungen, Gehstörungen, selbst bis zu Krämpfen oder meningitischen Symptomen gehende Störungen bewirken. Die Spulwürmer sind ausgezeichnet durch ihre Neigung zum Wandern. So können sie in dem Ösophagus bis zu dem Pharynx hinaufkriechen, von da in den Larynx gelangen und gelegentlich zu Erstickungsanfällen führen, oder aber sie gelangen in den Ductus choledochus und führen zu einem schweren, selbst unheilbaren Ikterus oder zu einer Lebervereiterung, indem sie weiter in die Gallengänge eindringen. Die Anzahl der im Darme vorhandenen Spulwürmer kann erstaunlich groß sein, bis zu vielen Tausenden betragen; vereinzelt fand man sie zu einem großen Knäuel zusammengeballt, wodurch ein Ileus hervorgerufen wurde.

Die Diagnose der Askaris kann durch den Nachweis derselben gestellt werden. Die Tierchen haben Regenwurmgestalt und erscheinen von Zeit zu Zeit im Stuhl. Es ist jedoch ein diagnostischer Fehler, auf das Abgehen der Würmer zu warten, da die Diagnose jederzeit mit Leichtigkeit aus dem mikroskopischen Nachweis der Askarideneier zu stellen ist. Letztere sind gelbbraun, von runder oder ovaler Form, mit einem Durchmesser von 0,05—0,06 mm. Die Eiweißhülle, welche die Schale umgibt, ist eigentümlich unregelmäßig, buckelförmig oder wellig und meist durch Gallenfarbstoff dunkelbraun gefärbt.

Therapie. Die Behandlung besteht in Verabreichung von Santonin und Abführmitteln, z. B.

    103) Rp. Santonini
             Calomelanos āā 0,03—0,05
             Sacch. alb. 0,3
             MS. d. t. d. No. VI
             S. 2 mal täglich ein Pulver

156 Darmkrankheiten.

oder 104) Rp. Trochisci Santonini aa 0,05 No. VI
D. S. täglich 2 Plätzchen.
Am 3. Tage Inf. senn. compos. eßlöffelweise
bis Abführwirkung erfolgt.
(Rizinusöl ist zu vermeiden, weil sich Santonin in Ölen löst und resorbiert, Giftwirkungen [Gelbsehen] hervorrufen kann.)

Oxyuris vermicularis (Madenwurm).

Die Infektion erfolgt ebenfalls durch Verschlucken der Eier. Im Magensaft wird die Eihülle gelöst, im Dünndarm erfolgt ihre weitere Entwicklung zu Madenwürmern, welche·alsdann nach dem Dickdarm auswandern. Eine Vermehrung der sich im Darm begattenden Madenwürmer erfolgt jedoch nicht, da die Weibchen die Eier außerhalb des Afters ablegen, weshalb auch nur selten Eier im Stuhl gefunden werden. Die Symptome des ebenfalls hauptsächlich bei Kindern vorkommenden Wurmes bestehen vor allem in starkem Juckreiz, der sich besonders in der Bett-Wärme, da der Wurm hier leicht aus dem Mastdarm auswandert, geltend macht. Die Folge ist häufig Pruritus ani, intertriginöse Ekzeme, Vulvitiden, Neigung zur Masturbation, Schlaflosigkeit und deren sekundäre Folgen, wie Appetitlosigkeit, Anämie usw. Durch das Jucken kann auch sehr leicht wieder eine neue Selbstinfektion erfolgen.

Die Diagnose erfolgt durch den Nachweis der sehr leicht kenntlichen und reichlich im Stuhl vorhandenen Würmer. Der Oxyuris ähnelt gewöhnlichen Maden, das Männchen ist ca 4, das Weibchen ca. 10 mm lang.

Therapie. Bei der Behandlung, vor allem der Kinder ist auf die Gefahr der Reinfektion besonders zu achten. Da es kein eigentliches spezifisches Mittel gegen den Oxyuris gibt, verfährt man am besten zunächst folgendermaßen:

Die Kinder erhalten abends vor dem Zubettgehen ein möglichst großes Klistier von kaltem Wasser, Essigwasser, Knoblauchabkochung oder von Wasser mit Zusatz eines Teelöffels Aqua chlori, das ca. fünf Minuten zu halten ist. Danach sorgfältiges Abseifen des Afters und der Umgebung und ebenso sorgfältige Reinigung der Hände und Nägel des Kindes. Danach ein warmes Bad, worauf das Kind, mit einer reinen Leinwandhose, welche möglichst hoch nach oben und nach unten reicht, bekleidet, in möglichst frisch bezogene Betten gebracht wird. Die gleiche Prozedur wird an 3—5mal hintereinanderfolgenden Tagen wiederholt, in der Regel sind dann die Würmer abgetrieben. Eventuell kann auch

Santonin wie bei Askaris gegeben werden (cf. Rp. 102). Gegen den starken Juckreiz in der Aftergegend reibt man mit Petroleum oder auch grauer Salbe ein.

Ankylostomum duodenale (Dochmius duodenalis, der Palissadenwurm).

Dieser hauptsächlich in tropischen und subtropischen Gegenden weitverbreitete Wurm wurde in Mitteleuropa zuerst bei den Tunnelarbeitern am St. Gotthard in größerem Maßstabe bemerkt und kommt jetzt bei den Kohlenbergwerksarbeitern in Deutschland und Österreich vielfach vor. Die Infektion des Menschen erfolgt meist so, daß der Embryo, der im Wasser und feuchtem Boden lebt, mit dem Trinkwasser oder durch die verunreinigten Hände aufgenommen wird. Es können aber auch die Ankylostomumlarven (wahrscheinlich aktiv) in die Haut eindringen. Sie gelangen dann weiter durch das Venensystem in die Lungenkapillaren, von dort in die Alveolen, wandern dann weiter durch die Bronchien und die Trachea zum Pharynx und von dort in den Magendarmkanal. Dort erreicht ihre Entwicklung ihr Ende, der ausgewachsene Wurm lebt vorwiegend im Dünndarm, wo er vom Blut, vielleicht auch direkt von der Darmschleimhaut lebt.

Symptome. Die Anwesenheit von Ankylostomum führt häufig zu keinen krankhaften Symptomen, zu ihrer Auslösung muß eine größere Anzahl von Parasiten vorhanden sein. Dann bewirken die dauernden, wenn auch kleinen Blutverluste schließlich eine mehr oder minder schwere Anämie, welche schließlich das Krankheitsbild beherrscht. Es beginnen die krankhaften Erscheinungen etwa fünf Wochen nach der Infektion mit Magendarmstörungen, Schmerzen in der oberen Bauchgegend, Übelkeit, Erbrechen usw. Mit zunehmender Anämie treten die daher rührenden Erscheinungen, wie Herzklopfen, Kurzatmigkeit, bei fortgesetzter anstrengender Tätigkeit auch Herzerweiterung hinzu. Das Blut zeigt den Charakter der perniziösen Anämie (s. dort). Charakteristisch ist das Auftreten einer Eosinphilie wie bei der Trichinosis. Im Stuhl finden sich die Eier. Allmählich kommt es in unbehandelten Fällen zur Leber-, Milzschwellung, Aszites, Knöchelödemen. Werden hingegen die Würmer rechtzeitig entfernt, so erholen sich die Kranken ziemlich schnell.

Die Diagnose ist aus dem Nachweis der charakteristischen Eier zu stellen. Eventuell gebe man Thymol, wonach im Stuhl Eier und Parasiten auftreten. Die Eier sind 0,05 mm lang und 0,03 mm breit; sie besitzen eine deutliche Membran, sind von ovaler Form und zeigen im

Innern oft den unentwickelten Embryo (Furchungskugeln). Der männliche ausgewachsene Wurm ist 8—10 mm, das Weibchen 10—18 mm lang; der Kopf zeigt 6 Chitinfädchen.

Therapie. Die Hauptrolle spielt die Prophylaxe; Sorge für geeignete und regelmäßig zu desinfizierende Klosetts, ferner sind die Hände der Arbeiter vor den Mahlzeiten ordentlich zu reinigen.

Die Abtreibung der Würmer erfolgt durch Extract. fil. maris 8—10 g oder mit Thymol, zweistündlich 2 g, bis 10—15 g verbraucht sind. Einige Stunden danach ist ein Abführmittel zu geben. Nach Beseitigung des Wurmes (eventuell ist die Kur zu wiederholen) ist Eisen, Arsen wie bei Anämie anzuwenden.

Trichocephalus dispar (Peitschenwurm).

Die Übertragung erfolgt durch Verschlucken der embryonenhaltigen Eier mit Gemüse, Wasser, Obst oder Verunreinigungen an den Händen usw. Symptome dieses, sich vor allem im Coecum und Dickdarm des Menschen aufhaltenden Wurmes können, und zwar ist dies die Regel, vollkommen fehlen. In seltenen Fällen verursacht der Wurm anämische Symptome, Magendarmkatarrhe, vielleicht auch perityphlitische Erscheinungen (nicht selten findet man im Blinddarm massenhafte Ansammlung von diesen Würmern); auch reflektorische Reizerscheinungen, wie Krämpfe, Lähmungen usw. sind beobachtet worden. Die Diagnose ist nur aus den Eiern im Stuhl zu stellen. Dieselben zeigen ovale Form, sind von bräunlicher Farbe, haben eine doppelt konturierte Schale und an beiden Polen das charakteristische hervorspringende Deckelchen. Im Darm selbst kommen sie oft in ungeheurer Anzahl, bis zu 1000 Stück, vor. Die Vertreibung der Würmer ist sehr schwer. Man versucht die verschiedenen Anthelminthika, wie oben beschrieben (Thymol, Farnkraut usw.), eventuell Darmeinläufe mit Benzinwasser (1 Eßlöffel Benzin auf 1 l Wasser).

Die übrigen Darmparasiten, soweit sie nicht im ersten Bande unter den Infektionskrankheiten (Ruhr, Trichinosis) beschrieben sind, sind von geringem klinischen Interesse.

Krankheiten des Bauchfelles.

Bauchfellentzündung (Peritonitis).

Eine allgemeine Peritonitis — die lokalen Formen wie bei Perityphlitis, Cholecystitis, Perigastritis usw. sind in dem betreffenden Kapitel abgehandelt — kann (sehr selten) primär, idiopathisch (analog der rheumatischen Pleuritis, infolge hämatogener Infektion, z. B. bei Pneumonie und Scharlach) oder sekundär durch Infektion von einem anderen Organe aus auftreten. Bei der primären Peritonitis sind als Ursache vor allem traumatische Reize, als sehr seltene thermische zu nennen. Die sekundäre Peritonitis erfolgt durch Übergreifen der Entzündung von allen mit dem Peritoneum in Verbindung stehenden Organen aus. Der Vorgang ist meist der, daß von einem lokalen Entzündungsherd aus sich eine, zunächst zirkumskripte Peritonitis entwickelt, welche sich immer weiter ausbreitet, da die an der Grenze der Entzündung sich bildenden serofibrinösen Verwachsungen dem weiteren Vordringen der Entzündungsprodukte keinen Halt gebieten. Gelangt die Entzündung an die Radix mesenterii, so breitet sie sich von hier aus über das gesamte Peritoneum aus. Der Entzündungsweg kann aber auch ein anderer sein. Bei hochvirulenten Entzündungen (akute Appendizitis) erfolgt eine entzündliche Reizung entfernter peritonealer Stellen, die bis zum serösen Erguß führen (Früherguß). Dieser Früherguß kann restlos resorbiert werden oder zu fibrinösen Verwachsungen führen; es kann aber auch daraus direkt eine allgemeine Peritonitis entstehen.

Die Mikroorganismen, welche sensu strictiori die Peritonitis hervorrufen, sind je nach der Entstehung derselben verschieden. Bei der idiopathischen, hämatogenen Form findet man am häufigsten Streptokokken, ferner Staphylokokken, Diplokokken usw. Nach der sekundären intestinalen Infektion ist der zumeist beobachtete Bazillus das Bakterium coli, nicht selten in Reinkultur, aber häufig mit anderen, Staphylo-, Streptokokken, vermischt; seltener sind der Typhusbazillus, der Tuberkelbazillus, Influenzabazillus, Aktinomyces und andere die Ursache der Entzündung.

Pathologische Anatomie. Bei der akuten Peritonitis ist das Bauchfell diffus oder fleckig gerötet, die Darmschlingen sind aufgetrieben und mehr oder minder miteinander verklebt. Das sonst spiegelglatte Peritoneum ist getrübt infolge des Zugrundegehens des Epithels und der Bildung von Exsudat. Letzteres kann fibrinös mit wenig oder keiner Flüssigkeit gemischt oder serofibrinös, reineitrig, putrid oder hämorrhagisch sein.

Die Menge des Flüssigkeitsergusses ist äußerst wechselnd; sie beträgt unter Umständen bis zu 20 l und mehr. Bei Magen-Darmperforation ist das eitrig-jauchige Exsudat mit Nahrungsresten oder Fäzes gemischt, häufig findet sich dann auch freies Gas in der Bauchhöhle. — Mit Bezug auf die Ausbreitung der Peritonitis ist zu wissen, daß der gesamte Peritonealüberzug nicht eine einzige große Höhle darstellt, sondern daß die teils intraperitoneal, teils extraperitoneal gelagerten Bauchorgane durch ihre eigenartigen Beziehungen zur Radix mesenterii eine Menge von gesonderten Höhlen und Taschen bilden, die sich leicht von der Haupthöhle abschließen. Diese Haupt- oder größte Bauchfellhöhle, deren Entzündung das Bild der allgemeinen Peritonitis abgibt, ist diejenige, welche den Dünndarm enthält.

Symptome. Der Beginn der (meist sekundären) akuten diffusen Peritonitis ist ein verschiedener, je nach der primären Erkrankung, ob z. B. die Peritonitis einen vorher anscheinend ganz gesunden Menschen, wie man es bei der Perforationsperitonitis nicht selten sieht, trifft, oder ob, wie bei der puerperalen Peritonitis, dieselbe eine Fortsetzung oder Komplikation eines an sich schon schweren primären Leidens, wie der puerperalen Sepsis, darstellt; die Symptome wechseln, je nachdem die Peritonitis lokal (z. B. bei Appendizitis) oder von vornherein allgemein (septische Form) auftritt. Entsprechend sind die Prodromalerscheinungen, Schüttelfrost, Magendarmstörungen usw., mehr oder minder deutlich ausgesprochen. Das Hauptsymptom der Entzündung des Peritoneum parietale ist der Schmerz, der von kolikartiger Heftigkeit sein kann. Er wird am häufigsten in die Nabelgegend lokalisiert oder auch im ganzen Bauche empfunden. Er ist so heftig, daß der Patient jede leiseste Berührung des Bauches scheut, daß er in möglichst regungsloser Rückenlage daliegt, zur Entspannung des Bauches die Beine anzieht, daß er möglichst oberflächlich, kostal atmet, den Husten ängstlich unterdrückt, mit leiser Stimme spricht; trotz der Ruhelage treten nicht selten, wohl durch die Bewegung der Darmschlingen, plötzliche kolikartige Schmerzanfälle ein, die Bauchmuskeln sind reflektorisch stark gespannt. Diese Bauchdeckenspannung ist von pathognomonischer Bedeutung; sie ist als défense musculaire bei der Appendizitis als Zeichen lokaler Peritonitis beschrieben und ist bei der allgemeinen Peritonitis überall vorhanden. Nach kurzer Zeit wird das Abdomen aufgetrieben, die Bauchhaut glatt, faltenlos gespannt, der Puls ist beschleunigt, die Temperatur erhöht, bis 40° und mehr. Die Zunge, anfangs feucht und weiß, wird bei schwerer Peritonitis rot, trocken und rissig. Das Gesicht wird spitz, kühl, nicht selten schweißbedeckt, die Augen eingesunken, kurz, der Ausdruck kollapsartig. Fast stets besteht Erbrechen, das bald einen galligen Charakter annimmt. Häufig tritt quälender Singultus auf. Die objektive Untersuchung des meteoristisch aufgetriebenen Leibes ergibt überall, anfangs tieferen, später hellen tympanitischen Klang, die Leber- und Milzdämpfung verschwindet, das Zwerchfell ist hochgetrieben, so daß die Lungenabdomengrenze an der vierten Rippe steht und der Herzspitzenstoß bis in den dritten oder vierten Interkostalraum nach links außerhalb der Mamillarlinie verlagert ist. Manchmal hört oder fühlt man ein peritonitisches Reibegeräusch. Exsudat ist häufig an den abhängigen Partien (leiseste Perkussion) nachzuweisen, besonders dann, wenn es in größerem Umfange abgesackt ist. Schreitet die Erkrankung fort, so nimmt der Meteorismus als Zeichen zunehmender Darmlähmung (paralytischer Ileus) zu. Die anfangs vorhanden gewesenen Darmbewegungen und Darmgeräusche (Kollern usw.) verschwinden, es gehen keine Blähungen mehr ab, der Puls wird unregelmäßig, die Atmung oberflächlicher und beschleunigter, es kommt zu dem ausgesprochenen Krankheitsbilde des Ileus (s. dort).

In anderen Fällen überwiegt der septische Charakter vor den Symptomen des Ileus. Hier treten in der Regel schwere Erregungs- und Unruhezustände, die sich bis zu Delirien steigern können, auf, oder aber es setzt ein frühzeitiges Koma ein.

Die Dauer der Peritonitis ist sehr verschieden; sie kann in wenigen Tagen, selbst Stunden, tödlich verlaufen, doch kann sich die Krankheit auch über Wochen erstrecken und so aus dem akuten und subakuten Krankheitsbilde ein chronisches werden.

Geht die Peritonitis in Heilung über, so kommt es meistens zu einer Abkapselung des Exsudates, welches schließlich durch Resorption mehr oder minder vollkommen verschwindet. Es können aber auch analog der pleuritischen Schwartenbildung weitgehende Verwachsungen der Därme auftreten, welche zu schweren Stuhlverstopfungen und allgemeinen Verdauungsstörungen führen. Die gebildeten Stränge bilden eine stete Gefahr für eine Abknickung des Darmes, so daß man nicht selten danach Ileus auftreten sieht.

Einzelne Formen der Peritonitis, welche durch ihren Erreger gekennzeichnet sind, zeichnen sich durch einen eigentümlichen Verlauf aus, so die Pneumokokkenperitonitis, welche besonders bei Kindern vorkommt, sowohl primär (die sogenannte refrigeratorische Peritonitis), als auch nach Otitis media u. a. Sie beginnt sehr stürmisch mit Erbrechen, Fieber, Leibschmerzen, Diarrhöen. Meist lassen die stürmischen Erscheinungen schnell nach, und es zeigt sich ausgesprochene Neigung des Exsudates, sich abzukapseln und am Nabel durch die Haut oder wohl auch durch die Scheide, die Harnblase oder andere Organe durchzubrechen und so zur Spontanheilung zu führen.

Die gonorrhöische Peritonitis beim Weibe ist ebenfalls durch eine relativ gute Prognose ausgezeichnet. Die Erkrankung geht vom Uterus oder den Adnexen aus, der Schmerz und die Bauchdeckenspannung ist dementsprechend häufig auf die Unterbauchgegend beschränkt. Die Doppelseitigkeit dieser Symptome schützt vor der Diagnose der Appendizitis, mit der sie sonst bei dem stürmisch einsetzenden Verlaufe leicht verwechselt werden kann. — Die übrigen von den Beckenorganen des Weibes ausgehenden Peritonitiden, die P. puerperalis und andere, die von Salpingitiden ausgehen und durch Staphylokokken verursacht werden, sind viel ernster und ungünstiger.

Die akuten zirkumskripten Peritonitiden sind schon aus dem Grunde hier zu besprechen, weil sie nicht selten den Ausgang einer allgemeinen Peritonitis bilden.

Der subphrenische Abszeß.

Man versteht darunter eine abgekapselte Eiteransammlung zwischen Leber und Zwerchfell oder zwischen Milz und Magen und Zwerchfell linkerseits. Sie entstehen durch die Fortleitung eitriger Prozesse im Magendarmkanal oder solcher der Pleura resp. des Perikardiums. Auch Abszesse der Lunge, Gangrän der Lunge oder Echinokokken daselbst können zu einem subphrenischen Abszeß führen. Endlich bedingen Perforationen der Nachbarorgane, also besonders von Magen, Duodenum, Pankreas, Kolon aus abgesackte Abszesse im sogenannten kleinen Peritoneum. Es kommt dann meist unter Gasentwicklung zum sog. Pyopneumothorax subphrenicus.

Das kleine Peritoneum wird begrenzt vom Omentum gastro-hepaticum, dem vorderen Blatte des großen Netzes; nach unten von der oberen Schicht des Mesokolon transversum, von der Flexura hepatia bis zur Flexura lienalis; nach rückwärts endlich bekleidet das Peritoneum das Pankreas.

Für die Entstehung des subphrenischen Abszesses kommen aber nicht nur die erkrankten Nachbarorgane des kleinen Peritoneums in Betracht, sondern auch Eiterungen entfernter liegender Organe, so vor allem des Blinddarms, ferner der Nieren, des Nierenbeckens usw. Wahrscheinlich führen von allen diesen Organen Lymphwege in den genannten peritonealen Raum.

Die Symptome des subphrenischen Abszesses wechseln je nach der Ursache seiner Entstehung. Bei Perforationen eines Ulcus ventriculi oder duodeni ist der Beginn ganz plötzlich mit heftigen Schmerzen in der Oberbauchgegend, Erbrechen, Schüttelfrost usw. Bei dem mehr chronischen Einsetzen von fortgeleiteten fibrinös - eitrigen Entzündungen aus braucht die Bildung des subphrenischen Abszesses zunächst nicht besonders im Symptomenkomplex der schon vorhandenen Krankheit aufzufallen, allmählich entwickelt sich das typische remittierende septischpyämische Fieber, die Kranken magern ab, kommen herunter; meist wird über dumpfe Schmerzen in der Gegend des Abszesses geklagt. Da auch im Laufe der Zeit die Pleura diaphragmatica zum mindesten in Mitleidenschaft gezogen wird, so fehlen die Zeichen einer Pleuritis diaphragmatica nicht (s. Bd. 1, S. 302). Im weiteren Verlaufe kann der Abszeß nach oben durch die Lunge durchbrechen und der Eiter expektoriert werden; oder es kommt zu einem Empyem. Wird durch den wachsenden Abszeß die Zwerchfellkuppe emporgehoben, so entstehen die physikalischen Zeichen eines Empyems. Bei starker Gasentwicklung kann ein erhebliches Empordrängen des Zwerchfelles die Folge sein; entsprechend ist dann der Lungenschall nicht gedämpft, sondern er bietet die Zeichen des Pyopneumothorax (Metallklang bei der Stäbchenplessimeterperkussion, Succussio Hippocratis). In den Fällen, in denen der gashaltige Eiterherd hinter oder über dem Magen, aber noch in Kommunikation mit demselben steht, gewährt das Röntgenbild des wismutgefüllten Magens oft eine sichere Entscheidung.

Der Verlauf ist ein ungünstiger, wenn nicht ein chirurgisches Eingreifen möglich ist. Die Behandlung ist eine rein chirurgische.

Die im Gefolge der Perityphlitis auftretende lokale Peritonitis ist daselbst abgehandelt. Wie die Entzündung des Wurmfortsatzes, so können die Entzündungen aller übrigen Bauchorgane eine lokale serofibrinöse Entzündung des Peritoneums hervorrufen. Man spricht dann je nach dem betroffenen Organ von einer Perihepatitis, Perigastritis usw. Die dadurch bewirkten Symptome, wie Schmerzen, Fieber sind nicht immer leicht von dem Grundleiden abzugrenzen. Die lokale Erkrankung offenbart sich durch eine zirkumskripte Druckschmerzhaftigkeit, ev. durch Reibegeräusche, Headsche Zone usw.

Die Therapie ist die des Grundleidens, im übrigen symptomatisch: Ruhe, kalte oder heiße Umschläge, bei heftigen Schmerzen Morphium.

Diagnose. Die Diagnose der allgemeinen akuten Peritonitis ist in der Regel nicht schwierig. Die Auftreibung und Druckempfindlichkeit des gesamten Leibes, das Fieber und die sonst auftretenden Symptome, die Muskelspannung, die Beschaffenheit des Pulses geben ein ziemlich charakteristisches Bild. Im Beginn der Erkrankung können Verwechslungen vorkommen mit Magen- oder Darmkolik. Hier pflegt im Gegensatz zur Peritonitis Druck die Schmerzen zu lindern. Die Auftreibung ist mehr lokalisiert, bei längerer Beobachtung wird eine Verwechslung stets zu vermeiden sein.

Das Bild des sogenannten hysterischen Meteorismus kann dem der echten Peritonitis täuschend ähneln; selbst in Fällen, wo die übrigen Stigmata der Hysterie vorhanden sind, kann die Differentialdiagnose Schwierigkeiten bereiten, so daß der hohe Puls, das Erbrechen und die anderen kollapsähnlichen Symptome schon eine Probelaparotomie verursacht haben.

Der akute Darmverschluß (Ileus) ohne Peritonitis zeigt viele Symptome, welche denen der Peritonitis gleichen. Charakteristisch für den Ileus ist das fäkulente Erbrechen, der lokale Meteorismus. Die Pankreasfettgewebsnekrose, die akut einsetzt, kann unter den gleichen stürmischen Erscheinungen wie die akute Peritonitis auftreten und eine Differentialdiagnose vollkommen unmöglich machen (s. daselbst).

Mit der Diagnose: Peritonitis ist die diagnostische Aufgabe des Arztes nicht erschöpft; es handelt sich stets darum, die Ursache der Bauchfellentzündung festzustellen, um, wenn noch möglich, auf chirurgischem Wege die Quelle der Eiterung (Appendizitis, Perforationsperitonitis, Ovariitis usw.) zu verstopfen.

Therapie. Die diffuse eitrige Peritonitis ist Gegenstand der chirurgischen Behandlung, welche so früh wie möglich einzusetzen hat. Ist der Allgemeinzustand ein derartiger, daß ein chirurgischer Eingriff nicht mehr ausführbar ist, so ist, wenn der paralytische Ileus ausgebildet ist, eine Hormonalinjektion zu machen. Es gelang bereits in einigen Fällen durch Beseitigung der Darmparalyse, die akute Gefahr zu beseitigen und das Exsudat zur Abkapselung zu bringen. Stehen die septischen Erscheinungen im Vordergrunde, so ist die übliche exzitierende Behandlung (Kampfer-, Adrenalin-, Kochsalzinfusionen usw.) anzuwenden; an Stelle der Kochsalzinfusionen kann man die Wernitzsche Darmirrigation (tropfenweises Einlaufenlassen einer Kochsalz- oder 5prozentigen Zuckerlösung) vornehmen. Gegen die Sepsis intramuskuläre Injektion von Argatoxyl; intravenöse Kollargolininjektionen usw. (s. Bd. I). Um die Abkapselung des eitrigen Ergusses zu begünstigen, ist eine absolute Ruhelage des Kranken erforderlich. Gegen die Schmerzen, das Erbrechen,

Aufstoßen wird Morphium nicht immer zu entbehren sein. Eventuell ist seine darmlähmende Wirkung durch erneute Hormonaleinspritzung zu paralysieren. Bei gefahrdrohendem, die Atmung behinderndem Meteorismus ist eine Punktion der Därme mit feiner Troikartnadel empfohlen. Magenausspülungen führen häufig besser zum Ziel. An Stelle oder besser neben dem Hormonal wird auch Physostigmin gegeben (s. S. 134). Solange die Kranken erbrechen, ist jede Nahrungszufuhr per os zu vermeiden (rektale oder subkutane Ernährung). Später vorsichtigste reizloseste Ernährung!

Chronische diffuse Peritonitis.

Diese Form entwickelt sich in sehr seltenen Fällen aus der akuten Peritonitis. Weiter kommen ätiologisch Tuberkulose, Krebs, Schrumpfniere, Leberzirrhose, Alkoholismus, Syphilis in Frage. Man kennt eine sogenannte idiopathische Form, deren Ursache also unklar ist, und die am häufigsten bei jungen Mädchen beobachtet wird, so daß man entzündliche Veränderungen an den Sexualorganen mit der Peritonitis in ursächliche Beziehung bringt. Das alkoholische, zirrhotische, nephritische, peritonitische Exsudat entsteht meist auf der Grundlage eines einfachen Transsudates (Aszites), welches sich sekundär (infolge häufiger Punktionen u. dgl.) zum Exsudat umbildet.

Pathologische Anatomie. Das Exsudat ist von seröser oder fibrinöser Beschaffenheit; bei den aus der akuten Form entstandenen Peritonitiden findet man wohl auch noch abgesackte Eiterherde. Das Peritoneum kann spiegelnd sein oder auch Verdickungen, Schrumpfungen und eine Reihe bindegewebsartiger Verwachsungen zeigen, welche große Mengen Darmschlingen zu einem großen Konvolut vereinigen. Infolge dieser Verdickungen und Verkürzungen des Peritoneums hat man diese Form auch als Peritonitis difformans bezeichnet.

Symptomatologie. Die aus der akuten Form entstehende chronische Peritonitis weist im Prinzip dieselben Symptome wie erstere, nur in abgeschwächtem Maße auf. Da jederzeit Exazerbationen auftreten können, kann das Krankheitsbild vorübergehend dem der akuten Form (s. oben) gleichen.

Bei der idiopathischen Peritonitis macht sich als erstes objektives Symptom das allmähliche Anwachsen des Leibes bemerkbar. Die fibrinösen Schwarten imponieren als Tumoren beim Betasten des Leibes. Die Kranken klagen über Appetitlosigkeit, hie und da Erbrechen, selten über Schmerzen. Der aufgetriebene Leib verursacht zunehmendes Druckgefühl und Beklemmungen. Das Fieber ist unregelmäßig, kann auch ganz fehlen.

Es besteht Verstopfung, häufig auch Durchfall. Die Kranken magern ab und sind auffallend anämisch. Der Verlauf ist im allgemeinen allmählicher Übergang in Siechtum; selten kommt es bei der idiopathischen Form zur spontanen Ausheilung. Bei den übrigen Formen ist das Grundleiden von entscheidender Bedeutung. Bei der aus der akuten Form entstehenden chronischen Peritonitis bedingen häufig die Rezidive septikopyämische Erscheinungen mit letalem Ausgang, oder aber die chronischeitrigen Prozesse führen durch Erschöpfung und chronisches Siechtum zum Tode. In anderen Fällen organisieren sich die Exsudate und führen durch Ab- oder Einschnürungen von Darmschlingen zu mehr minder schweren Symptomen; auch vollkommene Ausheilungen kommen vor.

Eine andere klinische Form bildet die chronisch-exsudative Peritonitis auf der Grundlage von Leberzirrhose, Alkoholismus, Schrumpfniere, Syphilis. Hier führt der chronische, manchmal sehr starke Aszites, der häufige Punktionen notwendig macht (s. unter Aszites), zur chronischen Bauchfellentzündung, dessen Symptome hinter denen der Bauchwassersucht verschwinden. Zeitweilig deuten auftretende Schmerzen auf den entzündlichen Prozeß hin, zuweilen, bei allmählicher oder durch Punktion herbeigeführter Verminderung des Exsudates treten Reibegeräusche auf; das ursprünglich reine Transsudat kann einen mehr exsudativen Charakter annehmen (s. Bd. I, S. 308).

Eine gesonderte Stellung nimmt die tuberkulöse Peritonitis ein. Die im Anschluß an eine Miliartuberkulose auftretende Form soll als nicht selbständiges Krankheitsbild hier nicht näher besprochen werden, ebensowenig die zirkumskripte tuberkulöse Peritonitis. Hier handelt es sich um die diffuse tuberkulöse Peritonitis. Meist besteht Lungentuberkulose, welche durch Verschlucken des Sputums zu einer Darmtuberkulose geführt hat. Von dort aus werden die Lymphgefäße der Serosa infiziert, und die Tuberkelbazillen dringen in das Peritoneum ein. Es kann aber die Infektion wohl auch von den Lymphdrüsen oder von anderen Organen aus erfolgen. Pathologich-anatomisch unterscheidet sich die chronische tuberkulöse Peritonitis von den übrigen Formen durch die Eruption submiliarer oder größerer Tuberkelknoten, welche sekundär ein seröses oder serofibrinöses oder serohämorrhagisches Exsudat hervorgerufen haben, sowie durch die ausgesprochene Neigung zur Schwartenbildung und Schrumpfung. Die mit Tuberkelknötchen durchsetzten Schwarten stellen nicht selten beträchtliche Knoten dar. Derartige tuberkulöse Tumoren bilden sich besonders häufig am Netz und in der Ileozökalgegend (Ileozökaltumor). Diesen Veränderungen entsprechend, die sich in mannigfaltiger Kombination vorfinden, beobachtet man bei der peritonealen Tuberkulose entweder große Exsudate mit starker Ausdehnung des Leibes und Meteorismus, welche jede genauere Palpation unmöglich machen, oder aber abgesackte Exsudate und daneben oder auch allein die besprochenen tuberkulösen Tumoren, welche unter Umständen einen perityphlitischen Tumor vortäuschen können. Sie können ziemlich symptomenlos verlaufen oder erst durch Kompression eines Organes, z. B. des Gallenganges, der Lebergefäße, eines Darmabschnittes zu entsprechenden Störungen führen. Die selten fehlende Lungentuberkulose weist von vornherein auf den tuberkulösen Charakter der Peritonitis hin. Die Symptome entsprechen denen der chronischen Peritonitis; Fieber, Schmerzen, Diarrhöe können vollkommen fehlen. Trotzdem schreitet die Entkräftung dauernd fort. Die Erkrankung betrifft hauptsächlich Kinder und jugendliche Erwachsene. Die Diagnose ist nicht schwierig bei vorhandener anderweitiger Tuberkulose. Ist nur oder vorwiegend nur eine tuberkulöse Tumorbildung vorhanden, so können differentialdiagnostische Schwierigkeiten mit Lymphombildung, Hodgkinscher Krankheit usw. entstehen. Es ist wichtig zu wissen, daß bei der intestinalen Tuberkulose erhebliche tuberkulöse Mesenterialdrüsenschwellungen vorkommen können. Gegenüber den eben genannten Erkrankungen ist unter Umständen das Blutbild von entscheidender Bedeutung.

Die chronische adhäsive Peritonitis ist eine besondere, seltene Form der chronischen Bauchfellentzündung; sie findet sich nur in Gemeinschaft mit der chronisch-adhäsiven Perikarditis. Man nimmt an, daß es sich um eine allgemeine Serositis handelt, bei welcher die Leberserosa besonders stark verdickt und schwielig entartet ist. Man hat diese Form deshalb auch als Zuckergußleber und als perikarditische Pseudoleberzirrhose beschrieben. Die Ätiologie dieser Erkrankung ist noch nicht klargestellt, vielleicht ist der Zusammenhang zwischen der Perikarditis und der Zuckergußleber in einer Verengerung der Vena cava inf. oder einer Entzündung, die vom Perikard fortgeleitet ist, zu sehen.

Die diffuse chronische adhäsive Peritonitis findet sich nicht nur bei der tuberkulösen, sondern auch bei der karzinomatösen Bauchfellentzündung, bei Lues, und häufig nach Traumen. Sie kann ziemlich symptomenlos verlaufen, andererseits kann sie eine Unmenge von abdominalen Leiden vortäuschen, je nach dem Sitz der Verwachsungen und den dadurch bedingten funktionellen Störungen. Bei Abschnürungen oder

Verwachsungen mit dem Magen, wobei die Symptome von Magenulcus resp. Magentumor vorgetäuscht werden, vermag unter günstigen Umständen das Röntgenbild Aufklärung zu geben. Schwieriger sind die Differentialdiagnosen, wenn die Gallenblase in Mitleidenschaft gezogen ist, wenn Darmstrikturen bestehen oder wenn durch irgendwelche Adhäsionen anderer Organe Symptome, wie Nierenkoliken, oder wenn anscheinend neurasthenische Schmerzen vorgetäuscht werden. Da die peritonitischen Adhäsionen nicht nur dem Kranken große Beschwerden verursachen, sondern, wie oben geschildert, auch zum Ileus Veranlassung geben können, so ist eine sichere Diagnose besonders für die Prognose von großer Bedeutung.

Die karzinomatöse Peritonitis gleicht klinisch durchaus der tuberkulösen Form. Neben der Exsudation besteht eine ausgesprochene Tumorbildung, und zwar sind es meist massenhafte kleine Tumoren, welche sich auf dem ganzen Peritoneum, insbesondere auf dem Mesenterium ausbreiten. Die peritoneale Karzinose ist selten primär, sondern meist von größeren Nachbarorganen, Magen, Darm, Eierstöcken usw. weiter fortgeleitet. Der Verlauf ist ein schnellerer als bei der Tuberkulose, die Kachexie eine ausgesprochene. —

Die Therapie der chronischen Peritonitis ist eine tonisierende, exspektative. Bei den Formen, bei denen es sich darum handelt, die Resorption des Exsudates zu fördern und die Schwartenbildung günstig zu beeinflussen, kann man versuchen, durch systematische Einreibungen mit Schmierseife (Schmierseife, Vaselin āā) die spontanen Heilungsvorgänge zu unterstützen. Auch Moor-, Fangoumschläge, Heißluftbehandlung nach Bier, innerlich Jodkali oder Jodeisensirup sind indiziert. Bei nachweisbaren Verwachsungen ist die operative Behandlung am Platze, bei kleineren Adhäsionen kann wohl Fibrolysin versucht werden. Im übrigen ist die Behandlung symptomatisch, Regelung des Stuhls, bei Schmerzen Belladonna, Opium.

Bei der tuberkulösen Peritonitis ist die Laparotomie empfohlen worden unter der Annahme, daß das Sonnenlicht die Tuberkulose des Peritoneums zur Heilung bringt. Ein sicherer Erfolg ist danach jedoch nicht zu erwarten. Bei den bösartigen Peritonitiden ist die Therapie rein symptomatisch: Morphium usw. Bei der Zuckergußleber ist die Talmasche Operation (Annähung des Netzes an die Bauchwand), um den serösen Abfluß aus der Bauchhöhle zu erleichtern, hier und da mit Erfolg angewandt worden.

Aszites (Bauchwassersucht).

Man versteht unter Ascites die Ansammlung von flüssigem, frei-beweglichem Transsudat in der Bauchhöhle. Der seröse Erguß kann zustande kommen als Folge einer allgemeinen oder lokalen Stauung. Im ersteren Falle, bei der Herzinsuffizienz der Herz- und Lungenkranken und der Nephritiker ist der Ascites nur eine Teilerscheinung der allgemeinen Wassersucht. Bei den lokalen Stauungsursachen handelt es sich in der Regel um Störungen im Pfortaderkreislauf (Leberzirrhose, Pfortader-thrombose oder äußerer Verschluß durch die Pfortader durch Ge-schwülste usw.). Ferner gibt es noch einen Ascites, der auf krankhafter Durchlässigkeit der Blutgefäße beruht, der also bei allgemeinem Marasmus, auch bei Nephritis und nach schwerem Blutverlust beobachtet wird. Eine besondere Form des Ascites ist der sogenannte Ascites chylosus, welcher durch Eintreten von Lymphe in die Bauchhöhle (Zerreißung eines Chylusgefäßes oder Lymphstauung) zustande kommt.

Die Ascitesflüssigkeit ist von heller bernsteingelber bis grünlichgelber Farbe, meist vollständig klar, bisweilen freilich ohne besonders nach-weisbare Ursache leicht getrübt und zeigt spontane Gerinnung. Das spezifische Gewicht ist unter 1015, der Eiweißgehalt unter 3%, während bei entzündlichen Ergüssen das spezifische Gewicht entsprechend dem höheren Eiweißgehalt ein höheres ist. (Siehe Bd. 1, S. 308, Unterschied zwischen Trans- und Exsudat.) (Der chylöse Ascites hat ein milchiges Aus-sehen durch Fettbeimengung.) Ein ähnliches Aussehen bietet der soge-nannte Ascites adiposus (Quincke), bei welchem der Fettgehalt durch das Zerfallen fettig degenerierter Zellen (wie bei bösartigen Geschwülsten des Peritoneums) hervorgerufen wird. Die mikroskopische Untersuchung läßt den chylösen und adipösen Ascites leicht unterscheiden.

Bezüglich der zytologischen Untersuchung siehe Bd. 1, S. 308: auch hier spricht wie bei der Pleuritis Polynukleose des Sedimentes für einen akuten und Lymphozytose für einen tuberkulösen Prozeß.

Symptomatologie. Der Ascites ist nur ein Symptom, keine Krankheit sui generis. Der Nachweis größerer Mengen von freiem Ascites ist leicht durch das Gefühl der Fluktuation zu erbringen, sowie durch den Nachweis von Dämpfung an den abhängigen Partien des Bauches. Um ganz geringe Mengen freien Ergusses nachzuweisen, läßt man den Kranken mit heraushängenden Beinen aufsitzen und perkutiert mit den Fingern der rechten Hand die Lumbalmuskeln, während die linke über die Symphyse aufgelegt, die Fluktuation fühlt. Die Untersuchung auf Verschieblichkeit der Flüssigkeit bei Lagewechsel entscheidet darüber, ob dieselbe frei beweglich (Ascites) oder abgesackt resp. eingeschlossen (z. B. Ovarialzysten) ist.

Je mehr der Ascites zunimmt, um so stärker wird die Bauchhaut gespannt, der Nabel verstreicht, um schließlich sogar halbkugelig vorgetrieben zu werden. Bei allgemeinem Anasarka ist auch die Bauchhaut ödematös durchtränkt, und besteht die Ursache des Ascites in einem Hindernis im Pfortaderkreislauf, so wird dasselbe durch den steigenden Ascites vergrößert, es entstehen mehr oder minder reichliche venöse Kollateralen auf der Bauchhaut (Caput medusae). Entwickelt sich zuerst der Ascites und erst später Ödeme an den Beinen, so kann man meist mit Recht annehmen, daß ein Hindernis im Pfortaderkreislauf besteht, während bei kardialen Stauungen zuerst die Schwellung der Füße einzutreten pflegt.

Mit ansteigendem Ascites macht sich ein zunehmendes Gefühl von Fülle, von Beengung für den Kranken bemerkbar. Der Hochstand des Zwerchfells erschwert die Atmung, besonders nach den Mahlzeiten. Schmerzen pflegen in der Regel nicht zu bestehen.

Die Diagnose hat die Ursache des Ascites festzustellen, ferner ob es sich um ein Trans- oder Exsudat handelt. Ersteres ist bei starkem Ascites nicht immer möglich, bis der Ascites durch Punktion abgelassen ist. (Die Diagnose der in Frage kommenden Krankheiten siehe bei denselben.)

Wächst der Ascites übermäßig an, so ist eine Punktion vorzunehmen. Man braucht bei der Geringfügigkeit des Eingriffs, und bei der großen Erleichterung, den dieselbe schafft, nicht zu warten, bis bedrohliche Erscheinungen auftreten, sondern kann die Punktion häufig und relativ frühzeitig ausführen. Jüngst ist empfohlen, durch Liegenlassen eines Gummidrains, also durch eine Dauerdrainage die häufigen Punktionen zu ersetzen. Durch Beseitigung des Exsudates vermindert sich die Spannung, die Dyspnoe; auch die Herztätigkeit und damit die Diurese, werden verbessert; bei Leberzirrhose werden manchmal Erfolge für längere Zeit erzielt.

Die Parazentese wird über sicher nachgewiesenem Exsudat in der Mitte des Bauches zwischen Nabel und Symphyse vorgenommen, die Bauchhaut daselbst mittels Jodtinktur desinfiziert, der Kranke in halbsitzende Stellung gebracht; seitliche Kompression des Bauches erhöht die Spannung des Leibes, so daß an die Punktionsstelle sicher reichliche Flüssigkeit hingeschafft wird. Der nicht zu dünne (5—6 mm dicke) Troikart wird fest in die Faust genommen, und mit einem kurzen Druck in die Bauchwand eingestoßen. (Eventuell nach lokaler Anästhesie durch Äthylchlorid.) Man unterbricht das Abfließen der Flüssigkeit von Zeit zu Zeit durch Verschließen der Troikartöffnung, sorgt für geeignete Analeptika, damit der Kranke nicht ohnmächtig wird (Wein, heißen Kaffee usw.). (Eventuell muß unter Tieflegen des Kopfes die Punktion unterbrochen werden.) Der seitliche Druck auf die Bauchwand durch den Assistenten verhindert eine Luftaspiration, die im übrigen nach den heutigen Erfahrungen nicht so sehr zu fürchten ist. Nachdem alle Flüssigkeit entleert ist (bei Verlegung der Kanüle durch Netz oder Därme wird dieselbe ein wenig hervorgezogen oder in ihrer Lage verändert), wird der Troikart mit einem schnellen Ruck herausgezogen und die Öffnung mittelst Heftpflasters verklebt. Es empfiehlt sich, nach der Punktion einen den Bauch komprimierenden Handtuchverband anzulegen. Diuretika, welche vor der Punktion kaum wirken, sind im allgemeinen in den ersten Tagen nachher von ausgezeichnetem Nutzen. Nach Wiederansammlung der Flüssigkeit kann die Punktion unbeschadet wiederholt werden, eventuell Dauerdrainage, s. o.

Geschwülste des Peritoneums.

Neben den schon erwähnten bösartigen tuberkulösen und karzinomatösen Geschwülsten des Bauchfells, welche stets mit einer Peritonitis vergesellschaftet sind, kommen auch gutartige Geschwülste, wie Fibrome, Myxome, Myome, Lipome vor, welche gelegentlich eine ziemliche Größe erreichen und entweder einen zufälligen Befund bei der Palpation bilden oder durch ihre Lage, Kompression bestimmter Organe, wie des Magens, oder durch Verwachsung mit Organen Beschwerden verursachen, so besonders versprengte Uterusmyome. Zu nennen sind noch die ziemlich seltenen Echinokokken. Dieselben stammen in der Regel von Leberechinokokken infolge Platzens einer Zyste oder nach Punktion einer solchen, wobei es zu einer peritonealen Aussaat kommt; doch beobachtet man auch selbständige Peritonealechinokokken. Auch Zystizerken sind in der Bauchhöhle gefunden worden. Die Behandlung aller dieser Geschwülste, Neubildungen und Parasiten ist eine chirurgische.

Leberkrankheiten.

1. Allgemeines.

Die Leber ist die größte Drüse des tierischen Körpers. Sie hat eine Reihe sehr mannigfaltiger Funktionen zu erfüllen, teils synthetischer (Harnstoffbildung), teils sekretorischer Art (Galle), sie hat ferner die Aufgabe, Zucker in Form von Glykogen aufzustapeln; sie ist ein wichtiges entgiftendes Organ für verschiedenartige, aus dem Darm zuströmende Gifte, ferner spielen sich in ihr sicher eine Reihe von Stoffwechselprozessen ab, wie die Zuckerausschüttung durch das Adrenalin, die Verbrennung der Fette resp. Fettsäuren über die Oxybuttersäure, Azetessigsäure usw. neben zahlreichen anderen noch nicht näher erforschten Vorgängen. Trotz dieser vielen wichtigen Funktionen fehlt zurzeit eine funktionelle Diagnose der Leberkrankheit noch mehr oder minder vollkommen. Es liegt dies vielleicht darin begründet, daß die genannten Funktionen zu ihrer Erfüllung nur einer relativ kleinen Menge arbeitender Leberzellen bedürfen, oder daß sie von anderen Organen übernommen werden, oder aber in dem Umstande, daß bei ernsteren Lebererkrankungen die dadurch hervorgerufenen allgemeinen Ernährungsstörungen (gestörte Assimilationsvorgänge usw.) sowie die durch Verödung des Gewebes entstehenden sekundären schweren Zirkulationsstörungen frühzeitiger das Ende des Kranken herbeiführen als es zum Versagen der erstgenannten Funktionen kommt. Nur eine Funktion, die Umwandlung von Lävulose in Traubenzucker, resp. seine Ablagerung als Glykogen scheint von einer relativen Intaktheit der Leberzellen abhängig zu sein, so daß man geneigt ist, die alimentäre Lävulosurie als ein funktionelles Frühsymptom von Lebererkrankungen zu betrachten.

Die Diagnose der Leberkrankheiten stützt sich zum größten Teil auf die durch die Perkussion oder Palpation nachweisbaren anatomischen Veränderungen des Organs, sofern nicht bereits sekundäre Störungen wie Ikterus, Ascites, vorliegen. Die Lebergrenzen sind am besten durch die leiseste Perkussion (analog der Schwellenwertperkussion des Herzens) mit Hilfe des Struckschen Plessimeters auszuführen. Die obere Lebergrenze überragt in der Regel die mit lauter Perkussion festgestellten Lungengrenzen rechts vorn um ungefähr 1—1½ Querfinger. Bei der Perkussion der unteren vorderen Lebergrenze muß man sich vor Täuschungen durch ein eventuell stark gefülltes Querkolon hüten, also gegebenenfalls bei pathologisch erscheinendem Tiefstand der Lebergrenzen zunächst für Entleerung des Darmes sorgen. Normalerweise fällt die untere Lebergrenze in der ¡Axillarlinie mit dem rechten Rippenbogen zusammen, sie zieht dann unterhalb desselben schräg durch die Regio epigastrica in der Mitte zwischen Schwertfortsatz und Nabel zum linken Rippenbogen hinüber, den sie zwischen linker Parasternallinie und Mamillarlinie erreicht. Der linke Leberlappen, welcher von dem rechten durch das ungefähr in der Mittellinie des Körpers liegende Ligamentum suspensorium getrennt ist, bedeckt mit seinem wandständigen Teil einen Teil des Magens. Er ist nicht selten, anscheinend ohne besondere pathologische Ursachen, ziemlich lang ausgezogen und kann dann perkutorisch, palpatorisch und auch röntgenologisch (Aussparung durch Kompression) einen Magentumor vortäuschen; namentlich ist die Leber des Erwachsenen der Palpation nicht zugänglich. Nur bei Herabdrängung des Organs, bei totaler oder partieller Vergrößerung desselben, wird sie palpabel. Eine Ausnahme bilden die Kinder, bei denen der untere Rand häufig abtastbar ist. Herabgedrängt ist die Leber beim Emphysem, bei stärkerer rechtsseitiger Pleuritis oder Pneumothorax, bei Erschlaffung des Ligamentum suspensorium (Enteroptose); eine teilweise Herabdrängung der Leber findet bei Formveränderungen derselben durch das Schnüren (Schnürleber) statt; der abgeschnürte Teil kann bis tief in den Bauchraum hineinragen. In analoger Weise kann auch der sogenannte Riedelsche Lappen bei Vergrößerung und Entzündung der Gallenblase durch entzündliche Verwachsung mit derselben tiefer ausgezogen und herabgezogen werden. Eine Vergrößerung der gesamten Leber — die Vergrößerung läßt sich auch perkutorisch am Rücken links von der Wirbelsäule nachweisen — findet man bei der Fettleber, der Stauungsleber, der Gallenstauung, der Weilschen Krankheit, der hypertrophischen Leberzirrhose, bei der Lebersyphilis, der diabetischen, leukämischen und Amyloidleber, ferner bei dem Leberkarzinom, dem Leberabszeß und dem Leberechinokokkus. Die Oberfläche und die Konsistenz der Leber, Beschaffenheit des Leberrandes, die Empfindlichkeit der Leber und das Verhalten der Milz, die bei den einzelnen Erkrankungen näher geschildert sind, geben die Unterscheidungsmerkmale zwischen den einzelnen Arten der Lebervergrößerung. Eine Leberverkleinerung findet sich im sekundären Stadium der sogenannten Laennecschen atrophischen Leberzirrhose. Die Leberdämpfung kann verkleinert sein, ohne daß eine Verkleinerung der Leber selbst vorliegt; bei starker Empordrängung derselben infolge von Meteorismus, starkem Ascites, welcher die Bauchwand von der Leber abdrängt, bei abnormer Lagerung der Leber, bei Wanderleber.

Die normalerweise nicht fühlbare noch perkutierbare Gallenblase wird als ein praller Tumor erkennbar, wenn sie durch Vermehrung ihres Inhalts (Galle, Eiter usw.) vergrößert über den Leberrand hinausragt. Man kann sie der leisesten Perkussion zugänglicher machen, wenn man den Patienten die obere Bauchhälfte aufblähen läßt.

Ikterus (Gelbsucht).

Unter Ikterus versteht man die Gelbfärbung von Haut, Schleimhäuten und Körperflüssigkeiten infolge Übertrittes von Gallenfarbstoff in das Blut. Die Gelbsucht ist zwar stets nur ein Symptom, nur die Folge ganz verschiedenartiger Erkrankungen der Leber, aber ein so hervorstechendes, durch zahlreiche, prägnante Eigentümlichkeiten ausgezeichnetes Symptom, daß seine selbständige Besprechung, die allgemein üblich, gerechtfertigt erscheint. Ätiologisch sind verschiedene Formen des Ikterus streng zu trennen. Erstens der Ikterus infolge Behinderung des Gallenabflusses in den Darm. Bei diesem mechanischen oder Resorptionsikterus (früher als hepatogener Ikterus bezeichnet) kommen verschiedene Möglichkeiten in Betracht. Der normale Abfluß der Galle kann behindert sein durch Fremdkörper in den Gallenwegen (Gallensteine, Parasiten), durch katarrhalische Schwellung der Gallenwege, besonders an der engen Einmündungsstelle des Gallenganges in der Duodenalschleimhaut — an der Papilla Vateri sind adenoide Gewebsherde nachgewiesen worden, die in einem zur Obduktion gekommenen Falle von anscheinend typischem katarrhalischen Ikterus deutlich geschwollen waren analog der Angina des Rachens — ferner durch Stenosen oder Strikturen der Gallengänge oder durch von außen dieselben komprimierende Geschwülste. Durch den verhinderten Abfluß der Galle kommt es zu einer Rückstauung bis in die feinsten Gallengänge hinein; dieselben platzen infolge der Stauung und entleeren ihren Inhalt in die perivaskulären Lymphräume. Von hier aus tritt die Galle direkt in das Blut über. Der Ikterus findet sich ferner im Gefolge einer Reihe von Vergiftungszuständen, und zwar nach sogenannten Blutgiften wie Arsenwasserstoff, Phosphor, Toluylendiamin, nach Morchelgift, Chloroform, Schlangengift usw. (toxämischer Ikterus) sowie bei schweren Infektionskrankheiten (Septiko-Pyämie, Gelbes Fieber, Pneumonie, Typhus). Hier ist die Erklärung nicht ganz einfach und noch nicht vollkommen sichergestellt; für die erste Form des toxämischen Ikterus sind zwei Theorien aufgestellt. Unter dem Einfluß der genannten Gifte werden die roten Blutkörperchen zerstört, dadurch wird eine sogenannte Pleiochromie der Galle bewirkt, d. h. die an und für sich schon reichlicher sezernierte Galle wird noch relativ reicher an Gallenfarbstoff; dadurch soll die Resorption der Galle begünstigt werden, so daß es auch ohne Abschluß der Gallenwege zum Ikterus kommt. Eine zweite Theorie nimmt an, daß auch hier mechanische Momente wirksam sind, indem die veränderte Konsistenz der Galle zu Thromben in den Gallenwegen führt, welche ein teilweises Abflußhindernis bilden. Es gibt aber wohl zweifellos noch Fälle, in denen trotz der angenommenen Schwellung der Gallengänge und Leberzellen und trotz der Veränderung der Gallenkonsistenz ein mechanisches Hindernis nicht nachzuweisen ist, in denen man also noch nach einem anderen Moment für den Ikterus suchen muß. Hier nimmt man — und dies gilt besonders für die Infektionskrankheiten — eine Funktionsstörung der Leberzelle an, die etwa darin besteht, daß die kranke Leberzelle infolge einer Art von Sekretionsanomalie die von ihr bereiteten Gallenbestandteile nach der Seite der Blutgefäße anstatt nach den Gallengängen zu abgibt (Parapedese der Galle oder Paracholie).

Eine besondere Stellung nimmt der Ikterus der Neugeborenen ein, welcher in etwa 60% der Fälle beobachtet wird und einige Tage nach der Geburt aufzutreten pflegt. Auch hier handelt es sich sicher um einen Resorptionsikterus, da Gallensäuren in den Körperflüssigkeiten gefunden wurden. Wahrscheinlich steht er ebenfalls in Beziehung zu einem erhöhten Untergang der roten Blutkörperchen, so daß hier vielleicht die Theorie der Pleiochromie der Galle heranzuziehen wäre.

Für die Symptomatologie des einfachen Ikterus, insofern der Ikterus an sich, also die Überschwemmung des Blutes, der Lymphe und sämtlicher Gewebe des Organismus mit Galle, eine Reihe von typischen Symptomen auslöst, kann der katarrhalische Ikterus als Paradigma gelten. Er stellt eine relativ selbständige Erkrankungsform vor, da der ihn verursachende Katarrh des Magens und Duodenums daneben symptomatisch meist eine untergeordnete Rolle spielt. Das Hauptsymptom der Gelbsucht ist die gelbe Verfärbung der Haut, Schleimhäute und des Harnes. Am frühesten erscheint die gelbe Verfärbung an der Konjunctiva sclerae, da hier das pathologische Gelb sich von dem normalen weißen Ton am auffälligsten abhebt. Die Hautfärbung geht vom Schwefelgelb bis zum Zitronengelb, in schweren Fällen bis zu olivgrüner oder bronzeartiger Färbung. Für die verschiedenen Tönungen der Haut kommen höchst wahrscheinlich neben den verschiedenen Mengen des in der Haut deponierten Gallenfarbstoffes (Bilirubin) auch noch andere Farbstoffe wie das reduzierte Hydro-Bilirubin (oder Urobilin) in Betracht. Um an den Schleimhäuten die gelbe Verfärbung nachzuweisen, muß man erst das Blut durch Druck mit einem Glasspatel verdrängen. Die Gelbfärbung ist nur bei Tageslicht, nicht bei gelbem Lampenlicht zu erkennen.

Die ikterische Verfärbung des Harnes geht derjenigen der Haut parallel, zeitlich meist noch etwas voraus. Die Harnfarbe wird gelbbraun bis dunkelbraun, oft mit einem grünlichen Schimmer bei auffallendem Lichte; der sonst weiße Schüttelschaum des Harnes wird gelb; die mit dem Harn in Berührung gekommene Wäsche behält eine intensiv gelbe Färbung.

Gmelinsche Probe: Man unterschichtet den Harn mit konzentrierter Salpetersäure, der einige Tropfen rauchender Salpetersäure zugesetzt sind. Nur der an der Berührungsstelle auftretende grüne Ring (daneben ist häufig noch ein Ring von rot-violetter Farbe erkennbar), ist beweisend für die Anwesenheit von Gallenfarbstoff. Das Bilirubin ist in Biliverdin oxydiert worden.

Rosinsche Probe: Als Oxydationsmittel dient das Jod anstelle der Salpetersäure. Man überschichtet den Harn mit sehr stark verdünnter Lugolscher Lösung oder 1%iger alkoholischer Jodtinktur. Auch hier ist das Auktreten eines grünen Ringes für Gallenfarbstoff beweisend.

Der Choledochusverschluß, also das Fehlen der Galle im Darm, hat zur Folge, daß die Fäzes ihre normale, durch das reduzierte Bilirubin, das Hydrobilirubin oder Urobilin hervorgerufene Farbe verlieren, sie werden blässer, lehmgrau und fettglänzend. Der Fettgehalt der Stühle ist vermehrt (50—80% an Stelle von 7—10%), da die fettresorbierende Wirkung der Galle fehlt. Das Fehlen der Galle fördert die Zersetzungen, so daß die Stühle widerlich, faulig, übelriechend werden, und vermindert andererseits die Peristaltik (die Gallensäuren haben eine ausgesprochen peristaltikfördernde Wirkung), so daß meist Verstopfung besteht, es sei denn, daß die Zersetzungen zur Diarrhöe führen.

Von den weiteren Symptomen ist vor allem die Bradykardie zu nennen; der Puls ist in der Regel auf 40—50 verlangsamt, es kommen auch Verlangsamungen auf 20 und weniger Pulse vor. Es ist dies auf eine Vagusreizung — die Bradykardie wird durch Atropin beseitigt — vielleicht auch zugleich auf eine Reizung des Herzmuskels selbst durch die Cholate zu beziehen. Man beobachtet nämlich auch Unregelmäßigkeiten der Herzfunktion und des Blutdruckes. Ein ebenfalls sehr häufig auftretendes Symptom ist das Hautjucken (wahrscheinlich durch die Ablagerung in der Haut bedingt). Dasselbe kann sehr lästig sein und ganz abgesehen davon, daß es infolge des Juckreizes zu ekzematösen Hautaffektionen führen kann, steigert es die allgemeine Nervosität in hohem Grade. Dieselbe äußert sich als Reizbarkeit, Kopfschmerzen, in Depressionszuständen und hartnäckiger Agrypnie, selten in auftretenden Sehstörungen wie Xanthopsie (Gelbsehen) und Tag- und Nachtblindheit (jetzt übrigens ebenfalls als Intoxikation durch die Cholate aufgefaßt).

Bei länger dauerndem Ikterus werden die Nieren angegriffen, man findet hyaline Zylinder, die häufig mit gelbgefärbten Rundzellen besetzt sind, einfache Albuminurie, gelegentlich wohl auch richtige Nephritis.

Besteht der Ikterus lange Zeit, so muß man wohl annehmen, daß die Leberzellen ernsthaft geschädigt werden, und daß daraus eine sekundäre Intoxikation, also nicht mehr durch Cholate, sondern durch pathologische Stoffwechselprodukte infolge der Insuffizienz der Leberzellen entsteht. Sie äußert sich in Benommenheit, Delirien und Krämpfen, welche im Coma zum Tode führen können. Endlich kommen bei länger anhaltender Gelbsucht auch Blutungen vor auf der Haut und den verschiedensten Schleimhäuten, welche je nach dem Sitz und der Intensität zu ernsten Komplikationen führen und einen mitunter das Leben bedrohenden Charakter annehmen können.

Die geschilderten Symptome beweisen, daß ein katarrhalischer Ikterus, dessen Dauer sich von vornherein niemals bestimmen läßt, schon durch seinen natürlichen Verlauf zu sehr ernsten Folgen führen kann. Da nur die Fettresorption leidet, die Eiweiß- und Kohlehydratverdauung aber nicht gestört zu sein brauchen, wäre für die Ernährung des Individuums nichts zu fürchten, wenn nicht im allgemeinen ein Magenkatarrh mit der Gelbsucht ursächlich verbunden wäre. Es besteht meist zu Beginn der Erkrankung eine mehr oder minder lang anhaltende schwere Anorexie, ein direkter Widerwillen gegen das Essen, dem mit Energie entgegengetreten werden muß.

Die Leber selbst nimmt infolge der Gallenstauung sehr schnell und beträchtlich an Volumen zu. Die leise Perkussion läßt meist schon an den ersten Tagen eine erhebliche Größenzunahme der Leber (Höhendurchmesser von 10—15 cm) erkennen. Der untere Rand überragt den Rippenbogen und ist ziemlich schmerzempfindlich. Die Gallenblase, welche zwar stets beim katarrhalischen Ikterus prall gespannt ist, ist nichtsdestoweniger nur äußerst selten tastbar oder als halbkugelige Vorwölbung perkutierbar.

Die Diagnose ist mit der Feststellung der Gelbsucht nicht erschöpft. Sie hat — mit Hinblick auf die Prognose und auf die Therapie — ihre Ursachen festzustellen. (Bei der Besprechung der Differentialdiagnose werden die übrigen Formen des Ikterus abgehandelt.)

Bei dem plötzlichen Einsetzen einer Gelbsucht in bisher vollkommener Gesundheit, bei fieberlosem Verlaufe, besonders bei jugendlichen Individuen, ist von vornherein das Bestehen eines sogenannten katarrhalischen Ikterus wahrscheinlich. Leichtes Fieber spricht nicht dagegen. Doch ist in diesem Falle stets an die Möglichkeit einer Infektion zu denken, einer Influenza, oder bei schwererem Fieber eines Typhoids u. dgl. Trifft der Ikterus ein schon vorher in seiner Ernährung heruntergekommenes Individuum und ebenso bei sehr langer Dauer des Ikterus — ein einfacher katarrhalischer Ikterus kann 4, 6 und 8 Wochen dauern — und bei gleichzeitiger auffälliger Abmagerung entsteht der Verdacht eines bösartigen komprimierenden Tumors. Gehen dem Ikterus Koliken voraus oder besteht eine ausgesprochene Druckschmerzhaftigkeit in der Gallenblasengegend, so handelt es sich wahrscheinlich um Gallensteine.

Ikterus ohne gleichzeitige Acholie des Stuhles hat seine Ursache in einer Zerstörung roter Blutzellen durch Hämolyse; durch die Anamnese, Verlauf der Erkrankung, eventuell durch Urinuntersuchung ist festzustellen, ob es sich um Vergiftung mit Phosphor, Arsen, Schlangengift oder dergleichen handelt, ob ein sekundärer Ikterus im Verlaufe schwerer Infektionskrankheiten, wie Pneumonie, Malaria usw. vorliegt. Bezüglich des schweren Krankheitsbildes der akuten gelben Leberatrophie siehe daselbst. Bezüglich der mit Ikterus einhergehenden Leberzirrhose, welche stets mit erheblicher Milzschwellung einhergeht, siehe das betreffende Kapitel.

Verwechslung der ikterischen Verfärbung mit anderen Verfärbungen, wie sie beim Morbus Addisoni, bei gewissen Anämien, besonders aber nach Santonin- und Pikrinsäurevergiftungen wohl gelegentlich vorkommen können, sind durch Untersuchung des Harns auf Gallenfarbstoff zu vermeiden. In ganz seltenen Fällen freilich findet sich auch beim richtigen Bilirubinikterus der Haut kein Bilirubin im Harn, sondern nur Urobilin, d. h. reduziertes Bilirubin. Man muß für diese Fälle annehmen, daß Bilirubin in den Nieren reduziert würde.

Therapie. Die Behandlung des katarrhalischen Ikterus ist eine symptomatische. Die Leberschwellung verlangt völlige Körperruhe. Man sieht nach zu frühem Aufstehen nicht selten wieder eine Zunahme der Leberschwellung. Die Diät ist milde, unter Bevorzugung der leicht löslichen Kohlehydrate und Einschränkung der Fette; die Flüssigkeitszufuhr reichlich, besonders alkalische Wässer und Fruchtsäfte, sowie Milch. Gegen die Stuhlverstopfung Einläufe, eventuell milde Abführmittel. Vielfach wird eine Kur mit Karlsbader Wasser empfohlen oder mit Karlsbader Salz (ein Tee- bis Eßlöffel auf einem halben Liter warmen Wassers). Der Magenkatarrh ist nach den dort geschilderten Grundsätzen zu behandeln. Gegen das Hautjucken gibt man Aspirin, mit doppelkohlensaurem Natron 0,5 mehrmals täglich oder Waschungen mit sog. Juckspiritus (Menthol 2 prozentig, Thymol $\frac{1}{4}$ prozentig), oder Essigwasser, ausgepreßtem Zitronensaft, 2 prozentiger Karbolsäurelösung oder warme Bäder mit Kleienzusatz und dergleichen. Gelegentlich ist Morphium nicht zu vermeiden. Bei Schlaflosigkeit gebe man dreist die üblichen Schlafmittel Medinal, Adalin usw.

Die Behandlung der übrigen Formen des Ikterus ist die der Grundkrankheiten (s. dort).

Stauungsleber.

a) Die venöse Stauungsleber. Auch diese Erkrankung ist eine symptomatische. Sie findet sich in allen denjenigen Fällen, in welchen der Rückfluß des Blutes aus der Vena cava inferior in das rechte Herz erschwert ist. Ätiologisch kommen in erster Reihe alle Zustände chronischer Herzinsuffizienz in Frage, bei denen die Leberschwellung eines der ersten klinischen Symptome darstellt (s. unter Herzkrankheiten), ferner alle die Momente, welche auf mechanischem Wege den Blutabfluß beeinträchtigen, wie komprimierende Tumoren, Pleuraergüsse usw.

Anatomisch bietet die Stauungsleber, welche nach allen Seiten hin beträchtlich vergrößert ist, das Bild der sogenannten Muskatnußleber dar. Im Durchschnitt erscheint die Mitte der Leberacini (also die Zentralvenen) dunkelblaurot, in starkem Gegensatz zu der blassen Peripherie der Läppchen, ein Gegensatz, der noch verschärft erscheint, wenn die Leberzellen verfettet sind. Bei längerem Bestehen der Stauungsleber kommt es zu einer Schrumpfung der Leber unter Neubildung von Bindegewebe. Es bildet sich die atrophische Muskatnußleber aus, welche zu einer gewissen Ähnlichkeit mit der gewöhnlichen zirrhotischen Leber führen kann.

Symptomatologie. Wenn die Leber, als das dem rechten Herzen nächstgelegene abdominale Organ bei beginnender Druckerhöhung in der Vena cava inferior auch zunächst und wohl am deutlichsten anschwillt, so bewirkt der erschwerte Abfluß aus den Abdominalvenen gleichzeitig auch eine Reihe von anderen Stauungserscheinungen (Ödeme der Beine, Stauungsharn usw.) welche bei der Herzinsuffizienz näher geschildert sind. Die Stauungsleber als solche macht sich durch Druck und Fülle in der Lebergegend, besonders nach dem Essen, subjektiv bemerkbar; die Leber ist druckschmerzhaft und durch Perkussion als vergrößert nachweisbar. Bei Beseitigung der Ursache (Digitalis) geht die Leberschwellung sehr bald deutlich zurück.

Die Therapie ist die des Grundleidens.

b) Aktive Hyperämie der Leber (Leberkongestion). Die aktive, also arterielle Hyperämie der Leber oder die vermehrte Blutzufuhr zu der Leber wird hervorgerufen durch toxische Substanzen, welche der Leber auf dem Wege durch die Pfortader, also von dem Magendarmtraktus zugeführt werden. Die erste Stelle nimmt wohl der Alkohol ein, ferner Gewürze, weiterhin die verschiedenen Bakterien oder bakteriellen Toxine, welche bei mannigfachen Infektionskrankheiten entstehen, sowie beim Ikterus die Gallenbestandteile. Auch bloße Diätfehler, sowie die noch

im einzelnen unbekannten Stoffwechselstörungen bei Gicht und Diabetes
können zur aktiven Kongestion führen. Zweifelhaft ist es, ob es eine
vikariierende Hyperämie der Leber bei dem Ausfall uteriner oder hämor-
rhoidaler Blutungen gibt. Praktisch wichtig ist die traumatische Entstehung der Leberkongestion, die unter Umständen zu Entzündungen und
Eiterungen führen kann. Anatomisch ist nur ein stärkerer Blutreichtum der Leber auffallend.
Die Symptome sind dieselben wie bei der passiven Hyperämie. Die
Perkussion, eventuell die Palpation ergibt eine vergrößerte druckschmerz-
hafte Leber. Die Anamnese, bei Vielessern oder Trinkern der gesamte
Habitus, bei fieberhaften Zuständen der Allgemeinzustand, lassen die Ur-
sache erkennen. Das Verschwinden der Leberschwellung unter geeigneter
Behandlung, eventuell das häufige Rezidivieren derselben nach üppigen
Mahlzeiten u. dgl. sichert die Diagnose gegenüber den chronischen Formen
der Lebervergrößerung, die schließlich daraus resultieren können.

Die Therapie ist bei den akuten Formen eine symptomatische (Vermeiden der Schädlichkeiten, leichte Diät kombiniert mit ableitendem Verfahren, vor allem Abführen oder lokale trockene oder blutige Schröpfköpfe)•
Bei traumatischer Ursache Eisblase. Bei den chronischen Formen ist
dauernde Regelung der Diät das Wesentliche, reizlose mäßige Kost,
vorübergehend fleischfrei, Meiden von Alkohol, Gewürzen u. dgl., daneben
Sorge für Stuhl, geeignet sind Kuren in Karlsbad, Marienbad, Vichy,
Homburg, Kissingen u. dgl.

Akute gelbe Leberatrophie.

Man versteht darunter eine akute diffuse Hepatitis, welche mit
Degeneration des Leberparenchyms und sekundären schweren Störungen
sämtlicher Leberfunktionen einhergeht und zu einer starken Verkleinerung
des Organes führt. Ätiologisch werden verschiedenartige Intoxikationen
verantwortlich gemacht. Phosphorvergiftung, Pilz- und Wurstvergiftung,
Lues, verschiedene akute Infektionskrankheiten, besonders Puerperalfieber.
(Es bestehen besondere Beziehungen zwischen Schwangerschaft und akuter
gelber Leberatrophie.) In vielen Fällen ist die infektiöse oder toxische
Ursache noch nicht aufgedeckt worden, (Autointoxikation). Auch psychische
Affekte, Schreck u. a. werden ursächlich angeschuldigt.

Pathologische Anatomie. Die Leber ist um ein Drittel, bis
die Hälfte und selbst noch mehr verkleinert, sie ist äußerst schlaff, von
gelblich brauner, ocker- oder safranartiger Farbe im Durchschnitt, dessen
normale Zeichnung verwischt ist. Zwischen den gelben Abschnitten findet

man rote Partien, die ersteren stellen das frühe, die letzteren das weitere Stadium der Degeneration dar. In den gelben Partien sind die Leberzellen hochgradig verfettet, während in den rotbraunen Partien der fettige Detritus bereits mehr oder minder resorbiert ist. Es ist daselbst nur noch ein streifiger Bindegewebsrest zurückgeblieben mit Pigmentkörnchen, Leuzin und Tyrosinkristallen durchsetzt. Diese Leuzin- und Tyrosinkristalle scheiden sich an der durchschnittenen Oberfläche an dem freiliegenden Durchschnitt der Leber nach kurzer Zeit als ein reifähnlicher Belag aus. Neben den degenerativen Veränderungen findet man auch regenerative in Form von Hyperplasie der Leberzellen und Hyperplasie der interlobulären Gallengänge. Auch die Endothelien der Blutgefäße zeigen Wucherungsvorgänge.

Symptome. Der Beginn der Krankheit ist durchaus der eines katarrhalischen Ikterus: Lebervergrößerung, Magendarmsymptome, wie Brechneigung, Aufstoßen, Erbrechen, unregelmäßiger Stuhl usw. Diesem Initialstadium, das einige Tage oder Wochen dauern kann, schließt sich das zweite Stadium, das durch schwere nervöse Erscheinungen charakterisiert ist, an. Die Kranken werden unruhig, delirieren, es kann zu Muskelzittern und Krämpfen kommen, zur Bewußtlosigkeit, zum Coma, in dem die Kranken schließlich zugrunde gehen. Die lokalen Erscheinungen von seiten der Leber dokumentieren sich durch ein rapides Kleinerwerden der perkutorischen Grenzen, was sich zuerst im linken Leberlappen bemerkbar macht. Die Temperatur ist sehr verschieden. Man findet subnormale Temperaturen bis zu 34 und 35° C, in anderen Fällen Hyperthermien bis zu 41 und 42° C. Die Lebergegend ist äußerst druckschmerzhaft. Die Milz ist meist vergrößert. Der Hautikterus ist sehr hochgradig, der Urin spärlich, von dunkel ikterischer Färbung und setzt meist einen flockigen Bodensatz ab, welcher Tyrosin und Leuzin enthält. Diese Substanzen sind mikroskopisch als büschel- oder garbenförmig angeordnete Kristalle, respektive als kugelige Drusen erkennbar. Eventuell bringt man sie zur Anschauung, indem man einige Tropfen Harn auf dem Deckgläschen unter Zusatz einiger Tropfen Essigsäure verdunsten läßt. Die chemische Untersuchung des Harns ergibt ein auffälliges Zurückgehen des Harnstoffes bis zum völligen Verschwinden desselben, während der Stickstoff und Ammoniakgehalt vermehrt sind. Eiweiß ist manchmal vorhanden.

Der Verlauf der Krankheit ist ein akuter, der meist bis zum Ende der zweiten Woche zum Tode führt. Heilungen, oder auch nur ein chronischer Verlauf, unter Bildung von Ascites, sind sehr selten.

Die Diagnose ist durch die stürmischen Hirnerscheinungen, in Verbindung mit dem Kleinerwerden der Leber und dem Auftreten von Tyrosin und Leuzin gesichert. Die Therapie ist bei entwickelter Krankheit machtlos und rein symptomatisch. Bei Beginn energische Abführmittel, Kalomel 0,5, Rizinusöl usw. Ernährung: reine Milchdiät.

Leberabszeß (Hepatitis circumscripta suppurativa).

Die Eitererreger, welche den Leberabszeß bewirken, dringen auf verschiedenen Wegen, von der Blutbahn, der Art. oder Ven. hepat., Pfortader aus, durch die Gallen- oder Lymphwege in die Leber ein. Alle pyämischen Prozesse oder Eiterherde im Pfortadergebiet (Dysenterie, Appendicitis, Typhus usw.) — seltener sind Metastasen entfernt liegender Eiterherde auf dem Wege der Art. hepatica — können zu Eiterungen der Leber führen. Pflanzt sich die Eiterung auf den Gallenwegen fort, so bestand meist eine primäre Cholecystitis und Cholangitis. Auch Parasiten wie Echinokokken, Distomum, Spulwürmer können direkt oder als Bakterienüberträger zur Eiterung Veranlassung geben. Eine besondere Stellung nimmt der primäre Leberabszeß nach Traumen ein (Ansiedlung von Eitererregern an einer Stelle lokalisierter Hyperämie der Leber als locus minoris resistentiae). Als Traumen sind auch die seltenen Fälle anzusprechen, in denen Gräten oder Nadeln vom Magendarmkanal aus in die Leber wandern und wieder zur Vereiterung führen.

Pathologische Anatomie. Zu unterscheiden sind die solitären Abszesse, die bei der Dysenterie vorkommen (tropischer Leberabszeß) und die multiplen septisch-pyämischen Abszesse. Die Größe der Leberabszesse ist erheblichen Schwankungen unterworfen, von noch gerade mikroskopisch erkennbarer bis zu Kindskopfgröße. Auch die Leber selbst kann erheblich und ziemlich gleichmäßig vergrößert sein.

Symptome. Ein Leberabszeß kann ohne jedes Symptom verlaufen und nur als zufälliger Obduktionsbefund eruiert werden, oder auch durch plötzliche Ruptur zum Tode führen. In anderen Fällen besteht ein intermittierendes septiko-pyämisches Fieber mit allen übrigen Zeichen der Eiterung (Milztumor, Schüttelfröste usw.). Lokale, auf die Leber hinweisende Symptome sind vor allem Schmerzen in der Lebergegend, welche häufig in die rechte Schulter ausstrahlen. In der Regel ist die Pleura diaphragmatica mit ergriffen (s. unter Pleuritis diaphragmatica, Bd. 1). Ein sicheres Symptom für den Sitz des Abszesses in der Leber bildet nur die Lebervergrößerung resp. örtliche Hervorwölbung und

Fluktuation des Abszesses gegen den Rippenrand oder das Epigastrium. Fehlen diese lokalen Erscheinungen, so kann wohl nur ein Durchbruch in die Lungen oder in den Magendarmkanal auf den Sitz hinweisen, welcher Ausgang zugleich als der relativ günstigste zu betrachten ist. Die Allgemeinstörungen, allmählich zunehmende Kachexie, eventuell amyloide Degeneration, sind nur charakteristisch für eine Eiterung überhaupt.

Unter Umständen kann es zum Ikterus oder Ascites kommen, wenn der Abszeß zur Kompression der Gallenwege oder der Pfortader geführt hat. Der Verlauf ist davon abhängig, ob ein spontaner Durchbruch erfolgt, ob ein Abszeß sich abkapselt und nach eingetretener Sterilität latent wird, oder ob er unter dauerndem pyämischem Fieber zur Kachexie und zum letalen Ausgang führt.

Die Diagnose kann unmöglich sein bei fehlenden lokalen Erscheinungen. Verwechslungen mit der Lungentuberkulose (subkrepitierendes Rasseln über der rechten komprimierten Lungenbasis), Malaria (Chinin, Plasmodien) sind eventuell durch sorgfältige Untersuchung zu vermeiden. Eine septiko-pyämische Allgemeininfektion ist schwer auszuschließen. Bei lokaler Schmerzhaftigkeit ist an Gallenblasenempyem, an Pleuraempyem, an peritoneale Abszesse der Nachbarorgane der Leber zu denken und die Differentialdiagnose ist nicht immer sicher zu stellen (Lungenabszeß, paranephritische Eiterung usw.). Die Art des vorliegenden Abszesses ist eventuell durch die Anamnese oder Berücksichtigung des allgemeinen Krankheitsbildes oder aber durch Punktion des Abszesses möglich. Die Therapie ist, wenn überhaupt möglich, eine chirurgische. Die innere Behandlung kann nur symptomatischer Natur sein.

Die Leberzirrhose (Leberschrumpfung, chronische interstitielle Leberentzündung).

Ätiologie. Der Name Zirrhose wurde von Laennec wegen des gelblichen Aussehens der erkrankten Leber ($K\iota\varrho\varrho\acute{o}\varsigma$ = gelb) gegeben. Die Ätiologie und die Pathogenese der Schrumpfung des Lebergewebes sind so verschiedenartige, daß sie zur Aufstellung einer großen Reihe von Formen der Leberzirrhose geführt haben; deren Typen sind jedoch nicht so scharf voneinander abgrenzbar, daß sie allgemeine Anerkennung gefunden hätten. Ätiologisch lassen sich unterscheiden: 1. die toxische Form. Der chronische Alkoholmißbrauch (und zwar in Form von Branntwein u. ähnl.) nimmt hier die erste Stelle ein, ferner sind starke Gewürze, starker Kaffee, Blei, Phosphor zu nennen. 2. Die infektiöse Form: Syphilis, Tuberkulose, Malaria, daneben aber auch akute Infektionskrankheiten, wie Pneumonie, Scharlach usw. 3. Die kardiale Form (cirrhose cardiaque). Die chronische Blutüberfüllung der Leber infolge allgemeiner Stauung bei chronischer Herzinsuffizienz führt zur Zirrhose, ebenso lokale Kompressionen im Gebiet der Vena cava inf. Eine 4. Form ist die sogenannte biliäre Zirrhose, welche durch Erkrankung der Gallenwege mit gleichzeitiger Stauung der Galle in der Leber hervorgerufen wird. Es tritt hier noch das Moment der Infektion (der intrahepatischen Gallengänge) hinzu, so daß die Gallenstauung wahrscheinlich nur einen gewebsschädigenden, die Widerstandskraft des Organs herabsetzenden Einfluß ausübt. 5. Die arteriosklerotische Leberzirrhose, welche den gleichen Veränderungen in anderen Organen (Schrumpfniere) entspricht.

Pathologische Anatomie. Die zirrhotische Leber zeigt eine Wucherung des interlobulären Bindegewebes und daneben degenerative Veränderungen des eigentlichen Leberparenchyms. Je nachdem die Bindegewebswucherung, welche allgemein als ein entzündlicher Vorgang aufgefaßt wird, von den Verzweigungen der Pfortader, von den feineren Gallengängen oder von den intrahepatischen Ästen der Leberarterie ausgeht, spricht man von einer portalen, einer biliären oder arteriellen Leberzirrhose. Man unterscheidet auch, je nachdem die Wucherungsprozesse oder die Schrumpfungsprozesse zu einer Vergrößerung, resp., was das häufigere ist, zu einer Verkleinerung des Organs geführt haben, die hypertrophische und atrophische Leberzirrhose; die hypertrophische Zirrhose kann das Vorstadium der atrophischen bilden.

Bei der atrophischen Zirrhose von Laennec ist der Gesamtumfang der Leber um die Hälfte bis ein Drittel verkleinert und entsprechend ihr Gewicht vermindert, oft bis auf 1 kg an Stelle von 1½—2. Die Oberfläche des Organs ist holperig, uneben; man sieht an Stelle des glatten serösen Überzuges vereinzelte weiße sehnige Streifen; die Konsistenz ist vermehrt; beim Durchschneiden hat man geradezu ein knirschendes Gefühl. Im Durchschnitt sieht man grünlich-gelbe Inseln von Lebersubstanz, umgeben von grau-weißlichem Bindegewebe; erstere ragen aus diesen hervor, wodurch auch die Schnittfläche ein granuliertes Aussehen gewinnt (Granularatrophie). Die Inseln entsprechen mehreren Leberläppchen, multilobuläre Zirrhose. Die Pfortaderkapillaren sind zum Teil verödet, die Durchgängigkeit der Pfortader ist erschwert, daher Ascites und sonstige Stauungserscheinungen im Abdomen (Cirrhose sansictère avec ascite).

Die hypertrophische Zirrhose (Hanot) verursacht eine Vergrößerung der Leber bis zum Doppelten ihres Gewichtes. Die Oberfläche ist glatt, die Konsistenz, wie auch hier beim Durchschneiden besonders bemerkbar, vermehrt. Auf der Schnittfläche sieht man ebenfalls reichliche Bindegewebsstreifen von grau-rötlicher Farbe; die weniger aus der Schnittfläche hervorquellenden Inselchen entsprechen einzelnen Leberläppchen: unilokulare Leberzirrhose. Die Pfortaderkapillaren sind hier vollkommen durchgängig, die Gallenwege mit Galle gefüllt (cirrhose hypertrophique sans ascite avec ictère).

Neben diesen beiden Hauptformen kommen zahlreiche Übergänge vor, die teils das Vorhandensein oder Fehlen des Ikterus betreffen, teils sich auf die Verteilung des Bindegewebes mit Bezug auf die Leberläppchen, auch auf die Verhältnisse der Pfortaderkapillaren usw. beziehen. So gibt es z. B. hypertrophische Leberzirrhosen mit genau dem gleichen mikroskopischen Befund wie die gewöhnliche atrophische Zirrhose.

Sind Stauungserscheinungen vorhanden, so findet man vor allem Ascites, Milztumor, Stauungskatarrh der Magendarmschleimhaut sowie Stauungen in den übrigen Abdominalorganen.

Symptomatologie. Die Verschiedenheit des anatomischen Befundes mit Bezug auf Größe der Leber: Ascites, Ikterus usw. lassen von vornherein erkennen, daß das Krankheitsbild der Zirrhose ein sehr wechselvolles sein muß. Die Krankheit beginnt äußerst schleichend. Bei der häufigsten Form, der alkoholischen atrophischen Leberzirrhose, treten neben den Allgemeinerscheinungen des Alkoholismus zuerst in der Regel dyspeptische Störungen auf: Appetitlosigkeit, Aufstoßen, Druckgefühl in der Magenlebergegend, Flatulenz und Meteorismus sowie Unregelmäßigkeit des Stuhlganges. Erst eine merkbare Veränderung in den Größenverhältnissen der Leber, Milzvergrößerung, Ascites, eventuell eine subikterische Verfärbung lassen die wohl schon vorher aus der Anamnese wahrscheinliche Diagnose zu einer sicheren werden. Bezüglich des Nachweises geringer Mengen Ascites s. S. 169. Bei sehr fettarmen Individuen sowie unmittelbar nach der Ablassung größerer Mengen Ascitesflüssigkeit ist nicht selten die höckrige Leberoberfläche palpierbar, ebenso wie die Milz in diesem Stadium als derber harter Tumor am deutlichsten erkennbar ist, wenngleich seine oft erhebliche Größe seinen Nachweis auch zu anderen Zeiten meist gestattet. Ein weiteres Zeichen der Pfortaderstauung sind die erweiterten und geschlängelten Hautvenen des Bauches. In seltenen Fällen verbindet sich die offen gebliebene Nabelvene (V. parumbilicalis), welche das Pfortaderblut aufnimmt, mit den Hautvenen dadurch, daß eine starke variköse Erweiterung derselben entsteht (Caput Medusae), welche dann Anastomosen mit der V. mammaria bilden und eine gewisse Entlastung des Pfortadersystems herbeiführen. Auch im Bauche selbst kommen derartige Anastomosen zwischen dem Pfortadergebiet und dem venösen Gebiet des rechten Herzens unter Umgehung der Leber zustande. Hierher gehören auch die Kommunikationen mit den Hämorrhoidalvenen und den Venen aus dem Gebiete der Vena Mesenterica inf.

Ein oft frühzeitiges Symptom der Stauung sind Blutungen aus Magen oder Ösophagus. Die Blutungen können sehr heftig sein, führen aber selten zum Tode. Auch Hämorrhoidalblutungen können als direkte Stauungsfolgen (s. oben) eintreten. Die ebenfalls nicht selten beobachteten Blutungen aus der Nase, dem Zahnfleisch und anderen Schleimhäuten, auch Hautblutungen, sind wohl weniger Stauungsblutungen als solche toxischer Natur, eine Folge der veränderten Ernährungsbedingungen der Hautgefäße (krankhafte Diapedesis). Haben die Stauungserscheinungen im Abdomen erst einen nennenswerten Grad erlangt, so leidet die allgemeine Ernährung sehr schnell, die abgemagerten Extremitäten bilden einen merklichen Kontrast zu dem aufgetriebenen Leib, die Hautfarbe wird fahl, subikterische Verfärbung der Skleren — Ikterus fehlt in der Regel — die Augen sind eingesunken, an den Backen tritt ein deutliches dunkelrotes Kapillarnetz hervor. Bei länger bestehenden starkem Ascites entwickelt sich infolge des Hochstandes des Zwerchfelles ein mehr minder ausgebildeter Bronchialkatarrh und Atemnot (sehr häufig Hydrothorax), besonders rechtsseitig (infolge der Anordnung der Lymphgefäße); durch Kompression der Beinvenen kann es zu Knöchel- und Skrotalödem kommen. Infolge eines noch unbekannten toxischen Agens entwickelt sich allmählich unter dem Bilde einer Autointoxikation eine Trübung des Sensoriums, die Kranken gehen im Coma zugrunde, oder aber es überwiegen die Zeichen einer Herzinsuffizienz — besonders wenn das gleiche ätiologische Moment auch Veränderungen im arteriellen System hervorgerufen hat (Arteriosklerose usw.); die Kranken sterben an Herzschwäche. Eine weitere Todesursache bildet der Marasmus und die sehr selten zum Tode führenden Blutungen aus Speiseröhre und Magen. — Die schlechten Ernährungsverhältnisse des Organismus auf der Höhe der Leberzirrhose sind wohl die Ursache, daß gar nicht so selten interkurrente Erkrankungen, wie Pneumonie, Erysipel, Tuberkulose und selbst Peritonitis tuberculosa hinzutreten und vorzeitig das Leben beenden.

Hypertrophische Leberzirrhose (Hanot). Der Verlauf dieser selteneren Erkrankungsform ist ein chronischer. Die Dauer beträgt durchschnittlich 4—6—10 Jahre. Es treten Schmerzanfälle in der Lebergegend auf, welche mit Ikterus und Größenzunahme der Leber verbunden sind. Es wurde schon erwähnt, daß eine vergrößerte Leber atrophisch werden kann, daß sich also aus der hypertrophischen Zirrhose eine atrophische entwickelt. Die Leberoberfläche ist glatt, von derber Beschaffenheit und, da Ascites in der Regel nicht besteht, abtastbar. Sie kann bis zur Nabelhöhe und tiefer reichen. Die Milz ist ebenfalls vergrößert und kann bis weit in das linke Hypochondrium hineinragen. Typisch sind die, namentlich während der Schmerzanfälle auftretenden intermittierenden Fiebersteigerungen, welche auf eine Infektion der Gallenwege, eine Cholangitis, bezogen werden. Der Ikterus, anfangs nur anfallsweise auftretend, wird allmählich dauernd und kann die Form des schweren Ikterus annehmen. Da die Gelbsucht nicht nur auf einer Katarrh der intrahepatischen Gallenwege, sondern auch auf Polycholie beruht, ist der Stuhl nicht nur nicht entfärbt, sondern im Gegenteil sehr dunkel, der Harn enthält Gallenfarbstoff und Urobilin. Ascites fehlt meistens. Tritt er gegen Ende der Krankheit auf, so hat er nur sekundäre Bedeutung. Die bei der atrophischen Form erwähnte hämorrhagische Diathese ist auch hier meist vorhanden, ferner werden häufig Urticaria, Pruritus als Folgen der Gelbsucht beobachtet. Der tödliche Ausgang erfolgt allmählich entweder unter den Zeichen der Abmagerung, Entkräftung, unter dem Bilde der Cholämie, oder auch infolge interkurrenter fieberhafter Erkrankungen.

Zwischen beiden Formen beobachtet man entsprechend den anatomischen Zwischenformen Fälle, die anfangs mit Hypertrophie des Organes und Ikterus einhergehen, bei denen später Stauungserscheinungen im Pfortadergebiet auftreten, kurz Zirrhosen, welche Symptome beider Hauptformen tragen.

Die D i a g n o s e der ausgesprochenen atrophischen alkoholischen Leberzirrhose ist einfach: Die Anamnese, die Beschaffenheit der Haut, der Ascites, und nach Ablassen desselben die Größe und Form der Leber und der Milz geben zusammen ein eindeutiges Bild; in frühen Stadien kann die Diagnose unmöglich sein. Ist die Leber vergrößert, und bestehen nur allgemeine dyspeptische Beschwerden und Druck in der Lebergegend, so kommt auch einfache Fettleber in Frage, besonders, wenn die Milzvergrößerung noch nicht mit Sicherheit festzustellen ist. — Bei bestehendem Ascites, also nicht palpabler Leber, müssen alle Zirkulationsstörungen im Gebiete der Pfortader zunächst ausgeschlossen werden. Alle andersartigen Zirkulationsstörungen, die allgemeine Kreislaufstörungen infolge von Herzinsuffizienz, bieten im allgemeinen keine

Schwierigkeiten für die Diagnose: Normaler Herzbefund, das dem Knöchel-ödem vorhergehende Auftreten des Ascites sprechen für Zirrhose. Stärkere Ödeme der unteren Extremitäten, pleuritische Ergüsse, erheblichere Albumin-urie, die Verschiebung der Herzgrenzen durch Hochstand des Zwerch-fells und eventuell dadurch bedingte akzidentelle Herzgeräusche können jedoch die anfängliche Unterscheidung schwierig gestalten, um so schwieriger, als die von Pick beschriebene perikarditische Pseudozirrhose, welche die Symptome der Perihepatitis, Perisplenitis und der Concretio pericardii darbietet, in einem gewissen Stadium die typischen Symptome der atrophischen Zirrhose mit denen der Herzinsuffizienz verbindet. Es besteht in diesen Fällen kein kausaler Zusammenhang zwischen den *Leber- und Herzerscheinungen; beide sind, wie es scheint, Folgen der gleichen Erkrankung, welche auch andere seröse Häute betrifft -- speziell die Peritonitis ist dabei sehr häufig vorhanden (Polyserositis).

Die Pylethrombose und Pylephlebitis sind ebenfalls als Ursache des Ascites zu erwägen; doch muß zu ihrer Diagnose ihrerseits eine Ur-sache zu entdecken sein (Tumor, Cholecystitis). Das nach der Punktion bei der Leberzirrhose relativ langsamere Wiederauftreten des Ascites ist nur ein schwer verwertbares Symptom.

Die hypertrophische Leberzirrhose, welche mit Ikterus einhergeht, kann zu Verwechslungen Veranlassung geben mit Leberkrebs, gummöser Lebersyphilis, Leberhyperämie, Leberechinokokkus, kurz mit allen Er-krankungen, welche mit einer Vergrößerung des Organs und gleich-zeitigem Ikterus einhergehen. Hier kann nur eine eingehende Berück-sichtigung aller Faktoren, das Verhalten der Milz und die klinische Beob-achtung zu einer Differentialdiagnose führen. Eine Erkrankung, welche durchaus dem Bilde der hypertrophischen Leberzirrhose dadurch gleicht, daß auch die Milzvergrößerung im Vordergrunde steht, ist die Ban-tische Krankheit (s. dort).

Die leukämische Lebervergrößerung, die ebenfalls mit einer Milz-vergrößerung einhergeht, wird durch den Blutbefund unterschieden.

Prognose. Sind die Symptome der Leberzirrhose so weit vor-geschritten, daß die Diagnose mit Sicherheit gestellt werden kann, so ist der Verlauf ein ungünstiger und meist innerhalb absehbarer Zeit zum Tode führend. Die Bildung (eventuell die künstliche durch operativen Eingriff) von Kollateralbahnen kann zwar gelegentlich den ungünstigen Verlauf auf eine Zeitlang unterbrechen, doch ist ein solch relativ günstiger Einfluß nicht mit Sicherheit im Einzelfalle vorauszusagen.

Therapie. Bei der alkoholischen Ätiologie kommt der Prophylaxe eine große Bedeutung zu, ebenso dort, wo andere schädliche Einflüsse zu vermeiden sind. Eine kausale Therapie ist bei der syphilitischen (Kalomel, Quecksilber, Jod, Salvarsan) und der auf Malaria (Chinin, Salvarsan) beruhenden Zirrhose einzuleiten, ohne daß davon besonders viel zu erwarten wäre.

Symptomatisch sind alle die Leber reizenden Nahrungsstoffe fortzulassen, also eine gemischte, milde Diät, absolutes Verbot von Alkohol.

Zur Steigerung des Leberstoffwechsels und Beeinflussung der Magendarmschleimhaut, zur Entlastung abdominalen Gefäßgebietes gibt man Mineralwässer wie Karlsbader, Vichy, Marienbader usw., vorausgesetzt, daß kein erheblicher Ascites vorhanden ist. In letzterem Falle sind Diuretica indiziert, Diuretin 2—4 g täglich, Theocin 1½—2 g, Species diureticae, Kalomel 0,2—0,3, dreimal täglich (Mundpflege), lokale Schwitzbäder. Bei stärkerem Ascites hat die Bauchpunktion zu erfolgen; nachher kräftige Bauchbinden. Die Punktionen können ohne nennenswerte Schädigung des Kranken beliebig oft, sobald die Spannung zu stark wird, wiederholt werden, ev. Dauerdränage.

In noch nicht sehr vorgeschrittenen Fällen von atrophischer Zirrhose mit Ascites ist die Talmasche Operation, welche einen künstlichen Kollateralkreislauf zwischen Bauchvenen und dem Gebiete der Vena cava inferior bezweckt, anzuraten. Das Netz und die Milz werden mit den Bauchwandungen vernäht zur Erzeugung von ausgedehnten Adhäsionen. Starker Ikterus, hämorrhagische Diathese bilden eine Kontraindikation.

Fettleber.

Der ungewöhnliche Reichtum der Leber an Fett ist eigentlich mehr ein anatomischer als ein klinischer Befund. Schon physiologisch enthalten die Leberzellen stets etwas Fett, unter pathologischen Verhältnissen kann der Fettreichtum ein abnormer werden, so bei allgemeiner Fettsucht, ferner bei Stoffwechselstörungen in der Leber, wie sie durch Anämie, Tuberkulose, Karzinom und andere kachektische Zustände hervorgerufen werden (verminderte Oxydation?). Des weiteren bewirken gewisse Gifte wie Phosphor, Arsen, Antimon usw. eine Einwanderung von Fett in die Leberzellen (die frühere Unterscheidung zwischen Fettinfiltration und Fettdegeneration wird heute nicht mehr aufrecht erhalten; man nimmt für alle Fälle eine Fettinfiltration, eine Einwanderung von Fett in die Leberzellen an).

Anatomisch erscheint die Fettleber als ein vergrößertes Organ mit stumpfem Rande, glatter Oberfläche und von blaßgelber Farbe. Letztere ist besonders deutlich an dem Leberdurchschnitt zu erkennen; es bestehen gleichzeitig Stauungserscheinungen. Die Leberläppchenzeichnung ist verwischt, der vermehrte Fettgehalt der Leber dokumentiert sich beim Durchschneiden derselben durch den dabei auftretenden Beschlag der Messerklinge. So bietet die Leber das Bild der fettigen Muskatnußleber: braunrote Mitte und gelbe Peripherie.

Symptome. Klinisch stellen sich bei erheblicher Vergrößerung höchstens geringe Störungen, wie Druck und Empfindlichkeit in der Lebergegend ein. Bei der Perkussion erscheint die Leber vergrößert, falls der mitunter sehr starke Paniculus adiposus der Haut eine solche exakte Größenbestimmung zuläßt.

Die Therapie ist bei allgemeiner Schätzung die des letzteren und auch sonst die des Grundleidens.

Amyloidleber.

Dieselbe findet sich im Gefolge kachektischer Zustände, besonders bei langdauernden Eiterungen (Lungen- und Knochentuberkulose usw.) bei Syphilis und Malaria, kurz, bei allen Zuständen, bei denen man auch Amyloid der Nieren, der Darmschleimhaut findet.

Anatomisch erscheint die Amyloidleber sehr groß; sie ist glatt, fest und derb, beim Durchschneiden von erheblicher Härte. Die Schnittfläche zeigt einen eigentümlich speckartigen Glanz. Träufelt man verdünnte Jodlösung auf, so nehmen die amyloidinfiltrierten Partien eine mahagonibraune Farbe an, während die anderen Stellen ungefärbt oder hellgelb erscheinen.

Symptome. Die Leber zeichnet sich durch eine oft erhebliche Größe, verbunden mit beträchtlicher Härte, aus. Das Grundleiden der Amyloidleber erleichtert die Deutung der vergrößerten glatten Leber. Auch die Milz ist vergrößert und hart, während sonstige Stauungserscheinungen fehlen. Die Behandlung ist die des Grundleidens.

Leberkrebs.

Der Leberkrebs ist meist sekundär. Der primäre Krebs gehört entweder der Gallenblase oder den Gallengängen an oder dem Magendarm, Ösophagus, Pankreas, Uterus, also solchen Eingeweiden, welche direkt oder indirekt mit dem Pfortadersystem in Verbindung stehen. Pathologisch-anatomisch tritt der Leberkrebs entweder in umschriebenen Knoten, welche sich aus dem gesunden Gewebe herausschälen lassen, oder — sehr selten — als diffuse Infiltration auf. Letztere Form ist meist primär. Bei dem sekundären Krebs findet man oft eine enorme Vergrößerung der Leber. Die Knoten ragen an der Oberfläche als unregelmäßige Hervorwölbungen mit einer zentralen Nabelbildung infolge Bindegewebsschrumpfung hervor. Das sekundäre Karzinom zeigt denselben Bau wie das primäre.

Die Symptome des Leberkrebses sind diejenigen des Krebses überhaupt: Abmagerung, Mattigkeit, Appetitlosigkeit, Erbrechen, daneben lokale Schmerzen. Die Leber erscheint vergrößert, druckempfindlich, bei einigermaßen fortgeschrittener Abmagerung fühlt man deutlich die unregelmäßigen Hervorwölbungen. Manchmal gelingt der Nachweis des primären Krebses. Von Komplikationen ist vor allem zu nennen: Ikterus, der durch Kompression der äußeren oder intrahepatischen Gallengänge hervorgerufen wird. Auf analoger Ursache beruht ein auftretender Ascites, doch verursacht eine karzinomatöse Peritonitis die gleichen Erscheinungen. Die Palpation der Knoten in der Bauchhöhle, eventuell nach Ablassen des Ascites, sichert die Differentialdiagnose. Fieber kann bestehen und auch fehlen. Der Allgemeinzustand ist der der Krebskachexie. Selten vermißt wird die Vergrößerung der supraklavikularen Lymphdrüsen.

Der Verlauf des Leberkrebses ist meist ein sehr rascher, selten länger als ein Jahr.

Die Diagnose ist durch die Palpation und die allgemeine Kachexie nicht schwierig. Der Nachweis des primären Karzinoms, eventuell der Nachweis, ob das Leberkarzinom selbst primär ist, kann auf unüberwindliche Schwierigkeiten stoßen.

Die Therapie ist eine symptomatische, sofern nicht eine isolierte Geschwulst den Versuch einer Operation rechtfertigt. Es sind schon Heilungen berichtet worden.

Lebersarkom und -adenome lassen sich klinisch nicht von dem -karzinom unterscheiden. Von gutartigen Geschwülsten werden Leberzysten, Hämangiome, Fibrome beschrieben.

Lebersyphilis.

Die metasyphilitischen Prozesse, die sich als Leberzirrhose oder Amyloidleber und Fettleber äußern, sind in den betreffenden Kapiteln besprochen und bieten nichts Spezifisches dar. Die spezifische Leberlues findet man bei der kongenitalen Syphilis der Neugeborenen und im tertiären Stadium der akquirierten Lues.

Anatomisch sind diese beiden Formen unterschieden. Bei der hereditären Lues findet man eine diffuse Hepatitis infolge starker Wucherung des interlobulären Bindegewebes. Die an sich vergrößerte schwere Leber ist hart, auf dem Durchschnitt sieht man zahlreiche miliare Gummata. Die lobuläre Zeichnung ist vollständig verwischt. — Die Hepatitis gummosa

der Erwachsenen dokumentiert sich durch zahlreiche erbsen- bis apfel-
große Gummigeschwülste — bei der kongenitalen Lues findet man diese
Form nur sehr selten. Die Gummata sind von grauem, blassem Aussehen, zeigen häufig ausgedehnte Verkäsung oder Verkalkung und sind
in sehr wechselnder Menge, manchmal nur 1—2, manchmal in großer
Anzahl in der Leber vorhanden. Daneben kommen auch die gewöhnlichen
zirrhotischen Veränderungen vor.

Symptome. Die Lebersyphilis der Neugeborenen kann ein Symptom
neben den Allgemeinerscheinungen der kongenitalen Lues der Kinder
bilden. Häufig werden die Kinder scheinbar gesund geboren, und es
entwickeln sich die Zeichen der Leberlues nach 4—6—8 Wochen. Dieselben bestehen in Vergrößerung der Leber, welche sich hart anfühlt,
es stellt sich Ikterus ein, der bald sehr intensiv wird, der Stuhl ist
acholisch, die Milz ist meist vergrößert. (Beim Ikterus neonatorum, der
außerdem zu einem früheren Zeitpunkt auftritt, zeigt der Stuhl meist
keine Veränderung der Farbe.)

Die Lebersyphilis des Tertiärstadiums braucht keine besonderen Symptome zu machen. Ist eine Vergrößerung oder Unregelmäßigkeit der Leber
nachweisbar, so weist die Anamnese, der Befund anderer tertiärer Erscheinungen und die positive Wassermannsche Reaktion auf die
Syphilis als Ursache hin. Nicht selten besteht eine spontane Schmerzhaftigkeit der Leber, hervorgerufen durch die Perihepatitis syphilitica,
welche häufig bindegewebige Verwachsungen mit der Umgebung: Zwerchfell, Bauchwand usw. eingeht.

Es sind Fälle von syphilitischem Leberfieber beschrieben
worden, Fälle, in denen ein hektisches Fieber der alleinige Ausdruck der
Erkrankung war, und welches unter spezifischer Behandlung schwand.
Das intermittierende Fieber ist vielleicht durch die Erweichung und Resorption der Gummiknoten zu erklären. Eine syphilitische Leberzirrhose
unterscheidet sich in ihren Symptomen (Ascites, große Milz usw.) nicht
von der gewöhnlichen Zirrhose.

Diagnose. Der Nachweis anderweitiger syphilitischer Erscheinungen,
die Anamnese oder die Wassermannsche Reaktion lassen gegebenenfalls eine Vergrößerung oder einen fühlbaren Gummiknoten als solchen
erkennen. Der prompte Rückgang derselben auf eine spezifische Behandlung sichert die Diagnose, doch ist umgekehrt eine Lebersyphilis
nicht mit Sicherheit auszuschließen, wenn die spezifische Therapie nicht
zum Ziele führt. Differentialdiagnostisch kommen in Betracht alle diejenigen Erkrankungen, welche mit Geschwulstbildung (wie Echinokokkus,

Abszeß, Krebs) oder mit Vergrößerung (Zirrhose, Fettleber usw.) einhergehen. Hektisches intermittierendes Leberfieber kann zu Verwechslungen Veranlassung geben mit Cholangitis, Cholezystitis, Abszeß. Prognose. Trotz der Möglichkeit, durch eine spezifische Behandlung die spezifischen Erscheinungen zu beseitigen, bleibt die Voraussage doch eine meist ungünstige, zum mindesten vorsichtig zu haltende, weil mit der Behandlung eben nur die spezifischen Erscheinungen, nicht aber die parasyphilitischen, also die zirrhotischen Veränderungen beseitigt werden können, und es sich nicht ohne weiteres in vivo bestimmen läßt, wie weit letztere Veränderungen bereits fortgeschritten sind.

Die Therapie ist eine spezifische und roborierende, weil die Patienten mit Leberlues meist in mehr oder minder starken Marasmus verfallen sind. Im übrigen ist die Behandlung die der Zirrhose.

Leberechinokokkus.

Der Echinokokkus ist der Finnenzustand der Taenia echinococcus des im Darmkanal des Hundes lebenden Bandwurmes. Er entwickelt sich in den Organen des Menschen, besonders in der Leber (viel seltener in den Lungen, Nieren, Gehirn, Knochen), wenn die Eier des genannten Bandwurmes in den Verdauungskanal des Menschen gelangen. Die Echinokokkeninfektion geschieht also durch innige Berührung mit Hunden, direkt oder indirekt durch verunreinigte Nahrungsmittel wie Salat usw.

Pathologische Anatomie. Der mit dem Pfortaderblutstrom in die Leber gelangte Embryo entwickelt sich daselbst zum Echinococcus unilocularis oder, was bei uns seltener ist, zum Echinococcus multilocularis. Ersterer stellt eine bis zu erheblicher Größe anwachsende Blase dar, welche von einer äußeren, von der Leber gebildeten Bindegewebskapsel und von einer inneren, vom Echinokokkus gelieferten Chitinwand umgeben ist. Diese Chitinwand ist in charakteristischer Weise geschichtet und erscheint auf dem Durchschnitt gestreift. Die Blase enthält eine klare, eiweißfreie Flüssigkeit, welche Kochsalz, Traubenzucker und Bernsteinsäure (nicht regelmäßig) enthält. Außerdem einzelne Scolices, welche mit Häkchen und vier Saugnäpfchen versehen sind und welche ihrerseits neue Blasen (Tochterblasen) entwickeln. Letztere können wiederum neue Blasen (Enkelblasen) hervorbringen. Diese Blasen lösen sich später los und schwimmen frei in der Flüssigkeit herum. Der Leberechinokokkus kann bis Mannskopfgröße erreichen.

Wenn der Echinokokkus abstirbt, tritt eine Verödung der Blase ein, welche zur Schrumpfung und Verkalkung oder aber auch zur Vereiterung oder Verjauchung der Blase führen kann. In dem Eiter weisen dann nur die sehr widerstandsfähigen Echinokokkenhäkchen auf den Ursprung des Abszesses hin. Die Vereiterung erfolgt durch äußere Infektion, häufig auf traumatischer Basis.

Die zweite Form, der multilokuläre Echinokokkus, entwickelt seine Tochterblasen an der Außenwand der Mutterblase, und zwar entwickeln sich die Tochterblasen in präformierten Kanälen oder Septen (Gallenwege, Lymphbahnen usw.). Die einzelnen Bläschen sind auch hier mit Bindegewebe von der Leber aus umgeben, der Echinokokkus ist von härterer Konsistenz, die Leber selbst nimmt dabei eine grobe, höckerige Form an.

Symptome. Der Echinokokkus kann lange Zeit und dauernd latent bleiben, wenn seine Größe nicht zu erheblich ist. Die wachsende Blase macht allmählich Kompressionserscheinungen, welche sich als Druck in der Lebergegend, Fülle, Atemnot dokumentieren. Objektiv ist ein allmähliches Wachstum der Leber zu konstatieren, die sich sehr häufig nach oben hin ausdehnt und in die rechte Brusthälfte hineinragt. Reicht die Geschwulst bis auf die Vorderfläche, so fühlt man sie als eine glatte, fluktuierende Hervorwölbung, die auf Druck nicht schmerzhaft ist und gelegentlich das sogenannte Hydatidenschwirren, bei Erzeugung einer kurzwelligen Fluktuation, eine eigenartige zitternde Bewegung, erkennen läßt. Die Unterscheidung von anderen Geschwülsten geschieht durch das Fehlen sonstiger Symptome, wie Fieber, Abmagerung; Ascites und Gelbsucht sind äußerst selten. Bei sehr deutlicher Fluktuation kann man den Versuch einer Probepunktion wagen, um durch den Nachweis der Häkchen und der gestreiften Membran sowie die Art der Flüssigkeit die Diagnose zu stellen. Doch ist stets die Gefahr, daß etwas von der Blasenflüssigkeit in die Bauchhöhle gelangt, zu berücksichtigen; durch Resorption des toxischen Inhaltes oder wenn der Inhalt nicht keimfrei war, sind schwere Schädigungen beobachtet worden. — Kommt es als spontane Komplikation bei der Ruptur eines Echinokokkus zum Durchbruch in die Bauchhöhle, so treten infolge der Resorption schwere Vergiftungserscheinungen auf: starke Dyspnoe, Urticaria, oder es entwickelt sich eine Peritonitis mit tödlichem Ausgange. Relativ günstig ist der Durchbruch in die Pleura, weil die Flüssigkeit dann durch Punktion entfernt werden kann. Am günstigsten ist der Durchbruch durch die Haut, während bei der Perforation nach dem Magen, Lungen, dem Herzbeutel große Gefahren entstehen; der Durchbruch in die großen Gefäße oder in das Herz ist unbedingt tödlich.

Bei Vereiterung des Echinokokkeninhaltes stellen sich die Symptome des Leberabszesses ein (s. daselbst).

Die Dauer eines Echinokokkus ist sehr verschieden; man hat Beobachtungen bis zu 20 Jahren.

Der multilokuläre Leberechinokokkus verursacht Lebervergrößerung; die Kompression einzelner Blasen kann leicht Ikterus, Ascites und Milzvergrößerung herbeiführen. Das Krankheitsbild gleicht durchaus dem der Leberzirrhose.

Diagnose. Die differentialdiagnostischen Punkte gegenüber den anderen Lebervergrößerungen sind bereits hervorgehoben. Die Prognose ist keine sehr günstige, da stets die Gefahr einer Ruptur und eines plötzlichen Exitus droht.

Die Therapie ist nach Feststellung der Diagnose eine rein chirurgische.

Der Prophylaxe gebührt besondere Beachtung; besonders Kinder, welche mit Hunden spielen, sind der Echinokokkusgefahr ausgesetzt.

Krankheiten der Gallenwege.

Die Entzündung der Gallenwege (Cholangitis und Cholezystitis).

Ein einfacher Katarrh der Gallenwege entsteht meist durch Infektion. Doch können wohl auch die anderen Ursachen, welche einen Magendarmkatarrh, vor allem einen Duodenalkatarrh hervorrufen, wie toxische Schädigungen, Stauung infolge von Herzfehler, Pfortaderstauung usw., eine Entzündung des Gallenganges verursachen. Meist entsteht letztere im Anschluß an einen Duodenalkatarrh. Die Fortpflanzung dieses Katarrhs kann wohl auf verschiedene Weise zustande kommen. Durch Schwellung der Schleimhaut an der Papilla Vateri kommt es zur Gallenstauung. Dadurch wird das Eindringen der den Darm bevölkernden Bakterien in die Gallenwege begünstigt. Vor allem kommt in Betracht das Bacterium coli, doch sind auch alle übrigen Infektionserreger, wie Pneumokokken, Staphylokokken, Streptokokken usw. hier gefunden worden. Vielleicht ist auch die mechanische Gallenstauung an sich genügend, um einen Katarrh hervorzurufen.

Pathologisch-anatomisch findet man oft nur eine Schwellung und Rötung der Schleimhaut des Gallenganges sowie eine zähe Beschaffenheit der Galle mit Beimengungen von Schleim. Die oberhalb liegenden Gallengänge sind erweitert, die Leber vergrößert und ikterisch gefärbt.

Die Symptome des einfachen katarrhalischen Ikterus sind bereits bei der Schilderung des Ikterus angegeben (s. S. 173). Die Dauer der Cholangitis catarrhalis beträgt durchschnittlich 4—8 Wochen, in leichten Fällen weniger, in schweren länger. Während zum Beginn die Diagnose keine Schwierigkeiten macht, entstehen bei längerer Dauer als zwei Monate doch Zweifel, ob ein ernsteres Leiden vorliegt. Der Gesamtzustand, der Palpationsbefund und schließlich der weitere Verlauf geben den diagnostischen Ausschlag. (Die Behandlung s. oben.)

Cholangitis suppurativa.

Aus dem einfachen Gallengangskatarrh kann sich ein eitriger entwickeln bei stärkerer Virulenz der auf dem Blut- oder Darmwege eingewanderten Entzündungserreger, oder wenn umgekehrt die Widerstandsfähigkeit der Schleimhäute geringer geworden ist. Für die letzere Annahme spricht der Umstand, daß man die eitrige Cholangitis am häufigsten bei Anwesenheit von Fremdkörpern (Gallensteine, Parasiten) findet. Auch hier wird am häufigsten das Bacterium coli commune gefunden, ferner Diplokokken, Staphylo- und Streptokokken usw. Verursacht wird die Cholangitis ferner durch eitrige Entzündungen aus der Nachbarschaft, Abszesse der Leber, Pylephlebitis u. a.; durch eine Pyämie auf metastatischem Wege und analog durch eine Infektion bei Abdominaltyphus, Cholera, Dysenterie, Pneumonie usw. Pathologisch-anatomisch findet man eine eitrige Entzündung der Gallenausführungsgänge und eventuell der intrahepatischen Gallenwege.

Symptome. Das Krankheitsbild der Cholangitis suppur. ist vor allem das der Pyämie. Es besteht remittierendes oder intermittierendes Fieber, verbunden mit Schweißausbruch und Kräfteverfall. Dazu kann sich Ikterus, Lebervergrößerung und Schmerzhaftigkeit in der Leber gesellen. Die Milz ist vergrößert. Der Verlauf erstreckt sich über Monate. Durch Hinzutreten von Endokarditis, Meningitis und anderer Metastasen kann die Erkrankung zum Tode führen.

Diagnose. Es ist nicht immer leicht, über die allgemeine Diagnose der Septikopyämie hinauszukommen, wenn nicht Ikterus und eine ausgesprochene Schmerzhaftigkeit und Vergrößerung der Leber besteht oder eine Cholezystitis auf den Erkrankungsherd hinweist.

Die Therapie ist eine antifebrile. Empfohlen ist besonders Kalomel in größeren Dosen: 0,2, drei- bis fünfmal täglich mehrere Tage lang zu geben, eventuell ist Salvarsan intravenös zu versuchen. Auch chirurgischer Eingriff, Drainage der großen Gallenwege ist empfohlen.

Gallenblasenentzündung (Cholezystitis, Hydrops vesicae felleae).

Die Cholezystitis wird durch die gleichen Ursachen wie die Cholangitis, und zwar meistens im Anschluß an letztere hervorgerufen. An erster Stelle stehen die Gallensteine, an zweiter die Infektionskrankheiten, besonders der Typhus.

Anatomisch findet man bei einfachem Gallenblasenkatarrh den Inhalt der Gallenblase bestehend aus Sekretionsprodukten der Schleimhaut, Schleim und abgestoßenen Epithelien. Die Gallenblase ist ausgedehnt, wobei man häufig einen darüber zungenartig ausgezogenen Leberlappen findet (Riedelscher Lappen) und nach länger dauernder Entzündung verdickt, selbst verkalkt. Oft sieht man eine Fortsetzung der Entzündung auf die Serosa der Nachbarorgane, mit denen sie durch bindegewebige Stränge verwachsen ist — Pericholezystitis. Ist es zur Eiterbildung gekommen, so spricht man von einem Empyem der Gallenblase, wobei die Mündung des Ductus cysticus meist verschlossen ist, und die Gallenblase erheblich ausgedehnt wurde. Mitunter sieht man Perforationen, die zu peritonealen Verwachsungen führten — zirkumskripte Peritonitis (Pericholezystitis), oder, wenn dieselben ausblieben, zu einer allgemeinen Peritonitis. Bei sehr chronischem Verlaufe kommt es durch Resorption zur Eindickung des Gallenblaseninhaltes und weiterhin zur Schrumpfung der Gallenblase mit Atrophie der Schleimhaut.

Symptome. Die Entzündung der Gallenblase macht praeter propter dieselben Allgemeinerscheinungen wie die Cholangitis. Hierzu treten die lokalen Beschwerden, welche durch die Druckempfindlichkeit der Gallenblase (défense musculaire) und ihre Vergrößerung bedingt sind. Letztere kann ganz erhebliche Grade betragen, so daß der Gallenblasenfundus bis unter den Nabel in die Gegend des Blinddarmes hinabreicht. Der palpatorische Nachweis (ev. im entspannenden heißen Bade) der prall elastischen, über den glatten Leberrand hervorragenden, respiratorisch mit der Leber verschieblichen Gallenblasengeschwulst ist das wichtigste objektive Symptom; ihre Grenzen lassen sich perkutorisch (leisester Klopfschall), oft erst nach gründlicher Entleerung des Dickdarmes, ziemlich genau feststellen. — Entwickelt sich, wie häufig, eine Pericholezystitis, so machen sich lokale peritonitische Erscheinungen, so bei Verwachsungen mit dem Magen,

Übelkeit, Erbrechen, Schmerzen nach der Nahrungsaufnahme usw. geltend. Die Allgemeinerscheinungen sind von der Art der Entzündung: ob einfach katarrhalisch oder eitrig, abhängig. Desgleichen der Verlauf. Im ersteren Falle klingt das Leiden meist innerhalb weniger Tage ab, beim Empyem der Gallenblase kann sich ein sehr langwieriger, fieberhafter Zustand entwickeln. Häufig sind es nur subfebrile Temperaturen, bis 37,4—37,5, welche auf einen Eiterherd hinweisen. Es besteht dauernd die Gefahr eines Durchbruches in das Peritoneum und einer sekundären tödlichen Peritonitis.

Diagnose. Die Spannung in der Lebergegend weist von vornherein auf die Gallenblase als den Ort der Erkrankung hin. Alle im rechten Hypochondrium vorkommenden Tumoren müssen differentialdiagnostisch in Betracht gezogen werden: fluktuierende Lebergeschwülste, Hydronephrose, Ovarialzysten, maligne Tumoren; letztere sind in der Regel unregelmäßig begrenzt; bei stark ausgezogener Gallenblase können sogar Verwechslungen mit Perityphlitis, Pyelonephritis u. a. vorkommen. Gallenblasentumoren können auch durch Gallensteine oder durch Karzinome der Gallenblase bedingt sein; die ersteren geben sich durch ihre Härte und höckerige Beschaffenheit dem palpierenden Fingern zu erkennen, das ebenfalls höckerige Karzinom dokumentiert sich durch den Verlauf. (Gallensteinkolik und Cholezystitis s. o.)

Therapie. Die einfache katarrhalische Cholezystitis wird durch Ruhe, heiße Umschläge oder Eisblase, Opiate und eine leichte, breiigflüssige Diät behandelt. Ist ein Empyem festgestellt, so ist die Indikation zur Operation gegeben. Ist eine solche aus irgendwelchen Gründen nicht angängig, so muß bei vollkommener Ruhe abgewartet werden, ob eine Spontanheilung zu erzielen ist, doch ist stets mit der Gefahr eines Wiederaufflackerns resp. einer Perforation zu rechnen.

Cholelithiasis (Gallenstein).

Als Ursache für die Gallensteinbildung galt eine Zeitlang fast ausschließlich der bakterielle Katarrh der Gallenwege. Die Gallensteine bestehen in der Hauptsache aus Cholesterin und Bilirubinkalk; daneben in geringer Menge aus kohlensaurem Kalk, Epitheldetritus und Bakterienleibern. Das Cholesterin und der Kalk scheiden sich aus der entzündeten Schleimhaut der Gallenwege ab; um das organische Gerüst der Steine kristallisiert sich das Cholesterin an und schlägt sich der Bilirubinkalk in derben Massen nieder. Das weitere Wachstum erfolgt durch konzentrischen Niederschlag von Cholesterin oder Bilirubinkalk. Eine einfache Gallenstauung genügt in

der Regel anscheinend nicht zur Bildung von Gallensteinen, doch kommt
es bei Gallenstauung sehr leicht zur Infektion des an sich sterilen Gallen-
inhaltes, so daß sich sekundär der steinbildende Katarrh entwickeln kann.
Für eine bestimmte Form des Gallensteins jedoch, den sog. radiären
Cholesterinstein wird neuestens nicht die bakterielle Entzündung, sondern
die sterile autochthone Zersetzung der Galle selbst als Entstehungsursache
angesehen.

Neben der auslösenden Ursache nimmt R i e d e l für die Entstehung
der Gallensteinkrankheit eine Anlage, die im allgemeinen hereditär ist,
als unentbehrlich an.

Etwa 10—12 % der Menschen haben in Deutschland Gallensteine.
Davon betreffen 3/4 Frauen; über 50 % stehen jenseits des 50. Lebensjahres. Unter 25—30 Jahren sind die Gallensteine selten. Alle Momente,
welche eine Stagnation der Galle verursachen, begünstigen die Steinbildung, so vor allem das Tragen der Korsetts, Enteroptose, Mangel an
Körperübung, sitzende Lebensweise usw.

P a t h o l o g i s c h e A n a t o m i e. Gallensteine finden sich sehr häufig
als zufälliger Nebenbefund der Sektion. Anzahl und Größe der Steine
wechseln in weitesten Grenzen. Ist nur ein Stein vorhanden, so hat derselbe in der Regel die Form der Gallenblase und kann eine beträchtliche
Größe erreichen. Finden sich zahlreiche Steine in der Blase — in extremen
Fällen sind Hunderte, ja selbst Tausende von Steinchen gefunden worden
— so sind sie unregelmäßig, vieleckig geformt, facettiert, so wie es
das Wachstum der anfänglich wohl rundlichen Steine durch den Druck
der Nachbarsteine bedingte, und daneben kommt noch sandkornartiger
Gallengries vor. Die Farbe der Steine ist gelb, olivengrün, braun,
schwarz, je nach der chemischen Zusammensetzung. Sitz der Steinbildung
ist hauptsächlich die Gallenblase. Von dort können sie in die Gallengänge
bis in die intrahepatischen hineingelangen. Einmal festgeklemmt im Ductus choledochus oder cysticus, wachsen sie darin weiter.

Die Wand der Gallenblase, deren Entzündung Ursache der Gallensteinbildung ist, kann wiederum unter dem Einfluß der letzteren verändert werden. Die Entzündung greift auf die Mukosa, Submukosa, Muskularis und die Serosa über, es kommt zu fibrösen Verdickungen der gesamten Gallenblasenwand oder zu Schrumpfungen und Atrophie der
Schleimhaut; es bilden sich Divertikelbildungen um einzelne Steine und
perizystitische Entzündungen mit Verwachsungen der Nebenorgane; bei
Einkeilung eines Steines in den Ductus cysticus kann, wenn keine Abszeßbildung eintritt, nach Resorption der noch vorhandenen Galle eine

seröse Absonderung der entzündeten Schleimhaut auftreten, welche die Gallenblase um das Mehrfache ihres ursprünglichen Volumens auftreibt (Hydrops vesicae felleae). Kommt es zur Eiterbildung, so entsteht das schon geschilderte Empyema vesicae felleae.

Symptome. In der überwiegenden Mehrzahl der Fälle machen die Gallensteine keine Symptome. Nach Naunyn haben 25 % aller Frauen über 60 Jahre Gallensteine. Allgemeine unbestimmte Beschwerden, wie dyspeptische Erscheinungen, Druck in der Lebergegend, weisen auf Gallensteine hin, ohne daß, wenn niemals ein Anfall, eine Kolik aufgetreten war, die sichere Diagnose zu stellen wäre; es sei denn, daß die Steine in der Gallenblase zu fühlen sind oder daß ein Gallenstein durch den Kot abgegangen ist. Denn kleine Steine können ohne nennenswerte Beschwerden die Papilla Vateri passieren. Das typische Bild der Gallensteinkrankheit wird durch eine Kolik, die häufig plötzlich bei einem vorher ganz gesunden Menschen auftritt, eingeleitet. Der Kolikanfall wird ausgelöst durch das Eintreten eines Gallensteines in die Gallenwege. Der Anfall beginnt plötzlich mit einem überwältigenden Gefühl von Schmerzen in der Lebergegend. Es kann auch ein prämonitorisches Unbehagen einige Zeit vorausgegangen sein. Der Kranke krümmt sich vor Schmerzen. Der Schmerz ist von vernichtender Gewalt. Er strahlt nach verschiedenen Richtungen aus, besonders heftig in die rechte Schulter, aber auch gelegentlich in die linke, oder in den rechten Arm, nach dem Epigastrium usw. Er ist von einem schüttelfrostartigen Schauer (ohne Temperatursteigerung) begleitet, es kann Erbrechen, Schweißausbruch, Kollaps hinzutreten, wenn der Schmerz nicht durch Morphium gelindert wird. Der Schmerz kann stunden-, selbst tagelang anhalten und mit Temperatursteigerungen bis 40 ° C (die mit dem obengenannten reflektorischen Schüttelfrost nichts zu tun haben) einhergehen. Bei der Untersuchung des Kranken ist die Gegend der Gallenblase so empfindlich, daß die Kranken bei der leisesten Berührung schreien. Der Kolikanfall kann plötzlich oder allmählich nachlassen und nach Stunden oder Tagen zu jeder Zeit wieder von neuem auftreten, falls nicht, was eventuell durch Stuhluntersuchung feststellbar, ein Gallenstein abgegangen ist. Die Fortbewegung des Steines im Ductus cysticus ist die erste Ursache des Schmerzes. In dem weiteren Choledochus macht er weniger Beschwerden, erst der Durchtritt in das Duodenum oder Durchtritt oder Steckenbleiben in der Papilla Vateri ruft wieder einen neuen Anfall hervor. Ist der Stein in einem der Gänge, so kann Ikterus auftreten, der bei vollkommenem Choledochusverschluß die notwendige Folge ist. Tritt dann zu der schon meist vorhandenen Entzündung der Gallenblase noch eine Sekretanhäufung auf, so ist eine weitere Ursache des Schmerzes gegeben. Hat sich der Stein in die Mündung des Ductus choledochus eingekeilt, so kann ein schwerer Ikterus entstehen. In vielleicht der Hälfte der Fälle von Gallensteinkolik kommt es aber überhaupt zu keinem Ikterus. Die Intensität, Dauer, Wiederholungen des Schmerzanfalles wechseln in weiten Grenzen. Das reflektorische Fieber ist unregelmäßig und oft mit Schüttelfrösten verbunden. So schwer die durch den Schmerz hervorgerufenen Erscheinungen sein können, so kommt es doch äußerst selten zu so schweren Choks, daß Ohnmachten und der Tod die Folge sind. Der hier geschilderte reguläre Verlauf eines Gallensteinanfalles endet mit der Austreibung des Steines in den Darm. Die Auffindung des Steines ist jedoch häufig trotz sorgfältigster Untersuchung (Stuhlsieb) unmöglich, vielleicht weil im Darm bereits eine Auflösung des Steines erfolgt ist oder aber, weil der Stein tagelang im Darm zurückbehalten wird.

Bei dem irregulären Verlauf der Kolik wird der Anfall nicht durch Entfernung des Steines auf natürlichem Wege beendet, es kommt vielmehr entweder zur festen Einkeilung des Steins, zur Inkarzeration mit ihren Folgen, oder zur Geschwürsbildung (Dekubitalgeschwüre) und eventuellem Durchbruch des Steines, oder aber zu der Infektion der Gallenblase und Gallengänge (Cholezystitis und Cholangitis).

Erfolgt die Gallensteininkarzeration im Ductus cysticus und hält der Verschluß längere Zeit an, so entwickelt sich ein Hydrops vesicae felleae. Oft schwillt dann die Gallenblase zu enormer Größe an; der Hals derselben ist mehr oder minder ausgezogen, so daß beim Palpieren die Gallenblase häufig nicht als solche, sondern als ein in der unteren Bauchhälfte lokalisierter Tumor (Nierentumor, Ovarialtumor u. dgl.) imponiert. Erschwert wird die Palpation noch dadurch, daß der Teil des rechten, über der Gallenblase gelegenen Leberlappens zungenförmig ausgezogen ist (Riedelscher Lappen).

Beim Verschluß des Ductus choledochus tritt ein schwerer Ikterus auf. Es kommt zur Lebervergrößerung, bei langer Dauer eventuell zur zirrhotischen Verkleinerung; sehr selten tritt unter cholämischen Erscheinungen der Tod ein. Die Gallenblase ist beim Ductusverschluß nicht vergrößert, was differentialdiagnostisch gegen eine karzinomatöse Neubildung zu verwerten ist. Nicht ganz selten bildet sich aber im Anschluß an einen durch eine Gallensteineinklemmung bedingten Choledochusverschluß eine bösartige Neubildung aus.

Mitunter verursacht der Gallenstein eine Drucknekrose in den Gallenwegen. Es treten pericholezystitische, also peritonitische Verwachsungen mit der Umgebung auf, und auf dem Wege der so geschaffenen Verbindung kann der Stein in eines der Nachbarorgane, den Magen, das Duodenum, auch durch die Haut nach außen entleert werden. In unglücklichen Fällen brechen Abszeß und Steine in die freie Bauchhöhle durch und bedingen eine akute Peritonitis. Die Abszeßsymptome sind die gewöhnlichen: Schmerzen, Schüttelfröste, pyämisches oder septisches Fieber, je nach der Größe und der Art des Abszesses. Beim Durchbruch desselben in die Pleurahöhle treten plötzlich die Erscheinungen einer Pleuritis auf; beim Durchbruch in die Lunge wird manchmal unter einem plötzlichen Erstickungsanfall massenhaft Eiter entleert, es entsteht eine Lungen-Leberfistel, kurz, je nach dem Orte des Durchbruchs des Abszesses werden die Lokalsymptome verschiedene sein.

Entwickelt sich im Circulus vitiosus, durch die Gallensteinanwesenheit begünstigt, eine eitrige Cholezystitis, so beherrschen die Symptome der letzteren das Krankheitsbild.

Die Unterscheidung, ob neben einer Cholezystitis auch Gallensteine vorhanden sind, ist nicht immer einfach. Jedenfalls kann eine reine Cholecystitis suppurativa typische Gallensteinkolik auslösen. (Die Symptome und die Folgen der Cholezystitis s. S. 197.)

Eine, wenn auch seltene Komplikation des schon scheinbar überwundenen Gallensteinanfalls ist der Ileus. Es kann sich ein großer Gallenstein so unglücklich in dem Darm einstellen, daß unter krampfhafter Kontraktion ein sogenannter Gallensteinileus mit vollkommener Darmungängigkeit (s. unter Ileus, S. 129) auftritt.

Diagnose. Während eines typischen Kolikanfalles ist durch die Lokalisation des Schmerzes die Diagnose nicht schwierig. Besteht oder bestand in ähnlichen Anfällen Ikterus, gehen Gallensteine durch den den Stuhl ab, so ist die Diagnose der Gallensteinkolik gesichert. Sonst können die kolikartigen Algien zu Verwechslungen Veranlassung geben mit Gastralgie, Nierenkolik, Darmkolik, akuter Appendizitis, innerer Darmeinklemmung, Angina abdominalis und, was praktisch von großer Wichtigkeit, einer einfachen Interkostalneuralgie. Nur eine genaue allgemeine Untersuchung, auch sorgfältige Untersuchung mit der Nadel zur Abgrenzung einer eventuellen Interkostalneuralgie, Beachtung der Anamnese, der Lokalisation des Druckschmerzes — die subjektiven Angaben über den Ort der Entstehung des Schmerzes sind nicht immer zu verwerten und können irreführen — werden meist, zum mindesten bei wiederholten Anfällen, die Diagnose sichern. Der Nachweis von Gallensteinen durch das Röntgenbild ist unsicher.

Prognose. Da Gallensteinkoliken zu rezidivieren pflegen, ist die Prognose niemals sicher zu stellen, trotzdem sie im allgemeinen als eine gute zu bezeichnen ist.

Therapie. Im Gallensteinkolikanfall ist einzig und allein Morphium subkutan zu geben (große Dosen: 2 ctg). Die Injektion ist eventuell nach $\frac{1}{2}$—$\frac{3}{4}$ Stunde dreist zu wiederholen, daneben heiße Umschläge in der Gallenblasengegend, eventuell ein heißes Bad und heiße Getränke in kleinen Mengen (Zitronenlimonade, Tee, Karlsbader Wasser). Für Stuhlentleerung ist am besten durch Einlauf (Glyzerin 10, Oleum ricini 30) zu sorgen. Nach Beendigung des Anfalles muß Patient mehrere Tage zu Bett bleiben.

Zur Prophylaxe eines neuen Anfalls, also zur Abtreibung eventuell noch vorhandener Gallensteine in der Gallenblase oder zur Verhütung neuer Steinbildung, existiert kein sicheres Mittel. Man vermag nur die Ursachen für die Gallenstauung auszuschalten: Sorge für Stuhl, — Hormonal hat in einigen Fällen, vermutlich durch die Anregung einer regelmäßigen Peristaltik des Duodenums, außerordentlich günstig gewirkt — weite Kleidung, körperliche Bewegung, Vermeiden von Alkohol, starken Gewürzen und schwer verdaulicher Nahrung, da Magenverstimmungen erfahrungsgemäß häufig Gallensteinanfälle auslösen (Cave: fette Speisen, kalte Getränke usw.).

Mittel, welche die Gallensteine auflösen, gibt es nicht. Zur Verhinderung der Bildung verordnet man sogenannte Cholagoga, gallentreibende Mittel, welche nicht nur die Gallensekretion, sondern auch gleichzeitig den Gallenfluß und damit eventuell das Heraustreiben der Gallensteine befördern sollen. In diesem Sinne werden empfohlen die sogenannten Durandetschen Tropfen (aus Terpentinöl und Äther), von denen man freilich früher annahm, daß sie Gallensteine auflösten, ferner Olivenöl 150—200 g mit 1—2 Tropfen Pfefferminzöl zu trinken, auch in Form von hohen Ölklistieren. Gallentreibend wirkt Eunatrol (ölsaures Natron) in Pillen, 1—2 g täglich. Ferner sind empfohlen Ochsengalle, salizylsaures Natron, Chologen, das im wesentlichen Kalomel und Podopyllin, Kampfer und Kümmelöl enthält. Eine Kur in Karlsbad, Vichy wirkt in analoger Weise.

Die Art der Diät ist schon besprochen. Wichtig ist, sie in Form häufiger und kleiner Mahlzeiten zu verabreichen, da jede Nahrungszufuhr physiologischerweise gallentreibend wirkt.

Geht der akute Gallensteinanfall aus einem der oben genannten Gründe in einen chronischen über, so ist die Indikation zum operativen Eingreifen gegeben, einmal wegen akuter Gefahr, bei eitriger Cholezystitis, bei drohendem Durchbruch in ein Nachbarorgan; ferner, wenn infolge Einklemmung eines Steines durch langdauernden Ikterus das Allgemeinbefinden schwer leidet oder die Gefahr eines Dekubitalgeschwüres naherückt, ferner dann, wenn die Anfälle sich so häufen, daß der Lebensgenuß des Kranken in Frage gestellt wird, oder aus sozialen Gründen, falls die Arbeitsfähigkeit zu sehr beeinträchtigt wird.

Bei auftretendem Gallensteinileus ist zunächst eine intravenöse Hormonalinjektion indiziert.

Krankheiten der Lebergefäße.

Pfortaderthrombose (Pylethrombosia).

Ätiologisch sind zu nennen: Erkrankungen der Gefäßwand (Verfettung und Losstoßung der Endothelien), wie man sie vor allem bei Lebersyphilis und Leberzirrhose findet, ferner die Pfortader komprimierende Tumoren. Die Thromben sind entweder vollständig, das Lumen der Pfortader ganz verschließend, oder wandständig, dasselbe nur verengend. Sie betreffen den Pfortaderstamm und können sich sowohl bis in die einzelnen intrahepatischen Zweige fortpflanzen, als auch rückwärts bis in das Pfortaderwurzelgebiet. In frischen Fällen findet man eine braunrote Gerinnselmasse in der Vene, in chronischen kann bereits eine Organisation, eine Umwandlung in Bindegewebe eingetreten sein. Auch bei primärer Pfortaderthrombose finden sich fast immer Veränderungen der Leber in Form von Bindegewebswucherung.

Die klinischen Erscheinungen der Pfortaderthrombose gleichen durchaus denen der Leberzirrhose. Es sind die Folgen der Stauung im Pfortaderwurzelgebiet: Ascites, Milztumor, Hautvenenentwicklung usw. Entsteht die Thrombose ganz akut, so ist sie mit Bluterbrechen und blutigen Stühlen, mit plötzlichem Auftreten eines Milztumors und Ascites verknüpft. Bei schneller Entwicklung von Kollateralbahnen können die genannten Erscheinungen bis zu einem gewissen Grade verschwinden. Häufig tritt aber der Tod unter akutem Kollaps ein.

Die Diagnose ist stets sehr schwierig. In akuten Fällen ist die Verwechslung mit Peritonitis naheliegend, bei chronischen diejenige mit

Leberzirrhose. Gelingt die Palpation der Leber, so ist eine Differential-diagnose möglich.

Die Behandlung ist symptomatisch und gleicht der bei Leber-zirrhose.

Eitrige Pfortaderentzündung (Pylephlebitis suppurativa).

Diese Erkrankung ist fast stets eine sekundäre, metastatische, im Anschluß an Eiterungen im Pfortaderwurzelgebiet (z. B. eitrige Peri-typhlitis, Leberabszeß, Cholangitis, Dysenterie, eitrige Mastdarmkrank-heiten, eitrige Prostatitis, Ulcus ventriculi usw.). Primär kann sie durch Eindringen eines Fremdkörpers (Fischgräte) hervorgerufen werden. Rela-tiv häufig ist die Pylephlebitis im Anschluß an Infektion des Nabels Neugeborener.

Anatomisch ist die Ausbreitung der Entzündung entweder auf das Hauptgebiet der Pfortader beschränkt oder erstreckt sich bis in die intra-hepatischen Äste. Meist findet man von der Vene ausgehende eitrige Metastasen in den verschiedensten Organen.

Das Krankheitsbild ist, soweit es nicht von dem Grundleiden be-herrscht wird, dasjenige einer Pyämie (intermittierendes Fieber, Schüttel-fröste, Milzschwellung). Die Lebergegend ist schmerzhaft, die Leber vergrößert, häufig besteht Ikterus. Zieht sich die Krankheit, was sehr selten ist, längere Zeit hin, so kommt es zur Entwicklung von Ascites. Meist verschlechtert sich der Zustand sehr schnell, unter Somnolenz, Delirien, Erbrechen und Durchfällen kommt es zum Kräfteverfall und Exitus.

Die Diagnose ist sehr schwierig. Weisen lokale Symptome, Leber-schmerzen, Vergrößerung der Leber, Ikterus auf die Leber als den Krank-heitsherd hin, so können Verwechslungen mit Cholangitis, Leberabszeß, kaum vermieden werden. In anderen Fällen kommen differentialdia-gnostisch Abdominaltyphus, Malaria, Pyämie in Frage.

Die Therapie ist eine rein symptomatische.

Krankheiten des Pankreas.

Allgemeines.

Das Pankreas, dessen Ausführungsgang (Ductus Wirsingianus) mit dem Ductus Choledochus zusammen in der Papilla Vateri mündet, sezer-

206 Krankheiten des Pankreas.

niert ein proteolytisches Ferment, das Trypsin, welches denaturiertes Eiweiß
zu seinen Endprodukten abbaut, ferner ein Stärke verdauendes Ferment,
die Diastase, welche den vom Speichel begonnenen Zuckerabbau beendet,
endlich ein Ferment für die Spaltung des Fettes, das Steapsin. Alle diese
Fermente werden als Zymogene, d. h. als unwirksame Vorstufen sezerniert und erst im Darm durch die Galle und die Enterokinase der
Brunnerschen Drüsen aktiviert. Abgesehen von diesen Produkten der
äußeren Sekretion liefert das Pankreas noch ein inneres Sekret, das Pankreashormon, welches den Antagonisten zu dem Adrenalin darstellt und
der Regelung des Zuckerstoffwechsels dient. Da man im Tierexperiment
große Teile des Pankreas entfernen kann, ohne daß nennenswerte Störungen im Körperhaushalt auftreten, ist es begreiflich, daß ausgedehnte Erkrankungen des Pankreas vorkommen, ohne daß die funktionelle Prüfung merkbare Schädigungen aufdeckt. Dies beruht einmal darauf, daß
die oben genannten fermentativen Funktionen zum Teil durch die Darm-
sekrete und die Darmflora ersetzt werden können, zum Teil darauf, daß
die innere Sekretion eines geringen Teiles des Pankreas genügt, um den
Zuckerabbau zu regulieren.

Da häufig Pankreassaft (und Darmsaft) in den Magen zurückfließt,
kann man das Vorhandensein von Trypsin und Steapsin im Mageninhalt, mittels der Einhornschen Duodenalsonde auch im Duodenum
nachweisen. — Will man aus der Prüfung der Verdauungsprodukte erkennen, ob Pankreassekret in den Darm entleert wird oder nicht, so weist
das Auftreten von Fettstühlen (Steatorrhöe) auf gestörte Pankreas-
funktion hin (Fehlen von Steapsin). Die Schmidtsche Kernprobe, auf
der Erfahrung beruhend, daß die Kerne der Zellen nur vom Pankreassaft verdaut werden, läßt erkennen, daß Trypsin produziert wurde
(Schmidt verabreicht kleine, Fleisch enthaltende Säckchen und sieht
dann im Stuhl nach, ob die Kerne der Muskelfasern verdaut sind). Endlich spricht das Auftreten von Maltose im Harn für das Fehlen des spezifischen diastatischen Fermentes aus dem Pankreas. — Die Camidge-
Reaktion, auf dem Übergang gewisser Abbauprodukte des Pankreas-
gewebes in den Harn beruhend, ist bezüglich ihres Wertes zurzeit noch
sehr umstritten.

Bauchspeicheldrüsenblutung.

Kleinere Blutungen in die Bauchspeicheldrüse sind ohne praktische
Bedeutung. Sie kommen vor bei Stauungszuständen, hämorrhagischer
Diathese, perniziöser Anämie usw. Eine umfangreiche Blutung, eine

sogenannte Pankreasapoplexie, tritt ein entweder infolge Erkrankung der Gefäße (Arteriosklerose, Syphilis) oder bei gewebsschädigenden Erkrankungen des Pankreas selbst (Fettnekrose des Pankreas, Karzinom, Abszeß usw.). Ganz plötzlich, scheinbar in voller Gesundheit, tritt unter heftigen kolikartigen Schmerzen sehr schnell chokartig der Tod ein. Der Kollaps ist ein so schneller, daß selbst, wenn man an die Diagnose denken sollte, meist ein operativer Eingriff nicht mehr auszuführen ist.

Pankreatitis akuta.

Die Erkrankung tritt primär und sekundär im Anschluß an Infektionskrankheiten, anscheinend besonders häufig an Mumps, auf. Es kann zu hämorrhagischen oder eitrigen Entzündungen kommen; man findet dann in der Bauchspeicheldrüse mehrere oder einen einzigen großen Eiterherd oder Nekrosen. Das Krankheitsbild beginnt unter heftigen Schmerzen, die in der Magengegend lokalisiert werden und mit Erbrechen und kollapsartigen Erscheinungen einhergehen. Der Leib ist aufgetrieben, häufig besteht eine Verstopfung. In den zur Eiterung führenden Fällen erfolgt meist sehr schnell der Tod unter Kollaps, wenn nicht infolge Durchbruchs in den Darm eine Art Spontanheilung zustandekommt. Bricht der Eiter in die Bauchhöhle durch, entsteht also eine akute Peritonitis, so kann eine exakte Diagnose nur durch Ausschluß der übrigen zur Perforation führenden Lokalisationen, vor allem des Ulcus ventriculi, Perityphlitis, mit einiger Wahrscheinlichkeit gestellt werden.

Die Therapie ist in diesem Falle Laparotomie oder symptomatisch.

Chronische Pankreatitis.

Es entspricht diese Erkrankung des Pankreas der chronischen Leberzirrhose. Sie besteht also in Bindegewebswucherung und sekundärer Schrumpfung unter Zugrundegehen des Pankreasparenchyms. Ätiologisch kommt vor allem Arteriosklerose, Syphilis, Alkoholismus und Schrumpfniere in Frage. Auch der Verschluß des Ausführungsganges des Pankreas durch Steine oder Krebs kann sekundär zur Schrumpfung des Organs führen.

Symptome. Wenn wir von dem Diabetes absehen, bei dem man · häufig eine chronische Pankreatitis findet, sind die Symptome dieser Erkrankung nicht besonders ausgeprägt, sondern mehr allgemeiner Natur. Ernährungsstörungen, die zur Kachexie führen, unbestimmte Schmerzen in der Pankreasgegend, Steatorrhöe und positiver Ausfall der Schmidtschen Kernreaktion weisen dann auf die Erkrankung des Pankreas hin.

Therapeutisch kann man versuchen, durch Verabreichung von Pankreon (in Tabletten à 0,25 sechs- bis zwölfmal täglich eine Tablette) die Darmverdauung zu unterstützen.

Fettgewebsnekrose oder Fettnekrose des Pankreas.

Diese eigenartige Erkrankung dokumentiert sich anatomisch in dem Auftreten kleinster bis bohnengroßer weißer, harter Herde im Pankreasgewebe und auch im Fettgewebe des Mesenteriums. Es sind diese weißen Stellen nekrotische Herde, welche durch Konfluieren eine gewisse Größe erreichen können. In einzelnen Fällen fand man auch im perikardialen und subkutanen Fettgewebe derartige nekrotische Bezirke. Ätiologisch scheinen alle hämorrhagischen und eitrigen Erkrankungen des Pankreas zu dieser Nekrose zu disponieren. Die Ursache der Nekrosen ist in den Fermenten des Pankreas, vor allem wohl in dem Trypsin, zu suchen, vielleicht spielt aber auch die bakterielle Infektion eine unterstützende Rolle. Bemerkenswert ist, daß scheinbar auch ohne jede Erkrankung des Pankreas solche Nekrosen im Fettgewebe des Abdomens auftreten können.

Die Symptome der Pankreasnekrose sind die der schweren akuten Pankreatitis. Bei gestellter Diagnose ist der Versuch einer Operation gerechtfertigt.

Pankreaszysten.

Zysten können sich bilden sowohl als Stauungs- oder Retentionszysten infolge von Verlegung des Ausführungsganges durch Steine, Neubildungen usw. oder auch als eigene Neubildungen. Sie können eine beträchtliche Größe erreichen und von außen durch die Bauchdecken als fluktuierende Tumoren palpabel sein.

Die Symptome, welche auf die Geschwulst im Pankreas hinweisen, sind die der chronischen Pankreatitis. (Alimentäre Glykosurie, Steatorrhöe, Azotorrhöe.) Sie können schmerzhafte Koliken, welche an Intensität mit den schwersten Nieren- und Gallensteinkoliken wetteifern, auslösen und so einen chirurgischen Eingriff rechtfertigen. Mit den Koliken ist meist Erbrechen verbunden; nicht selten gesellt sich Ikterus hinzu.

Pankreassteine.

Die Steine im Ductus Wirsingianus bestehen aus kohlen- oder phosphorsaurem Kalk. Ihre Entstehung ist wohl auf gleiche Weise zu erklären wie die der Gallensteine (s. S. 198). Die Pankreassteine bilden ebenso wie letztere entweder einen zufälligen Sektionsbefund, oder sie gehen unter heftigen Koliken ab, oder aber sie werden eingeklemmt und geben dann zu sekundären Erkrankungen des Pankreas (Pankreaszirrhose) oder Zystenbildung oder zu eitriger Pankreatitis Veranlassung. Die Symptome sind also entweder die einer Kolik, die sich eventuell häufig wiederholt — die Diagnose ist dann durch den Nachweis alimentärer Glykosurie, eventuell von Steatorrhöe und Azotorrhöe, zu stellen —, oder aber es bildet sich sekundär eine Zirrhose aus (s. daselbst). Die Therapie ist rein symptomatisch: Morphium bei heftigen Anfällen. Man hat versucht, durch Pilokarpininjektion die Sekretion zu steigern und dadurch die Steinbildung zu hemmen, resp. die Herausbeförderung der Steine zu unterstützen. Sichere Resultate sind damit wohl selten erzielt worden. Bei häufiger Wiederkehr der Anfälle ist wohl ein operativen Eingriff indiziert.

Pankreastumoren.

Hier sind vor allem Karzinome, Sarkome, seltener Adenome und Lymphome, zu nennen. Am häufigsten beobachtet man das Karzinom des Pankreaskopfes, welches durch die Nachbarschaft der Gallengänge und der Pfortader häufig zu Ikterus und Ascites Veranlassung gibt; doch werden die spezifischen Störungen, wie Diabetes, Fettstühle, in einer Reihe von Fällen beobachtet. Diese Symptome, welche durch die Beschaffenheit der Leber eine Lebererkrankung meist mit ziemlicher Sicherheit ausschließen lassen (keine Kolik, keine Vergrößerung und Unregelmäßigkeit der Leber) weisen dann mit Wahrscheinlichkeit auf einen Pankreastumor hin. Nicht selten kann man auch in der Gegend des Pankreaskopfes eine Geschwulst palpieren. Wird die Gallenblase palpabel, so ist eine Differentialdiagnose zwischen eingeklemmtem Gallenstein, der ja eventuell ohne Kolik verlaufen kann, und Pankreastumor nicht zu stellen. Eine funktionelle Diagnostik auf Pankreaserkrankung ist oft nicht möglich, solange genügend normales Pankreasgewebe vorhanden ist. Der Verlauf der Kachexie pflegt bei dem Pankreaskarzinom sehr schnell zu sein. Die Therapie ist eine symptomatische.

Die Nierenkrankheiten.

Allgemeines.

Die Erkrankungen der Nieren diagnostiziert man hauptsächlich aus ihrer gestörten Funktion, aus Veränderungen des von ihnen produzierten Harnes. Die Harnuntersuchung ist für die Diagnose also von entscheidender Bedeutung; relativ unwichtig ist für die allermeisten Fälle die lokale Inspektion, Perkussion, Auskultation. Wertvoll kann in den Händen des Geübten der palpatorische Befund sein.

Bei starken Vergrößerungen der Niere kann man manchmal eine Hervorwölbung der Lendengegend beobachten (Hydronephrose, Pyonephrose, Echinokokkus, Sarkom, Karzinom usw.). Bei Nierenabszessen kommt eine ödematöse Schwellung und Rötung der Lendengegend hinzu. Die Perkussion der Nieren hat Bedeutung für die Fälle, in denen man eine Nierenvergrößerung (Tumor) vermutet, oder aber das Fehlen der Niere an ihrem gewöhnlichen Orte (Wanderniere) feststellen will. Die leiseste Schwellenwertsperkussion gibt auch hier die besten Resultate; man läßt Patienten in Knieellenbogenlage knien. Eine bessere perkutorische Abgrenzung gestattet die sog. kombinierte Perkussion: man perkutiert die betreffende Stelle der Rückenwand, während man gleichzeitig, und zwar am besten auf der entgegengesetzten Seite des Abdomens, mit Hilfe des Hörschlauches auskultiert. Der Kranke steht dabei leicht nach vorn geneigt, indem er sich mit den Händen auf den Sitz eines Stuhles stützt. Man beginnt mit der Perkussion in Höhe des 5.—6. Lendenwirbels über dem Process. spinosus, wodurch heller Knochenschall erzeugt wird, von hier aus geht man nach außen. An den Stellen, wo die Niere der Muskelschicht des Rückens aufliegt, wird die Schalldämpfung am intensivsten gehört. Sobald der Rand der Niere perkutorisch überschritten wird, wird sie sofort und deutlich heller.

Die Palpation der Nieren ist bimanuell auszuführen. Patient liegt in Rückenlage, die Bauchmuskeln völlig entspannt (eventuell im heißen Bade oder in Narkose). Eine normale Niere ist für gewöhnlich nicht fühlbar, wenn sie nicht erheblich disloziert ist. Vom Abdomen aus kann man dann häufig das Gefühl des Ballottements wahrnehmen, wenn die hinten gelegene Hand kurz, stoßweise die Niere nach vorn zu schleudern sucht. Nierensteine sind gelegentlich fühlbar.

Die Harnuntersuchung erstreckt sich nicht nur auf chemisch nachweisbare pathologische Bestandteile, sondern auf Tagesmenge, spezifisches Gewicht, Farbe, Aussehen, Geruch, Reaktion, Sediment. Die normale Tagesmenge beträgt 1500—2000 ccm. Bei akuter Nephritis kommt es zu hochgradiger Harnverminderung, die sich bis zur vollkommenen Anurie, d. h. zum Versiegen jeder Harnsekretion steigern kann. Erhebliche Vermehrung findet man bei Schrumpfniere, ein wechselndes Verhalten bei Hydronephrose. Das spezifische Gewicht, durchschnittlich 1010—1025, ist abnorm niedrig bei Schrumpfniere. Die Farbe des Harns verhält sich entsprechend der Menge und dem spezifischen Gewicht: je mehr Urin produziert wird, desto heller ist derselbe; je weniger, je „höher gestellt" er ist, um so dunkler ist die Farbe. Beimengungen von Blut geben ihm eine rote bis schwärzlich rote Färbung. Auf die Verfärbung durch die Medikamente soll hier nicht näher eingegangen werden. Die Reaktion des Harns ist normalerweise sauer. Zersetzungen innerhalb der Harnwege (Zystitis) bedingen alkalische Reaktion und den bekannten urinösen Geruch der ammoniakalischen Gärung. Der normale Harn ist klar und läßt bei längerem Stehen eine leichte Trübung, „Nubecula", ein Schleimsediment, absetzen. Bei Katarrhen der ableitenden Harnwege kommt es zu stärkeren Trübungen durch Beimengung der Schleimhautepithelien, bei Eiterungen (Zystitis, Pyelitis), setzt sich ein mehr oder minder eiterhaltiges Sediment ab. Bei ammoniakalischer Zersetzung wird die Trübung außer durch die im alkalischen Harne ausfallenden Phosphate und Karbonate noch durch den eventuellen Eitergehalt und die Bakterienflora bedingt. Eine Trübung durch Harnsäuresalze oder reine Harnsäure ist ohne pathologische Bedeutung bezüglich der Nieren. Diese Trübung löst sich beim Erwärmen; die Trübung, welche durch Karbonate und Phosphate hervorgerufen ist, durch Zusatz von schwachen Säuren; eine Trübung, welche durch oxalsauren Kalk bewirkt wurde, durch Zusatz von Salzsäure, während die bakterielle Trübung sich auf keine Weise löst.

Albuminurie. Der Nachweis von Eiweiß im Harn bildet im allgemeinen die Grundlage für die Diagnose einer Nierenerkrankung — mit der Einschränkung, daß extrarenale oder akzidentelle Beimengungen eiweißhaltiger Flüssigkeiten im Harn (Blut, Eiter, Sperma, Chylus), die aus den ableitenden Harnwegen stammen, im Einzelfalle auszuschließen sind, und daß andererseits bei der chronischen interstitiellen Nephritis eiweißfreie Perioden vorkommen. (Die Bedeutung der sogenannten orthostatischen Albuminurie s. S. 212.) Man unterscheidet also die echte oder renale Albuminurie von der Pseudoalbuminurie, A. spuria. Bei der echten Form wird der Harn bereits eiweißhaltig von den Nieren sezerniert. Er enthält Serumalbumin und Serumglobulin. Die echte Albuminurie beobachtet man bei allen Formen von Nierenerkrankungen, den eigentlichen

Nephritiden, wie auch bei Tuberkulose, Amyloid der Niere usw. Bei der parenchymatösen Nephritis und der Amyloidniere ist die Eiweißmenge am größten. Bei der chronischen interstitiellen Nephritis kann sie sehr gering sein und zeitweilig ganz fehlen. Weiter unterscheidet man die febrile Albuminurie, bei der es sich wahrscheinlich um einen akuten Reizzustand der Niere durch die infektiösen Gifte handelt. Gewebsschädigungen liegen wohl auch der bei Anämie vorkommenden Albuminurie, denjenigen bei Vergiftungen, bei malignen Tumoren, bei einzelnen Stoffwechselstörungen, beim Ikterus und Magendarmerkrankungen usw. zugrunde. Eine besondere Form ist die Stauungsalbuminurie bei Kreislaufstörungen.

Eine Stellung für sich beansprucht die sogenannte physiologische Albuminurie. Es handelt sich hier um schnell vorübergehende, sehr geringe Eiweißausscheidungen (unter 0,4—0,5 pro mille), die nach starken körperlichen Anstrengungen, Märschen, nach längeren Eisenbahnfahrten, nach kalten Bädern, reichlichen Mahlzeiten kurz auftreten und ebenso schnell verschwinden. Ursache derselben ist eine minimalste, durch lokale Zirkulationsstörungen gesetzte Schädigung der Nierenepithelien.

Um lokale Kreislaufstörungen, wohl in Verbindung mit einer gewissen Minderwertigkeit der Nierenepithelien (undichtes Nierenfilter), handelt es sich wohl auch bei der sog. orthostatischen oder zyklischen Albuminurie. Dieselbe tritt nur auf bei aufrechter Körperhaltung, verschwindet im Liegen (intermittierende oder zyklische Form); auch künstliche Zirkulationsänderung in den Nieren (künstlich hergestellte Lordose im Liegen durch Unterschieben eines Keilkissens unter die Nierengegend) wirkt eiweißausscheidend. Zylindrurie fehlt oder ist unbedeutend. Die zyklische A. findet sich im Pubertätsalter besonders bei anämischen, schwächlichen Kindern. Die Behandlung ist eine allgemein-roborierende, abhärtende; nicht Bettruhe, die nutzlos, da keine Nierenerkrankung vorliegt.

Eine Albuminuria spuria entsteht, wenn sich dem fertigen eiweißhaltigen Harn innerhalb der ableitenden Harnwege eiweißhaltige Flüssigkeiten zumischen: Blut (infolge von extrarenalen Hämorrhagien, Beimengung von Menstrualblut usw.), Eiter (Zystitis, Pyelitis), Bakteriurie, Spermabeimengungen; in letzterem Falle handelt es sich nicht um Albumin, sondern um Albumosen (Albumosurie).

Qualitativer Nachweis von Eiweiß im Harn. Die einfachste und schärfste Probe ist diejenige mit Sulfosalizylsäure: 5—10 ccm klaren sauren Harns (der Harn ist eventuell mit Kieselguhr vorher zu klären) werden mit 5—10 Tropfen 20 %iger Sulfosalizylsäure versetzt. Bei Anwesenheit von Eiweiß entsteht eine Trübung bzw. ein Niederschlag. Sind nur Spuren von Eiweiß vorhanden, so tritt nur eine schwache Opaleszenz auf, die gegen einen dunklen Hintergrund erkennbar ist. Beim Erwärmen bleibt die Trübung bestehen, während sich Albumosen aufhellen.

Kochprobe. Zusatz von 10—20 Tropfen Salpetersäure auf 5—10 ccm Urin und nachträgliches Erwärmen. Ein flockiger Niederschlag ist zweifellos Eiweiß, eine geringe Trübung in der Kälte kann herrühren: von harnsauren Salzen; sie verschwindet bei mäßigem Erwärmen oder von Harzsäuren (nach Einnahme von Kopaivbalsam usw.); die Trübung löst sich auf Zusatz von Alkohol. Wird der in der Kälte entstandene Niederschlag beim Erwärmen stärker, so handelt es sich um koagulables Eiweiß; löst er sich dagegen in der Wärme, um beim Erkalten wieder auszufallen, so sind Albumosen vorhanden.

Hellersche Ringprobe. Man überschichtet ca. 5 ccm reine konzentrierte Salpetersäure in einem Reagensglas mit der doppelten Menge filtrierten Harns. An der Berührungsstelle entsteht bei Anwesenheit von Eiweiß eine nach beiden Seiten scharf begrenzte, ringförmige Trübung, die je nach der Menge des vorhandenen Eiweiß sofort als ein mehr oder minder dichter wolkenartiger Ring erscheint. In konzentrierten uratreichen Harnen bildet sich oberhalb des Eiweißringes ein zweiter, durch Harnsäure bedingter Ring. Er löst sich beim vorsichtigen Erwärmen und tritt bei Verdünnung des Harnes nicht auf.

Probe mit Essigsäure und Ferrozyankalium. Man versetzt 10 ccm Harn mit 3—5 Tropfen Essigsäure bis zur stark sauren Reaktion. Tritt schon jetzt ein Niederschlag, der von Nukleoalbumin, Muzin oder Uraten herrühren kann, auf, so wird derselbe abfiltriert. (Nukleoalbumin löst sich übrigens wieder in überschüssiger Essigsäure.) Zum klaren essigsauren Harn werden einige Tropfen 10%iger wäßriger Ferrozyankaliumlösung hinzugesetzt. Bei Gegenwart von Eiweiß entsteht eine starke Trübung bis zu einem dichten Niederschlag.

Quantitative Bestimmung des Eiweiß. Zur Orientierung genügt im allgemeinen die bequeme Bestimmung nach Eßbach. Die dazu nötige Reagenz besteht aus einer Lösung von 10 g Pikrinsäure, 20 g Zitronensäure in einem Liter Wasser. Das käufliche Eßbachrohr (Eßbach-Albuminimeter) wird bis zur Marke 0 mit dem (sauren) Harn, dann bis zur Marke R mit dem Reagenz aufgefüllt, verschlossen und mehrfach umgeschüttelt. Nach 24 Stunden läßt sich die Eiweißmenge in Promillegehalt ablesen. Die Probe ist ziemlich ungenau, da auch Harnsäure, Kreatinin und andere Stoffe mit ausgefüllt werden.

Exakter ist die Bestimmung nach Brandberg. Sie basiert auf der Tatsache, daß die Ringbildung der Hellerschen Probe (s. oben) bei einem Eiweißgehalt von 0,03 $^o/_{oo}$ gerade nach zwei Minuten auftritt. Man hat also den eiweißhaltigen Harn so lange zu verdünnen, bis nach 2 Minuten ein gerade sichtbarer Ring auftritt. Die Anzahl der Verdünnungen mit 0,03 multipliziert gibt dann den Promillegehalt des Harns an Eiweiß an. — Tritt z. B. bei 50-, resp. 70facher Verdünnung ein Ring gerade nach zwei Minuten auf, so hat der Harn 1,5 resp. 2,1 promille Eiweiß.

Die Schwankungen in der Ausscheidungsmenge des Eiweißes spielen für die prognostische Beurteilung einer Nierenerkrankung keine bedeutsame Rolle; nur sehr große Unterschiede sind von praktischem Wert.

Hämaturie und Hämoglobinurie.

Das Auftreten von Blut im Harn ist — soweit es sich um eine eigentliche renale Blutung handelt — stets von ernster Bedeutung. Findet sich unverändertes Blut mit nicht zerstörten roten Blutkörperchen im Harn, so spricht man von Hämaturie. Bei der Hämoglobinurie enthält der Harn nur gelösten Blutharnstoff. Akzidentelle, nicht renale Blutbeimengungen zum Harn beobachtet man während der Menstruation des Weibes, bei Blutungen in der Nachbarschaft der Urethra (Scheide, After). Schwieriger von den renalen Blutungen zu unterscheiden sind diejenigen Blutbeimengungen, welche in den ableitenden Harnwegen auftreten (Blase, Ureteren, Nierenbecken), z. B. infolge von Steinen, Polypen und anderen Neubildungen, nach Verletzungen usw. Bei extrarenalen Blutungen, besonders bei Blasenblutungen, sind häufig Blut und Harn nicht innig gemischt. Das Blut setzt sich nach kurzem Stehen am Boden ab; doch braucht dies auch nicht der Fall zu sein. Falls nicht allgemein klinische Symptome (Ödeme bei akuter Nephritis usw.) auf die Ursache der Nierenblutung hinweisen, kann der mikroskopische Nachweis von Nierenbestandteilen (Nierenzylinder) und von Blutzylindern diagnostisch entscheidend sein. Aus dem Eiweißgehalt Schlüsse zu ziehen, ob neben der Hämaturie noch eine renale Albuminurie besteht, ist nicht möglich. Wird der Harn anfangs klar entleert und treten erst zum Schlusse Blutbeimengungen auf, so ist dies für Blasenblutungen charakteristisch, während umgekehrt bei Blutungen aus der Urethra der anfänglich entleerte Urin stark bluthaltig, der zuletzt entleerte hingegen klar sein kann. In zweifelhaften Fällen entscheidet der durch das Zystoskop zu erhebende lokale Blasen- und Urethrabefund.

Der chemische Blutnachweis.

Starker Blutgehalt verrät sich schon durch die Farbe des Harns, der ein eigentümliches trübes, fleischwasserfarbenes Aussehen gewinnt, oder durch Umwandlung des Oxyhämoglobins in Methämoglobin dunkelbraunrot wird.

Die Hellersche Probe. Der mit Lauge alkalisch gemachte Harn wird aufgekocht, wobei die Phosphate ausfallen und das beim Kochen entstehende braunrote Hämatin mit sich reißt; in kurzer Zeit ballt sich ein braunroter Niederschlag zusammen.

Guajakprobe. Frisch bereitete Guajaktinktur und altes Terpentinöl werden durchgeschüttelt und dem (ev. mit Essigsäure angesäuerten) Harn überschichtet. An der Berührungsstelle bildet sich allmählich ein blauer Harnring.

Die Wasserstoffsuperoxydprobe hat den Vorzug größter Einfachheit. Alle bluthaltigen Flüssigkeiten zerlegen H_2O_2 unter energischer O-Entwicklung. Bei Zusatz einiger Tropfen Merckscher H_2O_2-Lösung bildet sich auf dem Harn im Reagenzglase eine reichliche Schaumsäule.

Die Teichmannsche Häminprobe s. S. 41.

Spektroskopischer Nachweis: Mit Hilfe eines Taschenspektroskops untersucht man den entsprechend zu verdünnenden Harn. Das Oxyhämoglobin zeigt zwei Streifen in grün und gelb zwischen den Linien D und E. Reduziert man das Oxyhämoglobin durch Zusatz von Schwefelammonium zu Hämoglobin, so entsteht ein breiter Streifen, der zwischen den obengenannten liegt. Das Methämoglobin hat neben den Streifen der Oxyhämyglobins noch einen Absorptionsstreifen in rot, zwischen C und D.

Der mikroskopische Nachweis von roten Blutkörperchen im Sediment ist entscheidend für das Vorhandensein der Hämaturie. Enthält das Sediment keine roten Blutkörperchen, während die Blutproben positiv ausfallen, so handelt es sich um eine Hämoglobinurie, um die Ausscheidung von Blutfarbstoff im Harn. Letzterer tritt in den Harn über, wenn im Blute selbst aus irgendeinem Grunde rote Blutkörperchen aufgelöst werden, und ihr Farbstoff frei wird. Die Hämoglobinurie ist die Folge der Hämoglobinämie. Man beobachtet dieselbe nach Einwirkung verschiedener sog. Blutgifte, wie chlorsaures Kali, Arsen, Karbol, Jodtinktur, Chinin (Schwarzwasserfieber), ferner nach ausgedehnten Hautverbrennungen sowie unter der Einwirkung verschiedener bakterieller Gifte (Scharlach, Variola usw.). Endlich tritt die Hämoglobinämie als eine selbständige Erkrankung, als sog. paroxysmale Hämoglobinämie aus noch nicht bekannten Ursachen auf.

Paroxysmale Hämoglobinurie.

Über die Pathogenese dieser Erkrankung weiß man nur so viel, daß es prädestinierte Individuen gibt, bei welchen die Kälte, die Abkühlung des ganzen Körpers oder auch nur einzelner Körperteile einen Anfall auszulösen vermag; auch Überanstrengung wird als auslösendes Moment angegeben. Inwieweit Syphilis und Malaria eine Rolle spielen, ist noch unbekannt. Der Mechanismus der Hämoglobinämie, d. h. die Auflösung der roten Blutkörperchen unter Freiwerden des Hämoglobins, wird durch die Tatsache beleuchtet, daß das Eindringen artfremden und auch häufig artgleichen Blutes in die Blutbahn, worauf der Organismus mit der Bildung von Hämolysinen reagiert, mit dem Auftreten von Hämoglobinurie beantwortet wird. Wurden durch diese Experimente Heteroresp. Isolysine als die Materia peccans nachgewiesen, so gelang es später durch geistreiche Reagenzglasversuche, beim Hämoglobinuriker Autohämolysin im Blutserum nachzuweisen, das also unter gewissen Umständen imstande ist, seine eigenen Blutkörperchen aufzulösen. Dieser lytische Ambozeptor wird wahrscheinlich nur in der Kälte von den roten Blutkörperchen gebunden; die Auflösung erfolgt nachher durch das gewöhnliche Komplement des Plasmas, welches das verankerte Lysin aktiviert. Das Eintreten des Paroxysmus scheint an eine gewisse Menge Komplement gebunden, welches manchmal (als kompensatorischer Vorgang?) auf der Höhe des Anfalls dem Organismus mangelt.

Der Anfall setzt ein unter allgemeinen Krankheitssymptomen, verschieden hoch ansteigende Temperatur, Schüttelfrost, Übelkeit, Erbrechen und Diarrhöe, Schwäche, Mattigkeit und häufig Schmerzen in der Lumbalgegend. Der nach dem Frost entleerte Urin ist dunkelrot, trüb und ergibt die oben geschilderte Blutreaktion; er enthält mikroskopisch häufig hyaline oder granulierte, mit amorphem Blutpigment besetzte Zylinder, Pigmentkörper, keine oder nur sehr vereinzelte rote Blutkörperchen, doch nicht selten Fragmente von Blutscheiben; spektroskopisch findet man entweder die Oxyhämoglobin- oder die Methämoglobinstreifen. Nach ein bis zwei Stunden oder Tagen ist der Anfall in der Regel beendet. Die Untersuchung des Blutes ergibt meist, aber nicht immer, als Zeichen des Hämoglobinaustrittes aus den roten Blutkörperchen ein rotgefärbtes Serum. Für die Fälle, in denen die Hämoglobinämie fehlt, nimmt man, aber bisher ohne Beweis, an, daß der Untergang der Erythrozyten in den Nieren stattfindet. Der Anfall führt niemals zum Tode. Die Dauer der Krankheit erstreckt sich über Jahre, allmählich scheint Spontanheilung eintreten zu können.

Therapie. Eine direkte Beeinflussung des Leidens ist nicht möglich. Wo Lues oder Malaria vorliegt, sind diese zu behandeln, wonach öfters eine Heilung oder Besserung beobachtet wurde. Im übrigen sind alle bekannten Schädlichkeiten, also Kälte und Überanstrengung, zu vermeiden. Im Anfall selbst ist Ruhe geboten.

Harnzylinder.

In allen Fällen, in denen der Verdacht auf Nephritis besteht, ist das durch Zentrifugieren gewonnene Harnsediment auf Zylinder zu untersuchen. Dauerndes Fehlen von Zylindern im (unzersetzten sauren) Harn spricht mit Sicherheit gegen das Bestehen einer Nierenentzündung. Umgekehrt spricht aber das Auftreten von Zylindern nicht mit Sicherheit für eine Nephritis. Dies gilt allerdings nur für die sog. hyalinen Zylinder. Letztere entstehen höchstwahrscheinlich aus dem Eiweiß des Blutserums und werden in den Harnkanälchen in die Zylinderform gepreßt. Es sind glashelle, homogene, farblose Gebilde, denen häufig Leukozyten, Nierenepithelien, Fettröpfchen oder Harnsalze aufgelagert sind. Man findet sie

nicht selten im Harn zweifellos nierengesunder Menschen unter denselben
Bedingungen, unter denen man Spuren von Eiweiß im Harn auftreten
sieht. Doch können diese beiden Ausscheidungen unabhängig voneinander
vorhanden oder nicht vorhanden sein. Als Ursachen der hyalinen
Zylindrurie sind also zu nennen: anstrengende Märsche oder sonstige
körperliche Anstrengungen, Eisenbahnfahrten, Alkoholgenuß, ferner Verstopfung und, bereits ins Pathologische übergehend, alle diejenigen Momente, in denen wie beim Ikterus und verschiedenen Infektionen eine Reizung oder wenigstens Anfänge degenerativer Veränderungen in den
Nieren anzunehmen sind. Alle anderen Formen der Zylinder, die Zellen-
zylinder (granulierte oder Körnchenzylinder, Epithelzylinder und Blutzylinder) sowie die Wachszylinder sind von pathognomonischer Bedeutung; sie weisen auf eine Nierenerkrankung hin. Die epithelialen Zylinder
werden von den Nierenepithelien gebildet. Die Körnchenzylinder entstehen höchstwahrscheinlich aus den letzteren durch die Veränderung,
welche die Epithelzellen erleiden, die aufquellen, degenerieren und schließlich zu einzelnen Eiweißkörnchen zerfallen. Die Blutzylinder endlich bestehen aus verklebten, in Zylinderform gegossenen roten Blutkörperchen.
Auch die Wachszylinder sind aus degenerierten Nierenepithelien entstanden. Sie sind homogen wie die hyalinen Zylinder, breiter wie die
letzteren und von schärferer Kontur, sowie gelblicher Farbe. Sie deuten
stets auf ein schweres Nierenleiden.

Renaler Hydrops (Ödeme, Anasarka, Aszites usw.).

Der Hydrops (die Wassersucht) ist ein den verschiedenen Formen von
Nephritis im Insuffizienzstadium gemeinsames Symptom. Es kann als
erstes Symptom auf die Erkrankung der Nieren hinweisen oder in chronischen Fällen das letzte Stadium des Krankheitsverlaufes einleiten. Bezüglich der Pathogenese der Hydropsien ist die der renalen von derjenigen der kardialen prinzipiell unterschieden. Das kardiale Ödem ist
der Ausdruck eines Mißverhältnisses im Zu- und Abfluß der Lymphe;
erhöhter Kapillardruck und verlangsamter Blutstrom sind die auslösenden
Momente für die gesteigerte Transsudation. Das Wesen der renalen
Hydropsie ist noch nicht vollkommen geklärt. Die Bartelsche Theorie,
daß die verminderte Harnausscheidung bei Nephritis zur Hydrämie und
diese zu Ödemen führe, ist nicht haltbar, denn die Infusion großer Mengen
Kochsalzwasser (künstliche Hydrämie) führt nicht zu Ödemen. Auch die
Retention von Kochsalz und Wasser allein erklärt die Ödembildung nicht,
da ein Fall von komplettem Ureterenverschluß beschrieben wurde, in dem

trotz völliger Salzretention und unverminderter Wasseraufnahme nur
eine Wasseraufhäufung in den Organen, aber keine Ödembildung ein-
trat. Neben dem renalen Moment der hydrämischen Plethora müssen
extrarenale Faktoren eine Rolle spielen; als solche gelten Schädigungen
der Gefäßwände, und zwar nicht nur der Nierengefäße, sondern auch
anderer, außerhalb der Nieren gelegener Gefäßbezirke. Diese Veränderungen dokumentieren sich in einer verstärkten Durchlässigkeit, welche zur
Bildung von überschüssiger Gewebsflüssigkeit führt. Wahrscheinlich
werden auch die Eigenschaften des Blutes und der Lymphe verändert dadurch, daß die erkrankten Nieren zerfallende Zellbestandteile (Nephroblastine), welche eine sehr starke lymphtreibende Fähigkeit besitzen,
dauernd in das Blut übertreten lassen.

Neben diesen eigentlichen Ursachen der Ödembildung kommt noch
für eine Reihe von Fällen der Retention von Salzen und Wasser durch
die kranke Niere eine auslösende resp. begünstigende Wirkung für die
Ödembildung hinzu. Bei einzelnen Nierenkranken nämlich — nicht aber
etwa bei einer bestimmten Gruppe von Nierenerkrankungen — haben die
Nieren die Fähigkeit verloren, das Kochsalz in der gewöhnlichen Weise
auszuscheiden. Es kommt vielmehr zu einer Chlorretention; die
wasseranziehenden Eigenschaften des (retinierten) Kochsalzes werden die
Ursache einer Wasserretention. Von einzelnen Nephritikern werden
übrigens auch andere Salze, wie Phosphate und Sulfate, retiniert, die
ebenfalls eine wasseranziehende Wirkung entfalten können.

Da in manchen Fällen die Chlorretention von entscheidender Bedeutung für die Ödembildung sein kann, sei der klassische Versuch von W i d a l
und J a v a l, welcher den Zusammenhang zwischen Chlorretention und Ödem beleuchtet, hier kurz angeführt. Die Autoren sahen bei einem Nierenkranken innerhalb 10 Tagen bei ausschließlicher Darreichung von Milch die stärksten Ödeme
schwinden. Der Kranke schied etwa 35 g mehr Kochsalz aus, als die Nahrung
ihm geboten hatte. Als nunmehr zu der gleichen Milchration (3½ l pro Tag)
10 g Kochsalz zugelegt wurden, hatte in genau 10 Tagen das Ödem wieder die
alte Höhe erreicht, und es waren gleichzeitg 35 g Kochsalz im Körper zurückgeblieben. Auf Verabreichung einer gemischten Kost, welche mit Bezug auf ihren
Flüssigkeitsgehalt der Eiweiß-, Fett- und Kohlehydratmenge der Milchdiät ent-
sprach, aber nur 2 g Kochsalz, also weniger als die Milch enthielt, schwanden
abermals die Ödeme. Auf Zulage von 10 g Kochsalz zu dieser gemischten Kost
bildeten sich von neuem die Ödeme, um bei der Milchdiät wieder zu verschwinden. Die Autoren hatten es also geradezu in der Hand, die Ödeme entstehen,
wachsen oder verschwinden zu lassen, je nach der Menge des verabreichten
Kochsalzes.

Es sei nochmals betont, daß nicht alle Nierenentzündungen diese Störungen in der Ausscheidungsfähigkeit für Chlor zeigen (s. u. funktionelle

Diagnostik S. 221 ff.), daß also die chlorarme Diät, welche infolge ihrer Reizlosigkeit bei den an und für sich an Appetitlosigkeit leidenden Kranken keine gleichgültige Ernährungsform darstellt, nicht eo ipso indiziert ist. Ist aber die Chlorrentention nachgewiesen, so ist die kochsalzarme Diät konsequent wochenlang durchzuführen, bis die Niere sich so weit erholt hat, daß sie wieder das Kochsalz auszuscheiden vermag.

Zur Feststellung der Kochsalzretention besteht der exakte Weg in einer Bestimmung des Chlorgehalts des Urins unter Berücksichtigung des Kochsalzgehalts der kochsalzarm gewählten Nahrung (s. u.) und bei nachheriger Zulage von 10 g Kochsalz zu der Probediät. Werden innerhalb von 2 Tagen die 10 g Kochsalzzulage wieder ausgeschieden, so besteht keine Retention. Wird nur ein Teil, etwa 5 g ausgeschieden, so besteht eine Insuffizienz der Kochsalzausscheidung. Weniger genau ist die Kontrolle des Gewichtes des Kranken an den Tagen der Probediät und der Kochsalzzulage. Nimmt an letzteren Tagen das Gewicht auffällig zu, so ist dieser Umstand auf chlor- und sekundäre Wasserretention zu beziehen. Die Flüssigkeitsansammlung tritt nämlich nicht sofort als sichtbares Ödem auf; es kommt zunächst zu einer tieferen Infiltration der Gewebe, dem sog. Präödem Widals, welches bis zu 6 kg betragen kann. Die Methode ist aber deswegen nicht ganz zuverlässig, weil es auch zu einer Kochsalzretention ohne Gewichtsschwankung kommen kann, zu einer sog. Rétention chlorurée sèche (s. Historetention). Es können bis zu 30 und 40 g Kochsalz in den Geweben ohne jede Gewichtsschwankung aufgenommen und wieder abgegeben werden.

Kochsalzarme Diät. In denjenigen Fällen, in denen eine Kochsalzretention festgestellt ist, ist die kochsalzarme Diät mit einer täglichen Darreichung von ca. 2 g Kochsalz in der Nahrung streng durchzuführen. Hier können nur die Grundzüge kurz angegeben werden. Der Gehalt der einzelnen Nahrungsmittel an Kochsalz ist in den speziellen diätetischen Lehrbüchern nachzulesen. Eine reine Milchdiät ist nicht als kochsalzarm zu bezeichnen, da 3—4 l Milch etwa 5—7 g Kochsalz enthalten (Milch = 0,15—0,18 % NaCl). Man läßt daher nicht mehr als ca. 1 l Milch pro Tag trinken. Die Butter muß ungesalzen verwendet werden; da die Mehlsorten an sich salzarm, alle fertigen Brotarten jedoch relativ salzreich sind, muß das Brot besonders ohne Salzzusatz gebacken werden. Auch das Fleisch ist an sich ziemlich salzarm (0,1 bis 0,17 %), durch Kochen wird es noch salzärmer und, was wichtiger ist, eines Teiles seiner Extraktivstoffe beraubt, welche speziell nierenreizend wirken. Zur Verdeckung des faden Geschmacks können Zitrone, Weinessig, vor allem pflanzliche Würzstoffe, wie Dill, Kapern, Gurken, Hagebutten usw. dienen, die zu Saucen verwendet werden. Die verschiedenen Gemüse sind längere Zeit in Wasser zu kochen, welches fortzugießen ist. Völlig zu vermeiden sind vor allem die Bouillon sowie stark salzhaltige

Nahrungsmittel, wie Seefische, Räucher- und Wurstwaren, käufliche Saucen usw.

Bezüglich der Flüssigkeitszufuhr bei Hydropsie ist im Einzelfalle ebenso wie für das Kochsalz zu prüfen, ob die wassersezernierende Fähigkeit der Nieren erhalten ist, m. a. W., ob vermehrte Flüssigkeitszufuhr einen diluierteren Harn liefert. Besitzt die Niere noch diese Fähigkeit (s. auch unter funktionelle Diagnostik (S. 221 ff.), so ist sie im Interesse Herausbeförderung wasserlöslicher Harnbestandteile aus dem Körper innerhalb gewisser Grenzen zu betätigen. Ist jedoch diese Fähigkeit verloren gegangen, so muß eine mehr oder minder starke Flüssigkeitsbeschränkung Platz greifen, da wir aus dem Experiment wissen, daß bei artifizieller Nephritis erhöhte Flüssigkeitszufuhr zur Ansammlung beträchtlicher Ergüsse in den Körperhöhlen führt, und daß Salze nur im Verein mit größeren Flüssigkeitsmengen ihre hydropsiesteigernde Wirksamkeit entfalten.

Während die diätetische Therapie eine Schonung für die Nierenzellen bedeutet, kann man auch auf dem umgekehrten Wege der Anregung der Zelltätigkeit versuchen, die Ödeme zu beseitigen. In diesem Sinne wirken die sog. diuretischen Pflanzenteearten, wie Radix Ononidis, Levistici, Liquiritiae, Juniperi usw. Die Wirkung dieser Stoffe sowie die ähnliche Wirkung gewisser Salze, wie des Salpeters, oder Lösungen von Kalium oder Natrium aceticum oder Kalium carbonicum, Calcium carbonic. phosphori, chloratum sind noch nicht vollkommen in ihren Einzelheiten klargestellt. Wahrscheinlich ist die Art der Wirkung eine doppelte. Einmal verursachen sie nach den Gesetzen der Endosmose eine starke Verdünnung des Blutes, sie entziehen also das Wasser den Geweben und bewirken eine Hydrämie, während sie andererseits in einer gewissen Konzentration eine unmittelbar gefäßerweiternde und strombeschleunigende Wirkung auf die Niere ausüben. Bei der Verordnung dieser Salze ist stets zu berücksichtigen, ob die Nieren für Salze durchlässig sind, sie nicht etwa retinieren, so daß die Ödeme dadurch gesteigert werden. Die diuretische Wirkung des Harnstoffes wird wohl ähnlich zu erklären sein. In elektiver Weise werden die Nierengefäße erweitert durch die der Puringruppe zugehörigen Substanzen, wie das Koffein, das Theobromin, Theophyllin, Theozin usw.

104) Rp. 1. Decoct. rad. Ononidis   Theobrom. natr. salicyl 6,0
           Decoct. rad. Levistici   Liq. Kal. acetic ad 200,—
           Decoct. rad. Liquiritiae   2 stündlich 1 Eßlöffel.
           Decoct. rad. Juniperi $\overline{aa}$ 15 : 180,0

105) Rp. Pulv. fol. digital. 0,05—0,1
    (s. Digipurati)
    Theobrom. natr. salicyl 0,5
    4 — 6 mal täglich 1 Pulver (in Kapseln).
106) Rp. Theocin 0,2
    3—4 mal täglich.
107) Rp. Euphyllin 0,3
    als Klysma oder in Suppositorien
    2—3 mal täglich.

Als Unterstützung, gewissermaßen auch als Ersatz der Nierentätigkeit kann man durch Anregung der Schweißsekretion und, weniger zuverlässig, durch Vermehrung der Wasserabscheidung durch den Darm den Körper von harnfähigen Bestandteilen entlasten. Zum Schwitzen bedient man sich am besten solcher Apparate, die im Bett angebracht werden können, also des Quinckeschen Schwitzapparates, Phénix à air chaud, elektrischer Glühlampen, die im Bett über den Kranken überzustülpen sind usw. Bei heißen Bädern, feuchten Packungen ist auf das Herz Rücksicht zu nehmen. Vor forcierten Schwitzbädern wird gewarnt, da sie den Ausbruch der Urämie zur Folge haben können.

Zur Entlastung durch den Darm gibt man salinische Abführmittel.

Die mechanische Entfernung der Flüssigkeit aus der Haut wird noch häufig als ultimum refugium angesehen. Man soll im allgemeinen zu diesem harmlosen Eingriff früh schreiten, da erfahrungsgemäß nach einer auf diese Weise erzielten Entlastung des Organismus die vorher versagenden medikamentösen und diätetischen Maßnahmen häufig wirksamer werden. Man bedient sich entweder der Curschmannschen Hautpunktionsnadeln oder der Southeyschen Drains, welche, mit einem kapillaren Gummischlauch versehen, in ein auf dem Fußboden stehendes Gefäß geleitet werden und von denen 2—4 Kanülen im Laufe von 24 Stunden mehrere Liter Flüssigkeit zu entfernen vermögen, oder man macht an den Außenseiten der Schenkel und den abhängigen Bauchpartien mehrere 4—5 cm lange Einschnitte in die prall gespannte Haut und verbindet sie (cave Erysipel, strenge Asepsis) mit sterilen Mooskissen u. dgl.

Funktionelle Nierendiagnostik.

Bei der Pathogenese der renalen Ödeme kamen bereits neben anderen Momenten die funktionellen Störungen der Nieren mit Bezug auf die Wasser- und Salzausscheidung in Betracht. Diese Ausscheidungsverhältnisse sind in systematischer Weise zuerst vor allem von Schlayer bei den experimentellen Nephritiden am Tiere geprüft worden. Hier zeigte sich in einwandsfreier Weise, wie anatomisch so durchaus verschiedenartige Nephritiden, wie z. B. die hyperämische Cantharidin-Nephritis und die blasse Urannephritis eine völlige Übereinstimmung bez. der Oligurie aufweisen und wie, um ein anderes Beispiel zu wählen, in den Anfangsstadien der Chromvergiftung, in denen erst leichte Zerstörungen an den Tubuli vorhanden sind, die gleiche Polyurie auftritt, wie bei der Vinylaminnephritis, die eine fast ausschließliche Zerstörung des Markkegels zur Folge hat. Das gleiche Mißverhältnis zwischen dem anatomischen und klinischen Verhalten bei den menschlichen Nephritiden hatte schon lange jedes einheitlichen Erklärungsversuches gespottet, und es läßt sich heute bereits mit Sicherheit sagen, daß das tote Organ nicht imstande ist, uns über das pathologisch- funktionelle Verhalten der Niere intra vitam Aufschluß zu geben. Eine klinische Einteilung der Nierenkrankheiten nach rein funktionellen Gesichtspunkten ist heute noch nicht möglich und wird wohl überhaupt nicht die übliche, nach den histologischen Schädigungen verdrängen können, sondern letztere nur erweitern helfen.

' Der biologische Zustand der Niere wird durch das funktionelle Verhalten derselben gegenüber zwei körpereigenen Stoffen, dem Wasser und dem Kochsalz und zwei körperfremden Stoffen, dem Milchzucker und dem Jodkali geprüft. Es zeigte sich nämlich, daß bei der biologischen Erkrankung der Nierengefäße die Diurese in verschiedener Weise alteriert ist. Bei leichter Schädigung der Glomeruli besteht ein Stadium der Überempfindlichkeit, der sog. vasculären Hypersthenurie, in der die Glomeruli auf Reize, die im gewöhnlichen Sinne noch gar nicht diuretisch wirken, mit Polyurie antworten. Bei schwerster Schädigung besteht eine entsprechende Unter- oder Überempfindlichkeit, eine vasculäre Hyposthenurie mit Oligurie, resp. Anurie. Dazwischen steht ein Stadium schwererer Schädigung mit scheinbar normaler Diurese, Pseudonormalurie. Für das Kochsalz, dessen Ausscheidung durch alleinige vasculäre Insuffizienz gar nicht beeinflußt wird, besteht ein unverkennbar enger Paralellismus zwischen ihrer Ausscheidungsgröße und der Zerstörung der Tubuli; höchstwahrscheinlich existiert hier auch ein Stadium erhöhter Empfindlichkeit (leichte Schädigung), ein pseudonormales und ein unempfindliches (schwerste Schädigung), in welch letzterem das Kochsalz in weitgehendem Maße retiniert wird. Und zwar leidet bei der Schädigung der Tubuli nicht nur die Fähigkeit überhaupt, Kochsalz auszuscheiden, sondern sehr frühzeitig auch das Vermögen NaCl in höherer Konzentration zu eliminieren; so daß z. B. bei hochgradig zerstörtem Tubuli die Niere auch bei intravenöser NaCl-Zufuhr nur noch allerdünnste NaCl-Lösungen (0,05) zu liefern imstande war

Durch die verschiedenen Möglichkeiten von Kombinationen zwischen der vasculären und tubulären normalen Über- und Unterempfindlichkeit ergeben sich die verschiedenartigsten funktionellen Störungen. Auch können gleiche klinische Bilder, z. B. Polyurie mit dünnster NaCl-Konzentration durch zwei verschiedene funktionelle Störungen bewirkt werden: durch vaskuläre Überempfindlichkeit, indem die Niere auf jede diuretisch wirkende NaCl-Zufuhr mit Strömen von Wasser antwortet und oder auch durch tubuläre Unterempfindlichkeit, die in mangelnder Konzentrationsfähigkeit für NaCl einhergeht usw.

Gewährte die Art, wie die Ausscheidungen von NaCl und Wasser beim Nierenkranken vor sich gehen, zwar bereits einen bedeutenden Einblick in das funktionelle Geschehen der Niere, so war doch nicht zu verkennen, daß die Eliminierung jener — wie aller — körpereigenen, im Stoffwechsel verwendeten Stoffe noch von zahlreichen anderen, extrarenalen Faktoren, (Schweiß, Durchfall, Fieber usw.) abhängig ist und daher nicht stets ein reines Bild der Nierenfunktion liefern kann. Schlayer zog deshalb für die Beurteilung der Nierentätigkeit auch noch körperfremde Stoffe heran, deren Ausscheidung allein von der Niere abhängig ist. Als solche erwiesen sich das Jodkali und der Milchzucker, welche Stoffe im Körper keinerlei Abbau erfahren, ihn quasi nur passieren, ohne von ihm jedenfalls entscheidend verwendet zu werden. Ferner ist die Ausscheidung dieser beiden Körper nur renal bedingt und endlich sehr wenig durch renale Funktionsschwankungen, wie z. B. Polyurie oder extrarenale Einflüsse berührt. Beide zeigen vielmehr eine sehr hohe Konstanz in ihrer Ausscheidung. Es hat sich ergeben, daß bei vaskulärer Schädigung die Milchzuckerausscheidung (nach intravenöser Injektion von 20 ccm 10% Lösung ist die Ausscheidung normaler Weise nach 5 Stunden beendigt) verzögert ist. Tubuläre Schädigungen sind hier ohne jeden Einfluß. Umgekehrt spricht es für eine Schädigung der Tubuli, wenn $1/2$ g per os gegebenes Jodkalium später als nach höchstens 60 Stunden noch nachweisbar ist, während Gefäßschädigungen nichts mit der JK-Ausscheidung zu tun haben.

Die Ausscheidungsverhältnisse der körpereigenen und der körperfremden Stoffe, also NaCl. und JK einerseits und Wasser (Oligurie) und Milchzucker andererseits, gehen nun nicht durchaus parallel; dies trifft nicht einmal für den normalen Organismus zu, da ja die körpereigenen

Stoffe auch extrarenalen Einflüssen unterliegen. Die Resultate aus den Ausscheidungsgrößen müssen gesondert betrachtet und bewertet werden. Dann gewähren sie diagnostisch-prognostisch und therapeutisch wertvolle Fingerzeige. In ersterer Beziehung kann z. B. eine funktionelle Belastungsprobe im Stadium der Pseudonormalurie oder Oligurie einer Schrumpfniere (bei der bekanntlich lange Zeit jedes Eiweiß fehlen kann) den wahren Zustand der vaskulären Hyposthenurie aufdecken. In therapeutischer Hinsicht ist die funktionelle Prüfung für die Diät (kochsalzarm, Flüssigkeitszufuhr) schon jetzt von entscheidender Bedeutung und wird auch in medikamentöser Beziehung z. B. rasche Ermüdbarkeit der überempfindlichen Gefühle durch Diuretica) sich als bedeutsam erweisen.

Eine gesonderte Stellung nimmt die Funktionsprüfung der Nieren bei einseitiger, bei sog. chirurgischer Nierenerkrankung ein, obgleich natürlich dieses Gebiet bis zur exakten Diagnosenstellung, also bis zum Eingreifen des Chirurgen, ein unbestrittenes Grenzgebiet darstellt. Bei einseitiger Nierenerkrankung handelt es sich darum, festzustellen, welche Niere erkrankt ist, in welchem Grade sie erkrankt ist, und ob die andere Niere — falls sie überhaupt vorhanden ist! — leistungsfähig ist, so daß es bei eventueller Herausnahme der erkrankten Niere nicht zu einer akuten Insuffizienz der anderen kommt. Die äußere Arbeitsleistung der Nieren besteht — die wahrscheinlich sehr wichtige, aber noch nicht genügend durchforschte innere Sekretion der Niere (Nephroblastine) muß hier außer Betracht bleiben — in der Sekretion der Harnbestandteile, m. a. W. in dem fortwährenden Austausch von Wasser und gelösten Stoffen zwischen Blut und Harn nach den Gesetzen der Osmose durch die trennende Membran. Der osmotische Druck, den die Membran erleidet, ist von der Zahl der gelösten Moleküle abhängig, er ist also proportional der molekularen Konzentration der betreffenden Flüssigkeiten. Dieser osmotische Druck, also die Arbeitsleistung der Nieren, läßt sich durch die Gefrierpunktsbestimmung oder die Kryoskopie feststellen.

Der Gefrierpunkt einer Lösung mit wechselnder Zahl von Molekülen ist um so niedriger, je konzentrierter die Flüssigkeit ist, d. h. je mehr Moleküle resp. Ionen in der Volumeneinheit gelöst sind. Da es aber bei der Gefrierpunktserniedrigung nicht wie bei dem spezifischen Gewicht auf die Art der Moleküle, d. h. die Masse der gelösten Stoffe, sondern nur auf die Zahl der gelösten Moleküle ankommt, so haben äquimolekulare Lösungen den gleichen Gefrierpunkt. Die Methode der Kryoskopie beruht also auf dieser Proportionalität zwischen Gefrierpunkt und molekularer Konzentration. Da nun ein so großes Molekül wie das Eiweißmolekül, das man auf 5000 schätzt, nur denselben Einfluß auf die Gefrierpunktserniedrigung hat, wie z. B. ein Harnstoffmolekül (60), so spielt praktisch der Eiweißgehalt der zu kryoskopierenden tierischen Lösungen keine Rolle.

Im normalen Harn schwankt $\triangle$, (wie kurz die Gefrierpunktserniedrigung im Harn bezeichnet wird) zwischen 1 und 2,5. Durch die Art der Ernährung, die Menge der eingenommenen Flüssigkeit, den Zeitpunkt der Nahrungsaufnahme usw. können jedoch sehr weite Schwankungen im $\triangle$ vorkommen, so daß die minimale Gefrierpunktserniedrigung normalerweise — 0,10, die maximale unter Umständen sogar — 3,5° C erreichen kann, ohne daß man von pathologischen Zuständen sprechen könnte. Diese Akkommodationsbreite der Nieren ist häufig bei Nierenkranken herabgesetzt und zwar nimmt die Akkomodationsbreite im Verhältnis zur Schwere der Erkrankung ab. Für die Beurteilung des $\triangle$ ist die Berücksichtigung der Harnmenge von Bedeutung; multipliziert man $\triangle$ mit der innerhalb 24 Stunden ausgeschiedenen Harnmenge, so gibt das Produkt, welches man als Valenzzahl (Strauß) bezeichnet, ein Maß für die im Laufe von 24 Stunden ausgeschiedenen Molekeln und damit ein Maß für die Nierenarbeit. Physiologischerweise schwankt die Valenzzahl zwischen 1000 und 4000.

Das $\triangle$ des Blutes ist normalerweise eine äußerst konstante Größe zwischen — 0,54 und — 0,58, meist sogar nur zwischen 0,56 und 0,57° C; bei Retention harnfähiger Bestandteile (bei Urämie, Herzinsuffizienz) kann $\triangle$ auch auf —0,6 bis —0,7° C sinken. Diese Regeln erleiden aber nicht seltene Ausnahmen dahin, daß ein gefundener Wert von über —0,59° nicht immer auf eine ungenügende Nierenfunktion schließen läßt, und daß umgekehrt ein Wert von —0,56° C nicht immer auf eine genügende Nierenfunktion hinweist. Diese Ausnahmen beruhen vielleicht auf der Verschiedenheit der Nahrungsaufnahme, die bisher nicht genügend beachtet wurde; jedenfalls kann man aus der Kryoskopie des Blutes allein keinen sicheren Schluß auf die Nierenleistung ziehen.

Günstiger liegen die Verhältnisse für die Beurteilung der Nierenleistung bei einseitiger Nierenerkrankung deshalb, weil normalerweise die beiden Nieren — innerhalb praktischer Grenzen — gleichmäßige Arbeit leisten. Schwankungen können innerhalb kurzer Zeit vorkommen. Dehnt man die Untersuchung — getrennt das Auffangen des Urins beider Nieren durch den Ureterenkatheterismus — auf zwei Stunden aus, so gleichen sich die Schwankungen derart aus, daß man normalerweise von beiden Nieren ein gleichwertiges Sekret erwarten kann. Notwendig ist es, den Urin aus beiden Nieren gleichzeitig aufzufangen. Ist eine Niere erkrankt, so kann die vergleichende Kryoskopie beider Nierenharne deutliche, diagnostisch einwandfreie Unterschiede aufdecken. Bei geringer Funktionsbehinderung der kranken Niere können die Unterschiede verhältnismäßig gering sein. Bei schwerer Veränderung einer Niere, während die andere gesund ist, sind die Unterschiede in der molekularen Diurese auf beiden Seiten sehr erheblich. Auf der gesunden Seite ist $\triangle$ sehr hoch, auf der kranken sehr niedrig.

Einfacher als die Kryoskopie ist für diese Fälle die Bestimmung der elektrischen Leitfähigkeit des Harnes mittels Wheatstonescher Meßbrücke. Es wird hierdurch die Summe der Elektrolyten, d. h.

der leitfähigen Körper, im Urin gemessen, und dadurch die Konzentration der Lösung bestimmt. Die Methode von Löwenhardt gestattet mittels eines Telephons, durch die Feststellung, wann ein Ton aufhört, die Bestimmung in einfachster Weise auszuführen. Hier gilt, daß bei Gesunden die Leitfähigkeitszahl der von jeder Niere gleichzeitig entnommenen Harne völlig oder annähernd gleich ist. Bei Erkrankung und besonders bei schwerer Erkrankung einer Niere macht sich eine veränderte Leitfähigkeit, eine Abnahme des Gehaltes an Elektrolyten geltend.

Eine weitere funktionelle Untersuchung stellt die Phloridzinmethode dar, darauf basierend, daß nach Injektion von Phloridzin Zucker im Harn auftritt, und daß die Menge des Zuckers in einem gewissen quantitativen Verhältnis zu dem vorhandenen funktionsfähigen Nierengewebe steht. Der Phloridzindiabetes ist ein rein renaler Diabetes; höchstwahrscheinlich wird das Nierengewebe durch das Phloridzin veranlaßt, dem Blute Zucker zu entziehen und in den Harn übertreten zu lassen. Der Phloridzindiabetes ist also nicht von einer Hyper-, sondern von einer Hypoglykämie begleitet. Man injiziert 0,01—0,02 g Phloridzin in einer sterilen einprozentigen wäßrigen Lösung körperwarm intramuskulär. Die Ausscheidung beginnt ca. $\frac{1}{4}$ Stunde nach der Einspritzung. Auch hierbei ist der Urin aus beiden Nieren gleichzeitig aufzufangen, die Versuchszeit muß auf wenigstens 2 Stunden ausgedehnt werden. Der während der ersten Viertelstunde entleerte Harn wird nicht zur Untersuchung herangezogen. Eine stärkere Anregung der Diurese ist zu vermeiden; am besten gibt man den Kranken zwei Stunden vor der Untersuchung ein nicht zu wasser- und salzreiches Probefrühstück (Milch, Eier, Weißbrot). Beträchtliche Verringerung der Zuckerausscheidung der einen Seite deutet auf Erkrankung des Nierengewebes.

An Stelle des Phloridzins kann man auch Indigokarmin injizieren, wobei der Grad der Blaufärbung des Urins durch die Vergleichung beider Seiten einen Schluß auf die Funktionstüchtigkeit der Nieren gestattet. Kranke Nieren zeigen sich für Farbstoffe undurchlässig.

Das Gesamtbild der Urinuntersuchung aus beiden Nieren, das Verhalten der Harnmenge, des spezifischen Gewichtes, die Gefrierpunkterniedrigung, die elektrische Leitfähigkeit, Zuckerausscheidung nach Phloridzin, endlich der Albumingehalt und das Sediment gewähren zusammen einen in der Regel ausreichenden Anhaltspunkt für das Verhalten beider Nieren; die Einwände, die gegen die Bewertung jedes einzelnen Symptoms zu machen sind, fallen natürlich fort, wenn die verschiedenartigen Funktionsprüfungen einheitliche Resultate ergeben.

Urämie.

Die Urämie stellt das klinische Bild der Niereninsuffizienz$\varkappa\alpha\tau'\dot\epsilon\xi o\chi\dot\eta\nu$
dar. Von den zahlreichen Theorien über das Wesen der Urämie ist frei-
lich noch keine einzige befriedigend gestützt. Als am besten begründet
gilt diejenige, welche in der Urämie eine auf Störung der Nierenfunktion
beruhende Autointoxikation durch stickstoffhaltige Stoffe sieht, die mit
einem zu abnormer Säurebildung führenden Eiweißzerfall einhergeht
(Senator). Sicher ist, daß in zahlreichen Fällen der Urämie eine deutlich
erhöhte molekulare Konzentration des Blutes, als der unzweifelhafte
Ausdruck einer Retention von Stoffwechselprodukten in demselben besteht, welche die höchsten bekannten Werte erreicht. Man hat die verschiedensten stickstoffhaltigen Stoffwechselprodukte für die Entstehung
der urämischen Erscheinungen verantwortlich gemacht — daß es nicht
anorganische Bestandteile sind, dafür spricht die verminderte elektrische
Leitfähigkeit des Blutes —, ohne einen bestimmten Körper verantwortlich machen zu können. Vielleicht ist die Retention der N-haltigen Abbauprodukte nicht Ursache, sondern, als Begleiterscheinung der Urämie eine
Folge der gleichen Ursache. Andere Forscher sehen in den Störungen der
inneren Sekretion der erkrankten Niere die Ursache der Urämie, oder auch
in krankhaften inneren Stoffwechselprodukten die durch den Zerfall des
Nierengewebes entstehen (Nephrolysine). Da eine einheitliche Erklärung
aller Symptome beim experimentellen Nachweis auf Schwierigkeiten stößt,
hat man auch versucht, das klinische Bild der Urämie aus mehreren ursächlich verschiedenen Teilbildern zu erklären und zwei Ursachen, die
Harnvergiftung und die Nephrolysine, herangezogen.

Symptome. Man unterscheidet die akute und chronische Urämie,
je nachdem sie plötzlich einsetzt oder durch einzelne Symptome von
seiten des Magendarmkanals, des Nervensystems, der Haut auf ihren
Ausbruch vorbereitet wird. Die körperlichen und geistigen Störungen
können so mannigfaltiger Natur sein und in so verschiedener Weise kombiniert zusammen auftreten, daß eine auch nur paradigmale Schilderung
des Symptomenkomplexes nicht gut möglich ist. Es seien daher nur die
einzelnen Symptome aufgezählt.

Der akute urämische Anfall: Zerebrale Symptome. Die
hervorstechendsten Symptome sind plötzlich auftretende Verwirrtheit, die
bis zu Delirien, Verfolgungswahn, Manie führen kann, oder es entwickelt
sich ganz unerwartet ein epileptischer Anfall, doch unter Fehlen
des initialen Schreies. Unter plötzlich einsetzender Bewußtlosigkeit treten
mehr oder minder zahlreiche, typisch epileptische Anfälle mit Zucken der

gesamten Muskulatur oder einzelner Muskelgruppen, erweiterte Pupillen, aufgehobener Kornealreflex usw. auf. Die genannten Zustände können verschieden lange dauern, in Heilung oder in Sopor und Coma übergehen. Ein anderes Symptom ist die plötzliche Erblindung, urämische Amaurose, ohne einen Augenspiegelbefund, die in einigen Tagen wieder verschwindet. In anderen Fällen treten plötzliche, apoplektiform einsetzende Lähmungen auf, welche ganz an einen apoplektischen Insult erinnern, während die Sektion später keinen pathologischen Hirnbefund, abgesehen vom Ödem, erkennen läßt. Alle Formen von Apoplexien, Mono- und Paraplegien und Hemiplegien, Aphasie, Taubheit, Amaurose, werden beobachtet.

Die Erscheinungen von seiten des Magendarmkanals sind meist mehr der chronischen Urämie angehörig, die Appetitlosigkeit, Durchfälle, Übelkeit, Erbrechen, welche wochen- und monatelang bestehen können und jeder Therapie trotzen. Doch kann auch ganz plötzlich ein unstillbares Erbrechen eintreten als Symptom akuter Urämie. Ihre Ursache ist höchstwahrscheinlich ebenfalls zentral gelegen, obwohl es auch dabei zu lokalen Störungen im Magendarmkanal, die bis zur diphtherischen Entzündung führen, kommen kann (Reizung durch Ammoniak, Harnstoff usw.?).

Ebenfalls zentraler Natur ist die urämische Dyspnoe, welche der chronischen Form angehört. Die Atemnot tritt entweder plötzlich paroxysmal auf, oder es besteht eine tage- und wochenlang anhaltende Dyspnoe mäßigeren Grades, oder endlich treten Atemstörungen in Form der bekannten Cheyne-Stokeschen Atmung auf. Die Atmung ist dadurch charakterisiert, daß anfänglich oberflächliche Atemzüge sich allmählich in rhythmischer Weise vertiefen (stertoröse Atemzüge), dann wieder an Tiefe abnehmen, bis vollkommene Apnoe, m. a. W. eine viele sekunden- bis selbst minutenlang dauernde Atempause eintritt. Dann beginnt derselbe Typus von neuem. Das Cheyne-Stokesche Atmen kann lange Zeit bestehen bei anscheinend erhaltenem vollem Bewußtsein des Kranken. Es braucht auch nicht dauernd vorhanden zu sein, sondern es kann vorübergehend dem normalen Atemtypus Platz machen. Bei Besserung des Zustandes verschwindet es wieder vollkommen.

Wenn auch der Mechanismus des Cheyne-Stokeschen Atmens im einzelnen noch unbekannt ist, so läßt sich doch mit Sicherheit sagen, daß die veränderte Atmung durch Störungen des Atemzentrums im weitesten Sinne ausgelöst wird. Nicht so einwandsfrei ist bei der zuerst erwähnten chronischen Dyspnoe, der außerordentlich häufigen und tiefen

Atmung, die Ursache im Atemzentrum zu suchen; die Möglichkeit, daß hier erhöhte Mengen Kohlensäure fortzuschaffen sind, ist nicht vollkommen auszuschließen.

Die Erscheinungen von seiten des Magendarmkanals können zentral (Erbrechen), oder auch peripher verursacht sein (Ausscheidung von Stoffwechselschlacken durch den Darm), da die Diarrhöen mit schweren Schleimhautveränderungen einhergehen. Analog ist die seltene urämische Stomatitis aufzufassen. Es scheint, daß vor allem der Ammoniak zu ulzerösen oder kroupösen Veränderungen der Schleimhäute des Magendarmkanals führt.

Die Diagnose macht keine Schwierigkeiten im Verlauf einer beobachteten Nephritis. Bei unbekannter Anamnese kann die Deutung des voll entwickelten Bildes der Urämie unmöglich sein. Differentialdiagnostisch kommen bei Konvulsionen oder Lähmungen anatomische Veränderungen im Zentralnervensystem in Betracht, Meningitis, Hämorrhagien, Hirntumoren. Zu beachten ist die Lokalisation der Lähmungen, die Flüchtigkeit der Erscheinungen. Hoher Blutdruck und Nephritis werden bei beiden Erkrankungen beobachtet, Fieber spricht nicht gegen Urämie, da dasselbe hierbei (Autointoxikation?) häufiger auftritt; das Fieber kann bei längerer Dauer schwere Infektionskrankheiten, welche mit zentralen Symptomen einhergehen, wie Typhus, Miliartuberkulose u. a., vortäuschen. Es sind dann die für die einzelnen Infektionskrankheiten spezifischen Reaktionen nachzuprüfen. — Das urämische Coma ähnelt der Bewußtlosigkeit bei Morphium- und Alkoholintoxikation. Fehlen anamnestische Anhaltspunkte, so ist zuerst der Augenhintergrund (Retinitis albuminurica) zu untersuchen. Bei Morphiumvergiftung sind die Pupillen eng, bei Urämie besteht wechselndes Verhalten. Der Urinbefund wird häufig, aber nicht immer, ausschlaggebend sein.

Therapie. Die Hauptaufgabe kommt der Prophylaxe zu, welche in der rationellen Behandlung der Ursache, also der Nephritis, besteht (s. daselbst). Die Behandlung der ausgesprochenen Urämie ist in erster Reihe die der Niereninsuffizienz (s. unter den Nierenerkrankungen). Zur Bekämpfung der Autointoxikation und des meist bei der Sektion gefundenen Hirnödems ist ein ausgiebiger Aderlaß (3—500 ccm) indiziert. Zur Ausspülung der Schlacken kombiniert man damit zweckmäßig eine Kochsalzinfusion. Die übrige Therapie ist symptomatisch. Morphium, Digitalis usw.

Akute Nephritis.

Ätiologisch spielt die Erkältung eine große Rolle (kaltes Baden, Durchnässung). Ferner kommen in Betracht Infektionen, vor allem Scharlach, Diphtherie, Erysipel, Masern, Typhus usw. und Intoxikationen (Quecksilberverbindungen, Karbolsäure, Phosphor, Kantharidin, Kaliumchlorat usw.). Welche Ursachen bei der Schwangerschaftsnephritis wirksam sind (toxische Einflüsse, Zirkulationsstörungen?) ist noch unentschieden.

Pathologische Anatomie. Trotz stürmischer Erscheinungen intra vitam können makroskopische Veränderungen der Nieren fehlen. Im allgemeinen sind die Nieren vergrößert, geschwollen, hyperämisch. Die Nierenkapsel ist glatt und leicht abzuziehen. Auf dem Nierendurchschnitt erscheint die Rinde blaurot bis rötlich grau; die Glomeruli als lebhaft gefärbte Blutpünktchen, welche häufig über die Oberfläche erhaben hervorspringen. Am stärksten gerötet sind die Pyramiden. Weißgelbe Flecken (verfettete Epithelien der Tubuli) können die Niere gesprenkelt erscheinen lassen.

Mikroskopisch können alle Teile der Niere ziemlich gleichmäßig befallen sein; häufig jedoch sind einzelne bevorzugt, so sind bei der sog. Glomerulonephritis, die man vor allem bei Scharlach beobachtet, die Kapillaren erkrankt, die Kapseln mit Epithelien und Exsudat angefüllt. Bei der tubulären Nephritis treffen die Veränderungen besonders die Epithelien der Tubuli, welche fettige oder hyaline Degeneration zeigen. Im interstitiellen Bindegewebe findet man dann stets ein entzündliches Exsudat, Rundzellen und vereinzelt rote Blutkörperchen. Bezüglich der extrarenalen Veränderungen ist die sehr frühzeitig einsetzende Hypertrophie und Dilatation des Herzens bemerkenswert, sowie das Ansarka und die Transsudate der verschiedenen serösen Höhlen.

Symptome. Die veränderte Beschaffenheit des Harnes ist das prägnanteste Symptom. Die Harnmenge ist vermindert auf 500—200 ccm, auch kommt es zu vorübergehendem völligen Versiegen der Harnabsonderung (Anurie). Der Harn ist hochgestellt, er enthält große Mengen Eiweiß, bis zu 5 pro Mille und mehr, häufig auch Blut, wodurch die Farbe dunkelrot wird. Der Urin ist stets trübe infolge der reichlichen Beimengungen zellulärer Bestandteile (Zylinder, Nierenepithelien, rote Blutkörperchen, Zellendetritus, Bestandteile, welche aus dem zentrifugierten Sediment mikroskopisch festzustellen sind). Von pathognomonischer Bedeutung sind die Epithelialzylinder, Blutzylinder und die roten Blutkörperchen. Die Zahl der Zylinder wechselt.

Ist auch der Urinbefund für die Diagnose ausschlaggebend, so wird doch durch ein anderes frühzeitiges und sehr charakteristisches Symptom, die plötzlich auftretenden Hautödeme, in vielen Fällen der akute Beginn eingeleitet; in anderen Fällen bilden sich die Ödeme allmählich aus. Nur relativ selten fehlen sie vollkommen. Meist tritt das Hautödem (Hydrops, Anasarka) zuerst an den Augenlidern auf und nicht, wie bei den Stau-; ungsödemen, an den Extremitäten. Sehr häufig kommt es auch zu Transsudaten in den serösen Höhlen (Hydrothorax, Hydroperikard usw.).

Die Krankheit kann mit Schüttelfrost beginnen und den übrigen Erscheinungen einer akuten Infektion, wie Dyspepsie, Erbrechen, Kopfweh, Abgeschlagenheit usw. Ebenso häufig mindestens ist der fieberlose Verlauf der akuten Nephritis.

Im Verlauf der akuten Nephritis kommt es leicht zu Entzündungen aller möglichen Organe. Die Kongestion der Nieren macht sich oft als unerträglicher Schmerz in der Nierengegend geltend. Eine weitere Komplikation ist die Urämie.

Die Dauer der akuten Nephritis ohne besondere Komplikationen beträgt durchschnittlich 2—3 Wochen, doch kommt schon tödlicher Ausgang nach wenigen Stunden vor, wenn die Nephritis im Anschluß an eine schwere Infektionskrankheit auftrat. Die Heilung dokumentiert sich dadurch, daß allmählich der Blut- und Eiweißgehalt geringer wird, dann ganz verschwindet ebenso wie die Zylindrurie, die häufig die Albuminurie überdauert, daß die Harnmenge ansteigt, der gedunsene Zustand normalem Hautturgor Platz macht. Oder aber es tritt ein Übergang der akuten in die chronische Form ein, wobei das Blut ebenfalls verschwindet, die Albuminurie und Zylindrurie bestehen bleiben oder nur am Tage beim Stehen auftreten, für die Nacht, während der Ruhelage verschwinden (s. unter chronischer parenchymatöser Nephritis).

Die Diagnose der akuten Nephritis ist einfach. Nur wenn sie in Form der Urämie einsetzt, können Verwechslungen mit anderen komatösen Zuständen vorkommen, bis die Harnuntersuchung Klärung gibt. Bei der Hämaturie sind, solange die übrigen charakteristischen Allgemeinsymptome fehlen, die extrarenalen Blutungen auszuschließen. Die Unterscheidung zwischen den akuten (hämorrhagischen) Nachschüben einer chronischen Nephritis und der akuten Nephritis kann dann schwierig sein, wenn die chronische Nephritis vorher, was nicht so selten vorkommt, übersehen war. Eine exakte Anamnese, der hohe Blutdruck und das eventuelle Vorhandensein von Retinitis albuminurica, welch beide letzteren Symptome sich erst beim längeren Bestehen der Nephritis ausbilden, sind von diagnostischer Bedeutung. Ferner können Zweifel entstehen, wenn im Verlaufe einer akuten schweren Infektionskrankheit Albuminurie auftritt, ob dieselbe als einfache febrile Albuminurie oder als akute Nephritis zu deuten ist. Hoher Eiweißgehalt, Blut, eventuell nur mikroskopisch, und das Vorhandensein von epithelialen Nierenzylindern sind für die Diagnose der Nephritis notwendig. Es kann jedoch eine einfache toxisch-infektiöse febrile Albuminurie, die prognostisch zunächst nicht anders zu bewerten ist, wie die Nephritis, bei der Fortdauer der toxischen Einwirkung auf die Nieren, also bei ungeeigneter Lebensweise zur Nephritis führen.

Prognose. Wenn auch eine Reihe von Erkrankten mit dem Leben davonkommt, so ist doch das Auftreten einer akuten Nephritis, besonders im Anschluß an eine akute Infektionskrankheit stets von sehr ernster Bedeutung, da alle therapeutischen Maßnahmen nur eine Schonung des kranken Organs bewirken können, aber keinen spezifischen, heilenden Einfluß ausüben.

Therapie. Es handelt sich bei der akuten Nephritis um eine zeitlich abgrenzbare Erkrankung, bei der die vitale Indikation die schwersten Entbehrungen rechtfertigt, daher ist eine knappe und reine Milchdiät neben absoluter Bettruhe, jedenfalls in den ersten 4—5 Tagen durchzuführen. Zur Vermeidung jeder überflüssigen Nierenbelastung beschränkt man sich in den ersten Tagen auf $1/4$—$1/2$ l Milch, daneben sind größere Mengen reinen Wassers oder schwach alkalischer Mineralwässer zu geben. Man gehe nicht unter 1 l Flüssigkeit herunter; die Flüssigkeitszufuhr hat in regelmäßigen Abständen zu erfolgen, eventuell ist das Wasser per rectum zuzuführen. Allmähliche Steigerung der Milchzufuhr bis auf 1 und $1\tfrac{1}{2}$ l pro Tag, gleichgültig in welcher Form (roh, gekocht, Yogurth), Kaffee, Teezusatz, Milchschleimsuppe usw. Ist das erste schwere Stadium der Oligurie überwunden, so muß die Ernährung ausreichender werden: Zusatz von Rahm, Gries, Reis, Maizenasuppen, Limonaden mit viel Zucker. Mit zunehmender Besserung kann die Flüssigkeitszufuhr gesteigert werden. Allmählich Hinzufügen leichter Gebäckarten, Leguminosen, milde Käsearten, Früchte, endlich Ei und Fleisch. Auf eine genügende Diurese ist mit Sorgfalt zu achten ($1\tfrac{1}{2}$—2 l Milch, besonders empfohlen wird unvergorener Traubensaft (Wormser Traubenmost).

Die physikalische Therapie besteht neben der Bettruhe bei Oedemen in Schwitzprozeduren (s. S. 221) und den übrigen dort angegebenen Maßnahmen. Protahierte Bäder von 34 bis 35⁰ und von 1—$1\tfrac{1}{2}$ stündiger Dauer wirken anregend auf die Nierentätigkeit. Nach dem Bade werden die Patienten unabgetrocknet ins Bett gebracht und daselbst gut bedeckt liegen gelassen.

Mit zunehmender Abheilung, wenn die Kranken das Bett verlassen, ist es die Aufgabe, sie vor jeder Erkältung zu schützen (warme wollene Unterkleidung). Abhärtungsversuche sind zu unterlassen; höchstens trockne Frottierungen oder spirituöse Abreibungen. Erst nach längerer Zeit können kältere Wasserabreibungen Platz greifen. Zur Nachbehandlung warmes trockenes Klima, im Winter Heluan, Assuan, Biskra, eventuell Oberitalienische Seen, Meran usw. sind wünschenswert. — Ebenso sind körperliche Anstrengungen, gymnastische Übungen anfangs nicht indiziert.

Die medikamentöse Therapie steht im Hintergrund; bei Hydrops und Urämie siehe die dort angegebenen Mittel. Die Albuminurie kann durch kein Medikament beeinflußt werden. Bei versagendem Herzen oder bei niedrigem Gefäßdruck werden die üblichen Herzmittel, Digitalis, Strophantus, Ergotina styptica Egger, usw. angewendet.

Chronische parenchymatöse Nephritis.

Ätiologie. Diese Form der Nierenentzündung kann sich aus der akuten entwickeln, viel häufiger aber ist sie primär chronisch, schleichend einsetzend. Neben den bei der akuten Nephritis genannten Schädlichkeiten kommen chronische Infektionskrankheiten, Syphilis, Tuberkulose und wohl ebenso oft chronische Intoxikationen, Alkohol, Blei, Quecksilber in Frage. Chronische Eiterungen, Malaria werden ebenfalls angeschuldigt, ungünstige Witterung, häufiger Witterungswechsel spielen vielleicht eine begünstigende Rolle.

Die pathologisch-anatomischen Veränderungen sind durch den Namen der großen weißen Niere in der Hauptsache gekennzeichnet. Die Niere ist um das doppelte bis dreifache ihres Umfanges vergrößert. Die Kapsel ist dünn, leicht abziehbar, die Oberfläche weißlich bis graugelb. Auf dem Durchschnitt besteht ein deutlicher Kontrast zwischen Rinde und Mark; erstere ist geschwollen, verbreitert, sie hat einen gelblich weißen Ton, in dem gelbliche Strichelchen und opake Flecken auffallen; die Pyramiden sind tief hyperämisch.

Mikroskopisch zeigen vor allem die Epithelzellen, besonders die der gewundenen Harnkanälchen körnige und fettige Degeneration. Die Harnkanälchen sind vergrößert und mit Fetttröpfchen sowie einer albuminoiden Substanz, häufig auch mit Nierenzylindern und Rundzellen angefüllt. Auch die Epithelien der Kapsel und der Glomeruli zeigen ähnliche Veränderungen. Das interstitielle Bindegewebe weist an vielen Stellen kleinzellige Infiltration auf. Eine nennenswerte Vermehrung des Bindegewebes findet bei der reinen Form der chronischen parenchymatösen Nephritis nicht statt. In anderen Fällen jedoch, welche klinisch ebenfalls das Bild der chronischen parenchymatösen Nephritis darbieten, findet man eine deutliche Vermehrung des Bindegewebes; die Niere ist nicht so groß, wie sie vorhergehend geschildert ist; an einzelnen Stellen sind Schrumpfungsprozesse zu erkennen. Es ist ein Übergang von der genannten Form zur chronischen interstitiellen Nephritis (kleine weiße Niere).

Symptome. Der überaus schleichende Beginn der Erkrankung läßt bei der primären chronischen parenchymatösen Nephritis ihr Vorhandensein oft erst beim Eintreten derHautödeme feststellen. Die ersten Allgemeinsymptome, wie Mattigkeit, Schwächegefühl, dyspeptische Beschwerden usw. veranlassen nur selten die Kranken, den Arzt aufzusuchen. Bezüglich des Hydrops s. S. 217. Relativ früh macht sich eine Verminderung der Harnmenge bemerkbar (3—600 ccm). Der Harn ist dunkel, schmutzig-gelb bis braunrot und trübe, infolge von darin suspendierten Formelementen. Er hat ein hohes spezifisches Gewicht, 1020—1040 und enthält reichlich Eiweiß (1—5 $^0/_{00}$). Das Sediment zeigt die verschiedenartigen Harnzylinder, von denen die granulierten Epithelial- und Fettkörnchenzylinder charakteristisch sind. Daneben zum Teil verfettete (Fettkörnchenkugeln) Nierenepithelien. Rote Blutkörperchen sind gar nicht oder nur ganz vereinzelt vorhanden. Das Auftreten von Blut ist das Zeichen einer akuten Verschlimmerung oder einer paroxysmalen akuten Nierenkongestion. Der Kranke ist auffällig blaß. Die Blässe wird durch das Zunehmen der Ödeme verstärkt. Das Auftreten von Transsudaten, Hydrothorax, Hydroperikard, Ascites kompliziert durch die Kompressionserscheinungen das Krankheitsbild und schafft auch die ersten größeren subjektiven Beschwerden. Das Verhalten des Pulses ist wechselnd. Im Anfang ist der Blutdruck nicht erhöht, eher vermindert. Der Puls ist klein. Mit Zunahme der Herzhypertrophie steigt der Blutdruck; doch ist dies Verhalten kein regelmäßiges. Magen-Darmstörungen fehlen selten. Die Appetitlosigkeit ist sehr groß. Treten Erbrechen, Diarrhöen auf, so sind sie in der Regel als urämische Symptome zu deuten; letztere könnte jederzeit die Nephritis komplizieren (s. S. 227). Von sonstigen Komplikationen sind Entzündungen der verschiedenen Organe, wie Bronchitis, Pneumonie, Perikarditis usw. zu nennen. Eine Retinitis albuminurica kann auftreten, aber auch während des ganzes Verlaufes fehlen.

Die Krankheit zieht sich über Monate, selten über Jahre hin, in letzterem Falle mit Remissionen, doch kommen, wenn auch selten, Heilungen vor. Zunehmendes Anasarka, Urämie oder sekundäre Entzündungen führen zum Tode.

(Therapie. Die Behandlung ist im Prinzip die gleiche wie die der akuten Form, speziell im Rekonvaleszenzstadium derselben. Reine Milchdiät ist aus verschiedenen Gründen während so langer Zeit dauernd nicht durchführbar. Man gibt demnach eine blande gemischte Kost, möglichst unter Hinzuziehung von 1—1½ l Milch täglich. Die Eiweißmenge der Nahrung ist (Nierenschonung!) auf das zur Erhaltung notwendige Maß, also auf ca. 80 g zu beschränken. Da die Milch selbst schon ca. 50—55 g Eiweiß enthält, kommen für die übrigen 25—30 g wenig Fleisch, abwechselnd mit Eiern in Betracht. Die übrige Kost besteht aus Kohlehydraten und Fett. Verboten sind alle nierenreizenden Stoffe (Alkohol, Gewürze, Extraktivstoffe usw.). Physikalisch sind alle kalten Prozeduren zu meiden; protrahierte warme Bäder 33—35° C, bei stärkerem Hydrops Schwitzbäder (s. oben), Schutz vor Erkältung wie bei der akuten Form, Vermeidung stärkerer körperlicher Anstrengung, welche mit einer Schwächung des Herzens und einer Zunahme des Eiweißgehalts einhergeht. Die Diurese wird durch die oben angegebenen Mittel (s. S. 220) angeregt. Bei Hydrops und Urämie s. daselbst. Bei Herzschwäche Digitalis usw.

Sekundäre Schrumpfniere.

Kommt es im Verlaufe der chronisch-parenchymatösen Nephritis zu der unten geschilderten Bindegewebswucherung und sekundären Induration, so ändert sich das Krankheitsbild, es nähert sich dem der primären Schrumpfniere. Die Urinmenge nimmt zu. Der Urin enthält reichlich die verschiedenartigen Zylinder. Das spezifische Gewicht nimmt ab (1010—1012). Der für die parenchymatöse Nephritis charakteristische Hydrops fehlt nicht ganz. Retinitis albuminurica ist die Regel. Herzhypertrophie entwickelt sich stets. Der Ausgang ist der der primären Schrumpfniere. Es stellt sich diese Krankheit als eine Mischform der parenchymatösen und interstitiellen Nephritis dar.

Chronische interstitielle Nephritis (primäre genuine Schrumpfniere, Granularatrophie der Nieren).

Ätiologisch führen chronische Intoxikationen (Alkohol, Blei, Quecksilber) und Autointoxikationen (Diabetes, Gicht, Lebererkrankungen) zur Schrumpfniere. Alle diese Gifte verursachen auch Arteriosklerose, daher denn die arteriosklerotische Schrumpfniere, die vielfach von den genuinen getrennt wird, ätiologisch nicht von ihr zu trennen ist. Zum mindesten kommen beide Erkrankungen in der Regel zusammen vor. In einzelnen Fällen scheint es, als ob die Arteriosklerose zur Schrumpfniere geführt hätte. Eine besondere Rolle spielt die Heredität; es sind Familien bekannt, in denen während verschiedener Generationen häufig ein frühzeitiges Auftreten von Schrumpfniere gesehen wurde. Pathologische Anatomie. Die Niere ist klein, von dunkelroter Farbe, an der Oberfläche höckerig, uneben. Die Nierenkapsel ist verdickt, läßt sich schwer abziehen. Sie haftet besonders an den eingezogenen Stellen fest. Beim Durchschneiden fällt das zähe derbe Gewebe auf. Die Rinde ist dünn, oft bis auf Millimeter verdünnt. Die Marksubstanz hat weniger abgenommen. Vielfach zerstreut, meist an der Oberfläche sitzen größere oder kleinere Zysten. Mikroskopisch fällt vor allem die Vermehrung des interstitiellen Bindegewebes, besonders in der Rinde auf. Die Glomeruli sind zum Teil verödet, geschrumpft, mit verdickter Kapsel und zeigen hyaline Entartung; die Harnkanälchen sind stark atrophisch, soweit sie nicht gänzlich zugrunde gegangen sind. An Stelle der Epithelien findet man kleine polygonale Zellen, oder das Epithel ist gänzlich verschwunden. Dort, wo das Nierengewebe erhalten ist, kann es ganz intakt sein. Die Gefäße zeigen sowohl bei der genuinen wie bei der arterioskerotischen Schrumpfniere schwere entarteriitische Veränderungen (Verdickung der Intima, bindegewebige Proliferation in der Media und Adventitia).

Von den übrigen Veränderungen ist konstant eine Hypertrophie und Dilatation des Herzens. Vorwiegend ist der linke Ventrikel betroffen, häufig jedoch beide Ventrikel (Cor bovinum). Die großen Gefäße zeigen arteriosklerotische Veränderungen.

Symptome. Der Beginn dieser Form der Nephritis ist viel schleichender als der der chron. parenchym. Form. Die Krankheit kann jahrelang latent verlaufen und auch dann, wenn sie für den Arzt schon erkennbar ist, dem Kranken kaum zum Bewußtsein kommen. Plötzlich einsetzende Urämie oder Apoplexie sind nicht ganz selten die ersten manifesten Symptome des Leidens. In anderen Fällen machen sich allmählich zunehmende Herzbeschwerden, Herzklopfen bei Anstrengung, Unruhe usw. als erstes Zeichen bemerkbar, oder es sind Schwindelanfälle, Kopfschmerzen, Nasenbluten oder auch ein häufiger Urindrang, der den Kranken zum Arzt führt.

Die Urinmenge ist fast stets vermehrt, abgesehen von den bisher erst selten festgestellten Fällen von normalurischer oder oligurischer Schrumpfniere; man findet sie bei Arteriosklerose und durch das Verhalten der Ausscheidung gegenüber Mehrbelastung mit NaCl unter Mehrzufuhr von Wasser sowie durch die Verlängerung der Milchzuckerausscheidung charakterisiert (s. funktionelle Prüfung S. 222). Das spezif. Gewicht ist sehr niedrig 1001—1005—1010. Der Urin hell und klar. Ein Sediment fehlt häufig und nur bei langem Zentrifugieren ist ein geringer Bodensatz erzielbar. Derselbe enthält, aber nicht regelmäßig, hyaline und granulierte Zylinder. Eiweißgehalt ist häufig minimal; zeitweilig fehlt jede Spur von Eiweiß. Nierenblutungen im Verlauf der Erkrankung sind sehr selten. Charakteristischer als der Harnbefund, der leicht als normal imponieren kann, ist das Verhalten des Herzens und der Gefäße. Herzhypertrophie (Verlagerung des Spitzenstoßes 2—3 Querfinger außerhalb der Mammilarllinie) und eine Blutdruckerhöhung, die sich schon dem palpierenden Finger unzweideutig erkennbar macht, und welche zu den höchsten bekannten Werten (180—200—250 mm Hg systol. und 100—120 mm Hg diastol.) führt, sind unzweifelhafte Symptome der chronischen Nephritis. Blutdruck über 160 mm Hg ist stets für Schrumpfniere verdächtig. Die Herztöne sind an der Spitze dumpf, der zweite Aortenton verstärkt. In einem späteren Stadium, bei Beginn der Herzinsuffizienz (systolisches Geräusch an der Spitze), die fast stets von Galopprhythmus begleitet ist, kann der Blutdruck sinken (signum malum). Mit zunehmendem Versagen der Herzkraft kommt es zu Hydrops, Ödemen und den ganzen Symptomen der Herzinsuffizienz. Die Urinmenge sinkt, das spezifische Gewicht steigt, der helle Harn wird dunkel, konzentriert, hochgestellt. Als Folgen des hohen Blutdrucks sieht man in allen Organen Blutungen auftreten: Apoplexie, Nasenbluten, Netzhautblutungen (neben der selten fehlenden Retinitis albuminurica), Lungeninfarkte usw. Der hohe Blutdruck bewirkt ferner Gehörstörungen, Klingen im Ohr, Schwindel usw. Bezüglich des Ausgangs in Urämie daselbst.

Der Verlauf der Erkrankung ist ein überaus chronischer. Es sind Fälle bekannt, in denen die Kranken nach Feststellung der Krankheit, also nachdem das Leiden sicher schon viele Jahre bestand, noch 10 und 20 Jahre gelebt haben. Ganz allgemein läßt sich sagen, daß die Lebensdauer davon abhängt, in welchem Maße sich die Kranken schonen können, d. h. körperliche Anstrengungen vermeiden und sich äußeren Schädlichkeiten nicht auszusetzen brauchen, abgesehen von zufällig eingetretenen Komplikationen (akute Erkrankungen), welche den Zustand akut verschlimmern. Die Schrumpfnierenkranken gehen in der Regel an Herzinsuffizienz, Urämie oder Apoplexie zugrunde.

Die Prognose ist nach dem Gesagten (quoad vitam) nicht absolut ungünstig, doch ist zu bedenken, daß die Kranken dauernd einer großen Schonung bedürfen.

Für die Diagnose ist der Urinbefund allein unter Umständen nicht maßgebend, da periodenweise jede Albuminurie und auch jede Polyurie fehlen kann. Um charakteristische Harnzylinder zu finden, bedarf es oft sorgfältiger Sedimentierung. Der hohe Blutdruck und die Herzhypertrophie, eventuell auch der Hintergrundsbefund sichern die Diagnose.

Therapie. Im Vordergrunde des therapeutischen Handelns steht der Zustand des Herzens und der Gefäße, während die Entzündungserscheinungen der Niere — wie dies ja in den anatomischen Verhältnissen begründet ist — an Bedeutung zurücktreten. Die Leistungsfähigkeit der Schrumpfniere ist häufig bis in die letzten Stadien vollkommen erhalten. Diätetisch sind deshalb im wesentlichen nur alle gröberen Reize für die Niere fernzuhalten. Die Schonungstherapie betrifft die Zirkulationsorgane (s. unter Arteriosklerose Band I, S. 188). Reine Milchdiät kann nur vorübergehend indiziert sein; vor allem aber in dem urämischen Stadium; hier ist sie bis zum Schwinden der urämischen Erscheinungen ziemlich streng durchzuführen. Für die Dauer muß die Ernährung so eingerichtet sein, daß sie dem Kalorienbedürfnis eines arbeitenden Menschen vollauf entspricht, daß sie dem Kranken keine zu lebhaft fühlbaren Beschränkungen auferlegt und das Zirkulationssystem nicht zu sehr belastet. Es ist deshalb eine reizlose gemischte Kost zu verordnen. Die Eiweißmenge betrage das dem Eiweißbedürfnis entsprechende Optimum, ca. 90—110 g für den Mann und 80—100 g für die Frau. Ein Teil des Eiweiß wird durch die Milch gedeckt: ca. $3/4$ l pro Tag = 26 g Eiweiß zusammen mit 2 Eiern und dem Gemüse = 32 g Eiweiß, und 30—50 g d. h. ca. 150 bis 200 g Fleisch für den Mann und 100—150 g für die Frau. Im übrigen sei die Diät reizlos, keine Gewürze. Die Flüssigkeitszufuhr ist dahin zu regeln, daß keine plötzliche Überbelastung des Gefäßsystems eintritt. Alkohol ist ganz, Tee und Kaffee in starker Konzentration zu verbieten. Die körperliche Schonung richtet sich nach dem Zustande des Herzens und der Arteriosklerose. Sie umfaßt die Sorge für regelmäßigen Stuhl, Schutz vor Erkältungen usw. Die medikamentöse, die physikalische und die klimatische Behandlung ist die der Arteriosklerose.

Amyloidniere.

Die Amyloidentartung der Niere ist keine Erkrankung sui generis, sondern eine Teilerscheinung allgemeiner Amyloidedegeneration. Sie findet sich bei kachektischen Erkrankungen und chronischen Eiterungen. Häufig

besteht daneben eine durch die gleichen Ursachen hervorgerufene parenchymatöse Nephritis.

Pathologische Anatomie. Reine Amyloidniere ist selten; sie
ist groß und glatt; die Nierenkapsel läßt sich leicht abziehen; die Oberfläche ist spiegelglatt, die Venae stellatae sind deutlich sichtbar. Auf dem
Durchschnitt erscheint die Rinde größer als normal und von einer eigentümlichen wächseneren Farbe und glitzerndem Aussehen (Speckniere).
Die Malpighischen Knäuel sind häufig am stärksten affiziert und erscheinen als glitzernde Punkte. Später erkranken die Harnkanälchen,
welche sich bei der Jodreaktion mahagonirot färben.

Symptome. Da die Erkrankung sich als eine sekundäre, auf der
Basis einer schweren primären Erkrankung darstellt, so fehlen alle charakteristischen Zeichen. Nicht einmal das Verhalten des Harns ist typisch;
es wechselt je nach der Mitbeteiligung des Parenchyms. Die Harnmenge
kann reichlich, aber auch normal und selbst vermindert sein. Ebenso
wechselnd ist das Verhalten des Eiweißgehaltes und des spezifischen
Gewichtes. Ein charakteristisches Sediment existiert nicht. Typische Veränderungen an den Zirkulationsorganen, am Auge usw. sind nicht vorhanden. Die Allgemeinerscheinungen werden von dem Grundleiden bestimmt. Die Prognose und die Therapie ist von dem Grundleiden vor-
gezeichnet. Die exakte Diagnose einer Amyloidniere intra vitam ist fast
unmöglich.

Eitrige Nierenentzündung (Septische Nephritis).

Ätiologie. Die eitrige Entzündung wird durch Ansiedlung von
Bakterien in der Niere hervorgerufen. Der Weg der Infektion ist entweder der hämatogene von den Blutgefäßen oder der urinogene, aszendierende von den Harnwegen aus. Bei der hämatogenen Form entspricht
die Ansiedlung den Bakterien in der Niere dem metastatischen Prozeß
bei einer allgemeinen Sepsis oder Pyämie, doch kann auch infolge eines
Nierentraumas die Niere zum locus minoris resistentiae geworden sein
und ohne sichtbare Zeichen einer allgemeinen Sepsis eine Bakterien-
ansiedlung begünstigen. Bei der aszendierenden Nephritis handelt es sich
um einen aus den tiefer gelegenen Harnwegen fortgeleiteten eitrigen
Entzündungsprozeß, der also von einer Pyelitis, Cystitis, Prostatitis aus
usw. nach oben fortgeschritten ist. Aber nicht immer ist ein primärer
Herd nachzuweisen; es gibt Formen von Nephritis suppurativa, in denen
ohne vorhergegangenes Trauma nur eine Niereneiterung festzustellen ist.

Pathologische Anatomie. Die Erkrankung kann ein- und

doppelseitig sein. Die Niere ist stark injiziert, an der Oberfläche wie im Durchschnitt sieht man zahlreiche kleinere, eben sichtbare miliare Eiterherde oder größere Abszesse. In der Rinde sind die kleinen Eiterherde von rundlicher Gestalt, in den Pyramiden verlaufen sie parallel streifig, häufig haben sich perinephritische Abszesse entwickelt. Mikroskopisch findet man die Kapillaren vollgepfropft mit Eitererregern. Bei der urinogenen, meist einseitigen Niereneiterung läßt sich die eitrige Entzündung vom Nierenbecken aus und eventuell noch von tiefer her verfolgen.

Symptome. Wenn die Abszesse sehr klein sind, und nicht mit den Harnkanälchen kommunizieren, kann das Krankheitsbild ausschließlich das einer kryptogenetischen Septikopyämie sein, d. h.: hohe Fiebertemperaturen, Schüttelfröste, Schweiß, und der dadurch bedingte schwere Allgemeinzustand. Der Harn kann Eiweiß enthalten, wohl auch Zylinder, welche aber ebensogut auf den allgemeinen Entzündungsprozeß zu beziehen sind. Eine besondere Schmerzhaftigkeit in der Nierengegend kann fehlen. In anderen Fällen kommunizieren die Eiterherde mit den Harnkanälchen, durch den Urin werden Eiter und Bakterien ausgeschwemmt, in seltenen Fällen sogar nekrotische Stückchen der Niere; daneben bestehen die septiko-pyämischen Allgemeinsymptome. Die Reaktion des Harns ist sauer oder alkalisch (ammoniakalische Gärung), ohne daß es sich in letzterem Falle um eine aszendierende Pyelonephrose handeln muß, denn es können auch im primären Nierenabszeß Bakterien vorkommen, welche die ammoniakalische Gärung des Harns bewirken. Hat bereits vor dem Auftreten der septischen Erscheinungen eine Erkrankung der ableitenden Harnwege bestanden, so ist damit die Diagnose der aszendierenden eitrigen Nephritis wahrscheinlich gemacht. In Fällen, in denen ein Trauma zur Erkrankung geführt hat, oder die Sepsis von Nierensteinen ausging, findet man häufig Blut im Urin.

Die spontanen Schmerzen, welche, wenn sie vorhanden, meist von der Kapselspannung herrühren, werden in die Nierengegend verlegt, teils strahlen sie nach dem Rücken, zum Teil nach der Leisten- und Hodengegend aus. Größere Abszesse lassen sich als fluktuierende Nierengeschwulst fühlen. Vereinzelt beobachtet man auch ödematöse Schwellung in der Nierengegend, obgleich letztere meist auf eine peri- oder paranephritische Entzündung hinweist.

Der Verlauf ist je nach der Ätiologie der Erkrankung verschieden. Bildet die eitrige Nephritis nur einen Teil allgemeiner Septikopyämie, so bestimmt diese den Verlauf. Bei der lokalisierten Entzündung einer Niere gewährt die chirurgische Therapie günstige Chancen.

Diagnose. Bei mangelndem spezifischem Urinbefund kann die Diagnose große, ja unüberwindliche Schwierigkeiten bereiten und nicht über die einer allgemeinen kryptogenetischen Septikämie hinausgehen. Findet man Eiter oder Bakterien im Harn, so ist durch Ureterenkatheterismus festzustellen, ob nur eine oder beide Nieren erkrankt sind, ob eine primäre oder aszendierende Form vorliegt, und eventuell Tuberkulose durch die bakteriologische Untersuchung auszuschließen.

Die Therapie ist bei einseitiger Erkrankung eine chirurgische (Freilegung und Spaltung der Nierenkapsel und Entleerung des Eiters, eventuell bei gesunder anderer Niere Nephrektomie. Für die Fälle von allgemeiner Sepsis s. Bd. 1, S. 42.

Pyelitis, Pyelonephritis, Pyonephrose (Nierenbeckenentzündung).

Diese Erkrankung ist hier zu besprechen, da die Entzündung des Nierenbeckens fast stets zu einer Erkrankung der Niere selbst führt. Die Entzündung wird durch Mikroorganismen oder durch toxische Reize, wie Kantharidin, Terpentin usw. verursacht. Die Infektion erfolgt wie bei dem Nierenabszeß auf hämatogenem oder urinogenem Wege. Die auslösenden Ursachen sind die gleichen (Infektionskrankheiten, ferner Traumen sowie bei der aszendierenden Form, Blasen- oder Ureterenerkrankungen infolge von Katarrhen, Steinen, Geschwülsten, Strikturen usw.).

Pathologisch-anatomisch sieht man bei den reinen Formen der Pyelitis die verschiedenartigen Stadien von Entzündung der Nierenbeckenschleimhaut, von der einfachen Trübung an bis zum schweren jauchigen Prozeß. Greift die Erkrankung auf die Niere selbst über, so besteht daneben eine eitrige Nephritis (Pyelonephritis), oder aber es kommt gleichzeitig durch eine periphere Stauung im Harnleiter infolge der sich dort ansammelnden Schleim- oder Eitermassen zu einer Erweiterung des Nierenbeckens und der Nierenkelche und sekundär zu einer (Druck-)Atrophie des Nierengewebes. Dieselbe kann so hochgradig sein, daß die ganze Niere einem Eitersack gleicht, in dem nur noch Reste des Nierengewebes aufzufinden sind (Pyonephrose).

Symptome. Die Erscheinungen sind zunächst die einer Septikopyämie, welche eventuell durch das Grundleiden (bei Infektionskrankheiten), verdeckt werden. Lokal wird über Druckgefühl oder Schmerz geklagt. Das Auftreten von Eiter, Schleim oder Blut im Harn weist auf den lokalen Prozeß hin. Der Eiweißgehalt ist meist höher, als dem

Eitergehalt entspricht. Der Harn ist sauer oder zersetzt. Im Sediment findet man Eiter und zahlreiche Zellen, sogenannte Übergangsepithelien der ableitenden Harnwege. Der Eiter kann vorübergehend verschwinden (bei Ureterenverschluß), um dann wieder aufzutreten. Parallel damit wird die Nierengeschwulst vorübergehend deutlich und verschwindet wieder, während gleichzeitig infolge des verlegten Eiterabflusses die Schmerzen größer werden, Fieber, Schüttelfröste auftreten, die mit dem Freiwerden der Bahn wieder abnehmen. Doch kann auch bei ungehindertem Abfluß, da sich ja im Nierenbecken doch stets mehr oder minder große Eitermengen stauen, dauernd Fieber bestehen, das allmählich hektischen Charakter annimmt; das Allgemeinbefinden ist gestört, der Kranke wird anämisch, magert ab, es kann sich ein typhusähnlicher Zustand herausbilden. Als Komplikationen können Paranephritis, Durchbruch des Eiters in den Darm oder die Bauchhöhle auftreten, sowie die verschiedenartigsten Metastasen. Unbehandelt nimmt die Krankheit in der Regel einen deletären Verlauf. Bei allmählichem Kräfteverfall geht der Kranke unter Erscheinungen von Urämie oder Anurie zugrunde, wenn nicht eine der Komplikationen ein vorzeitiges Ende herbeiführt. Neben diesen chronischen kommen auch akute Formen vor, die im Verlaufe einiger Wochen spontan abheilen.

Diagnose. Bei bestehendem Eiterharn ist zunächst die Tuberkulose durch mikroskopische Untersuchung und eventuell den Tierversuch auszuschließen. Dann ist die Ursache resp. der Sitz der primären Erkrankung festzustellen, was am sichersten durch die Kystoskopie resp. den Ureterkatheterismus geschieht. Dadurch wird zugleich die Indikationsstellung für ein eventuelles operatives Eingreifen (Intaktheit der anderen Niere) gegeben.

Therapie. In leichten Fällen suche man durch starke Diurese unter gleichzeitiger Verabreichung von Urotropin, Vesicaesan, oder von Balsamicis, wie Gonosan, Santalöl usw. die Spontanheilung zu unterstützen. Bei Nierensteinen ist das Grundleiden zu behandeln. In schweren Fällen Operation (funktionelle Diagnostik!). Im übrigen ist die Behandlung symptomatisch: reichliche Ernährung, Antifebrilia, Bettruhe, Opium, Morphium, Belladonna, heiße Umschläge gegen die Schmerzen.

Hydronephrose.

Ätiologie. Jedes Hindernis für den Abfluß des Harns aus dem Ureter, ob innerhalb oder außerhalb desselben gelegen, kann zur Erweiterung des Nierenbeckens führen. Man findet angeborenen Ureterenverschluß oder Hydronephrose infolge Fehlens eines Ureters oder einer anormalen Ausmündung desselben. Im postfötalen Leben führen Konkremente, Tumoren, Parasiten, peritonitische Exsudate, besonders häufig der gravide Uterus zur Stauung oder zum Verschluß des Harnleiters, ferner kommen in Betracht Abknickungen oder Torsion desselben (Wanderniere).

Pathologische Anatomie. Die Ausdehnung des Nierenbeckens und der Harnleiter kann ganz gewaltig sein, so daß die Ureteren den Umfang von Dünndarmschlingen, die Nieren den von Kindskopfgröße erreichen. Bei stärkerer Ausdehnung ist das Innere des hydronephrotischen Sackes glatt, die Niere ist mehr oder weniger atrophisch. Zuerst atrophieren die Papillen, in schweren Fällen ist die Niere bis auf Reste verschwunden. Der flüssige Inhalt des Sackes ist klar, gelblich und enthält, abgesehen von sehr alten Fällen, in denen alle Salze absorbiert wurden, Spuren von Harnbestandteilen, Harnstoff, Harnsäure usw. Bei gleichzeitigem Eitergehalt ist der Inhalt trübe; gelegentlich sieht man Blutbeimengungen.

Man unterscheidet offene, geschlossene und intermittierende Hydronephrose. Bei der offenen war die Verbindung von der Niere zur Blase niemals aufgehoben, sondern nur verengt, bei der intermittierenden Form ist periodenweiser Verschluß vorhanden; die geschlossene Form ist relativ selten, da bei vollkommenem und plötzlichem Verschluß die Niere, welche dann übrigens sehr schnell atrophiert, ihre Tätigkeit bald einzustellen pflegt. Die Hydronephrose ist meist einseitig, die andere Niere kann vikariierend vergrößert sein.

Symptome. Eine geringe Flüssigkeitsansammlung, also eine geringe Geschwulst der Niere, verläuft oft vollkommen symptomenlos. Bei starker Ausdehnung des hydronephrotischen Sackes weisen das Druckgefühl, Schmerzhaftigkeit in der Nierengegend auf die Erkrankung hin. Unter günstigen Umständen findet der Arzt einen Tumor in der Nierengegend, und nicht ganz selten ist es den Kranken schon aufgefallen, daß sie zeitweilig abnorme Mengen Urin entleeren, während zu anderen Zeiten die Harnmenge normal ist (intermittierende Hydronephrose). Bei vollkommener einseitiger Hydronephrose kann dauernd normale Diurese bestehen oder auch Polyurie (von seiten der vikariierend funktionierenden Niere). Dauernde Beobachtung des Kranken mit intermittierender Hydronephrose ergibt ein wechselndes Verhalten, ein Verschwinden und Anwachsen des Tumors. Unter Umständen, z. B. bei Torsion eines Ureters entstehen kolikartige Schmerzen, Übelkeit, Erbrechen usw. Die Beschaffenheit des Urins ist normal oder pathologisch, oder auch wechselnd je nachdem Blut, Schleim, Eiter, Zylinder wie bei entzündlicher Hydronephrose und Nierenbeteiligung auftreten. Bei doppelseitiger Hydronephrose kann Oligurie oder Anurie bestehen und zu urämischen Erscheinungen führen.

Während die angeborene Hydronephrose fast stets innerhalb weniger Tage zum Tode führt, kann eine einseitige, erworbene Hydronephrose jahrelang ohne besondere Störungen bestehen. Bei sehr starker Ausdehnung des Sackes treten Beschwerden auf, welche durch die Raumbeengung (Spannung im Leibe, Hochstand des Zwerchfelles und Atemnot, verstopfung, Ödeme der Beine) zu erklären sind. Intermittierende Hydronephrose kann spontan abheilen oder zur Pyonephrose und den damit verbundenen Gefahren führen. In seltenen Fällen beobachtet man ein Platzen des Sackes. Doppelseitige Hydronephrose führt meist zur Urämie.

Die D i a g n o s e ist leicht bei typischem Verhalten. Verwechslungen kommen vor mit anderen Nierengeschwülsten. Die Ureterenkystoskopie (Ureterenverschluß, einseitige Harnflut) kann die Diagnose klären, sie kann aber auch versagen. Schwierig ist die Differentialdiagnose gegenüber einer Ovarialzyste (vaginale Untersuchung; der retroperitoneal gelegene Nierentumor pflegt die Gedärme nach vorn oder seitwärts zu drängen, der Ovarialtumor nach hinten). Vor einer Punktion des Sackes zwecks diagnostischer Feststellung ist zu warnen, da darauf bald Vereiterung, eventuell Peritonitis zu entstehen pflegt.

Die Behandlung ist eine chirurgische, sobald die Ursachen des Ureterenverschlusses (Harnsteine, Wanderniere, Blasenstörungen) nicht zu beseitigen sind.

Nierenechinokokkus.

Bezüglich der Ätiologie usw. siehe unter Leberechinokokkus. Auch die anatomischen Verhältnisse gleichen den bei der Leber beschriebenen. Meist handelt es sich um einen einseitigen Nierenechinokokkus.

S y m p t o m e. Der Nierenechinokokkus verläuft latent oder er verursacht, wenn die Geschwulst eine erhebliche Größe erreicht, die Beschwerden eines Nierentumors. Man fühlt dann eine mehr oder minder schmerzhafte fluktuierende Geschwulst, deren Differentialdiagnose besonders gegenüber der Hydronephrose unüberwindliche Schwierigkeiten bereiten kann. Die akuten Symptome treten zuerst auf beim Durchbruch des Echinokokkus in die Nachbarorgane: Magen, Darm, Bronchien, oder beim Durchbruch in die Harnwege. Bezüglich des ersteren Falles siehe unter Leberechinokokkus S. 193. Entleert sich der Echinokokkeninhalt in das Nierenbecken, so kann es zur Verstopfung des Ureters oder der

Harnröhre kommen. Der Durchtritt der Blasenbestandteile durch den Ureter ist mit heftigen Koliken, mit Schmerzen, die in die Leistengegend ausstrahlen und gelegentlich mit den schwersten Allgemeinerscheinungen wie Erbrechen, Ohnmachten verbunden. Es kann auch zum Ureterenverschluß (akute Hydronephrose) kommen. Der nach dem Durchbruch entleerte Harn zeigt ein eigentümlich milchiges Aussehen und enthält im Sediment Häckchen und Blasenwandstücke.

Die Allgemeingefahren sind dieselben wie beim Leberechinokokkus. Die Therapie ist eine chirurgische.

Nierengeschwülste.

Unter den Nierengeschwülsten sind die praktisch wichtigsten das Karzinom und Sarkom der Niere. Die Karzinome kommen primär und sekundär vor, die Sarkome sind meist sekundär. Die Nierengeschwülste können intra vitam latent verlaufen, eventuell als Metastasen keine besonderen Erscheinungen hervorrufen. Auch bei dem primären Karzinom ist oft die Kachexie und der Marasmus das einzige Symptom, welches auf einen schwer zu lokalisierenden bösartigen Tumor hindeutet. Druckerscheinungen auf Nerven (Neuralgien) lassen eventuell den Sitz vermuten. In anderen Fällen ist der manchmal recht erhebliche Umfang des Tumors das einzige manifeste Symptom. Dazu können dumpfe Schmerzen in der Nierengegend treten, sowie in diagnostischer Beziehung sehr bedeutsame Veränderungen des Urins, so eine unvermutet auftretende renale Hämaturie; sie kommt dadurch zustande, daß entweder eine intrarenale Hämorrhagie auftritt infolge der Dünnwandigkeit der Gefäße der Neubildung, oder durch Zerfall der Geschwulst und Erguß des Blutes in das Nierenbecken. Im letzteren Falle pflegt die Blutung periodisch aufzutreten. Sehr selten findet man Krebsbestandteile im Harn, die eventuell zu vorübergehendem Ureterenverschluß unter kolikartigen Erscheinungen führen. Wird durch den wachsenden Tumor der Ureter verschlossen, so kann der Harn (der anderen Niere) wieder normal werden.

Der Nierenkrebs führt relativ spät zum Tode, wenn nicht durch Metastasenbildung auf dem Blutwege der Exitus beschleunigt wird. Die Diagnose bereitet Schwierigkeiten, weniger in bezug auf die Feststellung der Bösartigkeit des Tumors als mit Bezug auf den Sitz desselben. Für den Nierenkrebs spricht die Unbeweglichkeit des Tumors, während Ovarialtumoren meist beweglich sind. Treten Hämorrhagien auf, so ist die Diagnose leicht. Eine Differentialdiagnose zwischen Sarkom und Karzinom

ist nur dann möglich, wenn Geschwulstpartikel zur Untersuchung vorliegen.

Die Therapie ist eine chirurgische, oder, wenn der Eingriff nicht
mehr möglich, eine symptomatische: Morphium usw.

Nierentuberkulose (Nephrophthise).

Pathologische Anatomie. Die Miliartuberkulose der Nieren,
bei der es im akuten Verlauf der allgemeinen Miliartuberkulose auch zur
diffusen Eruption miliarer Knötchen in der Niere kommt, ist intra vitam
kaum diagnostizierbar. Die in den Nieren lokalisierte chronische käsige
Tuberkulose findet sich meist mit einer Tuberkulose des Nierenbeckens,
der Ureteren, auch der Hoden und der Blase, Prostata usw. kombiniert
und wird dann als Urogenitaltuberkulose bezeichnet. Die Nierentuberkulose entsteht entweder hämatogen, also auf dem Wege der Ver-
schleppung der Tuberkelbazillen durch die Blutbahn, oder urinogen von der
primären Prostata, Samenblasen- oder Blasentuberkulose aus aszendierend,
oder wohl ganz selten auch per contiguitatem von einem benachbarten
tuberkulös erkrankten Organe her. Es entstehen in der Niere diffuse
tuberkulöse Infiltrate, welche verkäsen, zerfallen und zur Zerstörung der
Nierensubstanz führen. Der Prozeß beginnt zuerst an den Papillen, greift
von dort auf die Pyramiden über, von wo aus die käsige Entzündung fort-
schreitet. Wird der käsige Brei entleert, so bleiben unregelmäßig gestaltete
Hohlräume mit zerklüfteten Wandungen zurück. Durch weitere Ausbreitung
kann die ganze Niere in einen Sack verwandelt werden, unter Zugrundegehen des gesamten Nierenparenchyms; bindegewebige Scheidewände
markieren nur noch die einzelnen Pyramidenbezirke. Der Sitz der primären
Erkrankung (Hoden, Prostata, selten die Blase oder die Niere selbst)
ist nicht immer mit Sicherheit festzustellen. Meist ist, wenigstens zu Beginn, die Urogenitaltuberkulose einseitig.

Symptomatologie. Bis zum Auftreten der käsigen Zerfalls-
produkte im Harn, also der ersten Zeichen der Pyelitis, können alle
charakteristischen Symptome fehlen; vereinzelt wird eine initiale Polyurie
beobachtet. Der Allgemeinzustand ist unverändert oder bereits verschlechtert. Fieber, abendliche Temperatursteigerungen, Appetitlosigkeit,
nächtliche Schweiße usw. können bereits bestehen. Manifest wird das
Leiden erst im Erscheinen von Blut oder Eiter im Harn (reflektorische
Reizung der Absonderungsnerven). Manchmal eröffnet eine renale Blutung
unter kolikartigen Schmerzen das Bild. Die Hämaturie, die ähnlich wie
die initiale Hämoptöe zu bewerten ist, kann wieder verschwinden, ohne

daß lange Zeit neue Symptome hinzutreten. In anderen Fällen wiederholt sich die Hämaturie. Oft weist erst das Auftreten von Eiter, Epithelien, und Detritusmassen bei saurer Beschaffenheit des Harns auf den Prozeß hin. Entscheidend ist der Nachweis von Tuberkelbazillen im Harnsediment durch die Antiforminmethode (s. Bd. I), eventuell durch Tierimpfung. Das Auftreten von Eiter im Harn geht mit mehr oder minder hohen Temperaturen einher. Es entwickelt sich ein typisches, hektisch tuberkulöses Fieber und zunehmende Kachexie. Die lokalen Störungen, Harndrang, Schmerzen, nehmen zu. Es kann zum Durchbruch von Abszessen in die Bauchhöhle, zu Peritonitis usw. kommen.

Die Diagnose ist mit dem wiederholten Nachweis des Tuberkelbazillus nicht erschöpft. Zum therapeutischen Handeln bedarf es der Feststellung, welche Teile des Urogenitalapparates erkrankt sind, insbesondere ob eine oder beide Nieren ergriffen wurden (s. funktionelle Diagnostik). Die Tuberkulinprobe hat für die Nierentuberkulose keine besondere Bedeutung.

Therapie. Bei einseitiger, sogenannter chirurgischer Nierentuberkulose kommt nur chirurgische Therapie in Frage, sonst die allgemeine Therapie der Tuberkulose (s. Bd. I). Besondere Erfolge werden der Tuberkulinbehandlung bei der Urogenitaltuberkulose nachgerühmt. Bei frühzeitigem Eingreifen ist die Prognose nicht ganz ungünstig.

Nephrolithiasis (Nierensteine).

Ätiologie. Die eigentlichen Ursachen der Steinbildung in der Niere sind noch ebenso unbekannt wie die der Gallensteinbildung. Man nimmt auch als Ursache für die erstere einen steinbildenden Schleimhautkatarrh an, weil die Nierensteine stets um ein organisches Gerüst aus albuminösen Stoffen angebildet sind. Die erste Bildungsstätte der Steine liegt in den Harnkanälen, in den Nierenkelchen oder im Nierenbecken. Die Konkremente können nachher ausgeschwemmt und in die Harnwege weiter hinabgetrieben werden und dort weiter wachsen. Ein begünstigendes Moment bildet das Lebensalter: bei Neugeborenen und bei Greisen findet man am häufigsten Steine. Der Art der Nahrung wird ein großer Einfluß beigemessen. Stickstoffreiche Nahrung, besonders Fleisch, begünstigt die Bildung von Uratsteinen und Zystinsteinen, ausschließliche Pflanzenkost die Entstehung der Kalksteine, doch ist in der Nahrung sicher nicht mehr als ein begünstigendes, kein ursächliches Moment zu sehen. Ebenso wirken Alkohol, sitzende Lebensweise; eine größere Bedeutung kommt der Erblichkeit zu, die wahrscheinlich ein rein ätiologisches, wenn auch noch unbekanntes Moment einschließt (s. unter Gicht). Pathologische Anatomie. Der Harnsäureinfarkt der Neugeborenen, der sich im Fötalleben entwickelt, stellt sich makroskopisch dar in Form von feinen, orangefarbenen Linien, mikroskopisch als feinste Konkremente oder Kristalle von harnsaurem Ammoniak und harnsaurem Natron, welche die Harnkanälchen ausfüllen. Normalerweise wird dieser Harnsäureinfarkt in den ersten Tagen durch die einsetzende Nierensekretion ausgespült. Anormalerweise geben die Infarkte den Kristallisationspunkt für die Konkremente ab.

Je nach der Größe der Konkremente unterscheidet man zwischen Nierensteinen und Nierengries oder Nierensand. Ablagerungen bis zur Größe eines Stecknadelknopfes rechnen unter die letztere, größere Konkremente unter die erstere Kategorie. Die Größe der Nierensteine ist sehr verschieden: von Stecknadelknopfgröße an bis zu Steinen, welche das ganze Nierenbecken ausfüllen. Ebenso schwankt die Zahl und die Form der Nierensteine. Man findet einen oder viele Steine; einmal wurden 100 Steine im Nierenbecken gefunden, davon wog einer 1 kg. Die Form ist rundlich, eckig, oval, unregelmäßig, aneinander abgeschliffen usw. Die Nierenkonkremente können in beiden Nieren vorkommen, meist jedoch findet die Steinbildung nur in einer statt. Am häufigsten ist die linke Niere befallen. Die in den Nieren durch die Konkremente hervorgerufenen Veränderungen sind abhängig von der Art, Größe und Zahl der Steine. Die Niereninfarkte bewirken eine granulierende Entzündung des Parenchyms; die in den Nierenkelchen lokalisierten Steine verursachen Hyperämie, Hämorrhagien und schließlich Degeneration der Nierensubstanz, es kann zu Abszessen, auch zu Gangrän kommen. Größere scharfkantige Steine verursachen lokale Entzündungen, Eiterungen und Exulzerationen, so daß das Bild der Pyelitis calculosa entsteht. Bei Verlegung eines Ureters durch den Stein kann leicht eine akute oder chronische Hydronephrose (s. S. 242), vielleicht auch eine Pyonephrose entstehen. Bei alten Fällen findet man nicht selten Komplikationen in Form einer Perinephritis und eine diffuse Nephritis mit Ausgang in Schrumpfung.

Die verschiedenen Harnsteine entwickeln sich so, daß die im Harn enthaltenen Kolloide, wie das Urochrom, Fibrin usw., sich mit den im Harn gelösten Salzen beladen, dieselben absorbieren; durch Zusammenballen entstehen dann die festen Steine. Die hauptsächlichsten Harnsteine sind: 1. die Harnsäure- und Uratsteine. Sie bestehen hauptsächlich aus Harnsäure und Uraten, sind von gelber bis braunroter Farbe, außerordentlich hart, von glatter Oberfläche und ovaler oder runder Form. Es sind die größten vorkommenden Nierensteine. 2. Die Oxalatsteine, auch Maulbeersteine genannt, bestehen aus oxalsaurem Kalk, sie sind sehr hart und durch Beimengung von Blutfarbstoff dunkelbraun bis schwärzlich gefärbt. Die unebene, höckrige, stachelige Oberfläche verursacht Verletzungen und Blutungen der Schleimhaut. Häufig kombinieren sich diese Steine mit Harnsäureablagerungen, so daß eine Schicht aus Harnsäure, die andere aus oxalsaurem Kalk besteht. 3. Die Phosphatsteine, welche sich hauptsächlich in der Blase finden, sind aus phosphorsaurem Ammoniakmagnesium und basisch phosphorsaurem Kalk gebildet. Sie sind gelblichweiß oder weißlichgrau, von rauher Oberfläche und relativ weicher Konsistenz. Nicht selten haben sie einen Harnsäure- oder Oxalatkern. Die Steine aus kohlensaurem Kalk, Zystin usw. sind äußerst selten.

Symptome. Nierensteine können symptomenlos viele Jahre lang vorhanden sein oder als einziges Zeichen hie und da leichte Hämaturien verursachen. In anderen Fällen bestehen dauernd dumpfe, manchmal heftiger werdende Schmerzen in der Lendengegend mit oder ohne Harndrang. Die Symptome werden eindeutiger, wenn gleichzeitig Nierensand oder gar Konkremente (eventuell nach stärkeren Bewegungen, wie Reiten usw.) entleert werden, oder sich bei der mikroskopischen Untersuchung des Harnsedimentes rote Blutkörperchen als Zeichen einer mechanischen Reizung der Schleimhaut der Harnwege finden. Die mikroskopischen Blutungen können sich, zumeist nach heftigen körperlichen Erschütterungen, zu starken manifesten Blutungen steigern. Als Zeichen chronischer Reizung des Nierenbeckens findet man auch Schleim, Eiterkörperchen und Epithelien im Sediment. Die Reaktion des Harns ist meist sauer. — Die Nierenkolik endlich ist ein mitunter foudroyant einsetzendes Symptom, welches mit der Fortbewegung des Steines zusammenhängt. Sie kann durch dumpfe Schmerzen vorbereitet sein oder ganz plötzlich und unvermutet auftreten. Die Nierenkolik gehört mit zu den heftigsten Schmerzen, welche wir kennen, sie gehen von der Nierengegend aus und strahlen nach verschiedenen Richtungen in das Hypogastrium, nach dem Kreuz zu, beim Mann sehr charakteristisch gegen den Penis und in den Hoden aus. Dazu treten alle Folgeerscheinungen der heftigsten Kolik: Angstschweiß, Ohnmachtsgefühl, Schüttelfröste mit Temperatursteigerungen, Brechen, kollapsähnlicher Zustand und als lokales Zeichen ein heftiger, unaufhörlicher Harndrang, ohne daß trotz aller Anstrengungen mehr als wenige Tropfen eines schleimig blutigen Harns entleert werden können. Ist der Ureter durch den Stein vollkommen verstopft, so ist der

Urin der anderen Niere klar. Der Anfall dauert stundenlang, selten einen Tag und länger und hört urplötzlich auf, wie er gekommen. Danach tritt schnell Wohlbefinden ein. — Die Ursache der Nierenkolik ist in der krampfhaften peristaltischen Bewegung des Ureters und eventuell in der akuten Dehnung der oberen Harnwege durch die Harnretention oberhalb des Verschlusses zu suchen. Der Kolikanfall hört auf, wenn der Stein in die Blase tritt oder nach außen entleert wird oder in das Nierenbecken zurückgleitet. Die Häufigkeit der Nierenkolikanfälle ist außerordentlich verschieden. Es kann bei einem einzigen Anfall bleiben, er kann sich alle par Jahre wiederholen oder außerordentlich häufig auftreten.

Einen abnormen Verlauf des Anfalles bildet eine vollständige Anurie, wenn ein doppelter Ureterstein vorhanden, nur eine Niere existiert oder die andere Niere früher erkrankt war. Hält die Anurie an, so tritt in seltenen Fällen unter urämischen Erscheinungen der Tod ein. Bleiben die Konkremente im Nierenbecken, ohne sich einzukapseln, so entwickelt sich eine Entzündung des Nierenbeckens, eine Pyelitis, eventuell Pyelonephritis (s. S. 124). Ganz selten kommt es zum Durchbruch eines Steines in die Bauchhöhle oder zu perinephritischen Abszessen.

Objektiv ist während oder kurz nach dem Anfall meist eine Druckempfindlichkeit der befallenen Niere zu konstatieren. Der Urin enthält, wenn nicht der kranke Ureter ganz verstopft ist, Blut, zum mindesten rote Blutkörperchen.

Diagnose. Nur beim Auftreten von Konkrementen oder Nierengries im Harn ist die Diagnose sicher zu stellen — Hämaturie, die Art der Irradiation der Schmerzen macht sie wahrscheinlich. Verwechslungen können vorkommen mit Gallensteinkolik (s. S. 198), Darmkoliken, Kardialgien, Appendizitis usw. Sehr schwierig kann die Unterscheidung gegenüber tabischen Nierenkrisen oder Nephralgien werden. Dauernd negativer Harnbefund und Vorhandensein tabischer Zeichen sprechen für letztere. Von Nierenerkrankungen kann eine Wanderniere (s. dort) ähnliche Erscheinungen machen, ferner die Passage anderer Fremdkörper durch die Ureteren, wie Blutgerinnsel, Eiter, Parasiten (Steinsonde und Zystoskopie). Gegenüber Blasensteinen entscheidet der lokale Blasenbefund. Die Röntgenuntersuchung kann einen Stein kenntlich machen, versagt aber häufig. Die Palpation eines Nierensteines gelingt nur selten unter besonders günstigen Bedingungen.

Der Verlauf und demgemäß die Prognose ist im allgemeinen günstig. Die angeführten Komplikationen sind äußerst selten. Immerhin läßt sich niemals mit Sicherheit der Verlauf voraussagen.

Die Therapie ist deshalb bei allen mehrfach aufgetretenen, schwereren Kolikanfällen eine chirurgische.

Der Anfall selbst ist symptomatisch, durch Bettruhe, heiße Umschläge, eventuell ein heißes, protrahiertes Bad, Trinkenlassen heißer Limonaden und bei heftigeren Schmerzen durch Morphiuminjektion zu behandeln. Ist der Anfall vorbei, so hat die Therapie, ganz gleich, ob ein Stein entleert wurde oder nicht, die prophylaktische Aufgabe, eine neue Steinbildung zu verhüten.

Eine Auflösung des eventuell noch vorhandenen Steines gelingt durch keinerlei Maßnahmen. Man kann versuchen, die Steine zum Abgehen zu bringen durch Verabreichung großer Dosen Glyzerin, 30—50 g mit gleichen Mengen Wasser gemischt, zwischen zwei Mahlzeiten auf einmal zu nehmen, eventuell noch einmal am nächsten oder übernächsten Tage. Der Erfolg ist kein sicherer.

Die diätetisch-medikamentöse Therapie, welche das Ausfallen der steinbildenden Salze innerhalb der Harnwege verhindern soll, muß sich naturgemäß nach der Art des Steines richten. Es ist etwas anderes, ob wir Harnsäure oder oxalsaure oder phosphorsaure Basen in Lösung halten wollen. Nur ein gemeinsames Lösungsmittel existiert: die vermehrte Harnwassermenge. Bei unbekannter Steinart tut man deswegen gut, sich darauf zu beschränken, den Kranken zu empfehlen, so viel zu trinken, daß sie alle 3—4 Stunden 1/4 l Harn entleeren. Ebenso ist ganz allgemein der steinbildende Katarrh der ableitenden Harnwege zweckmäßig durch Urotropin, 1—2 g pro die, zu bekämpfen.

Bei Uratsteinen ist die Harnsäureausscheidung herabzudrücken: also purinarme, d. h. fleischarme Diät (s. unter Gicht), etwa 250—300 g Fleisch täglich. Ferner, da die Harnsäure im sauren Harn leichter ausfällt, als im neutralen: Abstumpfung der Säure durch reichliche Vegetabilien (pflanzensaure Alkalien) und gleichzeitige Verordnung geringer Mengen Alkali: alkalische Wässer oder doppelkohlensaures Natron, mehrmals täglich eine Messerspitze. Der Harn soll jedoch nicht alkalisch werden, um nicht der Phosphatsteinbildung Vorschub zu leisten. Die Alkaleszenz wird am besten durch kohlensauren Kalk verhindert, welcher die Phosphate durch Bindung an Kalk im Magendarmkanal zurückhält. Spezifisch Harnsäure lösende Mittel existieren nicht.

Oxalatsteine. Auch hier hat die Therapie die Aufgabe, einmal die Lösungsbedingungen des oxalsauren Kalkes im Harn zu verbessern, und ferner die Neubildung zu verhindern. Letzteres geschieht durch Einschränkung der oxalsäurehaltigen Nahrungsmittel, und durch Verschlechterung der Bedingungen für die Resorption des oxalsauren Nahrungskalkes. Oxalsäurereich sind vor allem schwarzer Tee, Spinat, Sauerampfer, Rhabarber, Kartoffeln, Feigen, Stachelbeeren, Pflaumen, rote Rüben, Bohnen, die also ganz zu verbieten, weniger reich Kaffee, der einzuschränken ist. Alle übrigen Gemüse und Obst sind oxalsäurearm. Fette und Kohlehydrate (Mehlspeisen) sind unbedingt zu erlauben, mit alleiniger Ausnahme der Brotrinde, welche oxalsäurereich ist. Fleisch ist arm an Oxalsäure; nur der bindegewebige Teil, wie überhaupt die Leim gebenden Nahrungsstoffe bilden indirekt durch Glykokollbildung Oxalsäure im Organismus. Gegen vorwiegende Fleischkost spricht jedoch das Bedenken, daß reine Oxalsteine selten, daß sie vielmehr meist mit Uratniederschlägen gemischt vorkommen: also auch beschränkte Fleischzufuhr. Da die Oxalate nur im salzsauren Magensaft gelöst werden, kann man durch Abstumpfung des Magensaftes die Resorption der eingeführten Oxalsäure noch herabdrücken. Man verwendet zweckmäßig Magnesia usta, $\frac{1}{2}$ Kaffeelöffel nach der Mahlzeit, weil die Anwesenheit von Magnesiasalzen die Lösung des oxalsauren Kalkes im Harn begünstigt, während Kalksalze dieselbe erschweren. Fleisch, Leguminosen, Mehlspeisen, Äpfel sind reich an Magnesia, während Milch, Käse, Eier einen großen Kalkgehalt aufweisen und deshalb in der Diät einzuschränken sind. Endlich ist noch zu berücksichtigen, daß, je höher der Aziditätsgehalt des Harns, desto größer die Löslichkeit der oxalsauren Salze. Deshalb ist etwas Fleisch (viel saure Phosphate, Magnesium, wenig Kalk) indiziert. Als Flüssigkeit empfehlen sich alkalische Wasser (Herabsetzung der Salzsäure des Magens, Verminderung der Resorption der Oxalsäure). Wie man sieht, bedarf es bei der Kostordnung des Oxalurikers eines ständigen Lavierens.

Phosphatsteine. Die Nierenphosphatsteine werden in der Regel in dem bakteriell alkalisch gewordenen Urin im Nierenbecken (Pyelitis) gebildet. Hier ist eine lokale Behandlung, ebenso wie bei den zystitischen Phosphatsteinen indiziert. Bei den anderen Formen hat die Therapie die Aufgabe, den Ausfall von phosphorsaurem Kalk, der nur bei alkalischer Reaktion stattfindet, zu verhindern. Es ist vor allem der Kalk neben den übrigen Erdalkalien in der Nahrung zu beschränken; die Diät sei arm an Milch, Eiern, grünem Gemüse, Kartoffeln und Obst (Erdbeeren, Pflaumen, Datteln, Feigen, Birnen, Äpfel) usw. Fleisch, das die Azidität erhöht, ist zu bevorzugen, daneben Fette, Kohlehydrate (Brot, Mehlspeisen). Von Getränken sind Fruchtsäfte und alkalische Wasser zu vermeiden. Unterstützend wirkt die Zufuhr von Phosphorsäure.

108) Rp. Acidi phosphorici 6,0
     aqua destillata   200,0
     3 mal täglich einen Eßlöffel.

Bei Hyperaziditätszuständen, bei denen im Organismus Salzsäure entzogen, also die Alkaleszenz des Blutes und damit des Harnes vorübergehend oder bei Erbrechen dauernd erhöht wird, ist die Sekretionsanomalie zu bekämpfen (s. S. 43 u. 90).

Wanderniere (Ren mobilis, Nephroptosis).

Die Ätiologie der Wanderniere ist dieselbe wie die der Gastroptose und Enteroptose (s. S. 149). Die Wanderniere ist relativ häufiger; sie hat in letzter Reihe ihre Ursache in der Schlaffheit der Bänder. Die Niere wird normalerweise durch ihre Kapsel fixiert (Fascia renalis), ferner durch die Blutgefäße resp. die mit diesen verlaufenden Bindegewebsstränge, vielleicht auch noch durch das Peritoneum. Dazu tritt aber noch die natürliche Anlage der durch Thorax und Lendenmuskulatur gebildeten Nierennische. Dieselbe ist abnorm gebildet bei der Wanderniere, zum Manifestwerden derselben gehören aber wahrscheinlich noch äußere Ursachen: wie das starke Schnüren bei Frauen, die Lockerung der Baucheingeweide durch Geburten, Geschwulstbildung, starke Abmagerung und Erschlaffung der Bauchdecken, schwere körperliche Arbeit; es gibt auch eine traumatische Wanderniere. Die Frauen erkranken um vieles häufiger als die Männer, die rechte Niere ist wiederum ungleich häufiger als die linke Niere befallen.

Symptome. In der Mehrzahl der Fälle macht die Wanderniere keine Symptome und wird zufällig als Nebenbefund festgestellt. Sie kann aber zu sehr erheblichen Beschwerden führen, und sind solche erst einmal aufgetreten, so pflegen dieselben nicht so leicht wieder zu verschwinden. Sie äußern sich im Gefühl von Druck und Schwere im Unterleib, in vermehrtem Harndrang, in dyspeptischen Beschwerden, welche alle Formen annehmen können: Appetitlosigkeit, Erbrechen, Übelkeit, Schmerzen, Verstopfung usw. Die Schmerzen können die höchsten Grade erreichen und kolikartig werden, so daß Verwechslungen mit Gallensteinkolik, Gastralgie, Appendizitis vorkommen. Wichtig ist, daß derartige Beschwerden, vor allem die Schmerzen, nach körperlichen Bewegungen und stärkeren Erschütterungen heftiger auftreten. Ein sehr ernstes Krankheitssymptom ist die sogenannte Incarceration der Niere, die von Zeit zu Zeit auftreten kann: plötzlich einsetzender Kollaps, heftige Schmerzen,

Brechneigung, Angstgefühl, Frost mit kolikartigen Schmerzen, Harn-
stauung, alles Symptome, die als akute Hydronephrose zu deuten sind
und durch eine plötzliche Torsion im Nierenhilus oder Abknickung des
Ureters mit gleichzeitiger Läsion der Nierengefäße und Nerven bedingt
sind. Manchmal ist die Niere dabei als vergrößertes, schmerzhaftes Organ
zu fühlen. Die Erscheinungen gehen langsam zurück unter Entleerung
großer Harnmengen und Verkleinerung der Niere. Selten kommt es jedoch
zu einer bakteriellen Infektion, zu einer Pyonephrose.

Die Kranken mit Wanderniere sind häufig schlecht ernährte und nervöse, blasse, anämische Individuen, welche infolge ihrer Konstitution
(s. unter Enteroptose) an und für sich geringfügige Störungen abnorm
stark empfinden.

Die D i a g n o s e der Wanderniere ist durch die bimanuelle Palpation
(von den Bauchdecken und vom Rücken her) festzustellen. Die untere
Hand soll die Niere der oberen entgegendrücken, welche sie als eine
ballottierende glatte, pralle Geschwulst von Nierenform empfindet. In
Knieellenbogenlage kann man sie ebenfalls von den Bauchdecken her
fühlen und als Kontrolle durch die kombinierte Perkussion (s. S. 210)
feststellen, daß die Niere sich nicht an ihrem normalen Orte befindet.
(Die kombinierte Perkussion besteht darin, daß man mit dem Hammer
oder dem gekrümmten Finger die betreffende Stelle der Rückenwand
perkutiert und gleichzeitig an einer anderen Stelle des Abdomens, aber
möglichst auf der gleichen Seite, auskultiert.) Verwechslungen können
vorkommen mit anderen Tumoren des Abdomens, welche in der Form der
Niere gleichen: vergrößerte Gallenblase, Wandermilz, Karzinom des
Pylorus, des Darmes usw. Differentialdiagnostisch wichtig ist die so-
genannte r e n p a l p a t o r i s c h e A l b u m i n u r i e. Handelt es sich um eine
Wanderniere, so entsteht nach längerem Drücken derselben eine leichte
Albuminurie. Bei krankhaft veränderter Niere ist die Albuminurie stärker.
Sie verschwindet nach kurzer Zeit wiederum.

T h e r a p i e. Prophylaktisch sind zu plötzliche Abmagerungen zu
vermeiden, für genügende Bettruhe nach dem Wochenbett zu sorgen,
kurz, alle nierenlockernden Momente auszuschalten. Bei ausgebildeter
Wanderniere ist bei unerheblichen Beschwerden nichts Besonderes, bei
stärkeren Beschwerden jedoch zu versuchen, durch geeignete Bandagen
eine Fixation der Niere zu erzielen. Nervöse sind durch Mastkur und entsprechende hydrotherapeutische Maßnahmen zu behandeln. Bei sehr
starken Beschwerden kann der Versuch einer Nephropexie gemacht werden.
Erfolg tritt nur in einer geringen Prozentzahl der Fälle ein — lange Bett-

ruhe nach der Operation!) — sehr häufig löst sich nach kurzer Zeit die Niere wieder ab.

Anatomische Anomalien der Niere.

Hufeisenniere ist angeboren und entsteht durch mehr oder minder ausgedehnte Verwachsungen beider Nieren. Ihre Kenntnis kann wichtig sein gegenüber der Annahme eines Abdominaltumors.

Das Fehlen einer Niere ist bei den chirurgischen Nierenerkrankungen von Interesse. Bei dem relativ häufigen Vorkommen desselben muß vor jeder Operation einer Niere das Vorhandensein der anderen festgestellt werden.

Überzählige Nieren sind ohne klinische Bedeutung, nur von anatomischem Interesse.

Nierenverlagerung ist ein angeborener Zustand; die Niere ist im Gegensatz zur Wanderniere fixiert.

Krankheiten der Harnblase.

Blasenkatarrh (Cystitis).

Ätiologie. In der überwiegenden Mehrzahl der Fälle ist die Entzündung durch einen Mikroorganismus verursacht. Ganz selten sind toxische Entzündungen (Kanthariden, Balsamika, Genuß von jungem Bier oder Wein, medikamentöse Applikation von ätzenden Substanzen). Unter den Bakterien sind in erster Reihe zu nennen: das Bacterium coli commune, ferner die verschiedenen Strepto- und Staphylokokken, Typhusbazillen, der Tuberkelbazillus, Gonokokken. Zur Entstehung der Zystitis ist jedoch nicht nur das Eindringen der Bakterien erforderlich — es gibt auch eine Bakteriurie ohne Zystitis —, sondern noch Hilfsursachen, deren häufigste wohl die Retention von Urin (Tabes u. a.) ist, ferner traumatische Einwirkungen auf die Blase (Steine), Erkältung, Hyperämie usw.

Das Eindringen der Infektionserreger erfolgt meist von außen. So kann z. B. bei Katheterisation, selbst mit sterilen Instrumenten, durch das Mithineinsinschieben der in der Harnröhre enthaltenen Bakterien die Infektion zustande kommen, ferner bei offenstehender Blasenmündung (zentrale Blasenlähmung bei Tabes) und bei Strikturen hohen Grades, bei welchen der Harnstrahl von der Strikturstelle aus wieder in die Harnblase zurückgeschleudert werden kann. Ferner findet eine Überwanderung von benachbarten Entzündungsherden aus (Parametritis, Salpingitis), bei hochgradiger Verstopfung vom Darm aus statt, ferner deszendierend von der Niere resp. vom Nierenbecken aus, sowie auf dem hämatogenen Wege (Typhus, Sepsis).

Pathologische Anatomie. Die postmortalen Veränderungen der Blasenschleimhaut bei der akuten Form der Zystitis sind meist gering. Die starke diffuse oder fleckweise Rötung ist nur intra vitam mittels des Zystoskops zu sehen. Sehr selten kommt es zu tiefer greifenden, eitrigen Prozessen, wobei die Schleimhaut gerötet, aufgelockert und verdickt ist und zahlreiche Ekchymosen aufweist.

Bei der chronischen Form ist die Schleimhaut verdickt, braunrot oder schiefergrau mit erweiterten Venen und Blutaustritten. Das Epithel kann verloren gegangen und die Schleimhaut mit zähem Eiter bedeckt sein. Bei der Cystitis parenchymatosa ist das submuköse und intermuskuläre Bindegewebe eitrig infiltriert. Sehr selten ist die pseudomembranöse croupöse Form, bei der die Schleimhaut mit einer fibrinösen ablösbaren Membran überzogen ist. Die gangränöse Form findet man nach schweren Verletzungen, puerperalen Infektionsprozessen, wobei die Nekrose nicht nur die Schleimhaut, sondern auch die Muskularis ergriffen hat und bis zur Blasenruptur führen kann.

Symptomatologie. Die akute Zystitis kann unter stürmischen Erscheinungen, mit Schüttelfrost und Fieber und anderen Allgemeinsymptomen, wie Übelkeit, Erbrechen, Schlaflosigkeit usw., einsetzen. Das Hauptsymptom — die genannten Allgemeinsymptome brauchen auch nur sehr wenig entwickelt zu sein — ist ein bis zur Unerträglichkeit gesteigerter Harndrang, ein Tenesmus, der den Kranken alle Augenblicke zum Versuch des Harnlassens zwingt, ohne daß mehr als Tropfen entleert werden. Damit sind heftige Schmerzen verbunden, welche nach der Harnröhre und dem Darm zu ausstrahlen. Infolge eines zu starken Krampfes kommt es zur Harnverhaltung. Der Urin ist stets sauer und trübe infolge reichlichen Gehalts an Schleim, der sich flockig am Boden absetzt. Das Sediment enthält reichlich Eiterzellen, zuweilen rote Blutkörperchen. Oft findet man auch reichliche Epithelzellen der Harnblase. Der Verlauf der akuten Zystitis ist meist der einer schnellen Heilung. Nach Rückgang der Allgemeinsymptome verschwinden die lokalen innerhalb weniger Tage. Mitunter geht die akute Form in die chronische über. Eine außergewöhnlich seltene Komplikation ist der Übergang in Septikopyämie, meist wohl infolge von Harnverhaltung, die durch die Schwellung der Blasenschleimhaut am Blasenausgang entsteht, oder durch die Art der zu einer tiefgehenden Eiterbildung und Verjauchung führenden Erreger bedingt ist.

Die chronische Zystitis, welche in der Regel chronisch beginnt, zeigt zunächst keine besonderen Allgemeinerscheinungen, welche nicht von dem Grundleiden (Gonorrhöe usw.) verursacht wären. Allmählich setzen die lokalen Beschwerden von seiten der Blase stärker ein: Harndrang, Schmerzen in der Blasengegend, spontan oder während der Miktion. Sie sind mit seltenen Ausnahmen, z. B. bei der Cystitis tuberculosa, nicht sehr lebhaft. Erst allmählich, wenn das Leiden monate- und jahrelang bestand, treten Störungen des Allgemeinbefindens, teils durch nervöse Momente bedingt, hervor. Der Harnbefund ist primo visu sehr charakteristisch, wenn bereits ammoniakalische Zersetzung des Harns in der Blase eingetreten ist. Der Harnstoff ist durch die Mikroorganismen in kohlensaures Ammonium umgesetzt. Es besteht ein sehr reichliches, fast rein eitriges, mit Schleim (Nukleoalbumin) innig gemischtes Sediment, das durch den Einfluß der bakteriellen Zersetzung eine gallertartige Beschaffenheit angenommen hat. Mikroskopisch erscheinen die Eiterkörperchen als aufgequollene kernlose Zellen, daneben sind reichlich Tripelphosphate, harnsaures Ammonium, Bakterien, Kokken, zelliger Detritus zu sehen. Der Harn kann aber auch sauer oder neutral reagieren, im ersteren Falle sind im Sediment die Eiterkörperchen und die Blasenepithelien gut erhalten. Es finden sich dann Kristalle von harnsaurem Natron, oxalsaurem Kalk usw. neben Bakterien. Blut ist selten im Sediment, es weist dann wohl stets auf eine andere Ursache als den Blasenkatarrh, ein Neoplasma, Blasensteine oder Verletzung hin. Chemisch enthält der Urin Eiweiß, dessen Menge in unkomplizierten Fällen dem Eitergehalt entspricht; allgemein läßt sich sagen, daß selbst bei hohen Graden von Pyurie ihr Eiweißgehalt nicht mehr als 1 pro Mille beträgt.

Der Verlauf der chronischen Zystitis ist davon abhängig, ob das Grundleiden zu beheben ist oder nicht (Gonorrhöe, Tabes usw.). Auch die unheilbaren Fälle sind durch Remissionen unterbrochen; sie führen gelegentlich zur Verjauchung und Sepsis mit tödlichem Ausgang.

Cystitis haemorrhagica. Diese Abart der akuten katarrhalischen Form ist durch Blutungen aus der Blase gekennzeichnet. Bei der Cystitis crouposa oder fibrinosa enthält der Harn neben Eiter und Blut grauweiße fibrinöse Membranen. Falls es nicht zum Verschluß der Blasenmündung kommt, ist der Ausgang meist ein günstiger.

Bei der Cystitis pyaemica und gangraenosa, welche Formen

Zuelzer, Innere Medizin. 17

sich aus den oben beschriebenen akuten entwickeln können oder primär infolge der Art der Infektion auftreten, besteht ein schwerer septikopyämischer Allgemeinzustand. Der Harn hat einen fötiden, aashaften Geruch; er enthält nekrotische Gewebsfetzen, Blut, Eiter; er ist alkalisch und enthält neben kohlensaurem Ammonium fast stets Schwefelammonium. Diese Form ist stets letal, infolge des unvermeidlichen Durchbruchs in die Bauchhöhle und der sekundären Peritonitis.

Die D i a g n o s e der akuten Formen der Cystitis macht kaum Schwierigkeiten. Bei der chronischen Form handelt es sich nicht nur um die Feststellung der Krankheit, sondern auch ihre Ursache (primär oder sekundär, ausgehend von einer Pyelitis oder Pyelo-Nephritis). Bezüglich des letzteren Punktes ist im allgemeinen der Eiweißgehalt von großer Bedeutung (s. oben). Das Auffinden von Zylindern ist in einem reichlichen Sediment beim zersetzten Harne unmöglich (Zerstörung der Zylinder) und macht auch daselbst bei saurem Harn große technische Schwierigkeiten. Abnorm niedriges spezifisches Gewicht, vermehrte Harnmenge und entsprechend größerer Eiweißgehalt machen eine Nierenerkrankung wahrscheinlich. Zur Stellung der Differentialdiagnose gehört eine genaue Untersuchung des Herzens, Blutdrucks, Retina usw. Bei unbekannter Ursache ist kystoskopisch resp. mit der Steinsonde auf Tumoren, Blasensteine und Tuberkulose zu untersuchen. Bei Erkrankungen des Rückenmarks ist die Entscheidung leicht. Die gonorrhoische Cystitis kann durch eine Urethralgonorrhöe vorgetäuscht werden (Zweigläserprobe). Tuberkulöse Cystitis s. S. 260.

T h e r a p i e. Bei akuter Cystitis gehören die Kranken ins Bett. Heiße Umschläge, reichliche laue Getränke, Lindenblüten- oder Beerentraubenblättertee, Milch, Limonaden wirken beruhigend. Die Diät muß vollkommen reizlos sein. Für reichlichen Stuhl ist zu sorgen (Karlsbader Salz, Einläufe). Gegen heftigen Tenesmus helfen Pyramidon 0,3 in einigen Teelöffeln Wasser aufgelöst per rectum oder Suppositorien von Extraktum Belladonnae 0,02—0,05 oder von Morphium (0,01), ferner heiße Sitz- oder Vollbäder.

Gegen die Infektionserreger gibt man Urotropin (Hexamethylentetramintabletten 0,5, 4—8 täglich, Salol 2—3 g), Beerentraubenblättertee oder dessen Extrakt: Vesicaesan. Ferner Balsamica (Oleum santali 10,0, dreimal täglich 15 Tropfen in Milch oder Copaivbalsam in Kapseln à 0,6, 4—6 täglich).

Eine lokale Behandlung ist in den seltensten Fällen nötig. Nur wenn die akute Form in die chronische überzugehen droht, empfehlen sich vorsichtige tägliche Spülungen mit dünner Höllensteinlösung: 1:3000—5000 oder mit Koliumpermanganat 0,5—1:1000 oder 2—3prozentiger Borsäurelösung. Die Lösungen müssen körperwarm sein, die Spülungen nimmt man am besten mit einem weichen Katheter vor. Bei der chronischen Cystitis ist zunächst das Grundleiden zu behandeln. Die Desinfizientien und Balsamika sind dieselben wie bei der akuten Form. Im Vordergrund der Therapie stehen die lokalen Spülungen. Die Lösungen werden stärker genommen: Argentum nitricum 1:3000 bis 5:1000 oder Protargol 5—10:500, Resorzin 3—5:100, Salizylsäure 0,5—2:1000 usw. Die Ernährung muß im großen und ganzen reizlos sein, doch nicht in dem strengen, wie bei der akuten Form angegebenen Maße. Die Ausspülung der Blase erfolgt in der Weise, daß mittels einer Handspritze von 100—150 ccm und eines weichen Katheters, 60—70 ccm, höchstens 150 ccm in die Blase eingespritzt und nach ca. einer Minute herausgelassen werden. Letzteres kann durch den Katheter oder durch eigene Kraft des Patienten nach sofortiger Entfernung des Katheters geschehen.

Bakteriurie.

Es gibt eine Form der bakteriellen Infektion des Harns, welche nicht zur Blasenentzündung führt, sondern sich nur durch die trübe Beschaffenheit des Harns (in welchem mikroskopisch massenhafte Bakterien nachweisbar sind) auszeichnet; gelegentlich besteht auch ein fauliger durch die bakterielle Zersetzung hervorgerufener Geruch nach H_2S. Die verschiedenartigsten Bakterien kommen vor, vor allem Kolibakterien, Typhusbakterien, Sarzine usw. Sie entstammen dem benachbarten Darm.

Das Leiden ist gutartig. Es kann natürlich, wenn es nicht rechtzeitig behoben wird, auch allmählich zur Entzündung der Harnblase und aufsteigender Entzündung führen.

Die Therapie besteht in Harndesinfektion durch Urotropin o. a.

Tumoren der Blase.

Unter den häufiger vorkommenden Geschwülsten ist in erster Reihe das Karzinom, das meist sekundärer Natur ist, zu nennen. Von den gutartigen Geschwülsten sind die Papillome die häufigsten. Unter den Symptomen sind der Schmerz, ein eventuell fühlbarer Tumor, Harndrang und die Hämaturie die bedeutsamsten. Recht selten finden sich Geschwulstpartikelchen im Sediment, welche dann direkt die Diagnose ermöglichen. Die in der Regel im Sediment auffindbaren zelligen Beimischungen haben nichts Charakteristisches. Allmählich treten Allgemeinsymptome wie Kachexie usw. ebenfalls auf. Die sichere Diagnose — nach rektaler und Sondenuntersuchung — ist bei nicht palpablem Tumor nur durch das Kystoskop zu stellen. Durch die kystoskopische Untersuchung allein kann auch die Differentialdiagnose zwischen bösartigem und gutartigem Tumor gesichert werden. Bei inoperablen Tumoren ist die Behandlung die symptomatische der Cystitis.

Blasentuberkulose.

Bezüglich der Ätiologie s. unter Nieren- oder Urogenitaltuberkulose.

Die Blasentuberkulose gleicht in ihrer Symptomatologie im großen und ganzen der gewöhnlichen chronischen Cystitis; ihre Behandlung ist eine besondere. Der Harndrang ist vielleicht stärker und schmerzhafter als bei der gewöhnlichen Form, der Harn ist fast stets sauer; man kann so weit gehen, zu behaupten, daß jeder saure zystitische Harn (abgesehen von der Bakteriurie) den Verdacht auf Blasentuberkulose erweckt. Die Färbung der Tuberkelbazillen des Harns gelingt nur bei saurer Reaktion desselben. Bei ammoniakalischer Zersetzung verliert der Tuberkelbazillus das Tinktionsvermögen. Zum sicheren Nachweis der Tuberkulose ist die Überimpfung des Sediments auf Meerschweinchen geboten. Kystoskopisch erkennt man Ulcera, seltener Knötchen, auf der Blasenschleimhaut. Der Verlauf ist verschiedenartig: er kann sehr rapide sein und auch sich über mehrere Jahre erstrecken.

Blasenspülungen sind hier im allgemeinen kontraindiziert. Die Behandlung ist eine diätetisch-physikalische nach den Grundsätzen der Tuberkulose. Daneben hat man bei der Tuberkulinbehandlung günstige Erfolge gesehen.

Blasensteine und Fremdkörper der Blase.

Bezüglich der Entstehung und Ätiologie der Blasensteine s. unter Nierensteine.

Die Blasensteine können entweder in der Blase selbst entstanden oder vom Nierenbecken heruntergespült sein, und sich dort weiter entwickelt haben. Die Erscheinungen sind die der Zystitis: Blutungen, Schmerzen, Harndrang.

Die Diagnose ist durch die Steinsondenuntersuchung und eventuell durch Kystoskopie zu stellen.

Die Behandlung ist eine chirurgische.

Neurosen der Harnblase.

Darunter sind nur diejenigen Störungen zu verstehen, welche primär, also durch Erkrankung der peripheren Blasennerven, entstanden sind. Ähnliche Störungen der Harnblasenfunktion treten im Gefolge von zentralen Erkrankungen, Myelitis, Tabes usw. auf.

Krampf der Blasenmuskulatur (Cystospasmus).

Der Krampf beruht auf einer Hyperkinese des Detrusor oder des Sphincter vesicae oder der gesamten Blasenmuskulatur. Im ersteren Falle besteht der gesteigerte heftige Drang, Urin zu lassen, auch wenn erst geringe Mengen Harn in der Blase vorhanden sind, im zweiten Falle ist im Gegenteil der Krampf der Schließmuskulatur überwiegend. Selbst wenn Harndrang bei gefüllter Blase besteht, vermag die willkürliche Entleerung nicht oder nur teilweise stattzufinden (Dysuria spastica und Ischuria spastica). Da sich die Blase bei den vergeblichen Anstrengungen immer mehr anfüllt, machen sich die Beschwerden heftigen Harndrangs und Schmerzen geltend. Sind beide Muskeln zugleich vom Krampf befallen, so besteht einerseits der Drang zum Harnlassen, während andererseits die Entleerung nur unter großen Schwierigkeiten möglich oder gänzlich unmöglich ist. Bei diesen antagonistischen Krampfzuständen kommt es zum krankhaften Harnträufeln oder vollkommenen Aufhören des Harnlassens. Die Schmerzen nehmen erheblich zu, der Kranke kann kollabieren, es tritt Pulsschwäche, Angstschweiß usw. ein.

Zur Diagnose des nervösen Krampfes der Harnblase ist die Ausschließung organischer Erkrankungen notwendig. Für die Entstehung der genannten Neurosen wird eine Hyperästhesie der Blasenschleimhaut angenommen.

Die Behandlung besteht in heißen Umschlägen oder Sitzbädern, Opium- oder Belladonna-Suppositorien (s. S. 000) eventuell Morphium- oder Pantoponinjektionen. Des weiteren ist eine kausale Therapie zu versuchen, falls sich Ursachen für den Blasenreiz (Reflexneurose) auffinden lassen, in anderen Fällen ist die Therapie eine antineurasthenische.

Harnblasenlähmung.

Auch hier ist die Lähmung des Detrusor von der des Sphinkter und der gleichzeitigen Lähmung beider Muskeln zu unterscheiden. Abgesehen von den zentralen organischen Erkrankungen findet man diese Zustände bei Hysterie und Neurasthenie, bei allgemeinem Marasmus und nach ge-

wissen Intoxikationen (Opium); endlich nach langdauernden Harnröhren-
und Blasenerkrankungen.

Bei Lähmung oder Parese des Detrusor wird der Harn selten entleert;
es bedarf erst einer gewissen übernormalen Füllung, einer stärkeren Anregung des Harndranges, um die Befriedigung desselben durch die Bauchpresse zu erwirken. Dabei wird der Harn ohne Strahl und nur unvoll-
ständig entleert. Die Blase selbst wird jedesmal stark, oft bis zur Nabelhöhe ausgedehnt. Dadurch entsteht im Laufe der Zeit eine Erschlaffung des
Sphincter vesicae, so daß die Entleerung dauernd nur tropfenweise durch
die Spannung der überfüllten Blase allein zu erfolgen pflegt (Überlaufen
der vollen Blase, Ischuria paradoxa oder Incontinentia urinae).
Ist umgekehrt der Sphinkter zuerst gelähmt, so erfolgt schon bei geringer
Füllung der Blase eine unwillkürliche Entleerung, besonders des Nachts,
bei fehlender Aufmerksamkeit (Incontinentia urinae oder Enuresis
paralytica). Bei vollkommener Lähmung ist jede willkürliche Zurück-
haltung des Harns unmöglich, während bei der Parese nur beim Husten
und stärkerem Pressen der Harn entleert wird, und der Kranke häufig
genug in der Lage ist, rechtzeitig zum Nachtgeschirr zu greifen. Bei
gleichzeitiger Lähmung des Detrusor und des Sphinkter kommt der schon
oben geschilderte Zustand der Ischuria paradoxa bei vollkommen gefüllter
Blase zustande. Die Blase entleert sich also erst dann, wenn die die
Füllung hervorgerufene Spannung groß genug ist, um gewissermaßen das
Überlaufen einzuleiten.

Die Therapie ist eine symptomatische. Sie besteht in regelmäßigem
Katheterisieren, so daß eine übermäßige Anfüllung und damit Ausdehnung
der Blase vermieden wird. Bei bereits eingetretener sehr starker Ausdehnung empfiehlt es sich, die Blase nicht auf einmal, sondern in kleinen
Pausen zu entleeren. Daneben sind Mittel zur Verhütung einer Cystitis,
wie Urotropin, Salol usw. anzuwenden. Tonisierend wirken Strychnin-
injektionen: 109) Rp. Strychn. nitr. 0,05
                       Aq. dest.   10
              $^1/_5$—$^1/_4$ Spritze zu injizieren.
Neuerdings gelten als geradezu spezifisch intramusculäre Hypophysen-
exhat(Pituglandol)injectionen.

Harnblasenhyperästhesie.

Sie äußert sich als ein gesteigerter Reiz für die Entleerung des Urins,
so daß schon bei geringster Füllung Urindrang verspürt wird. Es handelt
sich wohl stets um Neurastheniker, die unter diesem lästigen und depri-
mierenden Zwange abmagern und herunterkommen.

Die Therapie ist eine antineurasthenische. Zur Milderung des Reizes kann man Brom, Belladonna, Pantopon geben, auch sind Einspritzungen von Kokain oder Kokainersatzmitteln in die Blase, 1:1000 empfohlen.

Harnblasenanästhesie.

Dieses entgegengesetzte Leiden ist äußerst selten, wenn man von den Folgezuständen der Tabes usw. absieht. Die Kranken empfinden nicht den normalen Reiz der Entleerung, wodurch die Blase sich übermäßig ausdehnt. Die Therapie besteht in der Verordnung, in bestimmten Zwischenräumen Urin zu lassen.

Tierische Parasiten der Harnorgane (Distoma haematobium).

Dieser Parasit gehört zu den Trematoden und kommt vorwiegend in Ägypten vor. Wahrscheinlich wird er mit dem Trinkwasser aufgenommen, gelangt in den Darm, von hier aus in die Venen und nicht selten in die der Harnorgane (Nierenbecken, Harnleiter, Harnblase). Durch die Parasiten selbst sowie ihre zahlreich abgesetzten Eier kommt es zu Verstopfungen der Blutgefäße, zu Blutungen und Entzündungen. Der Nachweis der charakteristischen Distomaeier, welche oval etwa 0,12 mm lang und 0,04 mm breit sind, sichern die Diagnose.

Filaria sanguinis.

Die Embryonen dieses Parasiten sind die Ursache einer in den Tropen und Subtropen vorkommenden Chylurie oder Hämatochylurie (und der Elephantiasis). Sie werden durch Moskitos übertragen und dringen durch die Lymphgefäße in den Blutstrom ein. Eigentümlicherweise findet man sie nur während der Nachtzeit in den peripheren Gefäßen, so daß sie dann im Blute nachweisbar sind. Sie sind etwa 0,2—0,4 mm lang und 7—11 mm breit. Sie können lange Zeit, ohne ernste Störungen zu verursachen im Menschen vorhanden sein, nur daß der Kranke einen milchigen Urin entleert, der Fett in Form feinster Tröpfchen und Eiweiß enthält. Durch Platzen der Lymphgefäße der Schleimhaut infolge der Anwesenheit der Parasiten mischt sich die Lymphe dem Harn zu. In anderen Fällen leidet das Befinden des Kranken; es kommt zu schwerer Anämie. Dringen die Larven in die Lymphgefäße der Haut ein, so kann es zu elephantiasistischen Verdickungen kommen.

Es sei erwähnt, daß es noch eine andere, nicht parasitäre, sehr seltene Chylurie gibt, welche dadurch zustande kommt, daß eine abnorme

Kommunikation der Lymphgefäße mit den Harnwegen (Nierenbecken, Blase) besteht, daß also die Lymphe dem normalen Harn beigemischt wird.

Erkrankungen der Nebennieren (Addisonsche Krankheit, Bronzekrankheit).

1855 hat Addison einen Symptomenkomplex beschrieben, der in Anämie und in allgemeiner zunehmender Asthenie, in Schwäche der Herzaktion und Apathie, in Magendarmstörungen, Bronzefärbung der Haut und einer allmählich eintretenden, kachektischen Abmagerung besteht. Addison erkannte bereits den Zusammenhang dieses unweigerlich zum Tode führenden, nach ihm benannten Symptomenkomplexes mit Erkrankung der Nebenniere. Trotzdem die anatomisch-physiologischen Forschungen über die Nebenniere, besonders des letzten Dezenniums, unsere Kenntnisse in ungeahnter Weise erweitert haben, wissen wir über die intimeren Beziehungen zwischen der Addisonschen Krankheit und den Nebennierenveränderungen kaum mehr als uns schon Addison lehrte: daß nämlich dem Krankheitsbilde eine anatomische Erkrankung der Nebennieren zugrunde liegt.

Die Nebenniere besteht aus zwei distinkten Teilen: dem Mark und der Rindensubstanz. Beide Anteile sind morphologisch und· genetisch verschieden; sie sind aus der Vereinigung von zwei verschiedenen unabhängigen Organsystemen hervorgegangen. Die Rindensubstanz gehört zu dem System der Interrenalkörper und ist ein direkter Abkömmling des Mesoderms; das Mark hingegen bildet den Hauptanteil des Adrenalsystems, eines Derivates des Ektoderms und ist durch die spezifischen chromaffinen (sympathischen) Elemente gekennzeichnet. Es ist gemeinschaftlich mit dem Sympathikus angelegt und entwickelt sich als ein Abschnitt desselben. — Die physiologischen Verhältnisse der beiden Nierenanteile sind viel geklärter. Exstirpation beider Nebennieren führt zum Tode. Demnach sind die Nebennieren lebenswichtige und lebensnotwendige Organe. Welcher Anteil der Nebenieren nun ist für das Leben notwendig? Nach ,den partiellen Exstirpationsversuchen scheint die Rinde der lebensnotwendige Anteil zu sein. Aus anderen Versuchen hingegen geht die lebenswichtige Bedeutung des chromaffinen Gewebes, das zum Teil außerhalb der Nebennieren gelegen ist, unzweideutig hervor. Der chromaffine Anteil produziert als inneres Sekret das Adrenalin, welches dauernd dem Organismus zugeführt wird. Das Adrenalin reguliert den Gefäß- und Herztonus und hält damit den Blutdruck auf der normalen Höhe. Außerdem dient er zur Mobilisierung der Kohlehydrate. (Die subkutane oder intravenöse Zufuhr von Adrenalin bedingt Hyperglykämie und Glykosurie.) Der Nebennierenrinde schreibt man eine entgiftende Tätigkeit zu, die vor allem in der Unschädlichmachung der bei der Ermüdung der Nerven und Muskeln entstehenden Gifte bestehen soll.

Die Funktionen der Nebenniere lassen es erklärlich erscheinen, daß bei allmählicher Zerstörung dieses Gewebes die oben geschilderten Zustände eintreten. Der gewöhnliche pathologisch-anatomische Befund beim Morbus Adisonii, Tuberkulose beider Nebennieren, erklärt also in genügender Weise die Pathogenese der Krankheit. Auch wenn in seltenen Fällen andere Veränderungen vorliegen, wie chronisch-interstitielle Entzündung, Blutung bei malignen Neubildungen, macht die Entstehung des Symptomenkomplexes keine Erklärungsschwierigkeiten. In einzelnen Fällen jedoch hat man keinerlei Veränderungen an den Nebennieren gefunden. Für diese Fälle nimmt man eine Affektion der die Funktion der Nebennieren regelnden sekretorischen Nerven an. Auch liegt die Möglichkeit vor, daß in solchen Fällen der außerhalb der Nebenniere gelegene Anteil des chromaffinen Systems schwer erkrankt oder funktionsuntüchtig gewesen sei.

Symptomatologie. Das Leiden beginnt außerordentlich schleichend. Zuerst fällt ein allgemeines und unerklärliches Ermüdungsgefühl dem Kranken auf, verbunden mit einer gewissen Apathie. Dazu treten Störungen des Appetites, Übelkeiten, Brechneigung, unregelmäßiger Stuhl und dergleichen. Die Kranken magern mehr und mehr ab, und empfinden Schmerzen in den verschiedenen Gliedern und Gelenken, hauptsächlich in der Lendengegend. Das einzige objektive Symptom ist die eigenartige Pigmentierung der Haut und der Schleimhäute. Dieselbe ist teils diffus und verleiht dadurch ein allgemein schmutzig-graugelbliches Aussehen, zum Teil treten dunklere Flecke an solchen Körperstellen gehäuft auf, die schon normalerweise durch stärkere Pigmentierung ausgezeichnet sind: Genitalien, Brustwarzen, Achselfalten, sowie die der Sonne am meisten ausgesetzten Körperstellen: Stirn, Wangen, Handrücken usw. Auf der Schleimhaut tritt die Verfärbung in Form von deutlich abgrenzbaren, schwarzen Pigmentflecken auf, besonders auf der Wangenschleimhaut, (wo die Zähne anliegen), an den Lippen, auch an den Konjunktiven (Bronzekrankheit). Eine Erklärung für die Pigmentierung der Haut steht zurzeit noch aus. Mit zunehmendem Kräfteverfall pflegen auch die nervös-psychischen Erscheinungen: Verstimmung, Schlaflosigkeit, Apathie, zuzunehmen. Im weiteren Verlaufe kann es zu Delirien, Aufregungszuständen, klonischen Muskelkrämpfen, zum Coma kommen, Zustände, welche auf eine Autointoxikation hinweisen. Der Puls ist auffällig klein, der Blutdruck unternormal, man findet systolischen Blutdruck von 60, 50, 40 und weniger Millimeter Quecksilber. Häufig geht der Kranke unter den Zeichen direkten Verfalles ein: der Puls wird in den letzten Tagen unfühlbar, die Haut kalt; man hat geradezu den Eindruck eines Erlöschens des Lebens.

Die Diagnose der ausgebildeten Krankheit ist einfach, wenn die typische Schleimhautpigmentation vorhanden ist; dieselbe fehlt nur in ganz seltenen Fällen. Hautpigmentationen können auch bei anderen Affektionen, wie Neoplasmen, Gravidität, bei Lungenphthise, ferner beim Bronzediabetes, nach Arsenmedikation (Arsenmelanose) vorkommen. Beim Fehlen der Pigmentation kann die Diagnose nur durch sehr lange Beobachtung gestellt werden. In zweifelhaften Fällen unterstützt eine gleichzeitig vorhandene Lungen- oder sonstige Tuberkulose die Diagnose, da der M. Addisonii sehr häufig auf einer Tuberkulose der Nebennieren beruht. Therapie. Die Behandlung mit Nebennierentabletten ist zu versuchen, da Einzelne Erfolge gesehen haben wollen. Die theoretisch aussichtsreichere, intramuskuläre Injektionstherapie kann infolge schwerer subjektiver Störungen undurchführbar sein. Im übrigen ist die Therapie symptomatisch (Verabreichung von tonischen Mitteln).

Krankheiten der Milz.

Selbständige Erkrankungen der Milz sind äußerst selten. Sehr häufig begegnet man der Milzschwellung als einer sekundären und diagnostisch wichtigen Erscheinung, so der akuten Schwellung bei Infektionskrankheiten (die in der Milz zurückgehaltenen Mikroorganismen führen durch Vermehrung der weißen Blutzellen zu einer Vergrößerung des Organs) und einer chronischen Milzschwellung bei Leukämie, Malaria, Zirkulationsstörungen bei Leberzirrhose usw. In diesen Fällen ist nur das Grundleiden von klinischem Interesse. Auch der Tuberkulose, der Amyloidentartung und der Syphilis der Milz kommt keine eigene Bedeutung zu.

Ein Milzinfarkt entsteht analog den anderen Infarkten, wenn Gelegenheit zur Bildung einer arteriellen Embolie gegeben ist, so bei Lungenerkrankungen, Endokarditis und besonders bei chronischen Herzschwächezuständen, welche zur Thrombenbildung im Vorhof oder Ventrikel geführt haben. Der Infarkt kann symptomenlos verlaufen, kann aber mit heftigen Schmerzen einhergehen und durch Schüttelfrost eingeleitet werden. Enthält der Thrombus infektiöses Material, so kommt es zur Bildung eines Milzabszesses. Derselbe entwickelt sich unter dem bekannten Bilde der Septikopyämie, Schüttelfröste usw. Die Lokalisation des Abszesses verrät sich durch sehr starke Anschwellung des Organs (wenn eine solche vorher nicht bestand) und durch das Auftreten von (fühlbaren) Reibegeräuschen. In seltenen Fällen wird eine Fluktuation zu konstatieren sein. Die Therapie ist chirurgisch.

Die Geschwülste der Milz sind fast nur sekundär und unterscheiden sich von einer gewöhnlichen Milzschwellung nur dann mit Sicherheit, wenn ein primärer Tumor diagnostiziert worden ist. Auch der Echinokokkus kommt selten allein in der Milz vor; meist besteht gleichzeitig ein Leberechinokokkus. Bei starker Vergrößerung der Milz und vorhandener Fluktuation ist immerhin an die Möglichkeit eines Echinokokkus zu denken. Die Entscheidung gibt die Punktion oder die Probelaparotomie.

Wandermilz.

Analog der Wanderniere kann auch die Milz durch Lockerung ihrer Bänder von ihrer normalen Stelle entfernt sitzen. In der Regel findet sich Wandermilz bei gleichzeitiger allgemeiner Enteroptose. Die Wandermilz kann symptomenlos verlaufen oder auch die gleichen Beschwerden verursachen wie die Wanderniere.

Die Diagnose erfolgt durch Palpation des Organes, das eine charakteristische ovale Gestalt hat und Einkerbungen (crenae lienis) erkennen läßt, ferner dadurch, daß die normale Milzdämpfung fehlt. Manchmal läßt sich auch Pulsation der Milzarterie feststellen. Das Organ ist meist vergrößert.

Die Therapie muß versuchen, durch geeignete Bandagen und eventuell Mastkur die Beschwerden zu beheben. Eventuell kommt die chirurgische Fixation in Frage.

Ruptur der Milz.

Ein Platzen der Milz kommt spontan bei sehr starken und akut entstandenen Milztumoren vor, wie auch im Anschluß an Traumen. Die Erscheinungen sind die einer akuten intraabdominellen Blutung. Eine sichere Diagnose ist nur selten möglich.

Erkrankungen der Schilddrüse.

Vorübergehende Anschwellung der Schilddrüse findet man nicht selten beim Eintritt der Pubertät, sowie zur Zeit der Menstruation. In der Regel verschwindet sie wieder, ohne mehr als vorübergehende leichte lokale Beschwerden verursacht zu haben. Die sich während der Geburt, infolge starken Schreiens und Pressens ausbildende Schilddrüsenan-

schwellung pflegt zu bleiben, bedingt aber in der Regel keine weiteren
Beschwerden.

Akute Thyreoïditis.

Ziemlich selten tritt im Anschluß an irgendeine Infektion eine akute
Schwellung und Entzündung der Schilddrüse unter mehr oder minder
schweren allgemeinen fieberhaften Erscheinungen auf. Der Verlauf ist
entweder Abheilung durch Zurückgehen der Entzündung oder Abszedierung. Als seltene Komplikation kann es zu schwereren Kompressionserscheinungen von seiten der Trachea kommen sowie zu allgemein septisch-
pyämischen Prozessen. Es ist nicht ausgeschlossen, daß akute, relativ
symptomenlose Entzündungen im Gefolge von Infektionskrankheiten
häufiger entstehen, als im allgemeinen angenommen wird, und daß sie
durch spätere Hyperplasie oder Schrumpfung des Gewebes zu B a s e d o w -
schen resp. myxödematösen Erscheinungen führen.
Die T h e r a p i e ist eine symptomatische.

Struma (Kropf).

Als selbständiges, nur in der Vergrößerung der Schilddrüse bestehendes Leiden, welches nur lokale, durch die Kompression bedingte
Beschwerden verursacht, ist die Struma eine chirurgische Erkrankung.

Morbus Basedowii.

G r a v e s (1835) und B a s e d o w (1840) haben zuerst diese Krankheit beschrieben, für welche sie folgende Trias von Symptomen als konstant und pathognomonisch auffaßten: Herzpalpitationen, Struma und
Exophthalmus. Das klinische Bild ist seither durch eine Reihe mehr
oder minder konstanter Symptome erweitert und ferner dahin abge-
ändert worden, daß auch jene Fälle, in denen gelegentlich das eine oder
andere der drei klassischen Symptome fehlt, zum M. Basedowii (forme
fruste) gerechnet werden.
Die Pathogenese der Erkrankung ist trotz unendlich mühseliger
Arbeit und geistreicher Kombinationen noch nicht gänzlich klargestellt.
Die ältere neurogene Theorie, welche eine Affektion des N. sympathicus
für alle Erscheinungen verantwortlich macht, ist zwar von der thyreogenen
Theorie in weitgehendem Maße verdrängt worden, kann aber nicht gänzlich ausgeschaltet werden. Die thyreogene Theorie stellt eine Funktions-
anomalie der Schilddrüse in den ursächlichen Mittelpunkt der Erscheinungen.
Als Gründe dafür werden angeführt: das konstante Vorkommen der

Schilddrüsenanschwellung und der pathologisch-anatomisch spezifische Charakter der Basedow-Struma; die Heilerfolge, welche durch die partielle Exstirpation der Struma erzielt werden, sowie umgekehrt der schädliche Einfluß der Schilddrüsenverabreichung bei Basedowkranken, ferner der Umstand, daß man auch bei gesunden Menschen und Tieren künstlich Basedowsche Erscheinungen durch Verfütterung von Schilddrüsen (Hyperthyreoidisation) hervorrufen kann, und rein klinisch endlich der von Möbius zuerst hervorgehobene Antagonismus in den Erscheinungen der Athyreosis, des Myxödemes und des M .Basedow. Kocher stellt die Symptome wie folgt gegenüber:

Kachexia thyreopriva.

Fehlen oder Atrophie der Glandula thyreoidea.

Langsamer, kleiner, regelmäßiger Puls.

Fehlen jeglicher Blutwallungen mit Kälte der Haut.

Teilnahmsloser, ruhiger Blick, ohne Ausdruck und Leben.

Enge Lidspalten.

Verlangsamte Verdauung und Exkretion, schlechter Appetit, wenig Bedürfnisse.

Verlangsamter Stoffwechsel.

Dicke, undurchsichtige, gefaltete trockene bis schuppende Haut.

Kurze, dicke, am Ende oft verbreiterte Finger.

Schläfrigkeit und Schlafsucht.

Verlangsamte Empfindung, Apperzeption und Aktion.

Gedankenmangel , Teilnahmslosigkeit und Gefühlslosigkeit.

Ungeschicklichkeit und Schwerfälligkeit.

Morbus Basedowii.

Schwellung der Schilddrüse, meist diffuser Natur, Hypervaskularisation.

Frequenter, oft gespannter, schnellender, hier und da unregelmäßiger Puls.

Überaus erregbares Gefäßnervensystem.

Ängstlicher, unsteter, bei Fixation zorniger Blick.

Weite Lidspalten, Exophthalmus.

Abundante Entleerungen, meist abnormer Appetit, vermehrte Bedürfnisse.

Gesteigerter Stoffwechsel.

Dünne, durchscheinende, fein injizierte feuchte Haut.

Lange schlanke Finger mit spitzer Endphalanx.

Schlaflosigkeit und aufgeregter Schlaf.

Gesteigerte Empfindungen, Apperzeption und Aktion.

Gedankenjagd, psychische Erregung bis zu Halluzinationen, Manie und Melancholie.

Stete Unruhe und Hast.

Steifigkeit der Extremitäten.	Zittern der Extremitäten, vermehrte Beweglichkeit der Gelenke.
Zurückbleiben des Knochenwachstums, kurze, dicke, oft deforme Knochen.	Schlanker Skelettbau, hier und da weiche und dünne Knochen.
Stetes Kältegefühl.	Unerträgliches Hitzegefühl.
Verlangsamte schwere Atmung.	Oberflächliche Atmung mit mangelhafter inspiratorischer Ausdehnung des Thorax.
Zunahme des Körpergewichts.	Abnahme des Körpergewichtes.
Greisenhaftes Aussehen, auch jugendlicher Kranker.	Jugendliche üppige Körperentwicklung, wenigstens in den Anfangsstadien.

Die genannte Theorie nimmt eine Hyperfunktion der Schilddrüse an auf der Basis einer inneren Sekretion der Schilddrüse. Eine Funktionsanomalie der Schilddrüse im Sinne einer mangelhaften Tätigkeit postuliert die Blumsche Entgiftungstheorie. Nach ihm hat die Schilddrüse die normale Aufgabe, die im Darme sich bildenden Gifte, Enterotoxine, die besonders reichlich aus der Fleischnahrung entstehen, zu binden und dadurch allmählich zu entgiften. Hierbei entstehen als Zwischenprodukte Thyreotoxalbumine, welche nach ihrer völligen Entgiftung als unschädliche Schlacken die Schilddrüse verlassen. Die Entgiftung geschieht durch Jodierung des giftigen Eiweißkörpers, wobei ein jodhaltiges ungesättigtes Thyreotoxalbumin entsteht. Klinisch gestützt wird diese Theorie vor allem durch die guten Heilerfolge bei fleischfreier Nahrung.

Ätiologie. So lange wir über das Wesen der Krankheit noch im unklaren sind, noch nicht wissen, ob die Schilddrüse primär oder sekundär erkrankt ist, läßt sich auch nicht entscheiden, ob die folgenden Momente ätiologisch oder nur prädisponierend wirksam sind. Heredität, die eine große Rolle spielt, psychische Aufregungen (man hat unmittelbar nach heftigen seelischen Erschütterungen, z. B. einem Brande, Basedow-Symptome auftreten sehen), akute Infektionskrankheiten (primäre Thyreoiditis s. S. 268). Eine Prädisposition ist zuzusprechen der Gravidität, dem Puerperium, dem Klimakterium, der Pubertätsentwicklung. Es erkranken mindestens 10 mal soviel Frauen wie Männer.

Pathologische Anatomie. Ein eigentliches anatomisches Substrat dieser Erkrankung existiert nicht. Die Anschwellung der Schilddrüse erweist sich als eine parenchymatöse Hypertrophie mit starker Vaskularisation. In älteren Fällen findet man Vermehrung des interstitiellen Bindegewebes der Schilddrüse. Nicht selten soll nach den letzten Untersuchungen gleichzeitig eine Thymushypertrophie vorhanden sein. Das Herz zeigt Hypertrophie und Dilatation des linken Ventrikels. Eine Entartung der quergestreiften Muskelfasern soll konstant vorkommen. Symptome. Die Krankheit setzt meist ganz allmählich, schleichend, ein, doch kommen auch direkt akute Formen vor. Die Tachykardie, subjektives Herzklopfen, das Hauptsymptom der kardiovaskulären Erscheinungen, stellt sich meist als frühzeitiges, erstes Symptom ein; Es wird als Folge der Sympathikusreizung (N. accelerans) angesehen, was jedoch sicher nicht immer zutrifft, da ich es hie und da durch Atropin beseitigen konnte. Die Pulsfrequenz beträgt mindestens 100, kann jedoch bis zu 140 und 160 steigen. Irregularität findet sich erst in späteren Stadien. Die Kranken klagen über Präkordialangst und Schmerzen in der Herzgegend. Bald kommt es zu einer Verbreiterung des Herzens nach links (übermäßige Inanspruchnahme des Herzmuskels durch gesteigerte Tätigkeit). Der Puls zeigt Pseudozelerität, die großen Arterien pulsieren sichtbar (Gefäßtöne der Arterien und Nonnensausen in den Halsvenen). Gelegentlich besteht sichtbare Pulsation der Milz und Leber, hie und da auch Capillarpuls. Der Blutdruck ist meist erhöht. Dermographie, Erythema pudoris, plötzliches Erröten im Gesicht sind Zeichen der vaskulären Irritabilität. Im weiteren Verlaufe treten Zeichen von Dilatation der Ventrikel auf (systolisches Geräusch, erweiterte Herzgrenzen, irregulärer Puls bis zu den Erscheinungen der Asystolie).

Die Struma, wohl die konstanteste Erscheinung, ist nicht so hochgradig wie beim einfachen Kropf. Anfänglich ist die Schilddrüse weich, die Schwellung ist zunächst eine kongestiv-hyperämische. Die Gefäße sind stark dilatiert; man hört und fühlt ein systolisch anschwellendes Sausen. Später kann das Gewebe fester werden, die Anschwellung kann aber auch periodenweise zurückgehen.

Meist als letztes Symptom der Trias tritt der Exophthalmus in die Erscheinung: Die Augen treten in charakteristischer Weise hervor, die Lidspalte ist erweitert, so daß das obere Lid den Augapfel nicht bedeckt, daß vielmehr ein Streifen der Sklera oberhalb und unterhalb der Cornea sichtbar bleibt. Das Symptom kann in einem Auge stärker vorhanden sein als in dem anderen.

Die Protrusio bulborum ist vielleicht durch Kontraktion des Müllerschen musc. protr. bulbi, der sympathisch innerviert ist, hervorgerufen, vielleicht auch durch Erweiterung der Orbitalgefäße und Zunahme des bulbären Fettgewebes. Selten ist der Exophthalmus so hochgradig, daß es zum völligen Heraustreten der Bulbi aus den Augenhöhlen und zur sekundären Panophthalmie kommt. Die Stärke des Exophthalmus ist häufigen Schwankungen unterworfen.

Charakteristisch für den Basedowschen Exophthalmus sind: das v. Gräfesche Symptom: beim Senken des Blickes folgt das Oberlid nicht wie normal; das Möbiussche Symptom: mangelhafte Konvergenz der Augen, starkes Glänzen derselben; das Stellwagsche: der Lidschlag ist seltener als beim Gesunden.

Ein sehr bedeutsames, selten fehlendes Symptom ist das kleinschlägige Muskelzittern, das ununterbrochen oder nur zeitweise bestehen und so heftig werden kann, daß der Kranke zu jeder feineren Beschäftigung unfähig wird. Von anderen nervösen Symptomen sind zu nennen: leichte Reizbarkeit, Neigung zum Schwitzen, Hautjucken, Muskelschwäche, Schlaflosigkeit, Gemütsdepressionen, der Leitungswiderstand der Haut für den galvanischen Strom ist vermindert. Ferner kommen Pigmentveränderungen, fleckweise oder über den ganzen Körper verbreitet vor (Vitiligo, bronzeartige Verfärbung), Haarausfall, frühzeitiges Ergrauen usw. Häufig wird über Diarrhöen geklagt, über dyspeptische Beschwerden, Appetitlosigkeit oder übermäßig gesteigerten Appetit (Bulimie), Abmagerung, profuse Schweiße. Nicht selten beobachtet man alimentäre Glykosurie, aber auch einfache Polyurie kommt vor. Es kann sich echter Diabetes entwickeln. Manche Fälle gehen mit unregelmäßigem Fieber einher. In anderen entwickelt sich eine schwere Anämie.

Ein wichtiges, wenn auch im Einzelfalle schwer feststellbares Symptom ist der gesteigerte Stoffumsatz (erhöhter respiratorischer Gaswechsel, gesteigerer Eiweißumsatz usw.).

Die Fülle der angeführten Symptome macht die Basedowsche Krankheit zu einer der symptomenreichsten Erkrankungen. Je nach der Anzahl der vorhandenen Symptome unterscheidet man symptomenreiche und symptomenarme Basedowfälle. Fehlt eins oder das andere der Hauptsymptome, so spricht man von einer forme fruste, die sich besonders häufig mit der Chlorose kombiniert. Ferner beobachtet man in kropfreichen Gegenden bei einfacher Struma das Hinzutreten leichter Basedowerscheinungen: Struma basedowicata. Treten hierbei nur die kardiovaskulären Störungen in den Vordergrund, so spricht man von einem thyreotoxischen Kropfherzen.

Der Verlauf ist in sehr seltenen Fällen ein akuter, in wenigen Wochen oder Monaten zum Tode führend. Meist dauert die Krankheit mehrere bis viele Jahre (20 Jahre und mehr) mit wechselnden Besserungen und Verschlimmerungen. Die Kranken gehen unter kachektischen oder asystolischen Erscheinungen von seiten des Herzens zugrunde.

Ein pathogenetisch interessanter Verlauf ist der Übergang des Basedow in Myxödem durch sekundäre Atrophie der Schilddrüse. — Vollkommene Heilung ist relativ selten. Meist bleibt das eine oder andere Symptom zurück, ohne daß übrigens der Kranke davon nennenswerte Beschwerden zu haben braucht (z. B. Exophthalmus, leichte Tachykardie usw.). Groß ist die Gefahr des Rückfalles oder bei der forme fruste, der Verschlimmerung der Erscheinungen.

Die Diagnose der ausgebildeten Fälle ist leicht; bei den formes frustes, in denen eine deutliche Schilddrüsenanschwellung fehlt, kann die Unterscheidung von der essentiellen Tachykardie große Schwierigkeiten bereiten. Im übrigen ist nicht zu verkennen, daß in vielen Fällen bei der Differentialdiagnose zwischen formes frustes und allgemeinen Neurosen ein ziemlich weiter subjektiver Spielraum gelassen ist, wenn nicht eine genaue klinische Analyse die Entscheidung ermöglicht.

Therapie. Die allgemeine Behandlung deckt sich in weiten Grenzen mit der antineurasthenischen: körperliche und geistige Ruhe, viel Liegen in freier Luft, im Sommer in mittleren Höhen, im Winter an der Adria (erregende Klimata, wie Nordsee und Hochgebirge sind meist schädlich). Bei einfacheren Verhältnissen ist längerer Krankenhausaufenthalt oft von Einfluß.

Die Diät sei neben allgemeiner Reizlosigkeit fleischfrei. Diese durch die Blumsche Entgiftungstheorie gestützte fleischfreie Diät hat sich praktisch außerordentlich bewährt. Verbot von Kaffee, Alhohol usw. wie bei Herzleiden. Medikamentös einerseits Brompräparate (Bromalbazid 0,3 . dreimal täglich, Sandows brausendes Bromsalz usw.). In einzelnen Fällen wirkt Atropin auf die Trachykardie ein. Rp. (s. S. 90). Zur Hebung des Allgemeinzustandes Arsenpräparate (s. S. 282).

Kocher empfiehlt Natrium phosphoricum 3—4 auf 200 dreimal täglich einen Eßlöffel (vor Jod- und Schilddrüsenpräparaten als schädlich wurde schon oben gewarnt).

Hydrotherapeutisch sind milde, beruhigende Prozeduren, lauwarme Bäder, protrahierte, indifferente Bäder anzuwenden. Von elektrischen Behandlungsmethoden sieht man von lange fortgesetzter Galvanisation des N. sympathicus (schwache Ströme, 2—3 M. A., Anode an der Incisura sterni, Kathode am Kieferwinkel, täglich zwei Minuten) manchmal Erfolge. Auch Franklinisation ist empfohlen. Ob die Röntgenbestrahlung der Basedowstruma Nutzen bringt, ist noch nicht sichergestellt. Bei starker

Zuelzer, Innere Medizin. 18

(periodenweiser) Schilddrüsenanschwellung ist die Leitersche Kühlschlange um den Hals täglich ein- bis zweimal je eine Stunde, die auch bei der Tachykardie (auf das Herz) von Nutzen ist, anzuwenden.

Erweist sich die innere Therapie als erfolglos, so ist die chirurgische Behandlung (partielle Strumektomie, Unterbindung einzelner Schilddrüsenarterien) anzuwenden, doch wird die innere Klinik wohl nie so weit gehen, den Morbus Basedowii von vornherein als eine chirurgische Erkrankung anzusehen.

Die spezifische Therapie von Möbius durch Verabreichung von Serum von strumipriven Hammeln (Antithyreoidin Merck) oder der Milz von strumipriven Tieren (Rodagen) in Pulverform je 5 g täglich hat die anfänglichen Erwartungen nicht erfüllt.

Myxoedema adultorum (Cachexie pachydermique).

Diese sehr seltene Erkrankung ist quasi das Gegenteil der Basedow-schen und gleicht in ihren Symptomen dem durch die operative Herausnahme der Schilddrüse entstehenden Krankheitsbilde: Kachexia strumipriva oder Myxoedema operativum (s. S. 269). Die Ursache der spontan entstehenden Krankheit ist unbekannt. Der gelegentliche Übergang von Basedow-Struma in diese Form s. S. 273. Öfters führen Infektionskrankheiten zur Atrophie der Schilddrüse. Auch hieran erkranken die Frauen vielmals häufiger als die Männer.

Pathologisch-anatomisch findet man nur die Zeichen der Atrophie des Parenchyms.

Symptome. Von den klinischen Erscheinungen sind am auffallendsten die allmählich entstehenden Veränderungen der Haut, die wachsartig, gedunsen erscheint und elastisch-ödematös wird, so daß Fingerdruck nicht sichtbar bleibt. Besonders auffällig am Gesicht, in der Umgebung der Augenlider und des Kinns sind die wulstartigen Verdickungen, die eine ganz eigenartige Entstellung des Gesichts zur Folge haben. Später werden auch die Zunge und die Schleimhäute dick, und das Gesicht nimmt einen blöden, starren Ausdruck an. Diese Hautveränderung geht dann auf die Extremitäten und später auf den ganzen Körper über. Die Haut ist trocken, blaß und kalt, die Haare fallen aus, daneben treten immer mehr zunehmende Störungen der Psyche und des Nervensystems auf: Müdigkeit, langsame Bewegungen, Abnahme der Tätigkeit der höheren Sinnesorgane, Nachlassen aller Geisteskräfte und eine allgemeine geistige und körperliche Trägheit, die bis zur Idiotie führen kann; daneben Appetitlosigkeit,

Stuhlverstopfung, Amenorrhoe. Die Kranken gehen ohne Behandlung an Kachexie zugrunde.

Die Behandlung ist eine spezifische durch Verabreichung von Schilddrüsentabletten 0,1—0,3 pro Tag oder Jodothyrin 0,3 1—3 mal täglich, wodurch oft in überraschend schneller Zeit Rückgang der Erscheinungen bewirkt wird. Bei auftretenden Störungen (Tachykardie, Glykosurie) muß die Medikation vorübergehend ausgesetzt werden.

Kongenitales Myxoedem (Thyreo-Aplasie).

Diese Form stellt einen angeborenen Bildungsdefekt der Schilddrüse bei vorhandenen Epithelkörperchen dar. Das klinische Bild gleicht dem des schweren Myxödem verbunden mit ausgesprochenem Zwergenwuchs. (Das Fehlen der Schilddrüse bewirkt eine mangelhafte endochondrale Verknöcherung; die Wachstumshemmung besteht vor allem in der Störung des Längenwachstums.) Diese Krankheit wird rubriziert unter dem sogenannten sporadischen Kretinismus. Es zeigt sich im Verlaufe des ersten Jahres, meist nach dem fünften bis sechsten Monat, daß das Kind sich geistig und körperlich nicht entwickelt, während sich die myxomatösen Erscheinungen ausbilden. Beim endemischen Kretinismus, bei dem ebenfalls eine prompte Reaktion auf Schilddrüsendarreichung eintritt, wird in der Aszendenz meist Kretinismus und Kropf gefunden; er ist von einer Struma begleitet.

Infantiles Myxödem. In den hierher gehörigen Fällen tritt die Störung der Schilddrüsenfunktion bei bis dahin ganz gesunden Kindern erst im Laufe des fünften bis sechsten Lebensjahres ein. Dann treten neben den Erscheinungen des Myxödems der Erwachsenen die eben beschriebenen Wachstumshemmungen auf. Therapeutisch werden Schilddrüsenpräparate gegeben.

Blutkrankheiten.

Allgemeines.

Die praktische Blutuntersuchung bei den Blutkrankheiten kommt auf eine histologische Untersuchung des frischen und gefärbten Präparates, auf eine Zählung der Blutkörperchen sowie die Bestimmung des Hämoglobingehaltes hinaus. Die Grundlage für diese Untersuchungsmethoden seien hier kurz besprochen. Bezüglich der übrigen, viele Details umfassenden Methoden, muß auf spezielle Lehrbücher verwiesen werden.

Die Bedeutung der Gesamtuntersuchung des Organismus für die Diagnose der Blutkrankheiten neben der speziellen Untersuchung des Blutes kommt bei den einzelnen Krankheiten zur Besprechung.

Die roten Blutkörperchen (Erythrocyten).

Das normale Blut des Mannes enthält ca. 5 Millionen, das des Weibes ca. 4,5 Millionen rote Blutkörperchen im Kubikmillimeter. Es kommen Vermehrungen und Verminderungen derselben vor. Eine Vermehrung (Polyzythämie oder Hyperglobulie, 6—7 Millionen r. Blutkörperchen) findet man bei Stauungszuständen, bei Aufenthalt im Höhenklima, nach Atmung mit der Kuhnschen Lungensaugmaske und als selbständige Erkrankung (Polyglobulie). Man findet dabei echte Knochenmarkshyperplasie. Wahrscheinlich ist letztere, zum mindesten für einzelne Fälle, primär, in anderen vielleicht sekundär durch die Stauung hervorgerufen. Man beobachtet eine symptomatische Polyzythämie nach starken Wasserverlusten (Cholera, kurz nach Entleerung des Aszites).

Die Verminderung der r. Blutkörperchen (Oligozythämie) bis auf 500000 ist ein wichtiger Befund bei den verschiedenen Anämien. Die Ursache der verminderten Zahl kann in verminderter Neubildung bei gleichbleibendem Untergang der r. Blutkörperchen oder in vermehrtem Untergang bei gleichbleibender Neubildung derselben bestehen. Heruntergehen der Zahl unter 2 Millionen Kubikmillimeter spricht für schwere Anämie.

Die Erythrozyten sind Träger des Hämoglobins (Hb). Der Hb-Gehalt beim Gesunden beträgt 13—14 g in 100 ccm Blut. Man bezeichnet klinisch diese Menge mit 100% Hb. Die Hb-Bestimmungen sind kolorimetrische. Mit dem Sahtli-Gowersschen Hämoglobinometer vergleicht man eine Blutderivat-Standard-Lösung mit dem durch Salzsäurezusatz in eine salzsaure Hämatinverbindung übergeführten Blut. Man muß die Vergleichslösung häufig erneuern. Genauer ist das Resultat, wenn das Hb in eine CO-Verbindung übergeführt und mit geeigneten CO-Hb-Lösungen verglichen wird. Darauf beruht das Kolbenkeil-Hämoglobinometer von Plesch.

Der normale Hb-Gehalt mit 100%, die Zahl der Erythrozyten mit 5 Millionen angenommen, kann man den Färbeindex, das heißt die Färbekraft der einzelnen r. Blutzellen in pathologischen Fällen nach der Formel 5000000:100 wie Z (Erythrozyten) zu X (Hb-Gehalt) berechnen. Der normale Färbeindex oder Blutkörperchenquotient ist gleich 1: mit der Abnahme der Erythrozyten findet man eine analoge des Hb., so bei perniziöser Anämie, bei akuten Infektionskrankheiten, bei Oligochromämie, Karzinom usw. Häufig ist der Hb-Wert relativ geringer als die Verminderung der Zahl der roten Zellen. Der Färbeindex ist also kleiner als 1; dies trifft für die Chlorose zu, bei der oft eine völlig normale Zahl r. Zellen gefunden wird, ebenso wie bei den sekundären Anämien; ist aber die Zahl der E. vermindert, so findet man den Hb-Gehalt relativ stärker vermindert. (Bei 2 Mill. E. findet man nicht im Verhältnis von 5 Mill. zu 100 einen Hämoglobingehalt von 30 oder 20, sondern einen niedrigeren; so bei schweren Chlorosen, Karzinom, Blutungen, Anämien.) Umgekehrt kann bei starker Verminderung der Erythrozyten der Hämoglobingehalt relativ höher, absolut natürlich trotzdem noch stark vermindert sein. (Färbeindex über 1: Pernizinöse Anämien, Kinderanämien.) Eine absolute Vermehrung des Hämoglobins kommt bei der Polyzythaemia rubra vor.

Im normalen Blute haben die E. durchweg die gleiche Größe (Isozytose); auffällige Größenunterschiede (Anisozytose) kommen bei verschiedenen schweren Anämien vor. Man unterscheidet Zwergformen, Mikrozyten, abnorm große Formen, Megalozyten und normale, Normozyten. Während man den Mikrozyten auch bei leichteren Anämien begegnet, gelten die Megalozyten allgemein als Symptom einer perniziösen Anämie, obgleich es auch perniziöse Anämien ohne dieselben gibt. Die Megaloblasten sind kernhaltige rote Blutkörperchen von ungewöhnlicher Größe, die man physiologischerweise im embryonalen Knochenmark findet. Im späteren Leben kommen sie nur selten im Knochenmark vor. Ihr Befund im Blute, welches auf ihr reichliches (pathologisches) Vorkommen im Knochenmark hindeutet, wird von Ehrlich als Rückschlag der Blutbildung in den embryonalen Typus bezeichnet, ihr Vorkommen als charakteristisch für die progressive perniziöse Anämie Biemers angesehen. Doch gibt es umgekehrt sicher Fälle perniziöser Anämie ohne Megaloblasten und Megalozyten. Ihr Auftreten spricht ebenfalls für schwere Knochenmarksveränderungen.

Die Normoblasten sind die kernhaltige Vorstufe der Normozyten, also der normalen r. Blutkörperchen. (Die Megaloblasten stehen zu den Megalozyten vielleicht in dem gleichen Verhältnis.) Wahrscheinlich erfolgt in den blutbildenden Organen eine Kernauflösung. Bei gesteigerter Produktion von roten Blutkörperchen werden diese kernhaltigen, also noch unreifen Zellen ins Blut geworfen; diese gesteigerte Blutbildung geht vom Blute selbst aus, wenn das Bedürfnis nach schnellem Blutkörperchenersatz (stärkere Blutverluste, erhöhter toxischer Untergang, schwere Anämien) vorhanden ist.

Die E. können unter pathologischen Verhältnissen auch Tinktionsanomalien aufweisen. Die normalen E. nehmen aus einem sauren (Eosin) und basischen (Methylenblau) Farbengemisch nur den sauren Farbstoff auf und färben sich rot. Die früheren Entwicklungsstufen dieser Zellen im embryonalen Blute zeigen die Eigenschaft der Polychromatophilie, d. h. sie entnehmen dem Farbgemisch beide Farbstoffe, so daß die Zellen einen Mischton von blau und rot darstellen. Diese gleiche Polychromasie findet man nun bei verschiedenen Formen der Anämie, und faßt sie als ein Zeichen der gesteigerten Regeneration auf.

Die ältere Annahme, wonach die Polychromatophilie ein Zeichen der Degeneration, des Absterbens ist, scheint ziemlich allgemein verlassen. Man findet sie bei vielen Formen von Anämie, besonders denen des Kindesalters und den perniziösen. Meist ist die ganze Zelle gleichmäßig gefärbt, in dem Mischfarbenton, manchmal mehr fleckweise.

Die basophile Körnung steht in nahem Verhältnis zur Polychromatophilie. Es färben sich feinste und gröbere Punkte, oder strichförmige Figuren blau, bei normalem Grundton oder bei polychromatophiler Färbung. Wahrscheinlich handelt es sich um Sichtbarwerden von Kernresten, also auch einen Ausdruck der Regeneration, während andere ebenfalls einen degenerativen Ausdruk (Bleiintoxikation) darin sehen.

Endlich ist auch eine Veränderung der Form von Bedeutung, die man als Poikilozytose bezeichnet, und welche mit der Anisozytose Hand in Hand zu gehen pflegt. Die Formveränderungen kennzeichnen sich als birnen-, keulen-, ambos-, posthorn-, spindelförmige usw. Figuren anstelle der mehr oder minder kreisförmigen E. Man erklärt sie durch Abschnürungsprozeß an den roten Blutkörperchen, durch abnormes, nicht isotones Blutserum hervorgerufen. Im allgemeinen entspricht die Poikilozytose der Schwere der Anämie, doch werden sie auch in gewissen Stadien der perniziösen Anämie vermißt.

Leukozyten, weiße Blutkörperchen.

Im Kubikmillimeter Blut sind normalerweise 6000—8000 weißer Blutkörperchen enthalten, doch ist die Zahl physiologischen Schwankungen (Verdauung, Arbeit, Ruhe) ausgesetzt. Man unterscheidet nach Größe und Beschaffenheit des Kernes, ferner nach der Affinität der im Zellprotoplasma enthaltenen Granula zu sauren und neutralen oder basischen Stoffen folgende Formen im normalen Blute.

1. Lymphozyten. Sie entstammen den lymphatischen Apparaten des Organismus und kommen als kleine (Größe der Erythrozyten) und große L. vor. Das Protoplasma, das den fast die ganze Zelle einnehmenden runden Kern nur mit einem schmalen Saum umgibt, ist homogen ohne Granula. Kern und Protoplasma sind basophil. Die Lymphozyten betragen etwa 25% aller weißen Blutkörperchen.

2. Polymorphkernige, neutrophile Leukozyten. Die Zellen sind etwa doppelt so groß wie die Erythrozyten und besitzen einen polymorphen (vielgestaltigen Kern); es scheinen dessen Teile durch feinste Chromatinfäden miteinander zusammenzuhängen. Die Kerne sind stark basophil, sie färben sich mit Triazid grünlich bis blauschwarz, mit Eosin-Methylenblau blau bis blauviolett. Das Protoplasma besitzt eine sehr dichte neutrophile Körnung (neutraler violetter Farbenton bei beiden Färbungen). Das Protoplasma selbst ist leicht azidophil. Diese Zellen bilden etwa 70% aller farblosen Blutzellen. (Sie besitzen stark phagozytäre Eigenschaften und geben bei ihrem Zerfall eiweißverdauende und oxydierende Fermente ab.) Sie bilden die Hauptmasse der Leukozyten bei Entzündungen, Eiterungen; vermindert sind sie beim Typhus, bei Masern und perniziöser Anämie.

Diese Zellen finden sich, außer im Blut, im Knochenmark, wo sie sich aus analogen größeren Zellen, den sogenannten Myelozyten, entwickeln.

3. Die eosinophilen Zellen sind durch ihre stark lichtbrechende, hellglänzende Körnung von den vorhergehenden unterschieden. Die Granula sind sehr groß und azidophil, färben sich daher mit Eosin intensiv rot. Beim Zerfall der Zellen bilden sich wahrscheinlich aus ihnen Charcot-Leydensche Kristalle. Ihr Kern ist einfach gelappt. Die Zellen entstehen aus analogen Vorstufen wie die polymorphkernigen Myelozyten. Sie entstehen aus eosinophilen Myelozyten, die man im Knochenmark findet. Die eos. Z. betragen 2—4% der weißen Zellen; sie sind vermehrt bei der myeloiden Leukämie, bei Scharlach, Helminthiasis, Asthma, Hautkrankheiten wie Pemphigus, Urticaria usw. Sie können unter

Atropin, Adrenalin, Radiumemanation zurückgehen, während Pilokarpin sie vermehrt.

4. Die Übergangszellen: einkernige, große Zellen; die Leukozyten sind die größten normalerweise vorkommenden, mit einem großen Kern und einem deutlich abgrenzbaren, basophilen Protoplasma. Der Kern ist gelappt und färbt sich wenig intensiv. Ihre Zahl beträgt etwa 0,5—2,5% aller weißen Blutzellen. Die Abstammung und physiologische Bedeutung sind noch nicht sichergestellt.

5. Die Mastzellen oder basophilen Leukozyten zeigen ebenfalls eine grobe Granulation, die im Gegensatz zu den eosinophilen basophil ist. Sie haben einen großen gelappten plumpen Kern; ihre Zahl beträgt 0,5% aller farblosen Zellen. Entstehung und Bedeutung ist noch unbekannt.

Unter pathologischen Verhältnissen findet sich noch eine andere Form von weißen Blutkörperchen, deren Verhältnis zu den normalen ebenso aufgefaßt wird wie das der Erythroblasten zu den Erythrozyten. Sie werden als Myelozyten bezeichnet und unterscheiden sich von den polymorphkernigen, neutrophilen und eosinophilen Zellen und den Mastzellen im wesentlichen dadurch, daß ihr Kern groß, ungelappt, rund oder leicht eingebuchtet ist. Die Granula des Protoplasmas können sich wie die der gewöhnlichen weißen Blutzellen verhalten, aber auch mehr basische Affinität zeigen. Man findet neutrophile, eosinophile und Mastzellen-Myelozyten. Sie stellen die Jugend-Stammformen der entsprechenden normalen weißen Blutzellen dar und werden unter den gleichen Voraussetzungen wie die Megaloblasten, also bei gewissen Reizzuständen des Knochenmarks, aus diesem ins Blut abgegeben. Ihr Vorkommen deutet auf krankhafte Veränderungen des Knochenmarks (myeloide Leukämie).

Endlich kommen unter pathologischen Verhältnissen im Blute noch große, ungranulierte, monokuleäre Zellen vor mit großem blassen, runden Kern und mit mehr oder minder großem Protoplasmasaum. Da man sie vor allem bei der myelogenen Leukämie fand, betrachtet man sie als die Vorstufe der Myelozyten (Megaloblasten und Megalozyten). Sie sind schwer von den großen Lymphozyten zu unterscheiden, so daß die Frage, ob diese Myeloblasten Vorstufen sowohl der kleinen Lymphozyten wie der Myelozyten sind, zurzeit noch nicht entschieden ist. Eine den Myeloblasten ähnliche Zelle ist die von Türck als Reizungsform beschriebene Pappenheimsche Plasmazelle. Sie ist sehr groß, hat einen meist ovalen Kern. Das Protoplasma besitzt sehr starke Basophilie. Ihre Bedeutung ist noch nicht klar.

Die Blutplättchen. Ihre Größe schwankt zwischen 3 und 5 μ. Ihre Zahl wird auf ca. 250 000 im Kubikmillimeter angegeben. Die Entstehung derselben ist noch durchaus zweifelhaft. Ebenso ihre pathologische Bedeutung. Man weiß nur, daß sie bei manchen Anämien vermehrt sind, und daß sie bei der Gerinnung eine wichtige Rolle spielen.

Anämien.

Die Einteilung der Anämien nach rein pathogenetischen Gesichtspunkten ist heutzutage noch nicht möglich. Gegen die früher vielfach beliebte Einteilung in sekundäre und primäre oder essentielle Formen spricht

der Umstand, daß das essentielle Auftreten sicher nur scheinbar ist, und
daß sich die Blutbilder, die ja schließlich das Hauptsymptom der Anämien
bilden, bei den sogenannten idiopathischen und bei den zweifellos sekundären Formen durchaus gleichen können. Man unterscheidet daher vorläufig praktisch am besten einfache Anämien von der schweren oder
perniziösen Form, wobei zu wissen ist, daß Übergänge zwischen beiden
vorkommen. Besonders zu besprechen ist die durch viele Eigenarten
ausgezeichnete Chlorose und die Leukämie, bei der die Anämie, das
heißt die Herabsetzung der Erythrozytenzahl und des Hb-Gehaltes, nur
von nebensächlicher Bedeutung sind.

Einfache Anämien.

Ätiologie. Die Blutveränderung, die sich in Herabsetzung der
Erythrozytenzahl und des Hb-Gehaltes dokumentiert, kann entstehen durch
äußere oder innere Blutungen (äußere Verletzungen, Magen-, Darm-,
Lungen-, Mastdarm-, Uterusblutungen, Nasenbluten usw.), durch Blutgifte
(direkte Zerstörung der Erythrozyten durch Gifte wie Blei, Quecksilber
Kal. chloricum, Morchelgift, Arsen, durch syphilitische oder Malaria-
toxine usw.); oder indirekt dadurch, daß die natürliche Neubildung der
roten Blutkörperchen, die Hämatopoëse, gestört ist; hier kommt in erster
Reihe ungenügende Nahrungszufuhr, Eiweißmangel in Frage, oder aber
vermehrter Eiweißzerfall, wie er durch die Tuberkulose, durch Morbus Basedow u. a. bewirkt wird; bei der durch Darmparasiten verursachten Anämie
kann der chronische Blutverlust und eine Giftwirkung von Einfluß sein.
Allgemeine schlechte hygienische Verhältnisse, Mangel an Licht und Luft,
Kummer und Sorgen, Überarbeitung können sowohl bei der Neubildung
des Blutes verschlechternd, wie bei der Zerstörung begünstigend wirken.

Endlich kann noch eine allgemeine Atrophie des Organismus, wie
man sie bei Tuberkulose und vor allem beim M. Addisoni findet, auch
zu einer Abnahme oder Atrophie des Gesamtblutes führen, ohne daß
übrigens in diesem Falle mittelst der gewöhnlichen Methoden ein verminderter Erythrozyten- und Hb-Gehalt nachweisbar wäre. Aus noch
unbekannten Gründen (dauernde Abgabe der Flüssigkeit an die Gewebe?)
ist hier auch die Plasmaflüssigkeit vermindert, so daß trotz relativ hohen
Hb-Gehaltes dennoch eine Anämie des Gesamtblutes besteht.

Die Symptomatologie der einzelnen sekundären Anämien ist
bei den ursächlichen Erkrankungen besprochen. Hier ist nur auf die
reinste Form der sekundären Anämie, diejenige nach akuten Blutverlusten,

kurz einzugehen. Ein schneller Verlust von mehr als der Hälfte des Blutes führt zum Tode, erfolgt die Blutung allmählich, so kann selbst ein noch größerer Blutverlust ertragen werden. Die Allgemeinerscheinungen äußern sich in der enormen, leichenhaften Blässe, stärkster Dyspnoe, jagendem kleinen Puls, Störungen am Zentralnervensystem (Ohnmachten, Kopfschmerzen), kalten Extremitäten usw. Nach den experimentellen Untersuchungen sterben die Menschen beim akuten Blutverlust an Sauerstoffmangel. Neben der Zufuhr von Flüssigkeit (Kochsalzinfusion) ist deshalb, eventuell stundenlang fortzusetzende, künstliche Atmung (Drägersche Sauerstoffatmung) von lebensrettender Bedeutung. Während der Blutung nimmt die Gerinnungsfähigkeit des Blutes in auffälliger Weise zu, worin eine Selbsthilfe des Organismus zu erblicken ist. Hat der Kranke die akute Blutung überstanden, so strömt Gewebsflüssigkeit in das Blut, so daß eine Hydrämie entsteht. Zunächst treten die fertigen Erythrozyten in gesteigerter Menge ins Blut, bei sehr starker Regeneration auch Normoblasten. Daneben macht sich eine posthämorrhagische Leukozytose bemerkbar. Bei geringem Blutverlust (eines sonst gesunden Organismus) ist die Restitution nach 2—5 Tagen, bei schwerem nach 30—40 Tagen eingetreten.

Von den Symptomen der ausgebildeten Anämie ist das augenfälligste die Blässe der Haut und Schleimhäute. (Da eine solche Blässe aber durch vasomotorische Störungen, Kontraktion der Hautgefäße, verursacht sein kann, ist dieses Symptom als Beweis stets nur dann anzusehen, wenn die Blutuntersuchung die Anämie objektiv bestätigt.) Die Kranken klagen über allgemeine Schwäche, leichte Ermüdbarkeit, Herzklopfen und Atemnot bei geringster Anstrengung, über Schwindel, Ohrensausen, Appetitlosigkeit und dyspeptische Beschwerden, eventuell Verstopfung. Die Menstruation ist unregelmäßig, meist verzögert; es kommen auch abnorm häufige und reichliche Menstrualblutungen vor. Nicht ganz selten findet man, da hier eine wirkliche Herzschwäche besteht, Herzdilatation bei Kranken, die sich zu sehr angestrengt haben; man hört Geräusche und über den Venen Nonnensausen. Häufig besteht Albuminurie.

Die Therapie der sekundären Anämien ist zunächst die des Grundleidens: Beseitigung der Ursache und Unterstützung der Blutneubildung durch eiweißreiche Nahrung und viel Gemüse — die übrige Nahrung richtet sich nach der Konstitution des Kranken. Ferner möglichst gute allgemeinhygienische Verhältnisse: Luft, Licht, also je nach der Jahreszeit Waldaufenthalt, mittelhohes Gebirge oder Höhenklima, warme Meeresküsten. Hydrotherapeutisch ist vor eingreifenden Prozeduren zu warnen. Protrahierte warme Bäder, Frottierungen usw. wie bei Neurasthenien. Empfohlen wird die Kuhnsche Saugmaske, als analog dem Höhenklima wirkend. Von Medikamenten kommt die Hauptbedeutung den Arsenpräparaten zu, welche die Blutbildung am meisten anregen.

110) Rp. Sol. Fowl. arsen. 10,0
          Ta. Chin. comp. 20,0
          3 mal täglich 5 Tropfen beginnend bis
            zu 3 mal täglich 12 Tropfen
    oder

111) Rp. Sol. arsenical. Fowleri 5,0
          aqua destill.   10,0
          DS. eine halbe Spritze täglich zu injizieren.

112) Rp. Sol. Natrii kakodylic.   5—10%ig
    oder Sol. Arsacetini   10%
          von 2—3 Teilstrichen beginnend bis zu
          10 Teilstrichen täglich zu injizieren
          oder in Verbindung mit Eisen.

113) Rp. ferr. lact. 0,1
          acid. arsenic. 0,001
          mass. pill. q. s. f. p.
          tal. dos. Nr. 150
          2 mal täglich 2 Pillen.

114) Rp. Syrup. ferri jodati 3 mal täglich einen Teelöffel.

115) Rp. Arsenferratose 3 mal täglich einen Eßlöffel.

Von den natürlichen Arsenwässern ist die Durkheimer Maxquelle täglich 100—200 ccm, oder das Levikowasser, Arsen mit Eisen, täglich zwei bis vier Eßlöffel zu nennen.

Die Behandlung der akuten Verblutung s. unter Magenblutung, Lungenblutung usw. Bd. I, resp. Bd. II, S. 69.

Progressive (perniciöse) Anämie.

Dieses von Biermer zuerst eingehend studierte und nach ihm als Biermersche progressive perniziöse Anämie beschriebene Krankheitsbild gehört heute noch zu den umstrittensten Gebieten der Klinik. Die einen verlangen, daß hierher nur diejenigen Fälle zu rechnen sind, die im wahrsten Sinne essentiell oder idiopathisch, auch bei der Obduktion keine primäre Ursache für die Bluterkrankung erkennen lassen. Andere wollen, nachdem man auch bei sekundären Anämien denselben Blutbefund wie bei der eben genannten Form erhoben, bestimmte Kriterien des Blutes für die klinische Bezeichnung als maßgebend erachten: neben den höchsten Graden der Herabminderung der Zahl der Erythrozyten, ihre Formveränderung (Poikilozytose), Auftreten von Megaloblasten, die Polychromatophilie, sowie die Erhöhung des Färbeindex. Nun findet sich erhöhter Färbeindex (d. h. das einzelne rote Blutkörperchen enthält mehr Hämoglobin als in der Norm), ebenso wie das Auftreten der Megaloblasten im embryonalen Blut ("Rückschlag ins Embryonale"). Diese ziemlich allgemein anerkannte Tatsache wird von den einen nach Eh'rlich im Sinne einer Degeneration, von anderen Forschern als Merkmal äußersten Regenerationsbestrebens des Knochenmarks aufgefaßt. Endlich wird der rein klinische Gesichtspunkt hervorgehoben: der fast typische schwere, meistens tödliche Verlauf der Erkrankung unter Fiebererscheinungen, Extravasaten in Haut und Choreoidea, Veränderungen am Zentralnervensystem sowie die mit dem Blutbild konforme Beschaffenheit des Knochenmarks.

Ätiologie. Eine erkennbare Ursache fehlt für die eigentliche essentielle (Biermersche) Form, experimentelle Untersuchungen lassen eine infektiöse Ursache als wahrscheinlich erscheinen. Die gleichen Blutveränderungen findet man bei Anwesenheit zweier Parasiten im Darm: des Bothriocephalus latus und des Ankylostomum duodenale (Gotthard-Tunnel-Anämie). Hier wird die Anämie durch die von den Parasiten erzeugten Giftstoffe, vielleicht daneben auch durch von ihnen verursachten gehäuften Blutungen hervorgerufen.

Weiter kommen ursächlich in Frage das Puerperium, die Syphilis, chronische Magen- und Darmerkrankungen (Achylia gastrica), welche zu intestinalen Intoxikationen geführt haben, ungenügende Ernährung, schlechte hygienische Verhältnisse (sehr selten Malaria), chronische Sepsis, und vielleicht Tumoren.

Die Krankheit ist über die ganze Erde verbreitet und befällt hauptsächlich Frauen zwischen dem 30.—50. Lebensjahr. Die Krankheit ist in der Kindheit sehr selten, auch im Alter nur sehr vereinzelt.

Pathologische Anatomie. Neben dem Blutbefund (s. u.) und der abnormen Blässe sämtlicher Organe findet man Blutungen in der Haut, Schleimhäuten, Muskeln. Ferner eine fettige Degeneration in sämtlichen Organen (anämisches Fettherz usw.). Die fettig degenerierte Leber ist durch auffallenden Eisenreichtum ausgezeichnet (eigentümlich braunrote Verfärbung). Das Knochenmark zeigt ein charakteristisches, himbeergeleeartiges Aussehen durch Umwandlung des Fettmarkes in rotes lymphoides

Knochenmark. (Mikroskopisch findet man Megalozyten, Megaloblasten, polychromatophile Zellen.)

Symptome. Im voll ausgebildeten Krankheitsbilde ist der Blutbefund kurz folgender: enorme Herabsetzung der Zahl der roten Blutkörperchen, 1 000 000—400 000, Hb-Gehalt ebenfalls sehr tief, aber relativ höher (erhöhter Färbeindex). Man findet absolute Zahlen von 30—20—10—7 % Hb.

Mikroskopisch findet man Megalozyten, Mikrozyten, Megaloblasten in reichlicher Menge und Poikilozyten, polychromatisch gefärbte Zellen. Zeitweilig sieht man unter gleichzeitiger Zunahme der Zahl der roten Blutkörperchen ein Auftreten reichlicher Normoblasten (v. Noordensche Blutkrisen). Es wird dies als ein Symptom neu angefachter Regenerationskraft des Knochenmarks betrachtet. Gleichzeitig damit treten auch reichlicher Leukozyten im Blute auf, während sonst Leukopenie die Regel bildet. Letztere betrifft vor allem die polymorphkernigen neutrophilen weißen Zellen, während die Lymphozyten nicht wesentlich vermindert sind. In Zeiten der Remission ändert sich das Blutbild: Erythrozyten und Hämoglobin nehmen zu (der Färbeindex bleibt erhöht, z. B. 60 % Hämoglobin, 2 Mill. rote Blutkörperchen; die Poikilozytose läßt nach, die Polychromasie ist deutlich und reichlich. Bei fortschreitender Erholung kann allmählich der Färbeindex normal werden. Einen besonderen Blutbefund findet man bei der sogenannten aplastischen Biermerschen Anämie mit gelbem, fetthaltigem Mark. Hier fehlen alle Zeichen der Regeneration, vor allem die Erythroblasten. Es besteht Leukopenie, während die Poikilozyten und polychromatischen Zellen sehr reichlich vorhanden sind.

Die Krankheit entwickelt sich sehr allmählich. Die Patienten klagen über zunehmende Schwäche, Müdigkeit, Gliederschmerzen, Parästhesien. Allmählich wird die Haut blaß; Herzklopfen, Schwindelgefühle treten auf, usw. Der Appetit läßt nach. Objektiv besteht Achylie mit Hypermotilität. Hinzukommen Störungen des Darmes: entweder Durchfälle oder starke Verstopfung mit Auftreibung des Leibes; die starke Gasauftreibung macht dem Kranken ganz besonders viel zu schaffen. Über dem Herzen hört man systolische und später wohl auch diastolische (anämische) Geräusche. Dazu treten ganz allmählich Zeichen von Rückenmarkserkrankung: Sensibilitätsstörungen, Erlöschen der Patellar- und Achillessehnenreflexe, Kontrakturen, spastischer Gang, Babinskisches Phänomen. Die Erscheinungen können durchaus denen der Tabes gleichen: ataktischer Gang, Blasen-, Mastdarmstörungen, Zystitis usw. Die Gehirnnerven können ebenfalls ergriffen werden: Choreoidalblutungen, Ohrensausen, Geruchs- und vor allem Geschmacksstörungen. Die Unruhe der Kranken kann in Apathie übergehen oder zu Erregungszuständen führen. Auffällig und charakteristisch ist das Fehlen von thrombotischen Erscheinungen. Häufig kommt es zu Ödemen der Extremitäten (wohl infolge der abnormen Durchlässigkeit der schlechternährten Gefäße). Endlich kann während des ganzen Verlaufes unregelmäßiges Fieber bestehen (meist zwischen 38 und 39 ⁰ C, doch auch oft bis auf 40 ⁰ C und mehr steigend). Dasselbe verschwindet auch wieder, um nach einiger Zeit wieder aufzutreten. Im Urin ist meist Eiweiß vorhanden, welches durch zystopyelitische Komplikationen sehr erheblich gesteigert werden kann.

Für den Verlauf der Krankheit sind die manchmal ganz plötzlich einsetzenden Remissionen, die dem Kranken die Hoffnung auf Heilung erwecken, charakteristisch. Wenn die Ursache nicht beseitigt werden kann, wie etwa beim Bothriozephalus, Syphilis usw., so kommt es fast ausnahmslos immer wieder zu Verschlechterungen, die schließlich zum Tode führen.

Bei der primären Form ist der Verlauf meistens innerhalb einiger Monate, höchstens innerhalb eines bis zweier Jahre tödlich, doch werden auch Fälle von Heilung berichtet. Bei der sekundären Form ist der Ausgang von der Rechtzeitigkeit der Erkennung abhängig.

Die Behandlung hat so weit wie möglich die Ursache zu beseitigen (Abtreibung des Bandwurmes usw.). Die allgemeine Therapie ist die gleiche wie bei der einfachen Anämie, von Grawitz ist eine eiweißarme, vegetabilische Diät und Magenspülungen besonders empfohlen. Medikamentös ist intensive Arsenbehandlung bis zur Grenze der Vergiftung geboten, weil sie manchmal, zum mindesten vorübergehenden Erfolg zeitigt. Neuerdings ist die intramuskäre Injektion von 20—30 ccm defibrinierten menschlichen Blutes, die alle 5—8 Tage wiederholt wird, und auch die direkte Bluttransfusion aus einer Arterie in die Vene empfohlen. Es wird von einzelnen glänzenden Erfolgen berichtet. Andere warnen wegen der schweren damit verbundenen Schüttelfröste. Besonders günstig soll die Bluttherapie im Hochgebirge wirken.

Bei der Transfusion von Mensch zu Mensch ist das Fehlen von Isoagglutininen und -lysinen von Bedeutung.

Im übrigen hat die Therapie den zahlreichen symptomatischen Anforderungen je nach Lage des Falles zu genügen.

Die Chlorose.

Das Wesen dieser, nur beim weiblichen Geschlecht vorkommenden Erkrankung ist noch unergründet. Die Chlorose ist eine einfache Anämie mit vermindertem Färbeindex; sie ist aber durch die klinischen Symptome so wohl charakterisiert, daß sie unter den Anämien eine selbständige Stellung einnimmt.

Als begünstigende Momente können Überanstrengung, Unterernährung, schlechte hygienische Verhältnisse, Sorgen usw. eine Rolle spielen, doch kommt die Chlorose auch unter den besten äußeren Verhältnissen vor, so daß die begünstigenden Momente in ihrer Bedeutung nicht überschätzt werden dürfen. Die Wechselbeziehung, welche man jüngst zwischen den Keimdrüsen und dem Knochenwachstum kennen gelernt hat, lassen es möglich erscheinen, daß bestimmte Anomalien in der Hormonbildung der weiblichen Sexualorgane — es gehört zum Wesen der Chlorose, daß sie mit Beginn der Pubertät einsetzt — auf die Hämatopoiese hemmend oder schädigend einwirkt.

Pathologische Anatomie. Es ist kein charakteristischer Befund für die Chlorose bekannt, da ja der Tod infolge dieses Leidens äußerst selten eintritt. Die früher angenommene Hypoplasie der Gefäße und des Herzens hat mit der Chlorose nichts zu tun, obgleich sie häufig mit ihr angetroffen wird, ebenso wie die mangelhafte Ausbildung der Sexualorgane.

Symptome. Die Zahl der roten Blutkörperchen ist entweder normal oder vermindert. Der Hb-Gehalt ist stets, und zwar relativ stärker vermindert als die Zahl der roten Zellen, so daß der Färbeindex kleiner ist als 1, etwa 0,7—0,9. Der absolute Hb-Gehalt beträgt in mittelschweren Fällen 50—60 und sinkt in schweren Fällen bis auf 30. Es besteht Anisozystose (Makro- und Mikrozyten). Die roten Blutkörperchen sehen ungefärbt auffällig blaß aus und lassen häufig, da der Rand intensiver gefärbt ist, eine abnorme Dellenbildung erkennen. In schweren Fällen besteht Poikilozytose und Polychromasie. Normoblasten (kernhaltige rote Blutkörperchen sind selten und dann meist im Stadium der Besserung anzutreffen. Megaloblasten kommen kaum vor. Die Leukozyten sind gewöhnlich numerisch normal, nur in schweren Formen besteht Leukopenie mit relativer Vermehrung der Lymphozyten. Die Patientinnen klagen über schnelle Ermüdbarkeit, großes Schlafbedürfnis und charakteristischerweise auch darüber, daß sie sich morgens nach langem Schlafe nicht frisch fühlen. Dazu treten Kopfweh, Atemnot bei den leichtesten Anstrengungen, Herzklopfen, Seitenstechen; man hört akzidentelle Herzgeräusche und

Nonnensausen, beobachtet manchmal eine Dilatation des Herzens. Recht häufig sind vasomotorische Störungen der peripheren Gefäße, z. B. angiospastische Zustände, plötzliches Kaltwerden und Absterben der Finger und Füße. Fast regelmäßig besteht Verstopfung, Appetitlosigkeit und nur Neigung für saure Speisen, bei manchen aber auch Heißhunger und eine Hyperazidität. Dabei hat die Ernährung selten gelitten. Das Fettpolster erscheint gut, eher reichlicher als normal, Haut und Schleimhäute sind eigenartig blaß, „alabasterweiß", manchmal mit einem gelblichen oder grünlichen Ton. Hier und da treten dazu Ödeme an den Knöcheln und an den Augenlidern auf. Nicht selten, besonders in den schweren Fällen, besteht eine Schwellung der Milz. Der Puls ist beschleunigt. Das Zwerchfell steht hoch, wahrscheinlich infolge der oberflächlichen Atmung.

Sehr häufig sind Störungen der Menstruation: Ausbleiben der Menses, eine starke Unregelmäßigkeit derselben, zu lange Dauer oder auch zu häufiges Auftreten, dysmenorrhöische, mit starken Schmerzen einhergehende Menses. Meist besteht Fluor albus. Von häufigeren Komplikationen dieser ungemein verbreiteten Krankheit sind zu nennen: Magengeschwür und Gastralgie, nervöse Störungen mannigfacher Art, welche in das Gebiet der Neurasthenie oder Hysterie fallen. Endlich Venenthrombosen, besonders an den unteren Extremitäten, welche entweder durch die Beschaffenheit des Blutes selbst oder durch sekundäre Veränderung der Gefäße zu erklären sind. Fiebersteigerungen kommen öfters vor, ohne daß sich immer eine Ursache dafür finden ließe.

Der Verlauf der Chlorose ist ein sehr verschiedener. Es gibt Fälle, die in einigen Wochen bis Monaten heilen, ohne daß freilich ein Rezidiv auszuschließen wäre. Man spricht von chronischer oder habitueller Chlorose, wenn sie sich über Jahre hinzieht oder häufige Rückfälle zeigt. Der Ausgang in Tod ist äußerst selten, wohl nur bei Komplikationen durch thrombotische Prozesse.

Die Diagnose ist nicht aus dem Blutbefund allein zu stellen. Das weibliche Geschlecht, das Pubertätsalter, die spontane Entwicklung, also das Fehlen anderer ursächlicher Momente für die Anämie sind für die Diagnose maßgebend.

Behandlung. Es gelten die bei der einfachen Anämie gegebenen diätetisch-physikalischen Grundsätze. Sehr wesentlich ist Bettruhe, die strikt durchzuführen ist: 2—3 Wochen lang, in schweren Fällen noch länger, bis die schwersten Erscheinungen behoben sind. Die Bettruhe ist wichtiger als Spaziergänge in frischer Luft. Bei der Ernährung ist eventuelle Hyperazidität (s. dort) zu berücksichtigen. Eine Mastkur ist selten indiziert. Wert zu legen ist auf reichlich frische Gemüse, genügend Eiweiß, schon frühmorgens sind Fleisch und Eier zu geben. Die Flüssigkeitszufuhr ist im allgemeinen einzuschränken (bis $1\frac{1}{2}$ l pro Tag), da bei den Chlorotischen die Gesamtflüssigkeit (Plasmamenge an sich) meist vermehrt ist.

Hydrotherapie in Form von kalten Abreibungen und nachfolgendem Frottieren, in schweren Fällen sind heiße Bäder, bis 40^0 C, 10—30 Minuten, jeden zweiten Tag empfohlen (oder Schwitzkuren, Lichtbäder). Medikamentös steht das Eisen in erster Reihe. Wenngleich in der Nahrung kein Eisenmangel besteht, so sieht man in der medikamentösen Eisenzufuhr eine spezifische Anregung der Hämatopoiese. Es gibt zahllose Eisenpräparate, z. B. Pil. Blaudii, dreimal täglich 1—2 Pillen nach dem Essen, Valletsche Pillen (ferr. carb.), dreimal täglich 3—4 Pillen, Pil. lactici, dreimal täglich 2 Pillen. In allmählichem Anstieg und allmählichem Abstieg ist die Medikation während sechs Wochen durchzuführen. Die Tagesdosis beträgt 0,1—0,2 g, auf metallisches Eisen bezogen.

Von den organischen Präparaten seien angeführt: Krewels Sanguinalpillen, Hommels Hämatogen, dreimal täglich einen Eßlöffel. Sehr gut ist die Verbindung von Eisen mit Arsen (cf. Rp. 113). Auch Levico, Roncengo und andere natürliche Quellen sind zu geben (s. S. 282).

Klimatisch kann die Höhe sehr günstig wirken, doch vertragen viele infolge Herzklopfens und Atemnot größere Höhen nicht. Mittlere bewaldete Höhen, warme Seeküsten oder im Sommer Stahlbäder in Verbindung mit Trinkkuren (Pyrmont, Flinsberg, St. Moritz, Schwalbach usw.) erfreuen sich eines guten Rufes.

Leukämie.

Man versteht darunter eine pathologische Vermehrung der weißen Blutzellen, doch ist es nicht der Grad und auch nicht die Dauer der Vermehrung, die das Wesentliche dieser Krankheit ausmachen; es treten vielmehr Zellen im Blute auf, welche normalerweise nicht darin enthalten sind, und das Mengenverhältnis der verschiedenen Arten der Leukozyten ist ein anderes als gewöhnlich.

In letzterem Punkte unterscheidet sich auch die Leukämie von der physiologischen Verdauungsleukozytose und von der pathologischen Leukozytose, welche bei Infektionen, bei Trichinose, bei Asthma usw. vorkommt.

Man unterscheidet zwei Formen von Leukämie, je nach der Art der vermehrten Zellen: die lymphatische Leukämie: die Lymphozyten oder lymphoiden Zellen sind vermehrt, die myelogene oder myeloische Leukämie, bei welcher die Myelozyten oder Markzellen vorherrschen. In beiden Formen handelt es sich um eine sofort generalisiert auftretende Systemerkrankung. Bei der lymphatischen wuchert das autochthone lymphadenoide Gewebe, bei der myeloischen das myeloische Gewebe des Organismus, das nicht allein im Knochenmark bereits entwickelt vorhanden ist, sondern auch aus undifferenzierten Adventitiazellen fast überall entstehen kann. Man findet daher die lymphoiden oder myeloischen Zellen nicht nur im Blute, sondern im Knochenmark, in der Leber, Milz, im Darm usw. usw. Es kommen auch Mischformen der beiden genannten Formen vor, über deren Ätiologie ebenso wenig bekannt ist wie über die Ätiologie der anderen Formen (eine parasitäre Ursache ist nur wahrscheinlich.)

Die akute (lymphatische) Leukämie beginnt wie eine akute Infektionskrankheit mit anfangs geringem Fieber, Schwäche, Appetitlosigkeit und einer frühzeitigen Blässe der Haut und Schleimhäute. Dazu treten die Zeichen einer hämorrhagischen Diathese, skorbutartige Blutungen, Schwellungen des Zahnfleisches, zunehmende Prostration und auch hohe Temperaturen, die das Bild des Abdominaltyphus vortäuschen können. Es können Durchfälle auftreten, auch Verschwärungen am Zahnfleisch und den Tonsillen. Im weiteren Verlaufe kommen Blutungen im Augenhintergrunde, Gehirn, Labyrinth (Menièrescher Symptomenkomplex) vor. Die Milz vergrößert sich allmählich, die Lymphdrüsen am Halse, in der Achselhöhle, Leistenbeugen usw. schwellen allmählich an. Der Blutbefund ist für die Diagnose ausschlaggebend. Es zeigt sich eine Vermehrung vor allem der Lymphozyten, sei es der großen, sei es der kleinen Form, oder beider zusammen. Ihre Prozentzahl unter den weißen Blutzellen (normalerweise ca. 25 %) kann auf 90 % steigen. Das Verhältnis der großen und kleinen Lymphozyten zueinander kann im Verlaufe der Krankheit sich verändern. Die roten Blutkörperchen nehmen an Zahl und Hb-Gehalt ab, so daß sich neben der Leukämie noch eine schwere Anämie entwickelt mit den für sie charakteristischen Erscheinungen der Poikilozytose, Anisozytose, Polychromasie usw. Die absoluten Zahlen der Leukozyten schwanken sehr: 100 000—1 000 000, während die Zahl der roten auf 2 000 000 und noch tiefer sinken kann.

Der Verlauf der Krankheit ist ein sehr schneller, stürmischer: zunehmende Prostration (starker Eiweißverlust, speziell starke Harnsäureausscheidung, bis 8 g pro Tag). Die Erscheinungen der hämorrhagischen Diathese und die septischen Symptome nehmen zu; der Tod kann innerhalb einer Woche, durchschnittlich innerhalb 4—5 Wochen eintreten.

Differentialdiagnostisch können Schwierigkeiten entstehen, wenn das
Blutbild nicht scharf ausgeprägt ist, vor allem, wenn die Leukozytose, was
vorübergehend jedenfalls vorkommt, noch nicht sehr hochgradig ist. Verwechslungen kommen vor mit Purpura fulminans bei Überwiegen der
septischen Erscheinungen mit septischer Angina, Abdominaltyphus; bei
Kindern können andere lymphoide Erkrankungen (Skrofulose u. a.) um
so eher vorgetäuscht werden, als bei ihnen eine relative Lymphozytose
physiologisch ist.

Die chronische lymphatische Leukämie.

Der Beginn ist sehr schleichend. Erst wenn stärkere Lymphdrüsenschwellungen und eine große Milz aufgetreten sind, kommt der Kranke
in der Regel zum Arzt. Das klinisch hervorstechendste Symptom sind
die diffusen schmerzlosen Lymphdrüsenschwellungen am Hals, Leistenbeugen, Axillardrüsen, die bis Bohnen-, ja Faustgröße erreichen können
und mitunter zu Beweglichkeitsstörungen führen. Die Lymphdrüsen zeigen
niemals Zeichen von Entzündung und sind frei verschieblich. Nie vermißt
wird eine Milzschwellung, die sehr erheblich sein und bis über die Mitte
des Leibes nach rechts reichen kann. Die Milz fühlt sich hart an und ist
druckempfindlich. Ebenso sind die Knochen auf Beklopfung häufig
schmerzhaft. Das Aussehen der Kranken ist blaß.

Das Blutbild ist beherrscht von der Vermehrung der kleinen Lymphozyten, die 90—99 % der weißen Blutzellen betragen können, doch
kommen auch überwiegend großzellige chronische Lymphämien vor. Die
Zahl beträgt einige Hunderttausend bis 1 Million. Myelozyten sind
selten. Anfänglich sind die roten Blutzellen wenig verändert, allmählich
nehmen sie die Zeichen der schweren Anämie an. Sei es spontan, sei es
infolge therapeutischer Eingriffe oder unter interkurrenten Infektionskrankheiten, treten Remissionen im Blutbefund ein: Verminderung der
Zahl der Leukozyten, Zurückgehen der Schwellungen der Milz und Lymphdrüsen.

Von anderen Organen, die sämtlich von lymphoiden Infiltraten befallen werden können, sind zu nennen: die Leber, die in der Regel
vergrößert und palpabel ist, die Niere, Haut (Pruritus), Zentralnervensystem usw. Im Augenhintergrunde werden sehr häufig weiße Infiltrate
und Blutungen beobachtet. Der Urin enthält Eiweiß, zeitweilig besteht
erhebliche Harnsäuresteigerung. Unregelmäßiges Fieber und normale Temperaturen wechseln ab. Der Verlauf der Leukämie ist infolge der Lokalisation der lymphoiden Wucherungen oder der durch die Blutverän-

derungen hervorgerufenen direkten oder indirekten Komplikationen ein überaus wechselvoller. Verschiedene Störungen von seiten des Zentralnervensystems, Durchfälle, dyspeptische Erscheinungen, Ödeme, Thrombosen, besonders der Beine, Transsudate in die serösen Höhlen, trophische Hautstörungen, im späteren Verlaufe hämorrhagische Diathesen und Druckveränderungen durch die geschwollene Milz und Drüsen lassen ein mannigfaches Krankheitsbild entstehen. Der Tod erfolgt durch Herzschwäche, Kachexie, Blutung oder interkurrente Erkrankungen. Die durchschnittliche Dauer wird auf 1—3 Jahre berechnet.

Die Krankheit gilt trotz der Fortschritte der Therapie, die bisher nur die Lebensdauer zu verlängern vermocht hat, für unheilbar.

Die myelogene Leukämie.

Diese Form verläuft in der Regel chronisch. Von a k u t e n, einwandsfreien Fällen sind nur wenige beschrieben. Bei den myelogenen Formen fehlen vor allem die Drüsenschwellungen, die bis zum Ende völlig vermißt werden und nur gegen das Ende hin gelegentlich auftreten. Die Patienten klagen über Mattigkeit, Muskelschwäche, Gefühl der Völle im Leib. Die unregelmäßige Pulsbeschleunigung, Temperatursteigerungen, die Abmagerung, die vergrößerte Milz und Leber, Nasenbluten, Milzstiche, Durchfälle usw. lassen das Bild sehr ähnlich dem der anderen chronischen Form erscheinen. Häufiger begegnet man ausgesprochener Schmerzhaftigkeit der Knochen, besonders am Brustbein. Charakteristisch ist die Blutveränderung. Das Blut weist alle Zellen des Knochenmarks in bedeutender Zahl auf. Die Gesamtzahl der weißen Zellen ist erheblich vermehrt. Man findet polymorphkernige neutrophile Leukozyten etwa 70—80 %, polymorphkernige eosinophile Leukozyten, Mastzellen, neutrophile Myelozyten, eosinophile Myelozyten, selten Myeloblasten, und Lymphozyten, welche relativ vermindert, absolut jedoch immer noch vermehrt sind. Die Myelozyten, welche bis zu 30 und 40 % der weißen Zellen betragen können, die vermehrten eosinophilen Zellen und die Mastzellen sind für die Diagnose charakteristisch neben den nie fehlenden kernhaltigen roten Blutkörperchen. Die relativen Verhältnisse der absoluten Zahlen der weißen Zellen verschieben sich im Verlaufe der Erkrankung spontan oder unter dem Einflusse der Behandlung. Das Verhältnis der weißen zu den roten Zellen beträgt durchschnittlich 1:10, es kommen auch Verhältnisse wie 1:5 und 1:2 und 1:1 vor. Der Hb-Gehalt ist stets erheblich, bis auf 40% und mehr, herabgesetzt. Charakteristisch für das leukämische Blut ist noch die extravaskuläre Ausscheidung von Charcot-Leydenschen Kristallen. Der Ausgang gleicht im großen und ganzen dem der lymphoiden Form. Die Behandlung der akuten Formen ist eine rein symptomatische, bei den chronischen die Allgemeinbehandlung die der Anämien. Medikamentös wird Arsen subcutan, (s. Rp. 112) und seit jüngster Zeit, nach Koranyi, Benzol gegeben.

116) Benzoli chemice puri
     Ol. olivar   āā 0,5
     in caps. geloduratis
     nach den Mahlzeiten anfangs 4, später 3×2, 4×2, zuletzt 5×2 Stück zu nehmen.

Benzol bewirkt experimentell eine starke Abnahme der Leukozyten zugleich mit einer Aplasie des ganzen hämatopoëtischen Systems. Bei der Leukämie gehen unter Benzol die Leukozyten bis zur Norm zurück, trotzdem bleibt das qualitative Blutbild unverändert (also keine Heilung!). Die roten Zellen nehmen nur wenig ab. Die hyperplastischen Drüsen, besonders die Milz gehen fast zur normalen Größe zurück. Die Therapie kann nur unter ständiger Blutkontrolle ausgeführt werden, da anfangs die Leukozytenzahl zunimmt und dann — bis zur plötzlichen rapiden Abnahme ein wochenlanges latentes Stadium folgen kann.

Da Tuberkulose das Blutbild auffällig verändert, hat man Tuberkulininjektionen angeblich mit Erfolg angewandt. Die bisher wohl verbreitetste Therapie ist die der Bestrahlung mit Röntgenstrahlen. Dadurch wird innerhalb relativ kurzer Zeit eine erhebliche Abnahme der weißen Blutzellen erzielt, ebenso ein Zurückgehen der vergrößerten Milz, Lymphdrüsen, Leber usw. Wahrscheinlich werden die Leukozyten, wie durch die gesteigerte Harnsäureausscheidung bewiesen wird, direkt zerstört, doch muß auch, da das Blutbild bis zur Norm zurückgeführt werden kann, die Blutbildung spezifisch beeinflußt werden. Leider sind die Erfolge nur temporärer Natur. Es sind Remissionen, aber keine Heilungen beobachtet; Remissionen freilich, die sich auf Jahre auszudehnen scheinen. Unter der Röntgenbestrahlung schwinden die pathologischen Zellformen, der Hb-Gehalt steigt, die Zahl der Leukozyten nimmt ab, die Milz verkleinert sich; anfänglich werden die Harnsäure- und Phosphorsäurewerte im Harn gesteigert. Anhaltende gesteigerte Harnsäureausfuhr soll eine Kontraindikation zur Fortsetzung der Bestrahlung darstellen. In einzelnen Fällen sind entschiedene Schädigungen, plötzlicher letaler Ausgang unter der Röntgenbestrahlung beobachtet worden. Die genauen Indikationen stehen noch nicht fest.

Leukanämie.

Dieses von L e u b e differenzierte Krankheitsbild ist eine Zwischenstufe zwischen schwerer Anämie und der myeloiden Leukämie; es gleicht klinisch der akuten Leukämie und zeigt im Blutbild neben den charakteristischen, für perniziöse Anämie sprechenden Befunden Myelocyten und vermehrte kleine Lymphozyten.

Pseudoleukämie (Hodgkinsche Krankheit).

Zur Pseudoleukämie im eigentlichen Sinne rechnet man nur diejenigen Erkrankungen, welche, abgesehen von dem Fehlen des leukämischen Blutbefundes, in ihrem gesamten klinischen Bilde der Leukämie gleichen und bei welchem ebenso wie bei der Leukämie eine Hyperplasie des lymphatischen Gewebes (Lymphdrüsen, Milz, Knochenmark, Periost) vorliegt. Die Veränderungen der genannten Organe, die Lymphozytome, sind, wie wie bei der Leukämie, der Ausdruck der Systemaffektion. Meist handelt es sich um lymphadenoide Hyperplasien, doch kommen auch myeloide vor. Ähnlich im klinischen Bilde, aber doch nicht hierher gehörig, sind die, stets lokalisierte Lymphosarkomatose und die generalisierten winzigen Granulationsgeschwülste auf maligner, tuberkulöser oder luetischer Basis.

Die Ätiologie der Pseudoleukämie ist vollkommen unbekannt.

Die pathologisch-anatomischen Veränderungen gleichen, mit Ausnahme der Blutveränderungen, denen der Leukämie. Man findet die Zeichen einer Anämie.

Man unterscheidet auch hier eine lymphatische und lineale und eine seltenere medulläre Form.

Lymphatische Pseudo-Leukämie.

Lymphatische Pseudoleukämie. Die Erkrankung beginnt meist mit Schwellung der Halsdrüsen, die sich allmählich zu unförmigen Paketen vergrößern, in der Achselhöhle, Leistengegend auftreten, in der Regel symmetrisch. Sie sind schmerzlos, weich bis mittelhart. In anderen Fällen sind es zunächst die inneren mediastinalen und peritonealen Drüsen, die anschwellen. Trotz ihrer oft beträchtlichen Größe bleiben die einzelnen Drüsen voneinander abgrenzbar, die Haut ist unverändert und verschieblich. Die Entwicklung der Drüsen pflegt mit irregulären Fiebersteigerungen einherzugehen. Die Milz ist häufig vergrößert, aber innerhalb gewisser Grenzen. Der Blutbefund ist der einer einfachen Anämie. Die Leukozytenzahl ist nicht oder nur unbedeutend gesteigert, charakteristisch ist aber die relative Lymphozytose. Die Zahl der Lymphozyten kann 70 bis selbst 90% der weißen Blutzellen ausmachen.

Die Krankheit verläuft sehr selten akut, meist zieht sie sich über Jahre hin. Die Kranken werden kachektisch; vor allem drohen Komplikationen durch die mechanischen Einflüsse der Drüsen (Verdrängung des Herzens, Schmerz durch Druck auf die Nervenstämme, Verengerung der Trachea); auch können lymphoide Infiltrate der Leber, des Darmtraktus, der Haut (Chlorome) eintreten. Im Verlaufe der Erkrankung kommen Perioden spontaner Besserung vor: Verkleinerung der Drüsen, Schwinden des Fiebers usw.

Die zweite Form ist die Pseudoleukaemia splenica, auch als Anaemia splenica bezeichnet, wenn die Anämie im Vordergrunde steht — sie wird vor allem bei Kindern beobachtet. Hier kann die Milz zu gewaltiger Ausdehnung gelangen, auch findet man starke Leberschwellung.

Vielleicht als Abart der Pseudoleukämie ist die Bantische Krankheit aufzufassen, bei der neben einem großen Milztumor eine Schrumpfung der Leber mit sekundärem Ascites und Ikterus auftritt. Das Blutbild zeichnet sich durch Leukopenie mit relativer Leukozytenvermehrung aus. Die Lymphdrüsen sind nicht oder nur unbedeutend geschwollen. Es ähnelt dieses Krankheitsbild sehr der luetischen Leberzirrhose, soll aber von ihr durch toxogenen Eiweißzerfall unterschieden sein, der mit der Splenektomie aufhört. Nach der Bantischen Auffassung handelt es sich um einen von der Milz ausgehenden Krankheitsprozeß. Der Heilungserfolg nach Splenektomie würde in diesem Sinne sprechen. Das ganze Krankheitsbild ist noch recht dunkel. Es wird nach Lues, Malaria, tropischen Infektionen beobachtet, ferner bei hereditär luetisch belasteten Kindern.

Die Allgemeinbehandlung ist die der Leukämie. Arsen (cf. Rp. 110ff. S. 282) ist, und zwar bis zu den toxischen Dosen, jedenfalls von vorübergehendem Nutzen. Die einzelnen Kuren seien nicht länger als 6 bis 8 Wochen, nach mehrmonatlicher Pause eine neue. Im übrigen symptomatische Behandlung der Anämie, der Kachexie und der Beschwerden.

Polyglobulie (Polycythaemia idiopathica).

Der Name dieser, ihrem Wesen und der Ätiologie nach unbekannten Krankheit ist ein symptomatischer. Man versteht darunter einen Symptomenkomplex, dessen hervorstechendstes Zeichen eine abnorm hohe Zahl der roten Blutkörperchen, 7—10 Millionen, ist; dieser Blutreichtum, Plethora vera, muß idiopathisch und nicht eine Folge von Stauungen, angeborener Zyanose usw. sein. Die Krankheit betrifft Erwachsene zwischen 35 und 60 Jahren.

Symptome. Die Kranken zeigen eine eigentümliche zyanosenartige Verfärbung des Gesichts, auch der Extremitäten und der Schleimhäute. Sie klagen über Kopfweh, Schwindel, Herzklopfen, Erbrechen, Leibschmerzen, Rückenschmerzen, manchmal über Schläfrigkeit, Apathie. Sie haben nicht selten Blutungen am Zahnfleisch, der Magendarmschleimhaut; objektiv findet man in den meisten Fällen eine Milzvergrößerung, seltener eine Schwellung der Leber. Doch können diese auch fehlen, während eine Blutdrucksteigerung beträchtlichen Grades, bis 190 mm Quecksilber und mehr zu konstatieren ist. Es entwickelt sich frühzeitig Arteriosklerose, Hypertrophie des Herzens. Diese Form wird von einzelnen als Polycythaemia hypertonica von der ursprünglich von Vaquet beschriebenen Polycythaemia rubra unterschieden. Doch kommen auch Fälle von Milztumor und gleichzeitigem hohem Blutdruck vor, so daß die Trennung vorläufig nicht durchführbar erscheint. Der charakteristische Blutbefund ergibt eine beträchtliche Erhöhung der Zahl der roten Blutkörperchen auf 7—10 Millionen. Der Hb-Gehalt ist relativ niedrig, 100—120, selten 150 % und mehr. Mikroskopisch findet man nicht selten Normoblasten, kernhaltige rote Blutkörperchen, vereinzelt Megaloblasten, daneben Polychromatophile und Mikrozyten. Bei der hypertonischen Form ist die Viskosität vermehrt. Man nimmt an, daß die Erythropoese gesteigert ist, besonders da man auch eine gesteigerte Tätigkeit des myelogenen Systems feststellen kann (vermehrte Myelozyten, Mastzellen, Eosinophile und Neutrophile im Blut). Bei der Sektion fand man dunkelrotes Knochenmark, also einen Zustand funktioneller Hyperaktivität. Auch die Milz scheint erythropoetisch tätig zu sein. Das O_2-Bindungsvermögen des Blutes ist vermindert, der respiratorische Quotient erhöht. Man nimmt daher an, daß die Vermehrung der roten Blutkörperchen eine kompensatorische Mehrleistung infolge des freilich noch ursächlich unbekannten Sauerstoffmangels darstellt.

Der Verlauf dieser Krankheit ist ein chronischer, doch führt dieselbe stets, infolge allmählichen Versagens des Herzens, zum Tode.

Die Therapie ist machtlos. Symptomatisch helfen häufige Aderlässe, Abführen (Bitterwässer und dgl.). Chinin, Arsen sind gelegentlich von Nutzen.

Eine physiologische Polyglobulie findet man im Höhenklima, eine symptomatische bei chronischer Dyspnoe, kongenitaler Pulmonalstenose oder rechtsseitigen Klappenfehlern, nach starken Wasserverlusten (Cholera) oder bei langem Dursten (Ösophagusstenose).

Hämorrhagische Diathesen.

Das Symptom des Blutaustritts in Haut, Schleimhäute und innere Organe findet sich sekundär bei den schweren Anämien und kachektischen Krankheiten, bei verschiedenen Infektionskrankheiten, im Gefolge von schwerem Ikterus, Phosphorvergiftung usw. Eine besondere Krankheitsgruppe jedoch bilden die, wenigstens scheinbar primär auftretenden Formen: Purpura, Morbus Werlhofii scorbutica.

Purpura rheumatica (Peliosis rheumatica).

Die Krankheit äußert sich in Hautblutungen und schmerzhaften Gelenkschwellungen. Sie tritt entweder im Anschluß an Infekionskrankheiten (Tonsillitis, Malaria, Tuberkulose usw.) oder ohne nachweisbare Ursache auf. Die Hautblutungen sind multipel; stecknadelkopfgroße Fleckchen oder auch größere Blutergüsse, besonders an den Streckseiten; die Gelenke sind leicht geschwollen, schmerzhaft (vielleicht infolge von Blutergüssen in die Synovia). Der Verlauf ist fieberhaft, er ähnelt dem der Arthritis rheumatica, ohne seine Komplikationen. Die Krankheit tritt nicht selten endemisch auf. Die Dauer beträgt einige Tage bis 1—3 Wochen mit öfteren länger dauernden Rückfällen.

Die Behandlung ist symptomatisch: Bettruhe, Salizylpräparate.

Morbus maculosus Werlhofii (Blutfleckenkrankheit, Purpura haemorrhagica).

Es treten nicht nur Blutungen in der Haut, sondern auch in den Schleimhäuten und inneren Organen auf. Die Ursache ist häufig ganz unbekannt, in anderen Fällen liegt eine septische Infektion vor.

Symptome. Die Blutungen können ganz plötzlich oder nach leichten Prodromalerscheinungen auftreten. Die Hautblutungen ähneln denen der einfachen Purpura. Gleichzeitig oder bald darauf kommt es zu Schleimhaut- und Organblutungen verschiedenster Art (Mundschleimhaut, Nasenbluten, Blutbrechen, blutiger Stuhl, Hämaturie, zerebrale Blutungen mit epileptischen Anfällen oder Lähmungen, oder spinale Hämorrhagien mit ihren Folgeerscheinungen). Die Allgemeinerscheinungen können sehr leichte oder auch sehr schwere sein: Fieber, schwere Allgemeinerscheinungen wie Herzklopfen, kollapsartige Zustände, ja selbst Exitus. Die Dauer der Affektion ist äußerst verschieden: durchschnittlich einige Wochen bis Monate; es können auch einzelne Fälle sich über Jahre hinziehen. Die Gefahr des Rezidivs ist groß, und es läßt sich nie voraussagen, ob der nächste Anfall ebenso leicht verlaufen wird oder zum Tode führt. Das Blutbild kann vollkommen normal sein, wenn nicht durch dauernde Blutungen ein gewisser, mehr oder minder schwerer Grad von Anämie hervorgerufen wurde. Nach schweren Blutungen trifft man lebhafte Regenerationszeichen (Erythroblasten, Makrozyten) an. Der Verlauf hängt von der Schwere und von dem Orte der Blutungen ab. Man sieht Heilungen oder Tod durch Entkräftung nach chronischen Blutungen (perniziöse Anämie) oder plötzlichen Tod im Koma; die Prognose ist stets zweifelhaft.

Die Therapie ist eine symptomatische: Bettruhe, leichte Diät, Bevorzugung der grünen Gemüse, gegen die Blutungen Gelatine- oder Pferdeserum-Injektionen. Im übrigen die Behandlung der Anämie.

Skorbut.

Diese Krankheit unterscheidet sich von der vorhergehenden durch ihre Neigung zu Entzündungen der Mundschleimhaut. Sie unterscheidet sich weiterhin durch ihr epidemisches oder endemisches Auftreten. Ihre Ursache liegt in einer mangelhaften oder einseitigen Ernährung, dazu spielen Aufenthalt in ungesunden, lichtlosen Räumen eine bedeutsame Rolle. (Der Skorbut war in Gefängnissen, belagerten Festungen, bei Mißernten, Hungersnot früher sehr verbreitet.) Da bei Kartoffelmißernten, andererseits bei gepökelter Fleischnahrung Skorbut häufig beobachtet wurde, nahm man Kalimangel oder Kochsalzüberschuß als für die Entstehung der Krankheit wichtig an. Die Frage ist noch nicht geklärt. Es kommen auch allgemein klimatische sowie psychische Verhältnisse mit in Betracht. Neben dem toxischen spielt wahrscheinlich auch ein infektiöses Moment mit.

Symptome. Die Krankheit beginnt schleichend: Mattigkeit, Abmagerung, die bis zur Kachexie gehen kann. Die Haut wird trocken, blaß, dazu treten Appetitlosigkeit, Herzklopfen, Ohnmachtsanfälle. Die erste manifeste Erscheinung ist in der Regel Zahnfleischentzündung (Anschwellung und Auflockerung) mit Schmerzhaftigkeit und Neigung zu Blutungen, jedoch nur dort, wo Zähne vorhanden sind. An den Zahnlücken bleibt das Zahnfleisch verschont, ebenso wie zahnlose Greise und Kinder von der Gingivitis frei bleiben. Das Zahnfleischgewebe lockert sich, nimmt eine bläulich-livide Verfärbung an, und kann durch lebhafte Wucherung die Zähne geradezu verdecken. Die Schwellung geht auch gelegentlich in Gangrän und tiefergreifende Nekrose des Zahnfleisches über; es macht sich ein ekelhafter Foetor ex ore bemerkbar, die Nahrungsaufnahme wird, zum Teil auch durch die Schmerzen, unmöglich. Es treten dann allgemeine Blutungen an den verschiedensten Organen: Haut, Muskeln, besonders Wadenmuskeln, den serösen Häuten (Perikarditis, Pleuritis, Peritonitis) auf, ferner kommt es zu Magen-, Darm-, Nieren-, Blasenblutungen usw., oder zu schweren Blutungen im Auge, die zur Protrusio bulbi, zur Panophthalmie führen, zu Muskelblutungen, die in Vereiterung und Durchbruch in die Haut übergehen usw.; kurz, es entwickelt sich ein septisches Bild, bei dem je nach dem Sitz die nervösen oder Organsymptome überwiegen. Das Blut verändert sich, entsprechend den Blutverlusten, zum Bilde der schweren Anämie. Fast regelmäßig besteht eine Leukozytose. Beim Stillstand des Prozesses treten energische Regenerationszeichen ein.

Der Verlauf des Skorbuts zieht sich über Wochen bis Monate hin. Die Krankheit kann jederzeit durch entsprechende Behandlung zur Heilung geführt werden, falls nicht unvermutet schwere Blutungen, Herzschwäche, allgemein septische Erscheinungen und solche von seiten des Zentralnervensystems zum plötzlichen Tode führen, der aber auch allmählich, infolge von Entkräftung, eintreten kann.

Die Therapie ist eine diätetisch-hygienische: Luft, Licht, Reinlichkeit. In der Diät: Zuführung grüner frischer Gemüse; die ungekochten Vegetabilien sind die wirksamsten (Salate, Obst, Fruchtsäfte), im übrigen leicht verdauliche, dem Allgemeinzustand anzupassende Kost; frische Eier, Milch, Kartoffeln usw. Konserven sind zu vermeiden.

Bettruhe nur solange der Zustand es erfordert, dann allmähliche vorsichtige Trainierung, warme Bäder, bei zunehmender Erholung zur Beseitigung des anämischen Zustandes Arsenpräparate (s. unter Anämie).

Symptomatisch kommen gegen die schweren Blutungen die a. O. beschriebenen Serum- und Gelatineinjektionen in Betracht, gegen die Zahnfleischblutungen und Geschwüre sind Pinselungen mit Myrrhen-Ratanhiatinktur, eventuell Dermatolgazetampons, Hyperoxydgurgelungen usw. (s. unter Stomatitis) anzuwenden.

(Kinderskorbut oder Barlowsche Krankheit s. Bd. der Kinderkrankheiten.)

Hämophilie (Bluterkrankheit).

Bei den Blutern treten nach geringsten Verletzungen schwer stillbare Blutungen, in schwereren Fällen sogar spontane Blutungen auf. Es handelt sich wohl stets um ein ererbtes Leiden, das vorwiegend das männliche Geschlecht betrifft, aber durch das weibliche Mitglied vererbt werden kann, ohne daß letzteres selbst betroffen ist. Doch gibt es auch kongenitale Hämophilie, deren Ursache bisher noch unergründet ist.

Symptome. Abgesehen von den Blutungen zeigen die Hämophilen keine erkennbare Abweichung von der Norm. Das Symptom der Hämophilie pflegt sich erst nach der Säuglingsperiode zu entwickeln und nach dem 30. Lebensjahre allmählich nachzulassen. Die Krankheit wird oft zufällig entdeckt, gelegentlich einer an sich leichten Verletzung, beim Zahnziehen, chirurgischen Operationen usw. Die schwerere Form, die Spontanbluter, leiden hauptsächlich an Nasenbluten, doch kommen auch Blutungen an anderen Organen: Darm, Lungen, Nieren, Gelenken usw. vor. Schwierigkeiten in der Erkennung machen manchmal Muskelblutungen, die mit Anschwellung und starken Schmerzen einhergehen. Beachtenswert ist, daß kleine Blutungen schwerer zu stillen sind und daher lebensgefährlicher werden als große. Die Blutungen bei der Geburt z. B. unterscheiden sich kaum von denen normaler Frauen. Infolge fortgesetzter Blutungen kann es zu schwerer Anämie kommen.

Man nimmt an, daß in dem Blut der Hämophilen, das sich mikroskopisch in nichts von dem normalen unterscheidet, ein Mangel an zymoplastischer Substanz, also des gerinnungsbefördernden Ferments besteht.

Die Behandlung ist in erster Reihe eine prophylaktische, wozu auch — soweit durchführbar — das Eheverbot gehört. Ferner muß in der ganzen Lebensweise, bei chirurgischen Eingriffen usw. auf die Hämophilie Rücksicht genommen werden. In jüngster Zeit wird von Erfolgen mit der Seruminjektionsbehandlung berichtet, doch muß die Einspritzung öfters (cave Anaphylaxie!) wiederholt werden. Bei Verletzungen tritt chirurgische Behandlung in Kraft.

Stoffwechselerkrankungen.

Die Haupttatsachen der Physiologie des Stoffwechsels.

Die Nahrung dient einmal dazu, dem Organismus das für das Wachstum notwendige Baumaterial zuzuführen und die dauernd zugrunde gehende Körpersubstanz zu ersetzen; zweitens bildet sie die Kraftquelle für alle Arbeit, welche zur Aufrechterhaltung des Lebens (Kreislauf, Atmung, Stoffwechsel „wesentliche Arbeit") wie zur Leistung der „außerwesentlichen Arbeit" (Muskel- und geistige Arbeit) dient. Als Ersatzmittel für das Eiweiß der tierischen Zellen kommen nur Eiweiß und eiweißartige Stoffe (und z. T. deren Bausteine) in Frage. Als Kraftquelle kann jeder energiehaltige Nahrungsstoff dienen: die Menge der zugeführten chemischen Energie ist hier von größerer Bedeutung als die Art des die Energie enthaltenden Nahrungsstoffes. Hier berührt sich die stoffliche und die dynamische Auffassung von der Ernährungslehre.

Man teilt die organischen Nahrungsstoffe ein in Eiweiß, Kohlehydrate und Fette. Dynamisch, als Kraftquelle, sind sie nach ihrem Verbrennungswert, nach ihrem Kaloriengehalt zu bewerten. (Man versteht unter einer Kalorie diejenige Wärmemenge, welche notwendig ist, um 1 kg Wasser von 0 Grad auf 1 Grad C zu erwärmen.) Es enthalten 1 g Fett 9,3, 1 g Eiweiß 4,1, 1 g Kohlehydrate 4,1, 1 g Alkohol 7,0 Kalorien. (Der Alkohol kommt nur als Kraftquelle in Betracht; er kann nicht zum Aufbau der Gewebe verwendet werden.) Die anorganischen Nahrungsstoffe sind nur Ersatzstoffe, keine Kraftquellen. Sie sind in der Nahrung unentbehrlich, da der Organismus sonst an Salz verarmen, und ein Aufbau neuer Gewebe empfindlich oder völlig gestört würde. Eiweiß, Fette und Kohlehydrate können sich als Kraftquellen innerhalb weiter Grenzen, und zwar nach Maßgabe ihres kalorischen Wertes, gegenseitig vertreten. Z. B. 24,4 g Kohlehydrate oder Eiweiß mit je 100,4 Kalorien oder 10,8 g Fett mit gleichfalls 100,4 Kalorien geben bei ihrem Verbrauch im Organismus (praeter propter) die gleiche Wärmemenge ab, sie sind isodynam.

Das Kalorienbedürfnis des Menschen bildet die Grundlage für die Berechnung des Kaloriengehaltes der Nahrung. Der Kaloriengehalt soll normalerweise so gestaltet sein, daß weder ein Überschuß im Organismus aufgestapelt noch ein Defizit von dem Körperbestand gedeckt werden muß. Durchschnittlich benötigt der ruhende Organismus pro kg Körpergewicht 25 Kalorien, der schwer arbeitende Mensch etwa 50 Kalorien, um im Kaloriengleichgewicht (gleiche Ein- und Ausgaben) zu verharren. Bei mäßiger körperlicher Arbeit nimmt man 35—45 Kalorien pro Körperkilo als Nahrungsbedürfnis an.

Die Hauptaufgabe des Nahrungseiweißes ist in dem Ersatz des zugrunde gehenden stickstoffhaltigen Materials des Organismus, also in dem Wiederaufbau der Zellen, zu sehen. Das unter physiologischen Bedingungen noch heute gültige V oitsche Gesetz vom Stickstoffgleichgewicht besagt, daß der Eiweißumsatz von der Eiweißzufuhr abhängig ist, daß soviel Eiweiß zersetzt und als Stickstoff ausgeschieden wird, als dem Organismus stickstoffhaltiges Material zugeführt wird. Dieses Gesetz erleidet Ausnahmen: In der Rekonvaleszenz, nach starken Eiweißverlusten (fieberhafte Krankheiten, chronische Unterernährung) kommt es zu beträchtlicher Eiweißretention; ebenso während des Wachstums und bei forzierter Muskelarbeit zur Erzielung der Arbeitshypertrophie der Muskeln. — Durch starkes Angebot stickstofflosen Materials, also der Kohlehydrate und Fette, kann man den Eiweißumsatz einschränken, und zwar sind die Kohlehydrate bessere Sparmittel für das Eiweiß als die Fette. Legt man z. B. zu einer genügend kalorien- und eiweißreichen

Nahrung, so daß das Individuum sein Körpergewicht behält und im Stickstoffgleichgewicht steht, 100 g Kohlehydrate zu (gleich 410 Kalorien) oder 44,1 g Fett (ebenfalls gleich 410 Kalorien), so ist im ersteren Falle die Chance, daß neben der Gewichtszunahme ein Eiweißansatz erzielt wird, daß also weniger Stickstoff als bisher ausgeschieden wird, größer als in dem letzteren Falle der Fettzulage. Zur Aufrechterhaltung des Eiweißgleichgewichts, mit anderen Worten, des Eiweißbestandes, bedarf es eines gewissen Minimums von Eiweiß in der Nahrung, das ca. 80 g beim Erwachsenen beträgt (obgleich bei einzelnen Versuchen mit bedeutend geringeren Eiweißmengen Gleichgewicht erzielt wurde.) Als durchschnittliche Eiweißmenge pro Tag und Körperkilo rechnet man 1,5 g. Unter außergewöhnlichen Versuchsbedingungen ist es übrigens durch enorme Steigerung der Eiweißzufuhr bei einer an sich genügend kalorienreichen Nahrung gelungen, zum mindesten vorübergehend, eine reine Eiweißmast zu bewirken.

Das Fett bildet die Hauptquelle für das Körperfett. Es wird unverändert als körperfremdes Fett in den Depots des Organismus, also hauptsächlich im Unterhautbindegewebe, in den Peritonealfalten und in der Leber abgelagert. In zweiter Reihe sind die Kohlehydrate Fettbildner. Die unter Umständen indirekte Fettbildung aus Eiweiß (nach Abspaltung ihrer Kohlehydratgruppe) ist nur unbedeutend. Die Fette stellen das wertvollste Mästungsmaterial dar. Von der Gesamtenergie desselben werden bis zur Resorption nur ca. 2½ % zur Arbeitsleistung im Organismus verbraucht, während bei den Kohlehydraten dazu ca. 10% verwandt werden. Das Anwendungsgebiet der Fette ist jedoch insofern begrenzt, als die Resorptionsgröße eine beschränkte ist. Bei vollkommen intaktem Verdauungsapparat können nicht mehr als höchstens 300 g reines Fett täglich resorbiert werden. Ferner besteht gegen die zu große Fettzufuhr bei den meisten Menschen ein mehr oder minder großer Widerwillen, so daß die gesamte resorbierbare Fettmenge praktisch meistens nicht in Betracht gezogen werden kann.

Die Kohlehydrate kommen im tierischen Organismus nur in relativ geringen Mengen als Glykogen in Leber und Muskeln vor. In der Nahrung sind sie teils als Monosaccharide (als Traubenzucker, Fruchtzucker, Mannose, Galaktose) teils als Disaccharide (gewöhnlicher Rohrzucker, Milchzucker, Malzzucker), teils als Polysaccharide (Stärke, Glykogen, Dextrin usw.) enthalten. Die Kohlehydrate werden nach ihrer Invertierung und Resorption entweder verbrannt oder als Glykogen abgelagert oder zu Fett umgewandelt. Bei plötzlichem Angebot von zu großen Mengen Trauben-

zucker erscheint ein Teil unverbrannt im Blut, resp. im Urin. Als Glykogen-
bildner kommen praktisch im normalen Stoffwechsel nur die Kohlehydrate in Frage. In pathologischen Fällen (Diabetes) findet auch eine
Kohlehydratbildung aus Eiweiß statt.

Das Wasser besitzt keine potentielle Energie; es ist infolgedessen
kein Nahrungsmittel im stofflichen oder dynamischen Sinne. Eine genügende Flüssigkeitszufuhr ist aber eine Grundbedingung für die Erhaltung des Lebens. Der tierische Organismus kann bekanntlich viel
länger hungern als dursten. Eine längere Wasserentziehung bedingt
einen mehr oder minder starken Eiweißzerfall, der höchst wahrscheinlich
toxischer Natur ist: durch die verminderte Wasserzufuhr tritt eine Verminderung der Wasserausscheidung und dadurch eine erhebliche Retention
harnfähiger, ergo giftiger Substanzen ein. Abgesehen von den quasi
mechanischen Momenten, die durch die Wasserentziehung und umgekehrt auch durch eine überreichliche Wasserzufuhr hervorgerufen werden,
hat das Wasser keinen Einfluß auf den Stoffwechsel.

Die Ernährung des Menschen, sei es, daß Erhaltung des Körpergewichts, sei es, daß Abnahme oder Zunahme bewirkt werden soll,
hat stets die in der Nahrung enthaltenen Energiemengen zu berücksichtigen,
also den Kaloriengehalt der Nahrung festzustellen, und daneben die
stoffliche Sonderstellung des Eiweißes zu beachten, welche ein Eiweiß-
minimum von 80—100 g pro Tag in der Nahrung verlangt. Die folgende
Tabelle von M a g n u s - L e v y ermöglicht es, unter den verschiedenen
Umständen des alltäglichen Lebens bei den verschiedensten Menschen
sich über den notwendigen K a l o r i e n w e r t der Nahrung klar zu werden.

Ge-wicht	a) Grundum-satz		b) Grundumsatz und Verdauung		c) Umsatz bei Bett-lägerigkeit		d) Ruhe im Zimmer		e) leichte gewerbl. Arbeit		f) Mittlere Arbeit	
kg	pro kg u. Tag	pro Tag	pro kg u. Tag	pro Tag	pro kg u. Tag	pro Tag	pro kg u. Tag	pro Tag	pro kg u. Tag	pro Tag	pro kg u. Tag	pro Tag
40	31	1240	35	1400	40	1600?	42?	1700?	45	1800	53	2100
50	27—	1350—	31	1550	34	1700	36	1810	42	2000	49	2450
	28	1400										
60	25	1500	27,5	1650	32	1900	36	2150	40	2400	46	2800
70	23	1625	25	1800	29	2000	32	2230	37	2600	44	3100
80	22	1760	24	1920	27,5	2200	30	2380	35,5	2850	42	3400
Approximativ unter 60 kg					35	1500—1900		39	1700—2100		42	1800—2400
„ über 60 „					29	1900—2200		34	2100—2400		38	2400—2850

Folgende Tabelle orientiert über die Zusammensetzung der wichtigsten Nahrungsmittel:

Je 100 g	Kalorien	Eiweiß	Fett	Kohle-hydrate
Ochsenfleisch (mager)	98	21	2	
Ochsenfleisch (fett)	ca. 327	17—21	5—29	
Geräucherte Ochsenzunge	396	24	32	
Kalbfleisch (fett, ohne Knochen)	139	18,9	7,4	
Kalbfleisch (mager)	93	20	1	
Kalbshirn	143	11,6	10,3	
Kalbsleber	85	17,7	2,4	6—21
Kalbsmilch	118	28	0,4	
Schweinefleisch	406	15	37	
Hammelfleisch (m/fett)	80	17	6—29	
Rauchfleisch	254	27,7	15,4	
Reh	99	19,8	1,9	
Hase	106	22,3	1,1	
Leberwurst	ca. 336	9—11	14—26	
Zervelatwurst	439	18	40	
Schinken	379	25	30	
Speck	748	10	78	
Hahn (junger)	120	23	3	
Huhn (fett)	162	18,5	9,3	
Gans (fett)	579	15,9	45,6	
Taube	100	22	1	
Lachs	207	22	13	
Weißfisch	122	17	8	
Hering (frisch ger.)	ca. 154	15—21	9	
Schellfisch	98	17	3	
Forelle	100	19	2	
Scholle	94	18,7	1,9	
Kaviar	276	31	16	
Austern	51	8,3	1,8	
Milch ($^1/_{10}$ l)	67	3,7	3,6	4,9
Milch ($^1/_{10}$ l abgerahmt)	39	3,1	0,3	5,3
Rahm	269	3,7	25,7	3,5
Buttermilch ($^1/_{10}$ l)	41	4,1	0,9	3,8
Kefir	48	3,5	1,44	2,4
Butter	790	0,7	87,5	0,5
Käse (fett Holl. Schweiz. Georg.) . . .	391	25	30	1
Käse (halbfett)	344	30	24	2
Käse (mager)	276	34	12	3
1 Ei (ohne Schale)	76	5,8	5,7	
1 Eidotter	57	2,5	4,9	

Je 100 g	Kalorien	Elweiß	Fett	Kohle-hydrate
Nudel	364	9	0,3	77
Makkaroni	355	9	0,3	76,8
Milchreis	190	4,5	3,5	28,6
Reis	351	6,9	0,5	77,6
Griessuppe	50	2	1	10
Hafermehlsuppe	60	1,4	1,5	11,5
Kartoffel	96	1,5—2	0,2	20
Kartoffelpuree	101	3,1	0,9	21,3
Weißbrot	229	7	1,5	54
Roggenbrot	203	6	0,5	49
Zwieback	332	8	1	75
Albertbiskuit	391	11	4,6	88,3
Roboratbrot	279	24	11,4	18,1
Aleuronatbrot	233	16	1,4	40
Spargel	19	1,5	0,3	2,5
Blumenkohl	11	2,5	0,4	4
Erbsen	295	23	2	53
Bohnen	303	25	2	53
Linsen	307	26	2	53
Rüben	43	1	0,14	9,4
Bohnen (Schnitt-)	39	3	0,4	6,6
Spinat	27	3	0,6	2,2
Rosenkohl	50	4,8	0,5	6,2
Pilze (fast alle, frisch)	40	3	0,35	5,9
desgl. getrocknet	257	30	2,5	27
Gurken	14	1	0,1	2,3
Radieschen	21	1,2	0,1	3,8
Kopfsalat	18	1,4	0,3	2,2
Äpfel, Birnen, Zwetchen	ca. 55	0,4		8—10
Kirschen, Weintrauben	ca. 53	0,6		12—17
Mandeln	634	24,2	54	7,2
Kastanien	370	10,8	2,9	73
Kakao	487	19,7	31,6	30
Kristallzucker	405			98,7
Bienenhonig	309	0,76		74,6
Bier (Mittelwert)	42		2—4 Alk.	5—6
Rot- und Weißwein	75		ca. 8 .	2
Kognak	319		44 .	1,9
Madeira	161		16 .	7

Einige künstliche Nährmittel	Eiweiß	Fett	Kohle-hydrate
Bioson	62	5,8	1,2
Eukasin	95	—	—
Hygiama	16,3	10	58,7
Liebigs Fleischextrakt	20	—	—
„ Fleischpepton	58	—	—
Malzextrakt	2,5—3,5	—	70,0
Nestles Kindermehl	9,9	4,5	76,5
Nutrose	90	—	—
Odda	14,5	6,5	71,5
Plasmon	75	1,5	2,75
Puro	33	—	—
Roborat	83	3,5	—
Sanatogen	95	—	—
Somatose	80	—	—

Störungen des intermediären Eiweißabbaues.

Die Stoffwechselstörungen können die Kohlehydrate betreffen (Diabetes mellitus), den Fettabbau (Fettsucht) oder, in übrigens sehr seltenen Fällen, als Anomalien des Eiweißstoffwechsels auftreten. Das Eiweißmolekül besteht aus Aminosäuren (Mono-Aminosäuren, Glykokoll, Alanin usw.), Diaminosäuren, wie Lysin u. a., schwefelhaltigen Aminosäuren, wie Zystin usw. und zerfällt bei seinem Abbau in die einzelnen Aminosäuren, welche weiterhin bis zu Ammoniak, Harnstoff usw. verbrannt werden. Bei den in Rede stehenden Stoffwechselstörungen nun erscheinen einzelne dieser Aminosäuren unverbrannt im Harn; bei der Zystinurie das Zystin entweder in Lösung oder als kristallinisches Sediment (sechseckige kleine farblose Tafeln, welche sich in Ammoniak und Salzsäure lösen, in Essigsäure, Wasser, Alkohol, Äther unlöslich sind). Die Zystinurie geht häufig mit Konkrementbildung einher. Es ist wohl stets die Steinbildung allein, welche die Aufmerksamkeit auf diese Stoffwechselanomalie lenkt, da die Ausscheidung von Zystin an sich ohne klinische Erscheinungen jahrelang bestehen kann. Es handelt sich bei der Zystinurie um ein erbliches Leiden. Die ausgeschiedenen Zystinmengen betragen durchschnittlich 0,5—1 g pro Tag.

In schweren Fällen, in denen also der Eiweißabbau noch weiter gestört ist, werden auch Diamine (Kadaverin und Putreszin) im Harne ausgeschieden, ohne daß übrigens dadurch klinisch nachweisbare Störungen hervorgerufen würden.

Zuelzer, Innere Medizin.   20

Bei der sogenannten Alkaptonurie wird die Homogentisinsäure, ein Abbauprodukt des Tyrosins, ausgeschieden. Diese Anomalie dokumentiert sich darin, daß der, zwar in normaler Weise gelb entleerte, Harn in kurzer Zeit beim Stehen am Licht und an der Luft nachdunkelt und dem Karbolharn ähnlich wird. (Auch in der Wäsche entstehen dunkle Flecken.) Fügt man Alkali dem Harn hinzu, so färbt sich der Urin zunächst an der Oberfläche braun, beim Schütteln breitet sich die Braunfärbung schnell aus. Alkaptonharn gibt positive Trommersche resp. Nylandersche Reaktion. Durch Eisenchlorid färbt er sich blau. Sonstige klinische Störungen werden bei dieser, meist ebenfalls hereditären Anomalie nicht beobachtet.

Eine Therapie der genannten drei Anomalien existiert nicht.

Diabetes mellitus (Zuckerkrankheit).

Allgemeines.

Man versteht unter Diabetes mellitus eine Stoffwechselstörung, welche unter den gewöhnlichen Ernährungsbedingungen zu einer dauernden Zuckerausscheidung im Harn (und primären Hyperglykämie) führt. Geringste Harnzuckermengen, 0,1—0,2 g im Liter, sind physiologisch. Nicht diabetischer Natur sind die Fälle von alimentärer Glykosurie; werden plötzlich große Mengen Kohlehydrate dem gesunden Organismus zugeführt, so kommt es leicht (besonders in nüchternem Zustande) zu einer Zuckerausscheidung im Harn, und zwar wird stets diejenige Zuckerart ausgeschieden, welche der betreffende Mensch eingenommen hat. Nach Glykose: Glykosurie, nach Lävulose: Lävulosurie usw. (nach ca. 150 g Traubenzucker nüchtern tritt Glykosurie normalerweise auf).

Eine Ausnahme bildet die Stärke. Ihre Verzuckerung und Resorption durch den Darm nimmt so lange Zeit in Anspruch, daß eine plötzliche Überschwemmung des Pfortaderkreislaufes nicht stattfindet und daher der Gesunde niemals danach Zucker ausscheidet. Unter den alimentären Melliturien ist die Pentosurie eine der häufigsten. Nach reichlichem Genuß von Obst und Fruchtsäften kann eine Pentosurie auftreten. Neben dieser Form besteht auch eine Stoffwechselanomalie, welche sich als Pentosurie darstellt und unabhängig von der Nahrung ist. Die Pentose ist eine optisch inaktive Arabinose, welche also die Polarisationsebene nicht dreht, welche nicht gärt, aber dieselben Reduktionsproben wie der Traubenzucker (s. u.) und auch die Phenylhydrazinprobe positiv (s. u.) gibt.

Charakteristisch ist die Pentosereaktion mit Orzin: 4—5 ccm des Pentosereagens (Acid. mur. 30%ig, 500 ccm, Orzin 1,0, Liq. ferr. sesq. 25 Tropfen) werden zum Sieden erhitzt. Von dem Urin werden einige Tropfen zufließen gelassen, bei Anwesenheit von Pentose entsteht sofort eine prachtvoll grüne Färbung.

Die Pentosurie ist eine ihrem Wesen nach noch unbekannte, klinisch gleichgültige Stoffwechselanomalie, welche zu Verwechslungen mit Diabetes Veranlassung geben kann. Letzteres gilt auch von der Laktosurie der Schwangeren, von der puerperalen Laktosurie im Wochenbett; wenn es aus irgendwelchen Gründen zur Milchstauung kommt, kann Laktose in den Harn übertreten; der Milchzucker tritt direkt aus der Drüse in die Blutbahn über; er gelangt nicht in den Darm; er wird vielmehr wie parenteral, z. B. intravenös eingeführter Milchzucker von den Geweben nicht angegriffen und durch die Nieren ausgeschieden.

Laktose reduziert und dreht wie Traubenzucker (siehe u. S. 310). Er gärt weniger stark als letzterer. Charakteristisch ist die Probe nach Malfatti: 5 ccm Harn werden mit der Hälfte starken Amoniaks versetzt und in ein heißes Wasserbad eingestellt. Nach 5—15 Minuten tritt eine sich allmählich noch verstärkende Rotfärbung ein.

Von den experimentell erzeugten Glykosurien ist hier nur die nach Phloridzininjektion auftretende (s. S. 226) zu erwähnen, welche im Gegensatz zu den zuletzt genannten renalen Ursprunges ist und ohne Hyperglykämie zustande kommt. Wahrscheinlich befähigt das Phloridzin die Nieren, den Zucker dem Blute direkt zu entziehen.

Der normale Blutzuckergehalt des Menschen ist ein ziemlich konstanter: 0,1%. Die Erhöhung des Blutzuckerspiegels kann theoretisch verminderten Zuckerverbrauch und vermehrte Zuckerbildung oder beides als Ursache haben. Die erstere Annahme ist heute ziemlich hinfällig geworden; es scheint, wenigstens für die Mehrzahl der Diabetesfälle, daß die vermehrte Zuckerbildung, richtiger die vermehrte Zufuhr von Zucker ins Blut (aus der Leber) die Ursache der Hyperglykämie ist. Die mit der Nahrung eingeführten Kohlehydrate, die Stärke und der Rohrzucker, werden nach ihrer Spaltung und Fermentierung im Verdauungskanal durch die Pfortader der Leber als Traubenzucker zugeführt. Während letzterer normalerweise in derselben als Glykogen festgehalten wird, hat beim Diabetes wahrscheinlich diese Fähigkeit der Leber gelitten, so daß das Blut jenseits der Leber mit Zucker überschwemmt wird. Diese Dyszoamylie (Naunyn), also die Störung in der Fixierung des überschüssigen Traubenzuckers in der Leber und in den Muskeln in Form von Glykogen ist die nächste Ursache für die Hyperglykämie. Die Dyszoamylie ist nach neueren Untersuchungen (Wiesel, Zuelzer) höchst wahrscheinlich eine Folge direkter Adrenalineinwirkung auf die Leber. Adrenalin hat nämlich die Fähigkeit, den Zucker zu mobilisieren, während umgekehrt dem inneren Sekret des Pankreas die Fähigkeit der Fixierung des Glykogens zukommt. Adrenalin und das Sekret der inneren Pankreassekretion sind Antagonisten. Nach Herausnahme des Pankreas entsteht bekanntlich, wie Mehring und Minkowski zuerst gezeigt, ein experimenteller Diabetes. Der Diabetes bleibt aus, wenn gleichzeitig die Nebennieren herausgenommen werden (Zuelzer). Der Pankreasdiabetes ist also eigentlich nur ein negativer Pankreas- und ein positiver Adrenalindiabetes. Neben der Entglykogenierung wird übrigens dem Adrenalin (wohl mit Unrecht) auch die Eigenschaft, ein mächtiges Erregungsmittel für Glykogenneubildung zu sein, beigelegt, und damit die dauernd erhöhte Zuckerbildung beim Diabetiker erklärt. Diese Annahme ist jedoch nicht unbedingt notwendig. Fällt nämlich — und man hat gute Gründe, in dem Fehlen des spezifischen Kohlehydratstoffwechsels der Leber eine der wichtigsten Quellen der manifesten Stoffwechselstörungen des Diabetikers zu erblicken (s. S. 312) — infolge der dauernden, durch das Fehlen genügender Mengen Pankreashormons ungehemmten Adrenalineinwirkung schließlich jede nennenswerte Glykogenbildung in der Leber fort, so wird der aus der Nahrung stammende oder beim Körpereiweißzerfall entstehende (s. u.) Traubenzucker nach ungehindertem Durchgang durch die Leber in den Gesamtkreislauf des Blutes gelangen und somit eine dauernde Hyperglykämie entstehen.

Der Antagonismus zwischen Adrenalin und Pankreashormon beherrscht innerhalb weiter Grenzen den Zuckerstoffwechsel in physiologischer und pathologischer Beziehung. Es ist wahrscheinlich, wenn auch noch nicht einwandsfrei bewiesen, daß Gleichgewichtsstörungen in dem Verhältnis der beiden Antagonisten, also zuviel Adrenalin oder zu wenig Pankreashormon, auch in den Fällen in letzter Linie die Glykosurie verursachen, in denen andere auslösende Momente wie die experimentelle Piqûre von Claude Bernard oder Störungen im Zentralnervensystem beim sogenannten nervösen menschlichen Diabetes primär vorhanden sind. Man muß sich hier vorstellen, daß die Läsion des Zentralnervensystems auf das Nebennierensystem fördernd oder auf das Pankreas hemmend wirkt. In dem gleichen Sinne sind die Glykosurien bei Erkrankungen der Schilddrüse (Morbus Basedowii), nach Verfütterung von Schilddrüsensaft, bei experimenteller Läsion der Schilddrüse zu erklären: Hemmung der Pankreas- oder Förderung der Nebennierensekretion. Ob auch die Glykosurie bei Hyperpituitarismus (Akromegalie) oder nach Einspritzung von Hypophysenextrakt einer analogen Deutung zugänglich ist, erscheint zweifelhaft.

Für das Verständnis der Pathogenese des Diabetes ist es notwendig, noch auf einige physiologisch-pathologische Punkte der Zuckerbildung und Zuckerausscheidung einzugehen. Abgesehen von den eingeführten Kohlehydraten beansprucht vor allem die Zuckerbildung aus Eiweiß beim Diabetiker Beachtung. Es ist sichergestellt, daß das Eiweiß eine abspaltbare Kohlehydratgruppe enthält, welche in schweren Fällen von Diabetes eine wichtige Quelle für den im Harn auftretenden Zucker bilden kann. In welchem Umfange diese Zuckerbildung erfolgt, ist noch unaufgeklärt. Beim Pankreashund hat Minkowski ein konstantes Verhältnis von Dextrose zu Stickstoff (D:N) im Harn, nämlich 1:2,8 gefunden und schloß, daß aus 100 g zerfallenden Eiweiß 45 g Zucker gebildet würden. Abgesehen davon, daß diese Zahl nicht regelmäßig gefunden wird, ist es heute sehr wahrscheinlich, daß nicht aller Stickstoff des zersetzten Protoplasmas ausgeschieden, sondern daß derselbe zum Teil wieder zur Synthese zurückbehalten wird. Es fände demnach nur ein partieller Eiweißabbau beim schweren Diabetiker statt. Die einzelnen Eiweißkörper verhalten sich in bezug auf die Größe der Zuckerausscheidung verschieden. Sicher bestehen auch individuelle Verschiedenheiten der einzelnen Diabetiker mit Bezug auf die Eiweißempfindlichkeit. Ob aus Fett ebenfalls Zucker gebildet werden kann, steht noch dahin. Eine bedeutsame Rolle für die erhöhte Zuckerausscheidung kommt der Fettzufuhr jedenfalls nicht zu. (Rein chemisch ist aus dem Glyzerin über die Glyzerose eine Synthese zur Dextrose möglich.)

Ätiologie. Die Heredität ist sicher von Einfluß (häufig ist Erkranken von Geschwistern). Weniger wahrscheinlich als direkte Erblichkeit von Eltern auf die Kinder ist die Berücksichtigung auch entfernterer Verwandten: Onkel, Tanten usw. Bringt man, wie es die Franzosen tun, auch andere Stoffwechselanomalien wie Gicht und Fettsucht, in eine ätiologische Beziehung (arbre arthritique s. u.), so wird die erbliche Belastung deutlicher. Gewisse Rassen und Länder scheinen bevorzugt (jüdische Rasse, südliche Länder). Da nicht selten Ehepaare nacheinander erkranken, wird die Ansteckungsmöglichkeit zugegeben. Von Einfluß ist die Lebensweise: häufiges Vorkommen in wohlhabenden Familien, relativ selteneres in ärmeren Kreisen, ebenso aufregende Beschäftigung, geistige Anstrengung (häufiges Befallensein von Gelehrten, Großkaufleuten, Börsenmännern usw.). Ferner Gemütsaffekte, Schreck (neue Beobachtungen von zahlreichen Diabetesfällen während der russischen Revolution): akute Infektionskrankheiten können einen Diabetes veranlassen, sicher ihn verschlimmern (Läsion des Pankreas durch Infektionsgift). Über die Beziehungen des Diabetes zur Fettsucht und Gicht s. dort. Von großer praktischer Bedeutung ist der traumatische Diabetes (intrakranielle Verletzung, Hirnerschütterung, traumatische Neurose). Pathologische Anatomie. Typische konstante Veränderungen sind zurzeit noch nicht bekannt. Im Nervensystem hat man Tumoren, sklerotische Herde, in der Medulla Cysticercus, in der weißen Hirnsubstanz Zysten gefunden, sowie Hypophysengeschwülste, bei der sogenannten diabetischen Pseudotabes Polyneuritis, gelegentlich Veränderungen in den Sympathikusganglien, sehr häufig Arteriosklerose der Gefäße und des Herzens. In den Lungen trifft man öfters tuberkulöse Veränderungen an. Meist ist die Leber vergrößert, oft fettig degeneriert. Beim sogenannten Bronzediabetes (Diabetes und Hämosiderosis) findet man eine hypertrophische Pigmentzirrhose der Leber. Eine gleiche Pigmentablagerung — die Pigmentkörner zeigen Eisenreaktion — ist im Pankreas, in den Lymphdrüsen und dem Herzmuskel zu sehen. Im Pankreas findet man sehr häufig, aber nicht immer, Veränderungen. Als pathognomonisch gelten hyaline Veränderungen der Langerhansschen Inseln (Pankreatitis) und Arteriosklerose der Pankreasgefäße, ferner Steinbildung, Atrophie des Pankreas, gelegentlich Fettgewebsnekrose. Die Nieren zeigen die Veränderungen der diffusen Nephritis.

Symptome. Nach der Definition ist das Hauptsymptom des Diabetes die Glykosurie, in exakterer Weise müßte man die Hyperglykämie nennen; denn letztere kommt zweifellos auch ohne Glykosurie vor und kann wahrscheinlich längere Zeit und zwar nicht in den leichtesten Fällen allein bestehen. Der Blutzuckergehalt beträgt etwa 0,15—0,25%. Die Größe der Harnzuckerausscheidung schwankt innerhalb weitester Grenzen; zwischen wenigen Gramm und 300, 400, 500 g, ja selbst bis 1 kg pro Tag sind beobachtet. Die Blutzuckerbestimmung ist nur im klinischen Laboratorium möglich. Zur Zuckerbestimmung im Harn dienen folgende wichtigsten Methoden:

Nylandersche Probe: Eiweißfreier Harn wird mit ungefähr $1/10$ von Nylanderschem Reagens versetzt und während mindestens 2 Minuten gekocht. Während des Kochens tritt zuerst ein schwarzer Niederschlag auf, dann färbt sich die Gesamtflüssigkeit braun bis tiefschwarz.

Trommer-Fehlingsche Zuckerprobe. Fehlingsches Reagens 1 und 2 werden zu gleichen Teilen (je 1 ccm) gemischt, mit 5 ccm Wasser verdünnt und zum Sieden erhitzt. Nunmehr unter Zusatz von 3—5 Tropfen filtrierten und gleichfalls erhitzten Harnes nochmaliges Erhitzen zum Sieden. Eine sofort eintretende gelbe bis gelbrote Trübung (feinkörniger Niederschlag) zeigt Zucker an. Die Nylandersche Probe kann scheinbar positiv bei Anwesenheit von Senna Rheum, Antipyrin, Chinin usw. ausfallen. Sie kann trotz Zuckers negativ ausfallen bei gleichzeitiger Anwesenheit von Quecksilber und Eiweiß, welches wenigstens die Empfindlichkeit der Reaktion stark herabsetzt. — Die Trommersche Probe kann durch Glykuronsäureverbindungen, wohl auch durch Kreatinin, Gallenfarbstoff gelegentlich vorgetäuscht werden. Der gleichsinnige Ausfall beider Proben ist für die An- oder Abwesenheit von Zucker beweisend. Im Zweifelsfalle entscheidet die Gärungsprobe beim Vergärenlassen des Harns im Einhornschen Röhrchen mittels zuckerfreier Hefe. Quantitativ exakte Werte gibt der Lohnsteinsche Gärungssaccharometer oder schneller der Polarisationsapparat. Durch letzteren ist sogleich zu entscheiden, ob der Zucker Traubenzucker (rechtsdrehend) oder Lävulose (linksdrehend) ist.

Die qualitative Seliwanoffsche Reaktion auf Lävulose ist folgende: Von einer Lösung Resorcin 0,5, Aqua destill., Acid. hydrochloric. (spezifisches Gewicht 1,19) ää 30 setzt man etwas zu dem zu gleichen Teilen mit konzentrierter rauchender Salzsäure versetzten Harn hinzu und erhitzt sehr langsam über kleiner Flamme. Bei Anwesenheit von Lävulose tritt eine feuerrote Färbung auf.

Man bezeichnet eine Glykosurie als leicht, wenn der Harn beim Fortlassen der Nahrungskohlehydrate in wenigen Tagen zuckerfrei wird, als schwer, wenn die kohlehydratfreie Nahrung in Tagen und selbst Wochen nicht zur Zuckerfreiheit führt, wenn unter Umständen sogar die Eiweißeinschränkung oder Hunger die Glykosurie nicht zum Schwinden bringt, als mittelschwer, wenn sie erst bei gleichzeitiger Kohlehydratentziehung und Eiweißeinschränkung verschwindet. Diese Einteilung nach von Noorden hat nur den praktischen Wert einer Verständigung. Es handelt sich bei den verschiedenen Formen nur um quantitative Unterschiede mit labilen Übergängen. Die leichte Form kann jederzeit zur schweren werden. Um den Grad der Glykosurie, mit anderen Worten, um die Toleranz des Kranken für Kohlehydrate oder seine Assimilationsfähigkeit festzustellen, geht man von der gewöhnlichen Kost nicht gleich auf eine vollkommen kohlehydratfreie über, sondern verordnet etwa 100 g Weißbrot bei einer sonst kohlehydratfreien Kost (Fleisch, Eier, Käse usw.). Dabei ist 24 stündiger Harn zu sammeln und quantitativ auf Zucker zu untersuchen. Einzelbestimmungen beliebiger Portionen sind wertlos für die Beurteilung. Plötzliches Fortlassen aller Kohlehydrate kann zur Azetonurie führen. Man geht deshalb langsam mit den Kohlehydraten herunter bis zu 0. Die Einzelheiten der Toleranzprüfung s. unter der Therapie, mit der sie sich zum Teil decken.

Die Harnmenge ist meist erhöht. 3—4 l, in schweren Fällen bis zu 15, ja selbst 20 l. Das spezifische Gewicht ist hoch: zwischen 1025 und 1040—1055. Die Harnfarbe ist blaß, hell, wasserähnlich; die Reaktion sauer.

Das Auftreten der Azetonkörper im Harn (Ketonurie) ist für die

Prognose und für die einzuschlagende Therapie von höchster Bedeutung. Azetonkörper: (β-Oxybuttersäure, Azetessigsäure, Azeton) entstehen als normale Zwischenprodukte des Fettsäureabbaues hauptsächlich aus den niederen Fettsäuren. Trotzdem treten normalerweise keine Azetonkörper oder nur Spuren in Blut und Harn über. Dieses ereignet sich beim Gesunden erst, wenn alle Kohlehydrate fortgelassen werden. Man nahm deshalb an, daß die Verbrennung der Kohlehydrate zur normalen Verbrennung der Fettsäuren notwendig sei: „Die Fette verbrennen gleichsam im Feuer der Kohlehydrate." Letztere Annahme ist indessen fallen gelassen worden. Es scheint, daß es der spezifische Kohlehydratstoffwechsel in der Leber ist, der Aufbau und Abbau von Glykogen, der vor der Ketonämie schützt und der vielleicht durch das Pankreashormon reguliert wird. Während aber beim Gesunden die auf Kohlehydratmangel beruhende Ketonurie nach kurzer Zeit wieder völlig verschwindet, liegen beim Diabetiker eo ipso die Verhältnisse ungünstiger, da hier ja schon vorher der Glykogenstoffwechsel in der Leber gestört war. — Die bei der Ketonämie sich im Blute ansammelnden Säuren (β-Oxybuttersäure, Azetessigsäure) stellen stets eine starke Bedrohung des Lebens dar, denn die Azidosis führt schließlich zu einer mit dem Leben unvereinbaren Verminderung der Blut- und Gewebsalkaleszenz. Zunächst vermag der Organismus durch die aus dem Eiweiß sich abspaltenden Ammoniakmengen die Säure abzusättigen. Es ist berechnet worden, daß während 0,5—1 g NH_3 normale Werte darstellen, 2 g NH_3 6 g β-Oxybuttersäure anzeigen, 5 g NH_3 20 g, 8 g ca. 40 g. Es kann zu Retentionen von 100—200 β-Oxybuttersäure kommen. Ohne Zufuhr von Alkalien ist das disponible Ammoniak innerhalb gewisser Grenzen erschöpfbar, so daß dann die Folgen der Übersäuerung des Organismus eintreten. Wahrscheinlich ist es aber nicht nur die Säure an sich, sondern die Art der Säure, welche eine spezifische Giftwirkung ausübt, wie denn auch die β-Oxybuttersäuresalze nicht gleichgültig oder ungiftig sind (die klinischen Beobachtungen der zum Koma führenden Azetonurie s. unten).

Azetonnachweis im Harn.

Legalsche Probe. 5 ccm Harn werden mit frisch bereiteter Lösung von Nitroprussidnatrium versetzt. Nach Zusatz von Kalilauge nimmt der Harn eine rote Farbe an, welche nach Übersättigung mit Essigsäure einer schön karmin- oder purpurroten Farbe Platz macht, die schnell in eine violette übergeht. Bei azetonfreien Harnen verwandelt der Essigsäurezusatz die rubinrote Farbe in eine gelbe. Eine Modifikation besteht nach Magnus-Levy darin, daß man dem mit Nitroprussidnatrium versetzten Harn einige Kubikzentimeter Ammoniak hinzufügt. Bei Anwesenheit von Azeton tritt eine im Laufe der Zeit an Intensität zunehmende weinrote Farbe auf.

Der Nachweis der Azetessigsäure geschieht durch die Gerhardtsche Eisenchloridprobe. Man versetzt den Harn mit 1—2 Tropfen 10%iger Eisenchloridlösung. Bei Anwesenheit von Azetessigäure wird der Harn burgunderrot. (Salizylpräparate geben eine analoge, aber mehr schwärzliche Färbung.) Der β-Oxybuttersäurenachweis geschieht am einfachsten durch Vergärenlassen des Harns und Drehen des Filtrates im Polarisationsapparat. β-Oxybuttersäure dreht nach links (je 1 g Linksdrehung entspricht 2,2 g β-Oxybuttersäure).

Die Lipämie und Lipoidämie, welche man in der Höhe von 4—6 und auch mehr Prozent beim schweren Diabetiker beobachtet (der normale Fettgehalt beträgt etwa 1%) scheinen mit der Azetonämie im Zusammenhang zu stehen. Nach Reicher lockt das Azeton die Lipoide (Lezithin und Cholesterin) geradezu aus den Organen heraus. Es ist nicht ausgeschlossen, daß die Azeton-Lipoidverbindungen, welche sich als äußerst giftig für das Zentralnervensystem erweisen, für das Coma diabeticum von Bedeutung sind.

Die einzelnen, durch die Anwesenheit des Zuckers in den Geweben hervorgerufenen Symptome sind äußerst zahlreich. Als häufigste seien genannt Hautjucken, Ödeme, Furunkel, die zu schwerer Karbunkelbildung führen können, ferner Gangrän der Extremitäten, welche durch die den Diabetes häufig komplizierendem (vielleicht auch ursächlich damit zusammenhängende) Arteriosklerose mit verursacht wird. Die Braunfärbung der Haut (diabète broncé) wurde schon erwähnt. Von seiten der Lungen beobachtet man häufig Tuberkulose, gelegentlich Lungengangrän im Anschluß an fibrinöse Pneumonie oder Bronchopneumonie. Von seiten der Zirkulationsorgane ist die schon erwähnte Arteriosklerose an erster Stelle zu nennen. Es ist im Einzelfalle nicht zu entscheiden, welche von beiden Erkrankungen die primäre war. Im Gefolge der Arteriosklerose kann es zu allen schweren Erscheinungen derselben: Herzhypertrophie mit sekundärer Myokarditis und Herzschwäche mit Asthma cardiale, Apoplexien, Angina pectoris, Schrumpfniere usw. kommen. Von seiten der Nieren beobachtet man häufig neben der arteriosklerotischen Schrumpfniere auch chronisch-parenchymatöse Nephritis; man sieht nicht selten ein gewisses Alternieren zwischen der Glykosurie und der Albuminurie. Auch einfache Albuminurie ist häufig (mit normalem Blutdruck im Gegensatz zur Schrumpfniere). Cystitis und aufsteigende Cystopyelitis finden infolge des zuckerhaltigen Harns einen besonders günstigen Entwicklungsboden beim Diabetiker. Von seiten der Sexualorgane ist die

314   Stoffwechselerkrankungen.

frühzeitige Impotenz des Mannes ein häufiges Vorkommnis, doch besteht auch gesteigerte Geschlechtslust. Bei der Frau ist besonders quälend der Pruritus vulvae; Schwangerschaft ist selten.

Der Verdauungstraktus kann in vielerlei Weise affiziert sein. Soor, eine eigentümlich trockene, hochrote Zunge mit fehlendem Belag oder Schwellung derselben, Gingivitis, Alveolar-Pyorrhöe und Periostitis sowie Caries der Zähne mit frühzeitigem Zahnausfall. Die Polyphagie und die einseitige Ernährung führt oft zu Magendarmstörungen. Tritt Durchfall und Erbrechen auf, so sind dies stets ernste Erscheinungen, da sich daraus leicht Koma entwickeln kann, abgesehen davon, daß die Diarrhöe ein frühes Symptom des bereits eingesetzten Komas bilden kann. Von seiten des Pankreas sind die klinischen Erscheinungen relativ selten ausgesprochen: Pankreassteine mit Koliken oder Verschluß des Ductus Wirsungianus und den entsprechenden Darmstörungen (s. dort) kommen vor. Von seiten des Nervensystems sind vor allem Neuralgien von äußerst hartnäckiger Art, Neuritiden, Parästhesien, mal perforant du pied, auch tabesähnliche Erscheinungen (Pseudotabes diabetica) mit lanzinierenden Schmerzen, gastrischen Krisen, Ataxie usw. zu nennen. Von den zahlreichen Augenerkrankungen sind besonders bedeutungsvoll der Katarakt, Retinitis, Lähmungen der Augenmuskeln, sowie Sehnervenerkrankungen (Optikusatrophie), ferner Amblyopie, die plötzlich einsetzt und wie bei der Urämie ohne ophthalmoskopischen Befund auftritt. Ihre günstige Beeinflussung durch Diätregelung beweist ihren spezifisch diabetischen Charakter. Von seiten des Ohres ist die Otitis media und die Entzündung der Zellen des Warzenfortsatzes analog aufzufassen.

Der Verlauf der Erkrankung ist äußerst verschieden. In der überwiegenden Mehrzahl der Fälle handelt es sich um einen chronischen Verlauf. Nur bei ganz jugendlichen Individuen beobachtet man einen quasi akuten Diabetes, der innerhalb weniger Monate zum Tode führen kann. Ein nach dem 50. Lebensjahr auftretender Diabetes — und dies gilt in noch höherem Maße von dem noch später auftretenden — ist in der Regel relativ gutartig. Die Einzelheiten des Verlaufes hängen von der Art der Komplikation ab. Das Auftreten der Azetonurie ist stets bedenklich, obgleich einige wenige Fälle von jahrelanger Diazeturie beschrieben sind.

Die komatösen Erscheinungen äußern sich zunächst in allgemeinen nervösen Störungen, Unlust, Übelkeit, Kopfweh, zunehmender Schwäche, von seiten des Magendarmkanals in Erbrechen, Durchfall, alles Erscheinungen, die anscheinend ohne Ursache oder im Anschluß an lokale

Störungen, wie Karbunkel, Phlegmonen, Gangrän, Dyspepsien usw. auftreten. Die genannten Vorboten können sich längere Zeit hinziehen, bis allmählich zunehmende Somnolenz und tiefe Bewußtlosigkeit das Koma manifest werden lassen. In anderen Fällen wird der Kranke unruhig, es treten Delirien auf, eine eigenartige inspiratorische und exspiratorische Dyspnoe mit oder ohne Zyanose (Kußmauls große Atmung), sehr frequenter Puls. Die Atemluft riecht deutlich nach Azeton. Dann allmählich zunehmende Bewußtlosigkeit und Tod. In wieder anderen Fällen verursacht irgendeine Gelegenheitsursache, wie eine Infektionskrankheit (Narkose) den quasi akuten Ausbruch des Komas.

Therapie. Eine eigentliche kausale Therapie ist nur in den seltensten Fällen möglich. Dort, wo Neurasthenie und Diabetes zusammen vorliegen, ist wohl weniger ein zwischen beiden ursächliches, als ein sich gegenseitig komplizierendes Moment anzunehmen. Die Besserung der Neurasthenie bessert den Diabetes, und umgekehrt. Hier wird eine antineurasthenische Behandlung (Hydrotherapie, Klimatotherapie usw.) auch den Diabetes bessern. Bei traumatischem Diabetes ist eine kausale Therapie praktisch wohl nur in den seltensten Fällen (chirurgisch) durchführbar. Besteht der Verdacht, daß der Diabetes syphilitischen Ursprunges ist, so ist eine spezifische Behandlung einzuleiten, jedoch nach von Noordens Erfahrungen wegen der damit verbundenen Gefahren sorgfältig zu überwachen.

Wir erblicken in dem (quantitativen oder qualitativen) Mangel an Pankreashormon für die meisten Diabetesfälle die letzte Ursache des Diabetes. Eine spezifische Hormontherapie ist daher vermutlich die ideale Behandlungsmethode. Die Erfahrungen Zuelzers lassen dieselbe als nicht aussichtslos erscheinen. Bis zu ihrer Verwirklichung ist die symptomatisch-diätetische Therapie die beherrschende. Sie hat in den letzten 20 Jahren eine erhebliche Wandlung durchgemacht. Die früher angewandte einfache Kohlehydratentziehung kann schwere direkte und indirekte Gefahren heraufbeschwören, die ersteren durch Begünstigung oder selbst Hervorrufung der Azidosis (s. o. S. 311), die letzteren dadurch, daß man den Kranken als Äquivalent für die entzogenen Kohlehydrate ungemessene Mengen Eiweiß gab. Wir wissen heute, daß in vielen Fällen die Eiweißeinschränkung den Zucker mehr herabsetzt als die Beschränkung der Kohlehydrate.

Bei der Bewertung der Nahrungsmittel für den Diabetiker steht in erster Reihe ihr Einfluß auf die Zuckerbildung resp. -ausscheidung, in zweiter ihr Nährwert. Danach stehen an erster Stelle die Fette; die

Form der Darreichung erheischt besondere Sorgfalt, um Verdauungsstörungen und Widerwillen zu vermeiden.

An zweiter Stelle folgen die Eiweißkörper, unter welchen wiederum das pflanzliche Eiweiß am besten vertragen wird. Dann folgen Eier, Milcheiweiß, Fleisch. Quantitativ gelten 100—120 g Eiweiß (entsprechend 16—18 g N) für die im allgemeinen wünschenswerte obere Grenze. Die Kohlehydrate endlich wirken bei den einzelnen Diabetikern verschieden. Am schädlichsten scheinen Traubenzucker, Rohrzucker und Galaktose zu wirken; doch wird in gewissen Fällen bei gleichzeitiger Fleischentziehung und Eiweißeinschränkung auch reiner Traubenzucker in relativ großen Mengen assimiliert. Von Einzelnen wird Lävulose und Mannit gut vertragen, so daß es zum Süßen benutzt werden kann. Im allgemeinen dient zu letzterem Zwecke das Saccharin. Milchzucker verhält sich sehr verschieden. Wegen der Wichtigkeit der Milch ist seine Toleranz in jedem Falle besonders zu prüfen. Das Stärkemehl wird zwar häufig schlecht oder gar nicht vertragen, doch ist ein völliger Ausschluß der mehlhaltigen Speisen für die Dauer praktisch unausführbar. Er bedeutet nicht nur eine Quälerei für den Kranken; bei längerem Ausschluß des Mehls stellen sich nicht selten Verdauungsstörungen und damit die Gefahr der Unterernährung und des Komas ein. Die Beschränkung oder der Ausschluß stärkehaltiger Nahrungsmittel kann deswegen, trotzdem er die Grundlage der diätetischen Diabetestherapie bildet, nur immer zeitweilig, unter dauernder Kontrolle des Kranken durchgeführt werden. Da ein Gesunder durchschnittlich 300—500 g Kohlehydrate (= 1200—2000 Kalorien) täglich zu sich nimmt, bedeutet der Ausschluß derselben eine Entziehung der Hauptkraftquelle, als deren Ersatz das Fett fungieren muß.

Die Feststellung der Assimilationsgrenze für Kohlehydrate bildet einen integrierenden Bestandteil der praktisch-diätetischen Behandlung. Ist man nach Feststellung des Zuckers durch allmähliches Herabgehen der Kohlehydrate (in zwei bis drei Tagen) auf eine vollkommen kohlehydratfreie Kost gekommen, so gibt man dem Patienten während einer Reihe von Tagen eine möglichst einfache, vollkommen kohlehydratfreie Kost, am besten die von N o o r d e n sche sogenannte Standardkost (s. unten S. 320), welche nur aus Nahrungsmitteln der Tabelle II, s. S. 322, besteht. Ist der Urin nach 8—14 Tagen vollkommen zuckerfrei, so ist der Diabetes leicht. Diese Kost wird noch weitere 8—14 Tage eingehalten, von den Gemüse- und Obstsorten darf Patient nur die in der Diabetikertabelle (s. S. 321) als unbedingt erlaubten Sorten genießen. Dann werden allmählich die Kohlehydratzulagen gesteigert. In den leichten Fällen ist es meist nicht nötig, die Toleranz für eine bestimmte Kohlehydratart besonders festzustellen. Hier genügt die quantitative Festsetzung, die nach der folgenden Äquivalenttabelle für Weißbrötchen nach von Noorden sehr einfach gestaltet ist. Verträgt der Kranke z. B. 40 g Weißbrot, so kann er, solange er auf dieser Toleranzstufe steht, dafür äquivalente Kohlehydratmengen in den vielen zur Verfügung stehenden Formen, quantitativ genau, genießen. Beispielsweise für 40 g Weißbrot 20 g Weißbrot und 24 g Kommißbrot, oder 20 g Brot und 18 g Hafermehl, oder 20 g Brot und 70 g Kartoffeln usw. Die Urinkontrolle gibt uns aber in gleichmäßiger Weise Aufschluß darüber, ob der Patient 40 g Weißbrot zu assimilieren vermag. Werden dieselben ohne Glykosurie vertragen, so steigt man alle zwei bis fünf Tage um je weitere 20 g. Findet man an einer bestimmten Grenze, daß wieder Zucker in den Harn übertritt, so geht man mit den Kohlehydratmengen wieder zurück, um bis zur neuen Steigerung etwas längere Zeit zu warten. Bei 150—200 bis höchstens 250 g, mit denen der Kranke ohne fühlbare Einschränkung leben kann, wird man ihn meist, wenn er nicht unter dauernder ärztlicher Aufsicht steht, verbleiben lassen.

Äquivalent-Tabelle für Weißbrötchen (20 g = 60 % Kohlehydrat).

	20g Weißbrötchen entsprechen g	Bemerkungen		20g Weißbrötchen entsprechen g	Bemerkungen
Gewöhnliche Gebäcke des Handels.			Gumpert's Ultrabrot .	150	Berlin.
			Goldscheider's Sinamyl-brot	60	Wien-Karlsbad.
Weißbrötchen	20		Bresin's Bremusbrot	120	Berlin.
Kommißbrot	23				
Roggenbrot.			Diabetiker Luft-		
Grahambrot. . . . . {	24		brote (cf. S. 297).		
Simonsbrot.		enthält wasserlösliches Kohlenhydrat (Zucker!).	Weißes Luftbrot . . .	60	A. Fritz (Wien).
			Braunes "	60	" "
			Luftbrot C	240	" "
Pumpernickel . . .	25	do.			(fast reiner Kleber).
Rademann's D-K-Brot		Frankfurt a. M., Goethestr. 30.	Seegen's Mandelbrot .	150	A. Fritz (Wien) und Goldscheider-Marx (Wien) und O. Rademann (Frankf. a. M.).
Aug. Fritz' neues Schrotbrot	26	Wien, Naglergasse 13.			
Goldscheider's G-K-Brot		Wien, Naglergasse 4.	Seidl's Kleberbrot . .	24	sehr porös, leicht.
Rheinisches Schwarzbrot			Pain de Gluten . . .	24	Brusson Jeune (Villemur); in Frankfurt b. A. Metzger (Börnestraße 39).
Dauerwaren; gewöhnliche Gebäcke des Handels.			Diabetiker-Zwiebacke etc.		
Friedrichsdorfer Zwieback	17		Gericke's Doppelporter-Zwieback	33	

Äquivalent-Tabelle für Weißbrötchen (20 g = 60 % Kohlehydrat).

	20 g Weißbrötchen entsprechen g	Bemerkungen
Friedrichsdorfer Zwieback zuckerfrei	18	Rademann.
Breakfast-Biskuits	16	Huntley & Palmers.
Telchow's Käsestangen	29	Berlin.
„Diabetiker-Brote" des Handels.		
Gericke's Einfach-Porterbrot	27	aleuronathaltig (Berlin).
Gericke's Doppel-Porterbrot	35	
Gericke's Dreifach-Porterbrot	52	
Rademann's Diabetiker-Schwarzbrot	25	Berliner Filiale.
Rademann's Diabetiker-Weißbrot	27	
Rademann's Diabetiker-Schwarzbrot	30	Frankfurter Hauptgeschäft.
Rademann's Diabetiker-Weißbrot	33	
C. Bresin's Haferbrot	34	Schmargendorf.
Gumpert's Diabetiker-Doppelweißbrot	32	Berlin.
Aleuronatbrot	27	Frankfurt.
„	27	
„	25	Breslau.
„	26	Budapest.
„	35	Berlin.
Klopfer's Glidinbrot	86	„
Gericke's Sifarbrot		
Rademann's Lithonbrot	60	
Fritz' Lithonbrot	100	Wien.

Natürliche Mehle[1].

	20 g Weißbrötchen entsprechen g
Grobes Weizenmehl	17
Geschälte Gerste (gemahlen)	17
Roggenmehl	17
Buchweizen	17
Maismehl	17
Grünkernmehl	17
Hafermehl	18
Erbsen, Linsen, Bohnenmehl	22

Stärkemehle.

von Kartoffel, Weizen, Tapioka, Reis, Sago, Mais	14,5

Teigwaren.

Nudeln, Makkaroni	16

Zerealien.

Geschälter Reis	15

	20 g Weißbrötchen entsprechen g	Bemerkungen
Rademanns Diabetiker-Zwieback	24	
Gumpert's Doppel-Diabetiker-Zwieback	43	
Rademann's Diabetiker-Stangen	54	
Gumpert's Diabetiker-Stangen	120	
Grötzsch' Diabetiker-Salzbretzeln	75	

Diabetiker-Mehle.

Gericke's reines Aleuronat	400
Gumpert's Ultramehl	170

Kakao.

	20 g Weißbrötchen entsprechen g	Bemerkungen
Unentölter reiner Kakao	100	Küfferle (Wien), 3,7 % wasserlösliches, 7,6 % unlösl. Kohlenhydrat, 42 % Fett.
Gewöhnliches Kakaopulver	40	
Grötzsch' Kochschokolade	50	
Grötzsch' Orange-Eßschokolade	70	
Grötzsch' „Pfeffernüsse"	133	
Rademann's Diabetiker-kakao	75	

Frische und eingemachte Früchte.

	20 g Weißbrötchen entsprechen g	Bemerkungen
Süße Kirschen	85—100	excl. Steine.
Saure Kirschen	100—120	
Pflaumen (blau)	120	
Reineclauden (grün)	80—100	Zuckergehalt je nach Reife und spezieller Sorte verschieden.
Pfirsich (Garten-)	100—120	
Pfirsich (sog. Weinberg)	150—200	
Nektarinen	75—85	
Aprikose	120—200	
Mirabellen	100—150	
Apfel	100—150	
Birnen	100—150	
Banane (geschält)	50—75	
Bananenmehl (trocken)	21	
Orange (geschält)	100—120	
Grape-Fruitfleisch	170—200	
Ananas	120—150	
Melone (süße)	150	
Wassermelone (Ungarn)	200—300	
Erdbeeren (Garten)	150—200	
„ (Wald)	200—300	

¹) Eine zweckmäßige Mischung für Bestreuen, Bindung von Gemüsen, Saucen, Suppen kann sich jeder herstellen aus 2 Teilen reinem Aleuronat (von Gericke) und 1 Teil grobem Weizenmehl. In der Mischung sind 29 % Kohlehydrat. — 10 g der Mischung (2,9 g Kohlehydrat) genügen am Tage für die genannten Zwecke vollständig.

Äquivalent-Tabelle für Weißbrötchen (20 g = 60 % Kohlehydrat).

	20 g Weiß-brötchen ent-sprechen ccm	Bemerkungen		20 g Weiß-brötchen ent-sprechen ccm	Bemerkungen
Hülsenfrüchte.			Maulbeeren	100—120	
Geschälte Gerste (deutsch)	17		Stachelbeeren (reif) . .	150—200	
Geschälte Gerste (amerikanisch) . . .	15		„ (unreif, z. Kochen .	480—600	
Geschälter Hafer . . .	18		Johannisbeeren . . .	133—170	
Erbsen, Linsen, Boh-			Himbeeren (Garten) . . .	200	
nen (trocken)	24		Waldhimbeeren . . .	240—300	
Erbsen frisch, grün . .	100—120		Brombeeren	200—300	
Erbsen in Büchsen . .	120		Heidelbeeren	200—240	
Salatbohnen, junge,			Preiselbeeren . . .	300—600	
grüne Kerne	75		Kastanien (geschält) . .	66	
Puffbohnen, junge,			Früchte im eigenen Saft		
grüne.	75		gekocht, frisch oder		
Puffbohnen, älter,			als Konserve [häusliche		
grau	60		Bereitungsart] . .	120—200	Pfirsich, Apri-
					kose, Sauer-
Knollen, Wurzeln.					kirche, Reine-
Kartoffeln im Sommer.	66—75				claude, Apfel,
„ „ Winter .	60				Birne (Saft zu
Sellerie (deutsche			Dasselbe aus der Fabrik		meiden).
Knollen).	100—120		O. Rademann. . .	150—200	
Sellerie (englischer			Früchte im eigenen Saft		
Stangen-)	300		[häusliche Berei-		
Kerbelrübe	43		tung]	150—300	Preisel-, Him-,
Weiße Kohlrübe . .	170				Erd-, Heidel-
Karotten	150				beeren (Saft zu
Große gelbe Rübe . .	120				meiden).
Teltower Rübe . .	120		Dasselbe aus der Fabrik		
Schwarzwurzel (Sal-			O. Rademann . . .	200—300	
sifie)	80—100		„Entzuckerte" Früchte		
Kohlrabi (jung) . . .	300		[O. Rademann] . . .	240—400	verschiedene
Topinambur	80				Sorten.
Stachys	66		Früchte im eigenen Saft	200—400	Jg. Eisler
					(Wien).
Milch etc.			Bair. Sommer-Lager-		
Vollmilch	ca. 2750		biere	215—300	
Guter Süßrahm . .	400—600	zahlreiche Ana-	Bair. Exportbiere . .	215—275	
		lysen.	Helle Rheinische		
Saure Milch	ca. 300		Biere	400—490	
Kefyr	ca. 480	48—60stündig.	Pilsener Bier . . .	340	
Diabetes-Milch . .	1100—120	E. Lindheimer,			Bürgerl. Bräu-
		Frankfurt a. M.			haus (amtliche
		u. andere. Dr.			Analyse vom
		Gärtner'sche			11. April 1891).
		Milch-Sterili-	Pilsener Exportbier ·	300—320	
		sationsanstalt.	Lichtenhainer . . .	480—600	
			Grätzer	600	
Bier, Schaumwein.			Roter Valpolicella-		
Bair. Winter-Schank-			Schaumwein . . .	300	Fl. Rigo, Trient.
biere	275—340				

Die Diätverordnung besteht aber nicht nur in dem Kohlehydratverbot, man muß dafür sofort einen Ersatz geben. Den hauptsächlichen kalorischen Ersatz stellen die Fette dar. Folgende Übersicht über das Kalorienbedürfnis des Diabetikers erläutere dies. Rechnen wir mit 2800 Kalorienbedürfnis. Für gewöhnlich wird das ungefähr in folgender Weise gedeckt: 100 g Eiweiß, wovon etwa 60—70 g auf Fleisch entfallen (ca. 300 g), mit 410 Kalorien, 400 g Kohlehydrate mit 1640 Kalorien und 80 g Fett mit ca. 750 Kalorien). Bei Fortfall der 1640 Kohlehydratkalorien kann man durch 100—120 g Fettzulage den größten Teil des Defizits, d. h. 900 bis 1100 Kalorien decken. Die Fette sind bequem bei der Zubereitung von Gemüsen, Salaten, welche große Fettmengen aufsaugen, unterzubringen (Butter, Bratenfett, saurer Rahm, Speck, Öl). Der Kalorienrest ist durch Eiweiß zu ersetzen. Besonders erwähnt sei das Obst mit seinem geringen Kohlehydrat- und seinem reichen Salzgehalt. Es ist ein wichtiges Genußmittel für den Diabetiker. In schweren Fällen ist die Toleranz der einzelnen Obstsorten besonders zu prüfen, in leichten kann man meist schon in der Periode der strengen Diät 50—100 g Obst versuchen. (Vor der Reife ist das Obst zuckerärmer.)

Kommt man mit allgemeinen Verordnungen in den leichten Fällen nicht zum Ziel, so muß dem Diabetiker ein genauer Speisezettel gegeben werden, dessen Grundschema für die kohlehydratfreie Standardkost von v. Noorden wie folgt angegeben wurde. Je nach der festgestellten Toleranz hat der Kranke nur die erlaubten Gramme (z. B. 30, 40, 100 g) Weißbrötchen oder deren Äquivalente einzuführen. Die Hauptkost ist kohlehydratfrei, die Kohlehydrate werden als Nebenkost bezeichnet. Schema nach von Noorden.

1. Frühstück. Hauptkost: 200 ccm Kaffee oder Tee mit 1—2 Eßlöffel dickem Rahm, 80—100 g kaltem Fleisch (Schinken u. dergl.), Butter. (Nebenkost: 25 g Weißbrötchen.)

2. Frühstück. Zwei Eier; dazu eine kleine Tasse Fleischbrühe oder ein Glas Rotwein.

Mittagessen. Hauptkost: klare Fleischbrühe mit Ei; — reichlich Fleisch (Kochfleisch, Braten, Fisch, Wild, Geflügel, im ganzen ca. 150—200 g); — Gemüse von Spinat, Wirsing, Blumenkohl oder Spargel (zur Zubereitung dürfen Fleischbrühe, Butter oder andere Fette, Eier, dicker saurer Rahm, aber kein Mehl verwendet werden); — etwa 20 g Rahmkäse, reichlich Butter; — zwei Glas Rotwein oder Moselwein. (Nebenkost: 25 g Weißbrötchen.)

Nachmittags: 1 Tasse schwarzer Kaffee oder Tee. (Nebenkost: 25 g Weißbrötchen.)

Abendessen. Hauptkost: Beefsteak oder kalter Braten (ca. 150—200 g), grüner Salat mit Essig und Öl, — als Beilage kann Rührei (ohne Mehl bereitet) oder Spiegelei genommen werden; — zwei Glas Rotwein oder Moselwein. (Nebenkost: 25 g Weißbrötchen.)

Getränk am Tage (außer Wein) 1—2 Flaschen kohlensaures Tafelwasser.

Die eigentliche Hauptkost umfaßt also nur Speisen, welche praktisch so gut wie kohlehydratfrei sind. v. Noorden hat die Nahrungsmittel nach ihrem Kohlehydratgehalt in drei Gruppen: als unbedingt erlaubte, ferner solche, die zwar nur geringe, aber doch meßbare Mengen Kohlehydrate enthalten, d. h. als in beschränktem Maße erlaubte, und endlich als kohlehydratreiche oder bedingt erlaubte gesondert. Die dritte Gruppe der bedingt erlaubten Speisen ist bereits in der Äquivalenttabelle enthalten, wo sie nach ihrem Kohlehydratgehalt bewertet ist.

Nahrungsmitteltabellen (nach von Noorden).
Tabelle I.
1. Gruppe: unbedingt erlaubte Nahrungsmittel (kohlehydratfrei).

Frisches Fleisch: alle Muskelteile von Ochs, Kuh, Kalb, Hammel, Schwein, Pferd, Wildpret, zahmen und wilden Vögeln — gebraten, geröstet, gedämpft, gekocht; mit eigener Sauce oder mehlfreier Mayonnaise; warm und kalt.

Innere Teile der Tiere: Zunge, Herz, Lunge, Gehirn, Thymusdrüse, Nieren, Knochenmark — Leber von Kalb, Wild, Geflügel bis zu 100 g (zubereitet gewogen).

Äußere Teile der Tiere: Füße, Ohren, Schnauze, Schwanz aller eßbaren Tiere.

Fleischkonserven: getrocknetes Fleisch, Rauchfleisch, geräucherte oder gesalzene Zunge, Pökelfleisch, Schinken, geräucherte Gänsebrust, amerikanisches Büchsenfleisch, australisches Corned Beef, Sülze, Ochsenmaulsalat. — Würste der verschiedensten Art, soweit sie brot- und mehlfrei sind (Vorsicht!); Pasteten der verschiedensten Art, darunter auch Straßburger Gänseleberpastete in den üblichen Mengen — vorausgesetzt, daß die Farce ohne Brot und Mehl zubereitet ist; bei Primaware kann man dessen sicher sein.

Frische Fische: sämtliche frische Fische, gekocht, gebraten oder am Grill geröstet (keine Brotkruste, welche eventuell nach dem Braten entfernt wird). Zutaten: alle mehlfreien Saucen, am besten reichliche Butter, Zitrone.

Fischkonserven: getrocknete Fische, (Stockfisch), gesalzene und geräucherte Fische wie Kabeljau, Schellfisch, Hering, Makrele, Flunder, Sardelle, Salm, Stör, Sprotten, Neunaugen, Aal usw., eingemachte Fische, wie Sardines à l'huile, Makrelen à l'huile, Anchovis, Sardellen, Thunfisch usw.

Muschel- und Krustentiere: Austern, Miesmuscheln und andere Muscheln, Hummer, Krebse, Langusten, Crevettes, Schildkröte, Krabben.

Fleischextrakte, Fleischpeptone jeder Art: Somatose, Nutrose, Eukasin, Plasmon, Tropon, Roborat, Tutulin, Glidin, Sanatogen, Fortose usw. Fleischgelée und Aspic aus Kalbsfüßen oder reiner Gelatine.

Eier von Vögeln, roh oder beliebig — aber ohne Mehlzusatz — zubereitet. Fischeier: Rogen, Kaviar.

Präparierte Fleisch- und Fischsaucen: Die bekannten englischen oder nach englischem Muster hergestellten pikanten Saucen: Beefsteak, Harvey, Worcester, Anchovis, Lobster, Shrimps, India Soy, China Soy usw. dürfen in den üblichen kleinen Mengen zugesetzt werden, wenn dies nicht aus besonderen Gründen ausdrücklich verboten wird (z. B. bei Nephritis oder Erkrankungen der Verdauungsorgane).

Fette: tierischer oder pflanzlicher Herkunft, z. B. Butter, Speck, Schmalz, Bratenfett, Margarine, Olivenöl, gewöhnliches Salatöl, Kokosbutter, Laureol, Gänsefett, Lebertran.

Rahm: guter fettreicher Rahm, sowohl süß wie sauer, ist als Getränk und als Zusatz zu Speisen Getränken (wenn nicht ausdrücklich Beschränkung geboten wird) in Mengen bis zu ³/₁₀ Liter am Tage erlaubt. Die Küche sollte hiervon ausgiebig Gebrauch machen, da bei Verwendung von Rahm der Zusatz von Mehl für zahlreiche Fleisch-, Fisch-, Gemüse und Eierspeisen entbehrlich wird (conf. S. 301).

Milch: Boumas künstliche, zuckerfreie; ferner Williamsons Milch, von Noordens Rahmmischung.

Käse: jede Art, vor allem der sog. Rahmkäse, in der Regel nicht mehr als 50 g am Tage. Insbesondere sei auf die Bedeutung des zerriebenen Parmesankäse zum „Binden", von Suppen und Gemüsen hingewiesen.

Gebäcke: mehlfreie Mandel- und Klebergebäcke.

Frische Vegetabilien:
    Salate: Kopfsalat, krause und glatte Endivien, römischer Salat, Kresse, Löwenzahn, Portulak.
    Gewürzkräuter: Petersilie, Estragon, Dill, Borrago, Pimpernell, Minzenkraut, Lauch, Knoblauch, Sellerieblätter.
    Gemüsefrüchte: Gurken, Tomaten, grüne Bohnen mit jungen Kernen, Vegetable Marrow, Melanzane, Suchette, Aubergine.

Zuelzer, Innere Medizin.   21

Knollen: Zwiebel, junge oberirdische Kohlrabi (so lange sie noch grün sind), Radieschen.
Rettig, Meerrettig — in leichten Fällen auch die inulinhaltigen Erdartischocken und Stachys.
Stengel: weißer und grüner Spargel, Rübstiel, Hopfenspitzen, Brüsseler Zichorie, englischer
     Bleichsellerie (ohne die Knollen!), junge Rhabarberstengel.
Blüten: Blumenkohl, Broccoli, Rosenkohl, Artischocke.
Blattgemüse: Spinat, Sauerampfer, Krauskohl, Wirsing, Weißkohl, Rotkohl, Butterkohl, Savoyer-
     kohl, Mangold.
Pilze: frische Champignons, Steinpilze, Eierpilze, Morcheln, Trüffeln in der üblichen Menge.
Nüsse in folgenden Mengen: 6 Walnüsse oder 10 Haselnüsse oder 10 Mandeln oder 8 Paranüsse
     oder 10 Erdnüsse.
Obst: Von den zu Kompots benützten Vegetabilien sind Preißelbeeren, junge Rhabarberstengel, un-
     reife Stachelbeeren erlaubt, wenn sie mit Saccharin, statt mit Zucker, eingekocht werden.
Gemüsekonserven: eingemachte Spargel, Haricots verts, eingemachte Schneidebohnen, Salzgurken,
     Essiggurke, Pfeffergurke, Mixed pickles, Sauerkraut, eingelegte Oliven, eingemachte Cham-
     pignons und andere eingemachte Vegetabilien aus den oben angeführten Gruppen.
Gewürze: Salz, weißer und schwarzer Pfeffer, Cayennepfeffer, Paprika, Curry, Zimmt, Nelken,
     Muskat, englischer Senf, Safran, Anis, Kümmel, Lorbeer, Kapern, Essig, Zitronen. (Bei be-
     gleitenden Erkrankungen der Verdauungsorgane oder der Nieren und der Harnwege natürlich
     zu beschränken oder zu verbieten).
Suppen: Fleischbrühe von jeder beliebigen Fleischart oder von Fleischextrakt mit Einlage von grünen
     Gemüsen, Spargel, Eiern, Fleischstücken, Knochenmark, Fleischleberklößchen, Parmesankäse
     und anderen Substanzen, die in dieser Tabelle verzeichnet sind. Suppen aus Sarton (ja-
     panische Sojabohne), Präparat von Fr. Bayer, Elberfeld.
Süße Speisen aus Eiern, Rahm, Mandeln, Zitrone, Gelatine, zu deren Bereitung Saccharin, statt
     Zucker, benutzt ist.
Getränke: Alle Sorten von Sauerbrunnen und künstliche Selterswässer. Gute Sorten von Kognak,
     Rum, Arrak, Whisky, Nordhäuser, Kornbranntwein, Kirschwasser, Zwetschengeist, Stein-
     häger usw.
     Weine: Leichte Mosel- oder Rheinweine und ähnl. Weine, Bordeaux- und Burgunder-
     weine (langes Lagern der Weine auf Faß ist erwünscht). Offene Landweine und Apfel-
     weine (d. h. direkt vom Faß) sind in der Regel völlig zuckerfrei. — Zuckerfreie Schaumweine.
     Zuckerfreie deutsche Schaumweine bei J. A. Kohlstadt in Frankfurt a. M. und bei O. Rade-
     mann, Goethestraße 30, in Frankfurt a. M. — Sehr guter, zuckerfreier französischer Cham-
     pagner von Ernest Irroy in Rheims, Marke „Brut". Vertreter dieser Firma für Deutschland:
     Ant. Bux in Berlin, Leipzigerstraße 25; für Österreich-Ungarn und für Rußland: Max F. Fech-
     ner, Wien I, Schwarzenbergstraße 3. Die Menge ist vom Arzte vorzuschreiben. Diabetiker-
     Sekt von Schlumberger (Wien): 0,1% Zucker.
     Tee und Kaffee ohne Zucker, mit Rahm. Zur Süßung wird Saccharin benutzt.
     Kakao: Kakao darf verwendet werden, falls der Gebrauch nicht ausdrücklich untersagt wird
     und falls die Menge des Kakaopulvers sich in bestimmten Grenzen hält: 10 g reines Kakao-
     pulver von Stollwerck oder van Houten, oder von der Saccharinschokolade Hövel's in Berlin;
     oder 15—20 g von Rademanns Diabetiker-Kakao oder von J. Grötsch in Frankfurt a. M.
     Süßung mit Saccharin.
     Limonaden: Selterswasser mit Zitronensaft; zur Süßung Saccharin oder auf besondere Er-
     laubnis Lävulose.

Tabelle II.

**2. Gruppe: Speisen, die, auf besondere Erlaubnis hin, in beschränkten
Mengen statthaft sind.**

Die hier angegebenen Portionen enthalten nicht mehr als je 5 g Kohlehydrate.

Gemüse (ohne Mehl und Zucker gekocht): getrocknete weiße Bohnen, getrocknete gelbe oder grüne
     Erbsen (als Körner oder als Püree), Kerbelrüben: ein Eßlöffel. Teltower Rüben, rote Rüben,
     weiße Kohlrüben, Mohrrüben, Karotten, Knollensellerie, Schwarzwurzeln, Stachys, grüne,
     frische oder eingemachte Erbsen und Saubohnen, Wachsbohnen mit großen Kernen als Ge-
     müse oder Salat: zwei Eßlöffel.
Kartoffel: eine kleine Kartoffel von der Größe einer großen Pflaume oder ein Eßlöffel Kartoffelpüree
     oder Pommes frites.
Frische Obstfrüchte: Apfel, Birnen, Aprikosen, Pfirsich bis zu 50 g Gewicht; Himbeeren, Walderd-

beeren, Johannisbeeren, Waldhimbeeren, Brombeeren zwei gehäufte Eßlöffel; Heidelbeeren drei Eßlöffel.

Gekochte Früchte (ohne Zucker, eventuell mit Saccharin gesüßt): Mirabellen, Zwetschen, Pflaumen, Apfel, Birnen, Aprikosen, Pfirsiche, Sauerkirschen ein gehäufter Eßlöffel; Himbeeren, unreife Stachelbeeren, Johannisbeeren zwei gehäufte Eßlöffel.

„Sugarless-Marmelade" von Callard oder von J. Keiller, zwei Eßlöffel.

Dörrobst (Pflaumen, Zwetschgen, Pfirsiche), nach starkem Auswässern gekocht, ein gehäufter Eßlöffel.

„Früchte im eigenen Safte" von O. Rademann in Frankfurt a. M.; auch bei Goldscheider-Marx in Wien, Naglergasse 4 und bei A. Fritz in Wien, Naglergasse 13; von J. Eisler (Wien): zwei Eßlöffel.

Milch: ¹⁄₁₀ Liter.

Lävulose-Schokolade von Stollwerck: bis 15 g.

Die Behandlung hat neben der Beschränkung der Glykosurie auch stets die Gefahr der Azidosis im Auge zu behalten. Wenn jedoch zu Beginn der Kohlehydratentziehung beim leichten Diabetiker eine Azetonausscheidung auftritt, die vorher nicht vorhanden war, so ist dieselbe nicht anders zu bewerten, wie die physiologische Ketonurie die beim Gesunden vorkommt, wenn er auf die gleiche Kost gesetzt wird (cf. S. 311); sie ist also keine Kontraindikation für die Kohlehydratentziehung. Hier lassen sich keine allgemeinen Schemata geben. Jeder Fall muß individuell behandelt werden. Früher wurden alle derartigen Fälle mit der strengen Diabetesdiät, also der Eiweiß-, Fett-, Gemüsediät, unter Ausschluß der Kohlehydrate behandelt. Man hat seither die Gefahren kennen gelernt, welche die lang dauernde Entziehung der Kohlehydrate als azidosisbefördernd in sich schloß. Man hat ferner erkannt, daß in manchen Fällen die Beschränkung des Eiweißes besser die Glykosurie herabzudrücken vermag als die Kohlehydratbeschränkung. Ob sogenannte strenge Diät, ob Kohlehydratzufuhr und Eiweißbeschränkung im Einzelfalle zum Ziele führen, ist nur durch die Beobachtung festzustellen. Es scheint noch heute am zweckmäßigsten, zunächst, aber unter dauernder Kontrolle, mit ganz allmählichem Übergang, auch in den mittelschweren und schweren Fällen, die strenge Diät durchzuführen, wie sie für die leichten Fälle beschrieben wurde. Oft bessert sich dann die Toleranz für Kohlehydrate und die Ketonurie, und gleichzeitig das Allgemeinbefinden. Führt diese Verordnung nicht zum Ziel, ohne jedoch dem Kranken zu schaden, so kann man zu der von von Noorden so genannten verschärften strengen Diät übergehen, indem gleichzeitig neben der Kohlehydratfreiheit eine Eiweißbeschränkung eintritt, die bis auf 100, 80, ja selbst 60 g gehen kann. Dafür ist entsprechend der Fettgehalt der Nahrung (Rahm, reines Öl, Speck, Alkohol) zu erhöhen. Geht der Zucker dabei herab, so leistet eine noch weiter gehende Einschränkung der gesamten Eiweißzufuhr durch sogenannte Hungertage (Naunyn) oder Gemüsetage (von Noorden), die auf 1 oder 2—3 Tage eingeschaltet werden, oft Vortreffliches, indem der Zucker vollkommen herabgeht und auch die Azetonurie stark absinkt. An den Hungertagen erhalten die Kranken, welche dann im Bett bleiben, schwarzen Kaffee, Tee, Bouillon, Mineralwasser mit Zitronensaft, und auch Kognak oder Whisky.

An den Gemüsetagen werden nur solche Gemüse gegeben, die praktisch eiweiß- und kohlehydratfrei sind (auf Tabelle 1). Dieselben werden mit viel Butter, Speck, Öl und Eigelb zubereitet; daneben beträchtlichere Mengen von Alkohol in Form von Rotwein, Kognak, etwas Tee und Kaffee, Bouillon. Je stärker die Zuckerausscheidung bereits vor dem Gemüsetag herabgedrückt war, um so wirkungsvoller ist ihr Einfluß. Ein Hunger- oder Gemüsetag kann öfters, alle acht Tage etwa, eingeschaltet oder mehrere, 2—3 Tage hintereinander durchgeführt werden. In der Zwischenzeit ist möglichst Pflanzeneiweiß heranzuziehen. Die Hauptnahrung machen die Fette aus, 200 g pro Tag; das Fett kann zum Teil durch Alkohol ersetzt werden, von dem man getrost 40, 60, bis selbst 80 g in schweren Fällen geben kann. Stets sind gleichzeitig größere Mengen, 20—30 g Natr. bicarb. mit 5—6 g Calcar. carbon., welch letzteres die im Darm durch Fettzersetzung entstehenden niedereren Fettsäuren (Azetonbildner!) besser als das schon im Magen resorbierte Natronsalz abfängt und an dem Eintritt in die Chylusbahnen hindert (v. N o o r d e n), prophylaktisch und als Ersatz für die zugleich mit den mehlhaltigen Nahrungsmitteln entzogenen Alkalien (Kartoffeln) zu verabreichen. Das Natr. bic. wird nach neuestem Vorschlag zweckmäßig in Geloduratkapseln oder Keratinpillen verabreicht, welche sich erst im Darm lösen.

Die strenge Diät und gar die verschärfte strenge Diät ist naturgemäß — abgesehen davon, daß sie praktisch wohl nur in Anstalten durchführbar sind — nur für einige Wochen anzuwenden. Hat sich dann die Toleranz gebessert, so kann man möglichst versuchen, die Kohlehydratzufuhr so zu steigern, daß der Zuckergehalt des Urins etwa 30—80 g pro Tag nicht übersteigt. Der Kranke soll in dieser Zeit der nicht strengen Diät wenigstens einen gewissen Genuß von den erlaubten Speisen haben, um durch das psychische Moment die somatischen Schädigungen einigermaßen zu paralysieren. Dann sind wieder strenge Wochen einzuschalten, je nach der Schwere des Falles vier- bis fünfmal im Jahre.

Die W i n t e r n i t z s c h e n M i l c h k u r e n, welche für die gleiche Kategorie von Fällen angewandt werden, und bei denen 2—3 l Vollmilch pro Tag gegeben werden, haben manchmal Erfolg; wahrscheinlich dadurch, weil sie bei gleichzeitiger Einschränkung des Eiweißes eine recht erhebliche Unterernährung darstellen. Die Milchkur ist nur unter Kontrolle ausführbar, ihre Hauptindikation ist wohl bei gleichzeitig bestehender Nephritis gegeben. Man kann diese Kur durch Zugabe der Gemüse aus Tabelle 1 erträglicher machen. Versagen die genannten Kuren deshalb, weil die Acidosis bedrohlich ansteigt, so ist die von Noordensche Haferkur zu versuchen. Sie besteht aus 250 g Hafermehl (Hohenlohesche Haferflocken, amerikanische Hafergrütze, Knorrs Hafermehl), 200—300 g Butter und 100 g Pflanzeneiweiß (Roborat, Glidin, Reißeiweiß usw.) oder 5—8 Eiern täglich. Diese Nahrung wird in Suppenform oder als Porridge zweistündlich verabreicht, außerdem nur schwarzer Kaffee oder Tee, Zitronensaft, guter alter Rum, Kognak, Whisky usw. von Noorden läßt 3—4 Hafertage auf hin und wieder 1—2 Gemüsetage folgen. Eventuell ist der gleiche Turnus noch 1—2 mal zu wiederholen. Zu Beginn kann die Glykosurie etwas ansteigen, aber nach einigen Tagen sinkt die Zuckerausscheidung bis zur völligen Zuckerfreiheit, gleichzeitig auch die Ketonurie zum mindesten in den darauf folgenden Gemüsetagen. Es scheint, daß Weizenmehlkuren genau das Gleiche bewirken; jüngst wurde unter den Bedingungen der Haferkur täglich 100—150 g reiner Traubenzucker gegeben mit dem gleich günstigen Resultate und dem Vorzuge angenehmeren Geschmackes. Wahrscheinlich ist das Wesen der Wirkung nicht in einer spezifischen Mehlwirkung, sondern in dem Fehlen der Schädigung durch das Fleisch und der sonstigen schädigenden Eigenschaften der strengen Kost zu suchen. Analoge Wirkungen wurden wohl durch die früher empfohlenen Reis-, Kartoffel- und Obstkuren gezeitigt. Wesentlich scheint ferner zu sein, daß nur eine Art von Kohlehydrat gleichzeitig gegeben wird, obgleich hierfür noch gar keine Erklärung möglich ist. Es ergibt übrigens die kalorische Berechnung, daß bei der von Noordenschen Haferkur der bettlägerige Kranke noch an Körpergewicht zunimmt. Nach Beendigung der erfolgreichen Kur darf der Übergang zur gewöhnlichen Kost nicht brüsk, sondern nur allmählich erfolgen (Gemüsetage, Pflanzeneiweiß), da sonst die Azetonkörper oft wieder bedrohlich ansteigen. Es kann eventuell der Erfolg monatelang anhalten. Ob für den einzelnen Fall die Haferkur geeignet ist oder nicht läßt sich nicht voraussagen.

Wenn auch neben der diätetischen Behandlung alle übrigen therapeutischen Faktoren zurückstehen, so sind sie doch nicht ohne jede Bedeutung. Hat erstere die Aufgabe, die fermentative oder richtiger hormonale Arbeit der Gewebszellen durch die Verminderung oder Fernhaltung der Kohlehydrate zu schonen, so kann durch körperliche Arbeit angestrebt werden, den Umfang der Verbrennungen im allgemeinen und dadurch gleichzeitig die Fähigkeit des diabetischen Organismus, den Zucker zu verbrennen, zu steigern. Bei manchen Diabetikern wirkt in der Tat Muskelbewegung geradezu zuckervermindernd. Vor Überanstrengung muß gewarnt werden. Spazierengehen, Reiten, Wanderungen sind je nach Lage des Falles zu verordnen. Nach Übermüdung sind tödliche Herzschwäche oder akuter Komaausbruch beobachtet. Zander-Gymnastik, Massage usw. sind nur ein mangelhafter Ersatz für die aktive Bewegung im Freien, die zugleich psychisch anregend wirkt. Die psychische Behandlung verdient überhaupt gerade beim Diabetiker große Beachtung. Viele neigen zu einer überaus pessimistischen, andere zu einer unmotiviert optimistischen Auffassung. Beiden ist entgegenzutreten. Die Hydrotherapie dient vor allem zur Hautpflege. Direkte Bedeutung auf die Zuckerherabsetzung hat sie nicht, indirekt durch allgemein psychische und somatische Beeinflussung (Bekämpfung der neurasthenischen Zustände, der Schlaflosigkeit, als abhärtendes Moment usw.), daher am besten morgendliche Wannenbäder, kühle Abreibungen, laue Douchen usw.

Die Schwierigkeit einer rationellen diätetischen Behandlung zu Hause läßt für den Diabetiker die Frage nach dem Erholungsaufenthalt sehr wichtig erscheinen. In schweren Fällen ist Krankenhaus oder Sanatorium das Beste, ja, sie sind wohl kaum zu entbehren. Trinkkuren sind für derartige Fälle zum mindesten ohne Nutzen. Bei starker Abmagerung, komplizierender Nephritis oder Herzstörungen sind sie direkt kontraindiziert. Die Trinkkuren in Karlsbad, Marienbad, die als weniger anstrengend geltenden in Neuenahr, Vichy, Salzbrunn, Kissingen, Homburg sind indiziert — insofern, als sie infolge aller bei ihnen wirksamen Faktoren erfahrungsgemäß günstig wirken — bei leichten Glykosurien in mittlerem und höherem Alter, bei Komplikation mit Gicht, Nierensteinen, Fettleibigkeit und leichten Graden von Arteriosklerose. Liegt keine Notwendigkeit einer strengen Diät vor, z. B. als Nachkur nach einer Sanatoriumsbehandlung, so ist Landaufenthalt, Mittelhochgebirge oder See zu empfehlen; alle stark anregenden Klimata sind, abgesehen von den ganz leichten Fällen, besser zu meiden.

Von der medikamentösen Therapie ist bezüglich der Herabsetzung der Glykosurie nicht viel zu erwarten; obgleich nach Opium, Bromkali, Phenazitin, Antipyrin usw. gelegentlich eine Herabsetzung der Glykosurie beobachtet wurde, ist wohl diese Wirkung nur eine indirekte, auf dem Wege des übererregten Nervensystems. Jedenfalls erhöhen sie nicht die Assimilationsgrenze für Kohlehydrate.

Kommt es zum Coma diabeticum, so ist, solange der Patient nicht schwer benommen ist, für das drohende Koma die beschriebene Diät streng durchzuführen. Der Kranke gehört sofort ins Bett; vollkommene geistige und körperliche Ruhe. von Noorden beginnt die Behandlung des Komas mit zwei Hungertagen, welche die Acidosis schneller beseitigen sollen als die früher viel angewandte Methode der Zufuhr leicht assimilierbarer Kohlehydrate (Hafer, Milch, Lävulose). Gleichzeitig große Mengen von Alkohol, 200—250 ccm Kognak pro Tag. Dann erst Einleitung der Haferkur, unter anfänglicher Vermeidung zu großer Mengen Butter. Gleichzeitig große Mengen (30—40 g) doppelkohlensaures Natron (eventuell als Wernitzsche Eingießung, oder, bei vollem Coma, intravenöse Injektion 3—5 % Sodalösung; mehrmals täglich je 100—200 ccm.

Diabetes insipidus.

Diese Erkrankung, welche eine Polyurie und eine sekundäre Polydypsie kennzeichnet, ist ihrem Wesen nach dahin aufzufassen, daß die Niere in ihrem normalen molekularen Konzentrationsvermögen funktionell geschädigt ist; m. a. W.: die Niere vermag nicht mehr einen normal konzentrierten Harn zu liefern. Sie muß, um die harnfähigen Bestandteile abzusondern, reichliche Mengen Harnwasser liefern. Das mit der Krankheit verbundene und als quälendstes Symptom sich bemerkbar machende hochgradige Durstgefühl ist eine Folge und nicht die Ursache der gesteigerten Harnsekretion.

Der Diabetes insipidus kommt hauptsächlich bei Erwachsenen, sehr selten bei Kindern vor. Er scheint gelegentlich erblich zu sein. Daneben nimmt man auch eine nervöse Ätiologie an (Erkrankungen des Zentralnervensystems, Herderkrankungen, Geschwulstbildungen, Gummata, periphere Erkrankungen usw.) Auch Alkohol und Lues werden angeschuldigt. Experimentell läßt sich die Polyurie durch Verletzung einer bestimmten Stelle am vierten Ventrikel erzeugen.

Symptomatologie. Die Polyurie, welche gleichzeitig mit starker Pollakiurie (häufige Harnentleerung) einhergehen kann, ist meist das erste, dem Kranken auffallende Symptom; doch kann auch umgekehrt das sekundäre krankhaft gesteigerte Durstgefühl, das mit Trockenheit und Klebrigkeit in der Mundhöhle einhergeht, die Aufmerksamkeit auf sich lenken. Dabei ist die Haut trocken, es kommen zahlreiche nervöse Symptome wie Kopfschmerzen, Neuralgien und dgl. vor, vielleicht nicht als Folge des Diabetes insipidus, sondern aus der gleichen Ursache wie dieser entstanden. Der Appetit kann vermindert oder auch gesteigert sein. Die

Harnmengen sind manchmal fast unglaubliche (durchschnittlich 6—10 l, in einem Falle 43 l pro Tag). Der Harn ist ganz hell, fast wasserfarben, sauer reagierend und mit sehr niedrigem spezifischen Gewicht, 1001—1005, entsprechend ist der Gefrierpunkt des Harns erhöht ($\triangle = 0,2 - 0,36^0$). Eiweiß und Zucker fehlen, wenn sie nicht als Komplikation hinzutreten.

Um das verminderte Konzentrationsvermögen festzustellen, gibt man dem Kranken zu einer gleichmäßigen Kost 10 g Kochsalz als Zulage, wodurch, im Gegensatz zur chronischen Schrumpfniere, die Urinmenge beträchtlich erhöht wird, um das Kochsalz herauszuschaffen.

Die Krankheit gefährdet an sich das Leben nicht; die Kranken können alt damit werden.

Die Therapie ist, soweit nicht eine primäre neurogene Ursache (Gumma des Zentralnervensystems usw.) durch eine spezifische Behandlung behoben werden kann, ziemlich machtlos. Vereinzelt hat die Strychnintherapie günstig gewirkt (subkutane Verabreichung von 0,005 g Strychninum nitricum bis zu 0,01 g steigend, 10 Tage auf der Höhe und dann allmählich wieder zurückgehend). Sie ist in jedem Falle zu versuchen. Der hie und da gemachte Versuch, durch Flüssigkeitsbeschränkung die Polyurie zu beeinflussen, kann von sehr unangenehmen Erscheinungen gefolgt sein, ohne, nach dem Wesen der Erkrankung, zum Ziele zu führen. Man kann höchstens versuchen, durch eine Kost, welche möglichst wenig Stickstoffschlacken und Salze enthält, die Ausscheidung der Molekel im Harne zu vermindern. Also Kohlehydratfettdiät, salzarm und Beschränkung der Eiweißzufuhr auf das höchstmögliche Minimum.

Gicht.

Stoffwechselpathologie der Gicht. Seitdem Garrod zuerst festgestellt hatte, daß beim Gichtiker stets Harnsäure im Blute (eine Urikämie) vorhanden ist, bildet die Harnsäure den Angelpunkt, um den sich die ganze theoretische und therapeutische Frage der Gicht dreht.

Es steht heute mit Sicherheit fest, daß die Nukleine oder die Purinbasen als einzige Quelle der Harnsäure zu gelten haben, während das Eiweiß mit dem Harnsäurestoffwechsel nichts zu tun hat. Emil Fischer hat zuerst die nahe Verwandtschaft der Purinbasen und der Harnsäure untereinander kennen gelehrt; sie alle lassen sich vom Purin ableiten $= C_5H_4N_4$.

$$\begin{array}{c} (1)N = C_{(6)}H \\ | \quad | \\ H_{(2)}C \quad C_{(5)} - N_{(7)}H \\ || \quad || \quad \diagdown C_{(8)}H \\ (3)N - C_{(4)} - N_{(9)} \end{array}$$

Treten in denselben Sauerstoffatome ein, so resultieren Hypoxanthin (Oxypurin), Xanthin (Dioxypurin) und Harnsäure = 2.6.8. (Trioxypurin) =

$$
\begin{array}{c}
HN - C_{(6)}O \\
\quad | \qquad | \\
{}_{(2)}CO \quad C - NH \\
\quad | \qquad \| \qquad \Large\rangle C_{(8)}O \\
HN - C - NH
\end{array}
$$

Wird ein Wasserstoff durch das Amid NH_2 ersetzt, so entsteht Adenin, tritt hierzu noch ein Sauerstoff, so erscheint das Guanin. Auf die nahe Verwandtschaft dieser Basen mit Theobromin usw. soll hier nur hingewiesen werden. Diese Purinbasen sind nun in den Zellkernen unseres Organismus, und zwar in den Nukleinen, resp. der Nukleinsäure enthalten, und je zellreicher und damit je kernreicher ein Organ ist, desto größer ist auch sein Gehalt an Nuklein- und Purinbasen: so z. B. die Thymusdrüse, die Leber, die Nieren usw. Als sichere Quelle der Harnsäure kennen wir demnach einmal die Nukleinsubstanzen der zugrunde gehenden Körperzellen und das im arbeitenden Muskel gebildete Hypoxanthin, zweitens die Nukleinsubstanzen und Purinbasen der Nahrung. Die ersteren bilden die „endogene" Harnsäure — der Purinkern wird wahrscheinlich synthetisch gebildet —, die letztere die Quelle der „exogenen" Harnsäure.

Über die Art des Abbaus der Nukleinsubstanzen zur Harnsäure sind wir durch die Untersuchungen der letzten Jahre vollkommen aufgeklärt. An dem Bildungsprozeß der Harnsäure sind Fermente beteiligt, und zwar eine Nuklease, die die Nukleinsäure zu spalten vermag, so daß das Guanin und Adenin frei wird, ein hydrolytisches Ferment, welches die beiden letzteren in Xanthin, resp. Hypoxanthin überführt und endlich eine Xanthinoxydase, welches aus Xanthin und Hypoxanthin Harnsäure entstehen läßt. Der Abbau ist der gleiche, ob die Purinbasen der Nahrung entstammen oder von zerfallenden Körperzellen oder aus dem Muskel herrühren.

Auch der vollkommen purinfrei ernährte Mensch scheidet also Harnsäure aus, und zwar ist diese endogene Harnsäureausscheidung für die einzelnen Individuen eine ziemlich konstante, etwa 0,3 bis 0,6 g Harnsäure pro Tag. Wie verhalten sich in dieser Beziehung purinfrei ernährte Gichtiker? Brugsch und Schittenhelm stellten fest, daß 43% der bisher beobachteten Gichtiker endogene Harnsäurewerte unter 0,3, also unter der Norm haben, 36% niedrigere Werte 0,3 bis 0,4 und nur 21% höhere Normalwerte zwischen 0,4 und 0,6% pro Tag. Die alte Ansicht Garrods also, daß der Gichtiker weniger Harnsäure ausscheidet als der Normale, muß mit Bezug auf die endogene Harnsäureausscheidung wenigstens für die Mehrzahl der Gichtiker aufrecht erhalten werden.

Auch bei wochen- und monatelang purinfrei ernährten Gichtikern fanden die genannten Forscher stets eine kleine Menge Harnsäure im Blute, etwa 1 bis 3 mg in 100 ccm, während gesunde purinfrei ernährte Menschen keine Harnsäure in ihrem Blute auffinden lassen, sondern nur gelegentlich und vorübergehend bei purinreicher Kost. Diese Harnsäure muß also aus dem endogenen Harnsäurestoffwechsel kommen, und darum muß die Gicht auch eine endogene Stoffwechselstörung sein.

Als Ursache der Erhöhung des Harnsäuregehaltes des Blutes kommen drei Möglichkeiten in Frage: die verminderte Ausscheidbarkeit der Harnsäure, die vermehrte Harnsäureproduktion und die verminderte Urikolyse (Harnsäureabbau). Die erste und zweite Ursache lassen sich, worauf hier einzugehen zu weit führen würde, mit ziemlicher Sicherheit ausschließen, so daß jene Autoren zu der Annahme gedrängt werden, daß die verminderte Urikolyse, also eine ver minderte funktionelle Fermentativleistung die Ursache der Harnsäureanhäufung im Blute darstellt. Auch der übrige, mit der Verarbeitung des gesamten Nukleinstoffwechsels betraute Fermentativapparat, die Nuklease usw. betreffend zeigt eine verminderte Leistungsfähigkeit. Verfüttert man nämlich an Gichtiker kernreiche Gewebe, so zieht sich die Ausscheidung der Harnsäure und des Harnstoffstickstoffes um ein bis drei mal 24 Stunden länger hin als beim Gesunden.

Es ist nun interessant zu sehen, wie nahe diese moderne Auffassung an die quasi klassische Auffassung der Franzosen von dem Wesen der Gicht heranreicht. Die Gicht steht bekanntlich in gewissen Beziehungen zu dem Diabetes; die Franzosen gehen so weit, von einem arbre arthritique zu sprechen, dessen einzelne Zweige die Gicht, die Arthritis deformans, der chronische Muskelrheumatismus, der Diabetes u. a. darstellen. Das Gemeinsame aller dieser Krankheiten ist nach ihrer Auffassung eine Stoffwechselstörung, die sich nach B o u c h a r d als Verlangsamung des Stoffwechsels (ralentissement de la nutrition) bezeichnen läßt. Diese Anschauungen von dem verlangsamten oder beschleunigten Stoffwechsel sind zwar durch die neueren Untersuchungen als nicht zu Recht bestehend widerlegt, der Sauerstoffverbrauch und die Kohlensäureproduktion weichen bei allen diesen Krankheiten nicht von der Norm ab, dennoch läßt sich die durch S d i t t e n h e l m u. a. nachgewiesene verminderte Fermentativleistung der Organzellen des Gichtikers für den Nukleinstoffwechsel cum grano salis als ralentissement de la nutrition bezeichnen. Wie beim Diabetes die Hyperglykämie, so bildet bei der Gicht die Anhäufung abnormer Harnsäuremengen im Organismus den Angelpunkt, um den sich ihre Pathologie dreht.

Daß auch klinisch die verschlechterte Urikolyse bei der Gicht das Ausschlaggebende ist, indem dadurch vermehrte Harnsäure im Blute und in den Körpersäften kreist, beweisen die häufig gemachten Erfahrungen, daß Gichtiker, wenn sie reichlich nukleinhaltige Gewebe genossen haben, unmittelbar einen akuten Gichtanfall bekommen. Es genügt also die Erhöhung des an sich schon erhöhten Harnsäuregehaltes des Blutes und der Gewebe, um einen Anfall auszulösen.

Die Form, in der die Harnsäure im Blute gefunden wird, ist das Mononatriumurat. Dies tritt in zwei isomeren Formen auf, von denen die zuerst entstehende, das Laktamurat, zwar löslicher, aber unstabil ist, während die weniger lösliche, das Laktimurat, beständig ist. Die Löslichkeit der labilen Form beträgt 18,4 mg in 100 ccm Blut, die der stabilen dagegen nur 8,3. Da die Harnsäurewerte des Blutes beim Gichtkranken zu gewissen Zeiten diese Zahl bedeutend überschreiten, stellt das Blut der Arthritiker eine mit Mononatriumurat übersättigte Lösung dar. —

Urikämie, mangelhafte Ausscheidung exogen verfütterter Harnsäure, niedriger endogener Harnsäurewert erscheinen demnach als die charakteristischen Symptome des bei der Gicht veränderten Purin-Stoffwechsels, eine Störung, die einfach als Folge einer verlangsamten Fermentwirkung angesehen werden kann: sämtliche Fermente des Harnsäurestoffwechsels sind geschädigt; die Harnsäure wird langsamer gebildet, sie wird auch langsamer zerstört und kreist infolgedessen länger im Blute als das unlösliche Laktimurat. Endlich wird sie auch langsamer ausgeschieden.

Freilich erschöpft diese Theorie das Wesen der Gicht nicht ganz, denn wir kennen eine Reihe anderer Zustände, bei denen ebenfalls ähnliche Fermentschädigungen des Nukleinstoffwechsels vorkommen, ohne daß sie zu denselben Veränderungen wie bei der Gicht führen. Und zweitens erklären sie die charakteristischen Mononatriumuratablagerungen an gewissen Prädilektionsstellen nicht. Es muß dabei wohl noch ein unbekannter Faktor mitspielen (gesteigerte Affinität des Gewebes für die Harnsäure bei der Gicht). So konnte z. B. für den Knorpel ein besonders ausgesprochenes Absorptionsvermögen für die Harnsäure nachgewiesen werden, wodurch die Bevorzugung gerade dieses Gewebes als Niederschlagsstelle des Urats erklärt wird.

Endlich ist durch obige Annahme nicht das Wesen und das plötzliche Entstehen des akuten Gichtanfalles klar gestellt. Denn noch ist die Frage nicht mit Sicherheit zu beantworten, in welcher Beziehung die Harnsäure resp. der Harnsäuregehalt des Blutes zur Auslösung des eigentlichen Gichtanfalles steht. Beobachtungen, in denen die plötzliche Vermehrung der Blutharnsäure zu einem typischen Gichtanfall führte, stehen ebensolche gegenüber, in denen dies nicht der Fall war. Wir wissen nur aus experimentellen Injektionsversuchen, daß das ausfallende Mononatriumurat als entzündungserregender Reiz wirkt und im Experiment damit Tophi von ähnlicher Struktur wie bei der Gicht hervorgerufen werden können. Warum es aber das eine Mal nur zur Bildung indolenter Tophi bei Menschen, das andere Mal dagegen zu den Erscheinungen des schweren Gichtanfalles kommt, darüber wissen wir nichts. Nur Vermutung ist es, wenn man annimmt, daß vielleicht die verschiedenen isomeren Formen, in denen sich das Mononatriumurat niederschlägt, auch einer verschiedenen Intensität des Reizes entsprechen. Das Plötzliche des Gichtanfalles ist es, was der Erklärung Schwierigkeiten bereitet. Wir kennen bis jetzt keinen Befund vor oder im eigentlichen Gichtanfalle, der von dem der anfallsfreien Zeit derart abwiche, daß man daraus die völlige Änderung des klinischen Bildes ableiten könnte.

Ätiologie. Die hereditäre Belastung, welche sich manchmal durch Generationen verfolgen läßt, ist von so großer Bedeutung, daß man die hereditäre Gicht von der erworbenen unterschieden hat. Ebenso wichtig scheint die Belastung durch Fettsucht und Diabetes (arbre arthritique). Andere ätiologische Momente sind nicht bekannt — man kann nur von begünstigenden sprechen: üppige Lebensweise, reichlicher Fleischgenuß (daher in England, dem Lande überreicher Fleischnahrung die Gicht am verbreitesten ist), Trinken schwerer Weine und Biere (der Alkoholismus allein führt nicht zur Gicht [Schnapstrinker!]). Es kann jedoch die Gicht auch ohne alle solche Momente auftreten bei an Entbehrungen leidenden Menschen, so daß einzelne die Gicht der Armen und der Reichen unterscheiden. Als eine toxische Form wird die Bleigicht angesehen, die bei allen mit Blei hantierenden Arbeitern anzutreffen ist (Rohrleger, Maler, Schriftsetzer usw.).

Die Gicht tritt meist erst zwischen dem 30. und 60. Lebensjahre auf. Ob dieselbe bei Kindern vorkommt, ist umstritten.

Das männliche Geschlecht und dabei wiederum die wohlhabenden Klassen sind überwiegend betroffen.

Man unterscheidet die reguläre Gicht, welche durch das Auftreten typischer, sich periodisch wiederholender Gichtanfälle charakterisiert ist, von der irregulären Gicht. Letztere ist weniger durch periodische Anfälle, als durch allmähliche Entwicklung chronischer Gelenkveränderungen und Allgemeinstörungen und Organerkrankungen (Gelenkgicht und Eingeweidegicht) ausgezeichnet.

Der akute Gichtanfall, der erste und ebenso die späteren Anfälle, pflegen nicht ohne Vorboten aufzutreten. Allgemeines Unbehagen, Reizbarkeit, Ermüdbarkeit, leichte dyspeptische Störungen gehen Tage oder Wochen voraus. Plötzlich, manchmal jedoch ohne jeden Vorboten, meist mitten in der Nacht und zwar zwischen 12 und 3 Uhr morgens, tritt in typischen Fällen der akute, außerordentlich schmerzhafte Anfall in einer großen Zehe auf. Am häufigsten ist das Metatarsophalangealgelenk befallen (Zipperlein, Podagra). Die Schmerzhaftigkeit ist so groß, daß nicht der leiseste Druck der Bettdecke vertragen wird. Die Haut beginnt zu schwellen und sich zu röten. Die Körpertemperatur kann erhöht sein, der Puls beschleunigt. Die Urinmenge ist auffällig gering, um nach dem Anfall einer plötzlichen Harnflut Platz zu machen. Gegen Morgen lassen die Schmerzen nach, die Temperatur sinkt, Schweißausbruch. Am Tage sind die Schmerzen erträglicher, der Allgemeinzustand besser. Ohne Behandlung pflegt sich das Bild in der nächsten Nacht und in den darauf folgenden zu wiederholen, bis allmählich Schwellung und Rötung abnehmen, bis der akute Gichtanfall vorüber ist. Es sind zahlreiche auslösende Momente für den akuten Gichtanfall bekannt: Trauma, Exzesse in baccho et venere, reichlicher Genuß nukleinhaltiger Nahrung (Bries), auch körperliche Anstrengungen, Aufregungen, klimatische Einflüsse. Herbst und Frühjahr wirken begünstigend. Der erste Anfall kann der einzige bleiben oder zunächst sich erst nach Monaten oder Jahren wiederholen. Allmählich pflegen sie häufiger einzutreten, oft mit einer gewissen Regelmäßigkeit. Je häufiger sie werden, desto mehr verschwindet der geschilderte typische Verlauf; es bildet sich nunmehr die chronische irreguläre Gicht aus. Bei anderen Gichtikern beschränkt sich der Anfall nicht auf ein Gelenk, sondern es werden nacheinander während der nächsten Tage die verschiedenartigsten Gelenke befallen (Finger-, Hand-, Knie-, Ellenbogengelenke usw.). Im allgemeinen sind, abgesehen von dem genannten Großzehengelenk, das in der weitaus überwiegenden Mehrzahl der Fälle zuerst betroffen ist, die übrigen Beingelenke häufiger befallen als diejenigen der Arme. Es gibt aber wohl kein Gelenk, das nicht gelegentlich betroffen werden kann. Die Kniegelenksgicht ist häufig durch starke Exsudation ausgezeichnet.

Die irreguläre Form oder chronische Gicht entwickelt sich entweder aus den akuten sich häufenden Anfällen oder tritt von vornherein als solche auf. In letzterem Falle sind es an sich schwächliche Individuen, die befallen werden, besonders solche, bei denen die Gicht durch Generationen fortgeerbt wird. Die chronische Form ist ausgezeichnet durch gleichzeitiges Befallensein mehrerer Gelenke. Die Anfälle sind aber nicht so heftig wie bei der akuten Gicht, die Rötung kann ganz und gar fehlen, während die Schwellung beträchtlich und selbst stärker als bei der akuten Form sein kann. Es verschwinden aber diese Schwellungen nicht vollständig nach dem Aufhören der Schmerzen, sondern es kommt danach — im Gegensatz zu den keinerlei Veränderungen hinterlassenden akuten Anfällen — zu dauernden Veränderungen des Gelenkes. Es bilden sich Knoten, die allmählich härter werden und als Ablagerungen von harnsauren Salzen, besonders harnsaurem Natron bestehen. Dadurch, sowie durch Verwachsungen, Veränderungen der Gelenkkapseln und Verdickungen derselben kommt es zu mannigfachen, groteske Formen annehmenden Mißgestaltungen, mehr oder minder schweren Bewegungsstörungen, die bis zur Ankylose gehen können. Die harnsauren Ablagerungen finden sich auch ferner in den Schleimbeuteln, den Muskeln und Sehnen, den Knorpeln und in der Haut. Hier bilden sie die bekannten Tophi arthritici, die Gichtknoten, welche von diagnostischer Bedeutung sind. Diese Knoten können unter Entzündung der Haut geschwürig zerfallen; auch aus dem Geschwürsgrunde entleert sich eine kreideartige, aus Uraten bestehende Masse (Murexidprobe).

Die charakteristischen, in der Mehrzahl, in etwa $\frac{1}{3}$ aller Gichtfälle, anzutreffenden T o p h i sitzen am Ohrknorpel, am Rande der Helix. Sie erreichen bis Erbsengröße. Es können die Tophi am Ohr vereinzelt, oder bis zu 8, 10 und 12 vorkommen. Diese sehr harten Knoten sind als Tophi durch den Nachweis der Harnsäure (mittels Nadeleinstich und Murexidprobe) leicht zu identifizieren. Während oder kurz vor einem akuten Anfall können die Tophi spontan sehr schmerzhaft werden.

Zahlreiche Störungen, die sich in einzelnen Organen im Verlaufe der irregulären Gicht geltend machen, sind als v i s z e r a l e oder E i n g e w e i d e - g i c h t beschrieben worden. Es ist vielleicht richtiger, sie als häufige Komplikationen der Gicht zu bezeichnen. Als solche sind zu nennen: Digestionsstörungen, dyspeptische und kardialgische Anfälle mit Meteorismus und Flatulenz, diarrhoische oder Verstopfungsbeschwerden, welche den einzelnen Anfall begleiten können. Häufig findet man Leberhyperämie, schmerzhafte Empfindungen in der Lebergegend, eine chronische interstitielle Hepatitis und Gallensteine. Von den Störungen von seiten des Gefäßsystems sind vor allem hoher Blutdruck und Herzbeklemmungen, welche selbst einen stenokardischen Charakter annehmen können, zu nennen. Objektiv erscheint der Puls gespannt und unregelmäßig. Herzhypertrophie und später die Erscheinungen von Herzinsuffizienz verursachen nicht selten den tödlichen Ausgang. Schrumpfniere gehört mit in das eben geschilderte Bild; solche gichtigen Nieren zeigen häufig Uratabscheidungen. Oft besteht nur eine einfache Albuminurie mit Zylindrurie bereits in jüngeren Jahren, so daß man von diesen Fällen nicht ohne Berechtigung von einer spezifischen N i e r e n g i c h t sprechen kann. Sie kann primär, als erste Manifestation der Gicht auftreten; sie unterscheidet sich alsdann in nichts von der gewöhnlichen Nephritis und erfährt die richtige Deutung erst, wenn Gelenkgicht hinzugetreten. Die Konkrementbildung in den Nieren und den Harnwegen in Form von Uratsteinen (Uratdiathese) kommt zwar häufig mit Gicht verbunden vor, kann aber, nach unserer heutigen Auffassung mit der Gicht nichts zu tun haben, da hier keine Störung des Purinstoffwechsels besteht. Es ist also die Nephrolithiasis eine einfache Komplikation der Gicht (wenn auch ihre diätetische Bekämpfung dieselben Grundlinien aufweist). Übrigens können gelegentlich die oben erwähnten Uratabscheidungen in der Niere zur Konkrementbildung und zu Erscheinungen von Nephrolithiasis führen.

Ein ursächlicher Zusammenhang zwischen Gicht und Migräne, Kopfschwindel usw., der besonders von H a i g behauptet wurde, ist zum mindesten unbewiesen, ebenso die sogenannten gichtigen Katarrhe der Luftwege.

Pathologische Anatomie. Spezifisch für die Gicht sind die kreidigen Ablagerungen von harnsauren Salzen, namentlich von Mononatriumurat in den Gelenken und allen möglichen anderen Geweben (Muskeln, Nieren, Haut, Knorpel usw.). Mikroskopisch findet man in der Regel, daß die Urate in Nekroseherden abgelagert sind. Doch trifft dies nicht immer zu: das Gewebe kann auch vollkommen intakt sein, so daß die Theorie, daß zur Ablagerung der Harnsäure zunächst ein nekrotischer Herd entstanden sein müsse, heute nicht mehr haltbar erscheint. Umgekehrt führt wahrscheinlich zu starker Harnsäuregehalt der Gewebssäfte zur Zerstörung des Gewebes. Die frisch befallenen Gelenke zeigen die Charakteristika frischer Entzündung. Bei den chronisch deformierten Gelenken findet man Zerfaserung oder Zerstörung des Knorpels, Verdickung der Synovia, und neben nekrotischen Veränderungen der Knochen Exostosen derselben.

Diagnose. Die Diagnose ist leicht beim akuten Anfall. Sehr selten, und nur bei gleichzeitigem Befallensein vieler Gelenke, wird eine Verwechslung mit akutem Gelenkrheumatismus vorkommen. Arthritis deformans und die chronische Gicht können sich klinisch in weitem Maße gleichen, besonders wenn Tophi und die Schleimbeutelverdickungen fehlen. Der exakte Stoffwechselversuch, Harnsäureretention nach nukleinreicher Nahrung oder intravenöser Injektion von 0,5 g Harnsäure und der Nachweis ihrer verzögerten Ausscheidung (beim Gesunden wird die Harnsäure glatt innerhalb 24 Stunden ausgeschieden) sind Methoden, die sich für die Praxis nicht eignen. Einfacher, aber immerhin noch kompliziert und kostspielig ist der Nachweis des Harnsäuregehalt in etwa 100 ccm Blut. In der überwiegenden Mehrzahl der Fälle tritt bei Gicht nach Verabreichung von Atophan (s. u.) ein mehrere Tage währender starker Harnsäureausfall im Harn ein. Die Atophanharnsäure ist durch ihre weiße Farbe von den unter anderen Verhältnissen ausfallenden, gelb bis rot gefärbten Uraten unterschieden. Beim Nichtgichtiger dauert der Harnsäureausfall nur ein bis höchstens zwei Tage. Ist am dritten und vierten Tage noch ein reichlicher weißlicher, aus Harnsäurekristallen bestehender Niederschlag vorhanden, so ist die Diagnose auf Gicht zu stellen. — Es ist röntgologisch oft eine Unterscheidung möglich, aber nicht immer. Beim deformierenden Rheumatismus mit Knochenzerstörung fehlen die Gelenkspalten oder sind verkleinert. Bei der Gicht erscheinen die Uratab-

lagerungen auf dem Negativ als helle weiße Flecke, während die Gelenkspalten fast gar nicht verändert sind. In den Knochen selbst sind oft
dunklere Stellen (am Negativ) bemerkbar (Uratherde an Stelle der usu-
rierten, strahlenundurchlässigeren Knochensubstanz), während die Struktur des Knochens in toto erhalten ist.

(Die alleinige Urinuntersuchung des Gichtkranken selbst am 24 stün-
digen Sammelurin, ohne Stoffwechselversuch, der Nachweis von ausge-
fallener Harnsäure [ohne Atophandarreichung], die in diagnostischen In-
stituten noch immer für die Gichtdiagnose mißbraucht wird, ist als vollkommen phantastisch zu bezeichnen.)

Prognose. Die Gicht ist eine unheilbare Krankheit, wenn auch
hie und da die Kranken nur einen oder wenige Anfälle bekommen. Der
einzelne Gichtanfall, so schmerzhaft er auch ist, ist stets günstig in seiner
Voraussage, da er ausnahmslos abheilt. Von der chronischen Gicht ist
besonders die Bleigicht schwer und durch die Komplikation mit der
Schrumpfniere verhängnisvoll.

Therapie. Der akute Anfall verlangt Bettruhe, Ruhestellung des
erkrankten Gelenkes und eine leichte Diät, bestehend aus Milch, Gemüsen
in Püreeform, schwachem Tee, kein Alkohol.

Unter den Medikamenten steht an erster Stelle das Atophan: 3—4 g
pro Tag. (Bei gleichzeitig bestehenden Nierensteinen ist doppelkohlensaures Natron dazuzugeben.) Ferner Aspirin, Pyramidon und die sonstigen
Antirheumatica. Versagen die genannten Mittel, so ist Kolchikum häufig
nicht zu entbehren.

117) Rp. Tinct. Colchici 10,0
3 mal täglich 20 Tropfen

oder

118) Rp. Colchicin (Merck) 0,03—0,05
massa pillul. qs. ut fiant pillul. Nr. 30
in zwei Tagen 2—4 Pillen zu nehmen.

119) Rp. Colch. Houdé
in Pillen von 0,001, 4—6 Pillen innerhalb
zwei Stunden zu nehmen.

Gewöhnung an Kolchikum ist unbedingt zu verhindern (französische
Geheimmittel usw.), da das Kolchikum zwar den Anfall beseitigt, aber
zu keiner Dauerheilung führt und immerhin ein das Herz angreifendes
Gift ist.

Lokal lindern Eisblase, essigsaure Tonerdeumschläge, Watteein-
packungen usw. die Schmerzen. Manchmal wirkt Biersche Stauung aus-

gezeichnet. Nach dem Anfall möglichst frühzeitig Versuch von Bewegung
(außer Bett und im heißen Bade) und Massage. Nach Beendigung des
Anfalles beginnt die diätetisch-physikalische Therapie. Die erstere soll
die Urikämie beseitigen, die letztere im weitesten Sinne stoffwechsel-
anregend wirken und die befallenden Gelenke wieder herstellen. Die
Diät muß, je nach der Schwere des Falles, purinfrei oder purinarm sein,
eine Zeitlang auf jeden Fall fleischfreie Diät, falls der Kranke, was nicht
immer der Fall ist, dieselbe verträgt. Das Fleischeiweiß ist durch Eier,
Milch und Roborat (zwei bis drei Eßlöffel) zu ersetzen. Fette und Kohlehydrate bilden den Hauptbestandteil der Nahrung. Je nach dem Allgemeinzustand ist für Erhaltung, Zunahme oder allmähliche Abnahme des
Körpergewichts zu sorgen.

Die purinarme Diät ist eine Schonungsdiät, analog der kohlehydratfreien Diät, etwa im Sinne der Kohlehydratentziehung beim Diabetiker.
Wie man hier bei zunehmender Toleranz die Kohlehydratzufuhr allmählich erhöht, so kann man auch beim Gichtiker nach einer analogen
Toleranzprüfung für purinhaltige Nahrungsstoffe dieselben normieren. Zunächst wird unter purinfreier Kost der (konstante) endogene Ū-Wert festgestellt; dann wird eine bestimmte Fleischmenge, 200—400 g zugelegt und
ihre Toleranz durch Nachweis der dadurch gebildeten und innerhalb
24 Stunden ausgeschiedenen Ū geprüft. Nach Feststellung der Toleranz-
grenze erlaubt man dem Gichtiker purinhaltige Nahrung unterhalb dieser
Grenze.

Purinhaltige Nahrungsmittel sind in erster Reihe die inneren Organe,
obenan Thymus, Leber, Niere, Hirn. Dann das Fleisch vom Rind, Hammel,
Kalb, Schwein und der Fische. Purinärmer sind Geflügel und Wild.
Von den Vegetabilien haben einen beträchtlichen Puringehalt die Hülsenfrüchte (Linsen, Erbsen, Bohnen, Spinat, Kohlrabi und Pilze). Als Purin-
bildner müssen Kaffee, Tee und Kakao gelten, purinreich ist das Bier
(ein Liter Bier gleicht 100 g Rindfleisch). So gut wie purinfrei sind Milch,
Eier, Käse, Brot.

Die enge Begrenzung der purinfreien Nahrung läßt erkennen, daß
die praktische Durchführung monate- oder gar jahrelanger purinfreier oder
purinarmer Nahrung wohl auf unüberwindliche Schwierigkeiten stößt.
Zu berücksichtigen ist ferner, daß die purinfreie Nahrung nicht einmal
in allen Fällen die (theoretisch postulierte) Besserung der Gichtanfälle garan-
tiert. Der Purinreichtum ruft eben nur in einzelnen Fällen die Anfälle
hervor. In anderen sind es irgendwelche Verdauungsstörungen, die auf
Diätfehlern basieren, welche auch bei purinfreier Nahrung Anfälle pro-

338 Stoffwechselerkrankungen.

vozieren. Praktisch wird man unter Vermeidung besonders purinreicher Nahrungsmittel und Bevorzugung der purinarmen, dennoch für die Dauer meist eine gemischte leichte Kost verordnen, unter Berücksichtigung der optimalen Gesamternährung das Fleisch einschränken, aber nicht völlig ausschließen, jeden Tafelexzeß verbieten. Die purinfreie Nahrung ist nur für Wochen oder Monate durchzuführen. Absolut zu verbieten ist der Alkohol, der oft in kleinsten Mengen schon anfallauslösend wirkt. Was die übrigen Getränke anbelangt, so ist eine reichliche Durchspülung wünschenswert, am besten mittels Wasser. Die vielfach empfohlenen alkalischen Brunnen sind vielleicht schädlich, da sie die Bildung von Alkaliuraten, welche den Anfall auslösen, begünstigen (Alkalitherapie s. u.).

Von mindestens gleicher Wichtigkeit ist eine regelmäßig durchgeführte physikalische Therapie. Auch hier muß individualisiert werden. Heiße Bäder, schottische Duschen, Massage, mediko-mechanische Übungen, Sport können, konsequent durchgeführt, in weitem Maße stoffwechselumstimmend wirken.

Bezüglich der medikamentösen Therapie galten die alkalischen Wässer als geradezu spezifisch. Man weiß heute, daß durch Alkalien eine bessere Lösungsfähigkeit der harnsauren Salze nicht herbeigeführt wird. Eine Vermehrung der Na-ionen des Blutes verschlechtert die Lösungsbedingungen der Harnsäure. Die alkalischen Brunnen, deren empirische Heilwirkung nicht geleugnet werden kann, wirken wahrscheinlich nur durch die bessere Durchspülung des Organismus und durch günstige Beeinflussung des Magendarmkanals, nicht harnsäurelösend.

Der Nachweis, daß die Ablagerung der Urate durch Alkalien befördert, durch Salzsäure hingegen gehemmt wird, hat zur Salzsäuretherapie geführt. So gering auch ihre praktischen Erfolge bisher sind, so ist doch die Verordnung derselben (4—5 mal täglich 20 Tropfen nach jeder Mahlzeit) zu empfehlen (falls keine Hyperazidität vorliegt), wenn eventuell dadurch auch nur die Magenverdauung günstig beeinflußt wird.

Eine neue Behandlung ist die Radiumemanationsbehandlung in Form von Inhalationen und Trinkkuren. Ein Urteil über ihre Wirksamkeit ist heute noch nicht abzugeben. Es ist fraglich, ob die zahlreich angewandten Trink- und Badekuren zum Teil durch den Radiumgehalt der Quellen wirken. Zu empfehlen sind Wildbad, Gastein, Teplitz, Pistyan, ebenso Badekuren in Wiesbaden, Vichy, Kissingen, Homburg, schon aus allgemeinen Gründen.

Vielfach sind Medikamente als harnsäurelösend empfohlen: Piperazin, Urezidin usw. Die ihnen etikettierte Eigenschaft besitzen sie alle nicht.

Einzig und allein bewirkt das Atophan (Chinolin-Phenyl-Karbonsäure) eine gesteigerte Harnsäureausfuhr aus dem Organismus; es ist tage- bis wochenlang zu geben.

Die irreguläre Gicht ist im übrigen symptomatisch, je nach dem Überwiegen der einzelnen Erscheinungen, zu behandeln.

Fettleibigkeit und Fettsucht.

Ein gewisser Fettreichtum ist vom ästhetischen wie vom gesundheitlichen Standpunkte aus erwünscht. In beiderlei Hinsicht sind die Eindruckwerte subjektiv. Der Übergang von gesundem Fettansatz und krankhafter Fettleibigkeit ist demnach ein fließender. Hohe Grade von Fettleibigkeit machen sich dem Kranken durch subjektive Beschwerden, dem Beurteiler instinktiv als solche bemerkbar.

Für das Körpergewicht rechnet man beim Erwachsenen so viel Kilogramm als der Mensch über 100 cm groß ist. Ein Übersteigen dieser Grenze um 10—15 kg kann meist als eine bereits ungesunde Fettleibigkeit angesprochen werden. von Noorden hat den praktisch wichtigen Begriff der relativen Fettleibigkeit geschaffen: die für einen Gesunden noch durchaus normale Fettanhäufung kann einem Kranken (Emphysematiker, Herzkranken, Gelähmten usw.) bereits Beschwerden verursachen.

Die Fettleibigkeit ist stets der Ausdruck des Mißverhältnisses zwischen zugeführter Nahrung und Energieverbrauch, sei es, daß erstere zu reichlich, oder daß letztere zu sehr eingeschränkt ist. In den meisten Fällen von Fettleibigkeit besteht wohl erhöhte Nahrungszufuhr und gleichzeitig verminderte körperliche Arbeit, also verminderter Verbrauch. Einer dieser beiden Faktoren läßt sich bei genauem Nachforschen jedenfalls in den meisten Fällen von Fettleibigkeit nachweisen. Nur muß berücksichtigt werden, daß einmal die kalorische Schätzung des wirklich Genossenen bei unbekannter Küche und unbekannten Gewohnheiten des Kranken außerordentlich schwierig ist, daß andererseits auch die allgemeine körperliche Tätigkeit, also der Faktor des Energieverbrauches, nur recht ungenau abzuschätzen ist. Die häufig angeschuldigte hereditäre Belastung bei Fettleibigkeit läßt sich meist ebenfalls, unter Berücksichtigung familiärer Eigentümlichkeiten (Ernährungsweise, phlegmatisches Temperament, allgemeine Lebensweise) auf einen dieser beiden Faktoren zurückzuführen. In ganz seltenen Fällen jedoch existiert eine konstitutionelle Fettsucht; es ist nachgewiesen, daß es Fettsüchtige gibt mit einer Verminderung der Gesamtkalorienproduktion: die gleiche Nahrung, die beim Gesunden bei gleicher körperlicher Bewegung zu keinem Fettansatz führt, bewirkt einen solchen beim konstitutionell Fettsüchtigen, da sein Energieverbrauch ein geringerer ist, oder umgekehrt ausgedrückt: eine so verminderte Nahrung, daß ein Gesunder damit kein Fett anzusetzen vermöchte, bewirkt beim Fettsüchtigen einen Fettansatz.

Begünstigend auf die Entwicklung der Fettleibigkeit wirken eine Reihe von Erkrankungen: 1. Die sämtlichen chronischen Erkrankungen der Bewegungsorgane. Die verminderte außerwesentliche Arbeit führt selbst bei vorsichtigster Ernährung zum Fettansatz. 2. Die Anämie; die leichte Ermüdbarkeit führt zur Einschränkung der Muskeltätigkeit. 3. Krankheiten der Respirations- und Zirkulationsorgane und 4. der Diabetes mellitus. Nach von Noorden kommt es nicht selten vor, daß die Körperzellen bei den Anfängen des Diabetes zunächst die Fähigkeit der Zuckerverbrennung verlieren, während sie noch die Fähigkeit der Synthese der Kohlehydrate zu Fett erhalten haben. Infolge der mangelhafteren Zuckerverbrennung macht sich bereits ein mehr oder minder großer Gewebehunger geltend, der sekundär zu einer gesteigerten Appetenz und so zu Fettansatz führt.

Besondere Beziehungen bestehen endlich zwischen verschiedenen Drüsen mit innerer Sekretion und der Fettanhäufung, so vor allem der Keimdrüsen. Kastration, bzw. das Erlöschen der Geschlechtstätigkeit im Klimakterium ist nicht selten von Fettsucht gefolgt. Auch hier ist eine konstitutionelle Änderung anzunehmen, welche eine Verlangsamung der Verbrennungen bewirkt. Sehr wahrscheinlich bestehen auch Beziehungen zur Thyreoidea, wie das häufige kombinierte Vorkommen von Fettsucht und Myxödem beweist.

Symptome. Die Fettanhäufung findet in der Regel an gewissen Prädilektionsstellen statt (Kinn, Brustwarzen, Bauch, Gesäß und Oberschenkel, sowie Mesenterium, Mediastinum und Herz). Durch die Fettanhäufung können mechanische Störungen entstehen: allgemeine Schwerfälligkeit, welche ihrerseits die Muskelträgheit verstärkt. Mangelnde Herzübung und der mechanische Hochstand des Zwerchfelles durch die im Abdomen angehäuften Fettmassen führen im weiteren circulus vitiosus zu zunehmender Muskelträgheit. Die Leistung des Herzens wird durch die Fettüber- und -einlagerung auch noch mechanisch erschwert und begünstigt die Atrophie des Herzmuskels (das sogenannte Fettherz der Fettleibigen ist, wenigstens primär, kein fettig degeneriertes, sondern ein durch Fettmassen mechanisch behindertes Herz). Das Herz des Fettleibigen ist also durch mechanische Momente direkt und indirekt gefährdet. Dazu kommt, daß der Gefäßreichtum des gesamten neu gebildeten Fettgewebes eine starke Mehrbelastung des Kreislaufes bedingt, so daß auch dieser Faktor einer frühzeitigen Arteriosklerose und einer vorzeitigen Herzinsuffizienz Vorschub leistet. Begünstigt werden durch die mechanischen und durch die Zirkulationsstörungen die Bronchitis und das Emphysem; von Seiten der Verdauungsorgane durch die Fettansammlung im Abdomen, Verstopfung durch die erschwerte Colonpassage an der Flexura lienalis, Entwicklung von Hämorrhoiden und Varizenbildung. Die Vergrößerung der Leber infolge Fettinfiltration verläuft bis zum Auftreten von Zirkulationsstörungen meist beschwerdelos. Sehr bedeutsam sind die Störungen von seiten der Haut des Fettsüchtigen. Starkes Fettpolster behindert die Wärmeabgabe durch Leitung und Strahlung. Der Fettleibige ist auf die Wasserverdunstung angewiesen; seine Wärmeregulierung ist demgemäß erschwert, so daß er eher als normale Individuen zu dem wichtigen Wärmeregulierungsmittel des Schwitzens greift. Er verträgt daher zwar gut die trockene Hitze, schlecht aber feuchte Wärme und ist dem Hitzschlage leichter ausgesetzt als der Gesunde (Verminderung der Leistungsfähigkeit in den Tropen, verminderte Widerstandsfähigkeit bei Infektionskrankheiten).

Therapie. Abgesehen von den seltenen Fällen von konstitutioneller Fettsucht, bei der eine spezifische Hormontherapie theoretisch denkbar wäre, aber zunächst in Form von Schilddrüsenpräparaten sich noch in den ersten Anfängen befindet, muß die kausale Therapie der Fettleibigkeit eine diätetisch-physikalische sein: zweckentsprechende Verminderung der Nahrungszufuhr zur Reduzierung der Fettmassen und Vermeidung weiteren Fettansatzes, sowie Vermehrung der Ausgaben durch gesteigerte Muskelarbeit.

Die diätetische Therapie basiert darauf, daß Nahrungsfett und die Kohlehydrate die beiden Hauptquellen des Körperfettes bilden; das Eiweiß als Fettbildner kommt praktisch nicht in Betracht. Die Nahrungszufuhr muß quantitativ-kalorisch so bemessen sein, daß die Einnahmen geringer sind als die Ausgaben, und zwar um so viel, als man dem Organismus durch Zehrung am eigenen Fett täglich an Fett entziehen will. Früher hat die Frage, welche Nahrungsstoffe, Eiweiß, Fette oder Kohlehydrate dem zu Entfettenden besonders zu erlauben resp. zu verbieten seien, eine große Rolle gespielt. Die Namen der Banting-Kur, Ebstein-Kur und Oertel-Kur sind mit jenen Kontroversen eng verknüpft. Nach der Bantingschen Methode werden reichliche Eiweißmengen (ca. 170—180 g Eiweiß bei 450 g Fleisch) und minimale Fett- (7,5) und Kohlehydratmengen (80—85 g) mit einer Gesamtkalorienzahl von 1190 Kalorien vorgeschrieben.

Ebstein erlaubte mäßige Mengen Eiweiß (105 g), relativ große Mengen Fett (60—100 g) und 45—50 g Kohlehydrate, zusammen ca. 1400 Kalorien. Nach Oertel werden zur Entfettung reichliche Mengen Eiweiß und geringere Massen Fett und Kohlehydrate gegeben. Er legt das Hauptgewicht auf die starke Beschränkung der Flüssigkeitsaufnahme. Gesämtzahl der Kalorien ca. 1200—1500. Da ein Erwachsener im Durchschnitt 2400—2600 Kalorien zur Erhaltung des Körpergewichtes gebraucht, führen sämtliche genannten Diätverordnungen, die eine mehr oder minder erhebliche Einschränkung der Kalorien darstellen, zu einer beträchtlichen Gewichtsabnahme. Die Kuren sind trotzdem im allgemeinen verlassen, weil ihre Durchführung für viele Menschen schwere Unzuträglichkeiten mit sich führt. Letztere können leicht vermieden werden, wenn man sich auf den heute ziemlich durchgängig anerkannten Grundsatz stellt, daß es bei jeder Entfettung nur auf die Größe der quantitativen Beschränkung und nicht auf die Art der Einschränkung ankommt. Die Entfettungskur darf keine Hungerkur sein, welche nervöse oder zirkulatorische Störungen im Gefolge haben kann, ferner muß die Entfettungskur den Eiweißbestand des Organismus wahren, ja wenn möglich sogar zu einem Eiweißansatz durch Kräftigung der Muskeln führen. Deshalb sind 120 g Eiweiß als Minimaleiweißzufuhr anzusehen. Gleichzeitige relativ hohe Kohlehydratzufuhr gewährt den sichersten Schutz vor Eiweißverlust (s. o.).

von Noorden unterscheidet drei Grade der Entfettungsdiät, welche sich als äußerst praktisch erwiesen haben. Von der Erhaltungskost als derjenigen Kost, bei welcher der Patient auf seinem Körpergewicht stehen bleibt, ausgehend, wird bei dem ersten Grad der Entfettungskur $4/_5$ des Bedarfes, bei dem zweiten Grade $3/_5$, bei dem dritten Grade $3/_5$—$2/_5$ gegeben. Die Berechnung der Erhaltungskost basiert auf dem S. 302 angegebenen Grundumsatz bei verschiedener Tätigkeit. Da aber der Fettballast nicht an der Arbeit teilnimmt, ist von dem absoluten Gewicht des Fettleibigen der durch Vergleich mit einem gleich großen Normalmenschen geschätzte Fettüberschuß für die Berechnung abzuziehen. Z. B. gebraucht ein 70 kg schwerer Normalmensch danach bei leichter Arbeit 2600 Kalorien = 37 Kalorien pro Kilo. Von dieser Erhaltungsdiät werden für den ersten Grad $4/_5$, $3/_5$ usw. abgezogen. Reduziert man die Nahrung von 2500 auf 2000 Kalorien, so wird meist ohne besondere Nahrungsbeschränkung im Monat ein Gewichtsverlust von 2—3 Pfund erreicht. Eine besondere Berechnung der Nahrung ist hierfür kaum nötig; es genügt, alles sichtbare Fett (Butter, Öl) fortzulassen und bei der Zubereitung der täglichen Gemüse- und Fleischgerichte jeden Fett- und

Zuckerzusatz zu vermeiden und die Süßigkeiten und erheblicheren Biergenuß zu untersagen.

Um beim zweiten Grade $^3/_5$ des Bedarfes, also im obigen Falle etwa 1400—1500 Kalorien zu erzielen, muß der Speisezettel schon genauer durchgesehen und alle Mehlspeisen, Kompotte, Milch verboten werden. Auch diese Kuren stellen noch keine besonderen Anforderungen an die Entsagungsfähigkeit der zu Entfettenden. Gewichtsabnahmen von anfänglich 4—6, später 2—4 Pfund im Monat sind zu erreichen, ohne daß der Patient seine Berufsarbeit zu unterbrechen braucht. Eine solche Kur kann monatelang durchgeführt werden. Sie ist vorteilhafter als die forzierte Kur in Marienbad mit Gewichtsverlusten von 20—30 Pfund in 4—5 Wochen.

Bei dem dritten Grade der Entfettungsdiät wird die Nahrungszufuhr auf 1400—1000 Kalorien beschränkt. Dabei werden 6—12 Pfund monatlich verloren. Nach von Noorden kommt für diese Kost wesentlich folgende Nahrung in Frage: Kaffee, Tee ohne Zutaten, abgefettete Fleischbrühe mit Einlagen von Grünzeug, mageres Fleisch oder Fisch (Gesamtgewicht 250—350 g in zubereitetem Zustand gewogen), magerer Käse (Topfen- oder Sauermilchkäse und die hieraus hergestellten Spezialmarken), reichlich grüne Gemüse und Salate, mit möglichst wenig Fett zubereitet, Essig, Zitrone, Essiggurken, Salzgurken, Tomaten, Selleriestengel, Radies, reichlich rohes Obst von geringem Zuckergehalt (Apfel, Pfirsich, Erdbeeren, Himbeeren, Johannisbeeren, Sauerkirschen, Grape Fruit. Frühorangen usw.), grobes Brot (Schrotbrot, Grahambrot) in Mengen von 40 bis 70 g, Kartoffeln (ohne Fett zubereitet) in Mengen von 80—150 g, Mineralwasser nach Belieben. Wein bei schwächlichen Personen bis 200 g, sonst womöglich ganz auszuschalten, 1—2 Eier, Magermilch, Buttermilch. Diese Kur ist nur in Anstalten, niemals innerhalb des Berufslebens auszuführen. Bei nicht kräftigen Personen ist stets mit drohender Herzschwäche zu rechnen, der notabene am besten durch geordnete gleichzeitig körperliche Übung vorgebeugt wird. Deshalb dürfen nur herzmuskelgesunde, kräftige Menschen sich ihr unterwerfen, jenseits des 50. Jahres ist Vorsicht am Platze, jenseits des 60. ist sie zu untersagen. Frauen ertragen sie naturgemäß schlechter als Männer.

Maximal werden im einzelnen gegeben:

Eiweiß	180 g,	738 Kalorien
Fett	30 „	280 „
Kohleh.	120 „	492 „
		1510 Kalorien

Minimal:

Eiweiß 120 g, 492 Kalorien
Fett 30 „ 280 „
Kohleh. 100 „ 410 „

1182 Kalorien

Auf die Einzelheiten des Speisezettels kann hier nicht eingegangen werden. Nur bezüglich der Flüssigkeitszufuhr ist zu betonen, daß es an sich gleichgültig ist, ob der Kranke bei der Entfettung Wasser trinkt oder nicht. Die Wasserentziehung bewirkt direkt keine Fettverluste, indirekt manchmal, indem die Kranken weniger essen, wenn sie nicht gleichzeitig trinken dürfen. Viele Menschen werden nervös, wenn sie nicht genügend Flüssigkeit zu sich nehmen. Bei Nierensteinen und dgl. ist die Flüssigkeitszufuhr geboten, bei gleichzeitigen Zirkulationsstörungen ist Flüssigkeitsbeschränkung erforderlich.

Es sind noch einzelne Kuren empfohlen, die durch ihre Eigentümlichkeit dem Laien imponieren und ihn manchmal dadurch zu ihrer Befolgung veranlassen. So die Rosenfeldsche Kartoffelkur. Es ist eine kalorienarme, kohlehydratreiche Kost, bei der durch die voluminöse wasserreiche Kartoffel sicher jedes Hungergefühl vermieden wird — eine Milchkur in Form der Carellschen Kur (s. Bd. I, S. 169) ist nur bei schweren Zirkulationsstörungen anzuwenden. Gibt man 1½—2 l pro Tag (ca. 1000 bis 1400 Kalorien), so entspricht dies dem dritten Grade der Entfettungsdiät.

Der Nutzen solcher Spezialkuren ist zweifelhaft. Bei manchen mögen nur sie zum Ziele führen; vielen werden sie unerträglich sein. Ein sicherer Nachteil haftet ihnen an, daß nämlich der Kranke nach ihrer Beendigung nicht zu einem vernünftigen Régime durch die Kur erzogen wurde, sondern leicht zu unzweckmäßiger Nahrung zurückkehrt.

Zur Beschleunigung der genannten Kuren kann man in Analogie des Naunynschen Gemüsetages einen Karenztag (mit 100 g Schwarz- oder Grahambrot, einem Teller fettfreier Bouillon, 2—3 harten Eiern, mehreren Äpfeln, sowie Tee mit Zitrone und Saccharin = 417 Kalorien oder einen Milchtag) einschalten.

Wirkt auf der einen Seite Einschränkung der Nahrung entfettend, so kann auf der anderen Seite der Energieverbrauch durch gesteigerte Muskelarbeit erheblich gesteigert und so die Entfettung wirksam unterstützt werden. Die Diätregelung verhindert, daß dem gesteigerten Appetit nachgegeben und so der Vorteil der Arbeit überkompensiert wird. Die Muskelarbeit ist im Einzelfalle zu regeln nach den Kräften und nach der Gewohnheit des Kranken. Zu starke Ermüdungen sind zu vermeiden. Allmähliches Training ist meistens geboten. Die idealste Bewegung ist das Bergsteigen (Ortelsche Terrainkur), da der Energieverbrauch beim Steigen unverhältnismäßig größer ist (ca. 13 mal so groß) als beim Gehen in der Ebene. Bei Herzmuskelschwachen oder gar -kranken ist größte Vorsicht am Platze. Hier ist gegebenenfalls mit den einfachsten Atemübungen, Gehen in der Ebene usw. (s. unter Herzkrankheiten) zu beginnen. Bei ihnen kommt auch vor allem die Apparategymnastik in Frage, die für den Gesunden nur einen kümmerlichen Ersatz darstellt. Nach Möglichkeit sind alle Sportsübungen und die Freigymnastik heranzuziehen. Reiten ist als zu passive Bewegung ohne besonderen Einfluß. Ohne jeden Nutzen ist die Massage (Energieverbrauch von seiten des Masseurs).

Der Hydrotherapie kommt bei der Entfettung nur eine allgemein hygienische, keine aktive Bedeutung zu. Die durch Schwitzbäder zu erzielenden Gewichtsverluste sind reine, bald wieder ersetzte Wasserverluste. Die sehr beliebten Mineralkuren oder die Trinkkuren (Marienbad, Karlsbad, Kissingen, Wiesbaden usw.) sind ohne spezifische Wirkung. Die durch sie bewirkte Anregung der Peristaltik verursacht einen nicht nennenswerten Energiemehrverbrauch. Sie wirken hauptsächlich durch ihre abführenden Eigenschaften, vermindern also die Resorption der Nahrungsmittel durch Hervorrufung diarrhöischer Stühle und sind also in letzter Linie quantitativ ungenaue Diätkuren. Trotzdem wirken sie häufig nützlich, schon durch Beseitigung der Komplikationen wie Leberkongestion, Obstipation usw.

Bei der erwähnten konstitutionellen Fettsucht kann die herabgesetzte Oxydationsenergie der Zellen durch Zufuhr von Schilddrüsenpräparaten bekämpft werden. Diese Fälle sind meist erst durch das Versagen der üblichen Entfettungskur erkennbar. Man gibt dann wochen- und monatelang etwa 3 mal täglich 0,3 g Schilddrüsentabletten, unter gleichzeitiger großer Eiweißdarreichung, 180 g und sorgfältiger Beobachtung (Glykosurie, kardiovaskuläre Störungen). Die Diät braucht dabei nicht erheblich eingeschränkt zu werden (Erhaltungskost). Über den Nutzen der Schilddrüsendarreichung bei gewöhnlicher Fettleibigkeit sind die Ansichten sehr geteilt. Zu berücksichtigen ist, daß die Vielesserei durch Schilddrüsentabletten nicht in ihrer Wirkung überkompensiert werden kann.

Therapie. Zunächst ist die Frage zu beantworten, welche Fälle von Fettleibigkeit sind zu entfetten? Da bei Fortbestehen oder Weiterentwicklung hochgradiger Fettleibigkeit dem Individuum zahlreiche Gefahren drohen, so ist jeder höhere Grad von Fettleibigkeit zu behandeln, falls keine Kontraindikation besteht. Wenn das Körpergewicht nur 5 bis 15 Kilo über dem Normalen beträgt, bei geringen Graden von Fettleibigkeit, ist ohne weiteres keine Entfettung geboten. Die Prophylaxe, d. h. die Vermeidung weiterer Fettanhäufung genügt. Fühlen sich derartige, sonst gesunde Individuen in der Ausübung ihres Berufes oder aus Schönheitsgründen bemüßigt, ihr Fett loszuwerden, so ist die ganz allmähliche Entfettung geboten. Bei Personen über 60 Jahre ist davon abzuraten. Bei Kindern ist Vorsicht am Platze.

Bei komplizierenden Krankheiten (Zirkulationsorgane, Emphysem, Bronchitis usw.) kurz, bei der relativen Fettleibigkeit, ist die Indikation weiterzustellen. Auch hier mahnt das Alter zur Vorsicht. Besondere Vorsicht ist geboten bei der Fettleibigkeit Tuberkulöser, sei es, daß sie von Natur aus bestand, sei es, daß sie künstlich, wie dies nicht zu selten vorkommt, angemästet wurde. Entfettung wird hier meist schlecht vertragen. Das Gleiche gilt für die Schrumpfniere, bei der die Gefahren von seiten der Zirkulationsorgane andererseits eine relative Indikation für die Entfettung abgeben. Schnelle Entfettung kann nach von N o o r d e n zur Schrumpfniere führen. Bei Hysterie und Neurasthenie ist große Vorsicht am Platze. Bei verschiedenen Neuralgien hingegen, chronischen Gelenkaffektionen wird durch rationelle Entfettung häufig eine vorher unerreichbare Heilung erzielt.

Mastkuren.

Die verschiedensten Ursachen können zur Vermehrung des Körperbestandes eine Mast erstreben lassen. Eine Unterernährung kann die Folge akuter oder chronischer Infektionen sein; unter letzteren sind besonders Tuberkulose, Malaria, Lues zu nennen. Sie kommt bei Neurosen vor (chronische Dyspepsie), bei denen eine Mast auch ohne Unterernährung häufig heilsam wirkt. Die Unterernährung kann endlich die Folge einer pathologisch gesteigerten Oxydationsenergie sein (Morbus Basedowii).

Eine Mast wird bewirkt durch Erhöhung der Nahrungszufuhr und Verminderung der Ausgaben; sie kommt zustande durch die relativ leicht zu bewerkstelligende Zunahme des Fettgewebes durch Kohlehydrate und Fette, s. S. 301). Eine nennenswerte Eiweißmast erfolgt nur in der Rekonvaleszenz, wenn eine direkte Eiweißretention stattfindet. Die durch Muskelarbeit zu erzielende Eiweißretention kommt an sich für die Mastkur (Einschränkung des Verbrauches) nicht in Frage. Praktisch ist demnach eine Eiweißmast nicht möglich. Nur insoweit, als ein gewaltiger Kalorienüberschuß an vorwiegend N-freiem Material eine gewisse Eiweißersparnis bewirkt, kann von einer geringen Eiweißanreicherung bei der Mastkur die Rede sein. Große Eiweißzufuhr steigert den Eiweißumsatz, ist also bei einer Mastkur irrationell. Als gleichwertig mit der Überernährung durch Fette und Kohlehydrate ist für die Mast die Einschränkung des Verbrauches.

Dies war bereits Weir-Mitchell bekannt, der die ersten systematischen Mastkuren bei Hysterischen einführte, und der sie in vollkommener Abgeschiedenheit und bei vollkommener Bettruhe überernährte. In Fällen schwerer Unterernährung läßt man also die Kranken gleichzeitig in möglichster Ruhe verharren. Bei zunehmender Besserung, also je nach dem Fall nach 8 oder 14 oder 20 Tagen, beginnt man mit allmählicher Muskelarbeit, wobei dann zwar die Mast vermindert, dafür aber der Eiweißansatz erhöht und die Leistungsfähigkeit des Organismus gesteigert wird.

Die Kunst der Überernährung besteht nun nicht nur in einer beliebig über die Erhaltungskost zu erhöhenden Nahrungszufuhr (500—2000 Kalorien über den Bedarf), was aus der Nahrungstabelle mit Leichtigkeit zu berechnen ist; die Form und die Art der Darreichung spielen bei der praktischen Durchführung der Mastkur mindestens eine ebenso bedeutsame Rolle. Folgendes Paradigma sei angeführt:

8 Uhr: 1 Tasse Tee, 2 Eßlöffel Rahm, 4 Zwieback (kleine) mit viel Butter.

9 Uhr: schottische Hafergrütze mit Sahne, Butter, Milch, 1 Eßlöffel Roborat, dick gekocht. 1½ Scheibe Simonsbrot mit Butter. 1 rohes Ei.

½12 Uhr: Griesbrei mit Milch, Rahm, Butter, 1 dünne Scheibe gekochten Schinken, 1½ Scheiben Simonsbrot mit dick Butter, 2 rohe Eier, 1 kleines Glas Münchener Bier.

2 Uhr: Mittag: 1 halbes Täubchen, 6 Eßlöffel Kartoffelpüree mit Rahm und Butter verrührt, frische Spargelköpfe in Butter geschwenkt, Apfelkompott, 1 Tomate roh.

9 Uhr: schottische Hafergrütze mit Sahne, Butter, Milch, 1 Eßlöffel Roborat, 1 Eigelb, 4 kleine Zwieback.

8 Uhr: schottische Hafergrütze mit Milch, Butter, 2 rohe Eier, ½ Taube kalt, 1½ Scheibe Simonsbrot mit Butter.

Verbrauch: 200 g Butter, ¾ l Rahm, 1 l Milch, 5 ganze Eier, 1 Eigelb, 2 Eßlöffel Roborat.

Register.

WELLCOME LIBRARY